Michael Robotham

# Bruderherz



GOLDMANN

Michael Robotham

# Bruderherz

Thriller

*Aus dem Englischen*
*von Kristian Lutze*

GOLDMANN

Die Originalausgabe erschien 2026 unter dem Titel
*Tell Me Something True* bei Sphere, einem Imprint der Little,
Brown Book Group, London.



1. Auflage
Deutsche Erstveröffentlichung September 2026


Redaktion: Ann-Catherine Geuder
Umschlaggestaltung: UNO Werbeagentur, München
Umschlagmotiv: Greg Brave/Getty Images; Arcin Perkowski,
Golam Rob/Shutterstock
KN · Herstellung: ik
Satz: Uhl + Massopust, Aalen
Druck: GGP Media GmbH, Pößneck
Printed in Germany
ISBN: 978-3-442-30266-6

www.goldmann-verlag.de

*Für alle, die in der untersten Schublade*
*ein Manuskript liegen haben.*

# Prolog

In den Jahren seit jenem Tag haben die Menschen Geschichten darüber erzählt, wie weit Luke sie getragen hat. Manche sagten, es seien zwei Kilometer gewesen. Eher vier, meinten andere. Einige wenige machten die Strecke noch länger, ohne sich durch Fakten oder eine präzise Landkarte von dieser Wahrheit abbringen zu lassen.

Das Wetter ist unstreitig. Es schüttete wie aus Eimern, Schauer fegten über das Gemeindeland, ließen die Welt verschwimmen und Rohre, Abflüsse und Bäche volllaufen, die alle in den Fluss mündeten, der stündlich weiter anschwoll und zu einer reißenden schlammbraunen Flut wurde. Um Mitternacht trat der Murrumbidgee über die Ufer, spülte den Tatort fort und begrub eine weitere Schicht von Geschichte unter Schlick und Schutt.

Luke begann seinen Marsch bei den Pferdeställen am östlichen Rand des Ausstellungsgeländes für Landwirtschaftsmessen, dem Yulara Showground. Er ging um den Reitplatz und weiter vorbei an den Stallungen, den Koppeln zur Präsentation der Nutztiere und dem überdachten Pavillon. Er folgte dem asphaltierten Streifen über die Flussebene, vorbei an dem Mahnmal für die Flut, den Springreithindernissen und der Ruine des alten Schulgebäudes.

Er hielt sie in seinen ausgestreckten Armen wie eine Braut, die in der Hochzeitsnacht über die Schwelle getragen wird. Ihr Kopf lag an seiner Brust, ihr Gesicht war nach oben gewandt, die Augen offen, der Blick starr, und der Himmel weinte.

Einige Zeugen erinnerten sich, dass ihr dunkles Haar in Rattenschwänzchen auf ihre Wangen und ihren Hals fiel, dass ihr Kleid blutig und zerrissen war und eine Sandale an ihrem Knöchel baumelte, dem rechten oder dem linken, je nachdem, wen man fragte. Schnappschussartige Erinnerungen, entwickelt in der Dunkelkammer ihrer Köpfe. Veränderlich. Unverlässlich. Und mit der Zeit blasser.

Städte tauchen nicht aus dem Nichts in der Landschaft auf. Es bedarf einer Quelle, eines Fluss- oder Seehafens, einer Goldader. Yulara hatte als Flussquerung auf der Great Southern Road von Sydney nach Melbourne angefangen. Pläne, aus dem Ort einen Hafen zu machen, wurden jedoch wieder aufgegeben, als sich herausstellte, dass Dampfschiffe diesen Abschnitt des Flusses wegen der Untiefen und unberechenbarer Pegelstände nur mühsam oder gar nicht befahren konnten. Stattdessen wurde der Ort eine Zwischenstation auf einer langen Reise von irgendwo nach irgendwo anders.

Die erste Siedlung wurde in der Flussebene erbaut, trotz der Warnungen der Wiradjuri, deren Name für den Murrumbidgee River so viel bedeutet wie »großes Wasser«. Als 1852 die Flut kam, spülte sie die Stadt mit sich fort und tötete mindestens neunundachtzig Menschen. Fünfunddreißig von ihnen Kinder, das jüngste erst drei Wochen alt.

Luke unterquerte die alte Holzbrücke und das Eisenbahnviadukt. An der Straßenabzweigung, wo sich Pappeln im peitschenden Wind und Regen bogen, ging er rechts. Bei dem Wetter waren nicht viele Autos unterwegs, doch einige kamen auf dem Morley Drive und der Hornby Street an ihm vorbei. Wegen eines verstopften Abflusses hatte sich eine große Pfütze gebildet, und Wasser spritzte im hohen Bogen über Luke hinweg oder direkt in sein Gesicht, doch er blinzelte nur und marschierte weiter.

Er überquerte die Brücke über den Morley Creek und begann den langsamen Anstieg in Richtung Stadt. Er stemmte sich gegen den Hang, schlurfte und schwankte, als er unter der Last allmählich zu schwächeln begann. Kurz vor der Bassett Street fiel er zum ersten Mal. Seine Beine gaben nach, und er kippte nach vorn, wollte jedoch um jeden Preis verhindern, dass ihr Körper den Boden berührte. Im allerletzten Augenblick warf er den Kopf nach hinten, verdrehte das Rückgrat, um auf der Schulter zu landen, und rollte sich über den Rücken ab, während er sie weiter fest an seine Brust gedrückt hielt.

Er rappelte sich auf die Knie, dann auf die Füße und stemmte sich hoch. Er taumelte, verlagerte ihr Gewicht in seinen Armen, hob die Knie und schlurfte Schritt für Schritt weiter. Ich habe mich manchmal gefragt, ob er je am Sinn seines Marsches gezweifelt hat, ob er versucht war, sich dem tiefen Elend des Augenblicks zu ergeben, während der Regen immer heftiger wurde, als wollte er Luke vom Antlitz der Erde spülen und forttragen wie einen entwurzelten Baum. Vielleicht hat er sich die Strecke in kleine Abschnitte unterteilt. Noch fünf Schritte, dann noch mal fünf und noch mal fünf.

Er stieg langsam den Hügel hinauf, eine einsame Gestalt, die ihre gescheiterten Träume mit sich schleppte. Er ließ die Schultern sacken, und es sah aus, als würde er weinen, aber das könnte auch der Regen gewesen sein.

Gegenüber dem Postamt fiel Luke ein zweites Mal. Er landete auf den Knien und Ellbogen, verhinderte jedoch wieder, dass ihr Körper den Boden berührte.

Eine Menschenmenge hatte sich versammelt, doch niemand schritt ein, bot seine Hilfe an oder fragte ihn, was er machte. Vielleicht waren sie eingeschüchtert von seiner Größe. Vielleicht warteten sie, dass ein anderer vortrat. *Warum ich, wenn auch du es tun könntest? Ich kann keinen Ärger brauchen. Das ist nicht meine Sache.*

Luke schob eine Hand unter ihren Kopf und den Arm unter ihre Hüfte. Er versuchte aufzustehen, doch seine Beine versagten den Dienst. Er brüllte vor Schmerz, Frustration oder Wut, richtete sich dann, die Beine gespreizt, die Füße auf den Boden gestemmt, doch langsam auf und rückte ihren Körper in seinen Armen zurecht.

Ein Stöhnen entwich ihm bei jedem Schritt, als er die Straße überquerte. Der Verkehr kam in beiden Richtungen zum Stehen. Niemand hupte oder blendete ungeduldig auf. Alle – Autofahrer, Fußgänger, Einkaufende und Ladenbesitzer – starrten wie gebannt auf diese groteske Prozession.

Luke erreichte die steinerne Treppe der St. Patrick's Church und erklomm sie, langsam, Stufe für Stufe, als würde er die Festigkeit jeder einzelnen prüfen. Die Menge folgte ihm schweigend, vielleicht, um ihn vorwärtszutreiben, vielleicht, um ihn scheitern zu sehen, oder weil sie wissen wollte, wie die Geschichte endete.

Vor dem Hauptportal der Kirche fiel er ein drittes Mal. Auf Händen und Knien Galle spuckend beugte er sich über ihren Körper und wiederholte immer wieder schluchzend, wie den Vers eines Psalms, dass es ihm leidtue. Und wie durch Zauberhand gingen in diesem Moment die Türen auf. Ein gläubiger Mensch würde vielleicht sagen, Gott habe eingegriffen, aber wenn das stimmt, warum dann nicht früher? Warum hatte er sie nicht am Leben gehalten?

Luke mobilisierte eine verborgene Kraftreserve, rappelte sich erneut auf und trug sie in die Kirche. Erschöpft und auf mehr Arten gebrochen, als sich mit Worten ausdrücken lässt, folgte er dem Mittelgang zwischen den polierten Holzbänken.

Vorbei an dem Taufbecken, dem Kreuzweg und dem flackernden roten Licht des Tabernakels.

Schließlich erreichte er den Altar, wo er ihren durchnässten Körper auf die oberste Stufe legte, ihre Arme an ihren Körper drückte und ihr die Haarsträhnen aus den Augen strich. Dann sank er auf die Knie und betete für ein Wunder. Dies war seine Kirche. Sein Haus. Sein Opfer.

# Zwölf Jahre später

## April

# 1

Der größte Fehler, den ein Mann im Gefängnis machen kann, ist, zu glauben, sein Leben hätte irgendeinen Wert. Ich bin eine Nummer, kein Name. Ich bin ein Fussel im Bauchnabel Gottes. Schuppen in der Mähne des Teufels. Ich bin ein Pickel am Hintern eines Fettwansts. Ich bin die Antwort auf eine Frage, die niemand je stellen wird.

»Wie fühlt es sich an, Arlo?«

»Was?«

»Rauszukommen.«

»Okay, nehme ich an.«

Dr. Weatherby legt die Fingerkuppen zusammen und presst ihre rot lackierten Nägel gegeneinander. »Sind Sie nervös?«

»Nein.«

»Aufgeregt?«

»Nein.«

Meine Gefängnispsychologin ist Mitte fünfzig mit kurzem grauem Haar, das zu einer Topffrisur geschnitten ist. Ich bin sicher, der Schnitt heißt anders; vielleicht ist er sogar modisch und der letzte Schrei in den Hochglanzmagazinen, die an diesem Ort eine Währung sind und gehandelt werden wie Kaugummi oder Zigaretten.

Ich weiß nicht, ob Dr. Weatherby verheiratet oder Single ist, lesbisch oder hetero. Ihr Büro liefert keinerlei Hinweise. Es gibt keine Fotos, Poster oder Andenken auf ihrem Schreibtisch, abgesehen von einem unförmigen und in den Primärfarben bemalten Becher aus Ton voller Stifte.

Sie war eine gute Therapeutin. Nicht wie die erste, die mir die ganze Zeit unheimliche Fragen über meine Fantasien gestellt hat und wissen wollte, ob ich es lustvoll finde zu kacken. Dr. Weatherby sagt nicht viel. Ihr ist es lieber, wenn ich rede, was zum Problem werden kann, weil ich ziemlich wortkarg bin. Manchmal ist mein Schweigen geradezu legendär. Wir sind imstande, uns eine ganze Sitzung, fünfzig Minuten lang, anzustarren. Es ist wie ein Wettkampf, wer zuerst blinzelt. Und wenn ich irgendwann anfange zu sprechen, habe ich das Gefühl, ihr einen Gefallen zu tun, indem ich ihr etwas erzähle.

Unter ihren Ellbogen liegt eine Akte. Eine Mappe mit der Aufschrift: *AH8624*. Sie klappt sie auf und liest.

»Sie haben sich gut bewährt, Arlo. Sie haben hart gearbeitet. Keinerlei Probleme bereitet.«

»Ein Vorzeige-Häftling«, sage ich, bemüht, meinen Zynismus zu kaschieren.

Ein grimmiges Lächeln. Sie bohrt weiter. »Sie haben sich der Beihilfe zu einer Vergewaltigung und einem Mord schuldig bekannt.«

»Ja.«

»Zur Beihilfe nach der Tat?«, fügt sie hinzu und macht eine Frage daraus.

»Ich hätte es verhindern müssen.«

»Wer hat das Verbrechen begangen?«

»Mein Bruder.«

»Wo ist er jetzt?«

»Tot.«

Ihr Blick trübt sich kurz, bevor sie fortfährt. »Außerdem haben Sie Beihilfe zur Flucht geleistet und einen Polizisten schwer verletzt.«

»Danke für die Geschichtsstunde.«

Mein Sarkasmus berührt sie nicht.

»Akzeptanz und Reue sind wichtige Schritte bei Ihrer Rehabilitation, Arlo. Bereuen Sie, was Sie getan haben?«

»Jawohl, Ma'am.«

»Sie haben hier drin eine Menge Leute beeindruckt. Sie haben anderen geholfen. Sie haben sich erhoben …«

*Worüber erhoben*, frage ich mich.

»Ich frage mich nur, ob Sie bereit sind für das, was Sie draußen erwartet. Einige auf Bewährung entlassene Häftlinge haben Mühe, sich anzupassen. Sie finden das Leben in Freiheit beängstigend. Manche leiden unter Depressionen und Schlaflosigkeit. Manchen fällt es schwer, eine Arbeit zu finden oder die Teile ihres früheren Lebens aufzusammeln. Manche bekommen Sehnsucht nach der Alltagsroutine in der Haft. Ein Dach über dem Kopf. Drei warme Mahlzeiten.«

»Das wird mir nicht passieren.«

»Ein Ort wie dieser entkoppelt die Menschen von der Gesellschaft.«

»Ich dachte, das wäre der Zweck.«

»Verzeihung?«

»Uns wegzusperren. Uns abzusondern.«

Sie guckt traurig. »Ich mache mir Sorgen, dass Ihre sozialen Fähigkeiten während Ihrer Zeit hier abgestumpft sind.«

»Inwiefern?«

»Sie haben kaum Freunde gefunden.«

»Dieser Ort ist voll mit Menschen, die ihre Freunde umbringen.«

Sie runzelt die Stirn. »Wohin werden Sie gehen?«

»Nach Hause.«

»Ist dort nicht das Mädchen gestorben?«

Ich nicke.

»Sie werden nicht willkommen sein. Kleinstädte können nachtragend sein.«

»Ich möchte meine Mum sehen.«

»Und danach?«

»Das habe ich noch nicht entschieden.«

Ihr Telefon klingelt. Sie wirkt verärgert, nimmt jedoch ab. Hört zu. Legt wieder auf. Entschuldigt sich.

»Sie sind schon die dritte Person, die sich heute bei mir entschuldigt«, sage ich.

»Wer waren die anderen?«

»Mein Zellengenosse hat sich für sein Schnarchen entschuldigt und Buckets Hersey dafür, dass er mir Handschellen angelegt hat, als er mich hergebracht hat.«

Buckets ist ein Gefängniswärter – einer der netteren. Die meisten sind Sadisten, die Freude daran haben, elende, verkorkste Leben noch elender und verkorkster zu machen.

»Wo sehen Sie sich heute in einem Jahr?«, fragt Dr. Weatherby.

»Darüber habe ich nicht nachgedacht.«

»Und in einem Monat?«

Ich zucke die Achseln.

»Haben Sie Geld?«

»Ein bisschen.«

»Was ist mit Kleidung?«

»Nur die Sachen, die ich bei meiner Ankunft dabeihatte.«

»Passen die noch?«

»Ich habe ein wenig abgenommen.«

»Ich werde veranlassen, dass man Ihnen ein paar gebrauchte Klamotten in die Zelle bringt. Wir haben hier eine Kleiderkammer. Morgen erhalten Sie einen Reisegutschein für die Heimfahrt. Er sollte die Kosten für den Zug oder den Bus abdecken.«

Sie gibt mir einen Packen Formulare – Anträge für eine Krankenversicherungskarte und Arbeitslosenunterstützung.

abgeschnürt. Man sah es ihm nicht an, es sei denn, man bemerkte die Vertiefungen an seinen Schläfen. Luke hatte eins dieser Gesichter wie aus der Fernsehwerbung – ein kleiner Junge mit großen Augen und Sommersprossen, der den Leuten erklärte, dass er das Weet-Bix-Kid war.

»Pass auf deinen Bruder auf«, schärfte meine Mum mir ein. »Er ist anders als alle anderen.«

»Was meinst du mit anders?«

»Einen Schritt hintendran.«

Jeden Sonntag gingen wir in St. Patrick's zur Messe. Luke und ich in unserer Sonntagskleidung, das Haar ordentlich gegelt, das Gesicht mit von Spucke befeuchteten Taschentüchern gesäubert, die sich anfühlten wie Schmirgelpapier.

Wir saßen bei der Messe immer in derselben Bank auf der linken Seite der Kirche, vor der Statue unserer lieben Frau vom Heiligen Herzen, der Jungfrau Maria. Ich kannte diese Statue besser als mein eigenes Gesicht; wir hatten beide den gleichen gelangweilten und gleichgültigen Ausdruck, während Pater Martell über Demut und Vergebung predigte.

Als ich in die Pubertät kam, stellte ich mir vor, wie Maria wohl unter der weißen Robe aus Gips aussah. Sie hatte offensichtlich einen fülligen Busen, doch der Rest war ziemlich unscheinbar. War es frevelhaft, sich ihren Körper nackt auszumalen? Wahrscheinlich. Aber ich war vierzehn und voller überschüssiger Energie, »zu viel Kraft und zu wenig Grips«, wie Angus immer meinte. Nicht, dass er je zur Messe gegangen wäre, außer Ostersonntag und Heiligabend.

In St. Patrick's gab es zwei Priester. Pater Martell war der ältere; er hatte einen grau melierten Schopf, ein faltiges Gesicht und einen vollen Bariton, der jeden Winkel der Kirche füllte, wenn er beim Chorgesang mit einstimmte. Pater Corday war jünger und hatte ein näselndes Falsett, dem die

Puste ausging, bevor es die hinteren Reihen erreichte. Sein unnatürlich dunkles Haar betonte seine Blässe noch, und seine Zähne sahen aus wie von Vandalen umgetretene Grabsteine.

Es war ein Heiligabend, als Luke sich der Gemeinde bekannt machte. Er war vier Jahre alt und trug seinen feuerwehrroten Schlafanzug zur Mitternachtsmesse. Er war noch nicht alt genug, um die Weihnachtsgeschichte zu begreifen, doch er mochte den Teil mit den muhenden Kühen und den Hirten, die nachts ihre Herde hüteten. Außerdem wusste er, dass jemand Geburtstag hatte, und das bedeutete, dass es Kuchen, Limonade und Geschenke gab.

Am Eingang wurde Angus verpflichtet, die Kollekte einzusammeln, was ihn ärgerte, weil die üblichen Sammler immer bis zum letzten Moment warteten, bevor sie, mit ihrer Ausbeute schon auf dem Weg zum Altar, mit einem Fünf-Dollar-Schein wedelten, darauf bedacht, dass auch jeder ihre Großzügigkeit bemerkte. Und Angus fühlte sich verpflichtet, das Gleiche zu tun, anstatt bloß sein restliches Kleingeld in den Klingelbeutel zu werfen.

Während er die zweite Kollekte einsammelte und Mrs Offmech am Klavier »Hört der Engel Freud« verhunzte, rutschte Luke von Mums Schoß und krabbelte, Wollmäuse an den Knien sammelnd, unbemerkt Richtung Altar.

Als er die erste Reihe erreichte, richtete er sich auf und tappte unsicher die Marmorstufen hinauf. Zunächst war er über die Lehnen der Bänke hinweg kaum auszumachen, doch je höher er stieg, desto mehr von ihm wurde sichtbar.

Pater Martell hatte gerade den Abendmahlskelch angesetzt, als er Luke über den glänzenden silbernen Rand hinweg entdeckte. Verunsichert ließ er den Kelch wieder sinken, als wäre der kleine Junge in dem feuerwehrroten Schlafanzug der Überbringer einer heiligen Weisung, ein Bote Gottes am Weihnachtsabend.

Mrs Offmech spielte die letzten Töne, die Mitglieder der Gemeinde blickten von ihren Liedzetteln auf und sahen Luke vor dem Altar stehen. Er hatte die Kerzen entdeckt, was nur eins bedeuten konnte – es war Zeit, »Happy Birthday« zu singen.

Es war ein schöner Vortrag, obwohl Luke entschied, dass es nicht das neugeborene Jesuskind war, das Geburtstag hatte, sondern der Weihnachtsmann. Als er die zweite Strophe begann, stimmte die gesamte Gemeinde mit ein; das anschließende Auspusten der Kerzen verlieh dem Moment etwas wahrhaft Theatralisches und löste Jubel und ein großes Hurra aus.

Hinterher versuchte Mum, sich durch die Seitentür von St. Patrick's zu verdrücken, doch sie wurde von Menschen umringt, die sich drängelten, um Luke nahe zu sein. Sie nannten ihn einen »kleinen Engel« und ein »Weihnachtsgeschenk«. Er schlief mittlerweile fest in Mums Armen, doch die Leute wollten unbedingt seine Füße in den Socken kneifen oder ihm eine Haarsträhne aus dem Gesicht streichen. Angus sah aus, als wäre er bereit, Zigarren zu verteilen.

»Du bist bestimmt mächtig stolz auf deinen kleinen Bruder«, sagte eine Frau.

Stolz? Ich war voller Ehrfurcht. Wenn ich einen derartigen Auftritt hingelegt hätte, hätte ich eine Tracht Prügel von hier bis Ostern kassiert, aber nicht Luke. In diesem Moment begriff ich, dass es keine Rolle spielen würde, ob ich zu einem Martin Luther King oder Heiligen Franz von Assisi heranwachsen würde: Luke würde immer »der Liebe« sein und ich »mehr wie Angus«.

# 2

Am nächsten Morgen trete ich um kurz vor neun durch ein Tor in helles Sonnenlicht. Ich trage einen kleinen braunen Koffer, der mich an das Köfferchen erinnert, das ich als Kind als Schulranzen hatte, mit abgerundeten Plastikecken und billigen Schnappschlössern.

Mitte April. Karfreitag. Herbst liegt in der Luft. In Sydney wird es nie kalt. Es gibt zu viel Teer und Beton, die die Hitze speichern. Ich gehe über die Anzac Parade, warte an einer Bushaltestelle und blicke in den Himmel, fasziniert von dem Blau und den weißen Wolkentupfern, die in dem Jetstream gleiten.

Ein Bus hat gehalten. Der Fahrer ruft: »Wollen Sie einsteigen oder sich am Arsch kratzen?«

Ich murmele eine Entschuldigung, setze mich auf den Sitz hinter ihm und halte den Koffer auf meinem Schoß fest. Außer mir gibt es drei weitere Fahrgäste, zwei ältere Frauen und einen Teenager mit Kapuze und Kopfhörern.

Ich starre aus dem Fenster und betrachte die Menschen in den vorbeifahrenden Autos, die mir neuer und größer vorkommen, als ich sie in Erinnerung habe. An einer Ampel blicke ich auf einen Geländewagen hinunter. Das Mädchen auf dem Beifahrersitz hat ihre nackten Füße auf das Armaturenbrett gestellt. Sie lächelt mich an. Weiße Zähne. Blasse Haut. Ich wende den Blick ab, verlegen, dass sie mich beim Starren ertappt hat.

Als wir uns der Stadt nähern, sehe ich die Türme aus Beton

und Glas, in deren Fassaden sich die Sonne spiegelt. Millionen von Menschen arbeiten dort, einer neben dem anderen, Stockwerk auf Stockwerk. Sie steigen höher, werden reicher, bringen ihre Schäfchen ins Trockene. Welche Schäfchen? Welches Trockene? Ich frage mich, was sie alle machen. Schafft einer Arbeit für den anderen, wie ein endloses menschliches Fließband, eine Schlange, die sich in den eigenen Schwanz beißt?

In der Central Station wimmelt es von Reisenden und Familien, die in die Osterferien aufbrechen. Ich folge den Schildern zum Ticketschalter und frage nach Zügen oder Bussen nach Yulara.

»Da nehmen Sie am besten den Bus«, sagt eine Frau, deren Brüste bis zu ihrem Bauch zu reichen scheinen. »Der nächste fährt um zwei.«

Ich kaufe ein Ticket und mit dem Wechselgeld Kaugummi aus dem Automaten. Ich muss drei Stunden warten. Ich mache einen Ausflug in die Herrentoilette, betrachte mich im Spiegel und starre diese ältere Version von mir mit grau melierten Schläfen und Falten um die Augen an. Ich lasse das Wasser laufen, bis es schön kalt ist, spritze es mir ins Gesicht und in den Nacken und werfe schnaubend den Kopf hin und her wie ein Hund.

Ich suche mir einen Platz auf einer Bank, klemme den Koffer zwischen die Knie und beobachte das Kommen und Gehen der Leute. Touristen und Durchreisende, Obdachlose und Erschöpfte. Ein Mann mit wildem Bart setzt sich neben mich. Er trägt einen billigen Anzug und sieht aus, als hätte er unbequem geschlafen.

»Haben Sie ein bisschen Geld für mich?«, fragt er zwischen vergilbten Zähnen.

»Wofür brauchen Sie es?«

»Für Essen.«

Ich gebe ihm zwei Dollar. Er wirkt nicht besonders beeindruckt.

Zwei Backpacker, ein Junge und ein Mädchen, schlafen auf dem Boden, die Köpfe auf ihrem Rucksack. Ein älteres Paar bietet mir einen selbst gebackenen Keks aus einer Blechdose an. Ich räume meinen Platz für eine schwangere Frau mit einem Kleinkind in einem Buggy.

Jemand hat eine Zeitschrift auf der Bank liegen lassen. *Woman's Day*. Auf dem Cover ist ein Foto von Prinzessin Diana. Ich dachte, sie wäre gestorben. Die anderen Storys handeln von Promis, die heiraten, sich scheiden lassen oder ein Baby bekommen.

Ich ziehe eine Zeitung aus einem Papierkorb. Eine Fluglinie steht kurz vor dem Bankrott. Bei einem Massengedränge in Südafrika sind dreiundvierzig Menschen ums Leben gekommen. In Goulburn wurde ein Neunjähriger auf dem Grundstück seiner Familie versehentlich erschossen. Ich komme mir vor wie ein Tiefseetaucher, der nach zwölf Jahren auf dem Meeresboden an die Oberfläche zurückkehrt und eine Welt vorfindet, in der sich nichts und alles verändert hat.

Um zehn vor zwei steige ich in den Bus, gehe bis nach hinten durch und verstaue den Koffer in der Ablage über meinem Kopf. Der Fahrer wollte ihn in den Kofferraum laden, doch ich möchte meine wenigen irdischen Besitztümer im Blick behalten.

Andere Passagiere nehmen ihre Plätze ein und machen es sich für die Fahrt bequem. Die meisten haben sich etwas zu essen und zu trinken mitgebracht. Das hätte ich auch tun sollen. Die schwangere Frau sitzt auf dem Platz vor mir. Ihr kleiner Junge späht durch die Lücke zwischen den Sitzen nach hinten. Ich lächle. Er lächelt. Das ist besser als essen.

Bis zu den Außenbezirken von Sydney dauert es eine Stunde. Hier ist der Motorway von neueren Vorstadtsiedlungen mit identischen Häusern und Straßen ohne Bäume gesäumt. Laut einem Schild beträgt die Entfernung bis Melbourne achthundert Kilometer. Ich rechne im Kopf automatisch um. Fünfhundert Meilen.

Yulara liegt auf halber Strecke, hinter Goulburn und Yass, aufgereiht wie Perlen an der Schnur des Hume Highway. Ich döse ein, sodass meine Stirn einen Schweißabdruck auf der Scheibe hinterlässt. Hin und wieder öffne ich die Augen und sehe rote Wasserrinnen aus Lehm, erodierte Hügel und hellbraunes Buschland. Im Laufe der Fahrt wird die Welt immer flacher und öffnet sich zu bewässerten Weizen-, Gerste- und Rapsfeldern.

Ein verblichenes Schild mit Werbung für Restaurants, Tankstellen und Unterkünfte begrüßt die Besucher im Yulara District. Der Bus verlässt den Highway. Wir überqueren eine letzte Hügelkuppe, dann liegen im Tal die Lichter der Stadt in einem wahllosen Gitter von Häusern und Straßen ausgebreitet; es verliert sich in der Dunkelheit, wo die Ebene des Flusses mit der trägen braunen Schlange des Murrumbidgee beginnt.

Der Bus setzt mich vor der öffentlichen Bücherei ab, gegenüber vom District Services Club. Die Tür öffnet und schließt sich mit einem Zischen. Ich bin der Einzige, der aussteigt. Als der Bus weiterfährt, winke ich der schwangeren Frau und ihrem kleinen Jungen.

Die Elizabeth Street ist menschenleer bis auf zwei Teenager, die mit Skateboards über eine provisorische Rampe springen. Sie hatten mit den Fingern *Wash me* auf das verstaubte Heckfenster geschrieben und zugesehen, wie der Bus abgefahren war.

Yulara gilt als historische Provinzstadt, viele Originalbauwerke sind erhalten. Das Gerichtsgebäude und das alte Gefängnis stammen noch aus den Tagen des Goldrauschs, als ein italienischer Landvermesser bei Spring Flat ein Goldnugget fand und die Stadt von sechshundert Einwohnern auf fünftausend anwuchs. Der Boom hielt nur acht Jahre an und hinterließ die umliegenden Hügel von Schächten und roten Erdhaufen vernarbt zurück, die mehr Hoffnungen zerstört als Männer reich gemacht haben.

Ich nehme meinen Koffer und gehe die Elizabeth Street hinunter, vorbei an der Tankstelle, einem Motel und dem alten Kino, dem Yulara Theatre. Einige Läden sind neu, doch die meisten sind noch dieselben wie früher. Cloverleaf Elektrohandel. Harwoods Obst- und Gemüsemarkt. Col Camerons Barbershop. Col hat mir die Haare geschnitten, seit ich alt genug war, auf seinen Stuhl zu klettern, und mir jedes Mal die gleiche Frage gestellt: »Benötigt der junge Herr etwas fürs Wochenende?«

Die Männer, die darauf warteten, dass sie an die Reihe kamen, lachten dann immer. Später kapierte ich, dass Col Kondome meinte, deren Verkauf er stets mit einem Nicken und einem Zwinkern begleitete, während Ware und Geld diskret und fingerfertig die Hände wechselten.

Über der Tür von Doc McCabes Hausarztpraxis hängt ein neues Schild. Dr. Mei Ling Zhao. Eine Frau und Asiatin? Das ist fortschrittlich für eine Stadt wie Yulara.

Bertoli's Bakery ist unverändert, obwohl das Ladenschild einen neuen Anstrich gebrauchen könnte. Ich mache einen Schritt zurück, blicke zu den Fenstern im ersten Stock auf und erinnere mich an die Wohnung über der Bäckerei.

»Reizender Abend«, sagt ein Mann, der seinen Hund ausführt.

Ich will antworten, doch meine Stimme ist so eingerostet, dass ich nur ein Fiepen herausbringe. Der Jack Russell hebt sein Hinterbein an einem Laternenpfahl.

»Haben Sie sich verirrt?«, fragt die Frau des Mannes, die auf einem Elektromobil sitzt.

»Nein.«

Sie runzelt die Stirn. »Sind wir uns schon mal begegnet?«

»Ich glaube nicht.«

»Nun, einen schönen Abend wünsche ich.«

Ich warte, bis sie weg sind, bevor ich weiter über die Straßen meiner Kindheit laufe. Hier bin ich Fahrrad gefahren, habe Rasen gemäht und Mädchen umworben. Es wird schon spät, als ich in der All Saints Road ankomme. Ich zähle die Häuser ab, rufe mir die Namen der Familien in Erinnerung, die früher hier gewohnt haben – die Myers, die Reynolds, die Saunders, die Maloufs, die Bulgins, die Henneys.

Auf der Party zu Penny Henneys sechzehntem Geburtstag habe ich meine Unschuld verloren. Ich habe mit ihrer älteren Schwester Judy geschlafen, auf der Rückbank des gebrauchten Chrysler Gallant, den ihr Vater ihr geschenkt hatte, als sie einundzwanzig wurde. Ich war sechzehn. Ich weiß nicht, was aus Judy geworden ist, aber Penny hat studiert, einen Handelsbankier aus Hongkong geheiratet und ihren albernen, sich auf ihren Vornamen reimenden Nachnamen abgelegt.

An der letzten Laterne bleibe ich stehen. Das alte Schindelhaus sieht kleiner aus, als ich es in Erinnerung hatte. Weniger geliebt. Die Fenster sind schmutzig, an den Mauern sind rötliche Flecken von den verrosteten Fallrohren. Der Vorgarten ist überwuchert, aus der Klappe des Briefkastens quillt Post, darunter ein paar letzte Mahnungen mit rotem Rand. Einige Umschläge sind auf den Rasen gefallen und werden von Schnecken verzehrt. Ich erkenne meine Handschrift und den Poststempel des Gefängnisses. Meine letzten drei Briefe.

Ich klopfe. Niemand antwortet. An dem Fenster auf der Seite des Hauses lege ich die Stirn an die Scheibe und schirme die Augen mit der Hand ab, doch ich sehe nur mein Spiegelbild.

Als ich das letzte Mal mit meiner Mutter gesprochen habe, hat sie mir von ihren Kopfschmerzen erzählt. Sie hat schon immer unter Migräne gelitten, doch die Attacken würden schlimmer, sagte sie. Ich erklärte ihr, sie solle zum Arzt oder in ein Krankenhaus gehen, doch sie machte nur *Pfffttt* und warf mir vor, aus einer Mücke einen Elefanten zu machen. Wann war das? Vor zwei Monaten. Sie hat mich aus einer Telefonzelle beim Postamt angerufen, weil sie im Haus keinen Festnetzanschluss hat.

Stattdessen haben wir uns Briefe geschrieben. Seiten angefüllt mit banalen Details über das Wetter, die Priester und worüber sie am Sonntag gepredigt haben. Wann habe ich den letzten Brief meiner Mutter erhalten? Vor Wochen. Was, wenn sie tot ist? Jemand hätte es mir erzählt.

Ich überlege, in das Haus einzubrechen, doch das wäre kein guter Start in meine Bewährungszeit. Stattdessen gehe ich um das Haus herum zu dem von der Sonne ausgebleichten Holzschuppen, der schiefsteht wie ein Turm von Pisa für Arme. Ich bin nicht sicher, ob er während meiner Abwesenheit noch mehr Schlagseite bekommen hat.

Die Tür ist mit einem Riegel gesichert, doch das Holz ist so morsch, dass es zerbröselt, als ich an dem Griff ziehe. Staub und Dunkelheit schlagen mir entgegen. Eine mit Farbe bekleckste Plane bedeckt mein altes Auto, einen lindgrünen Kastenwagen mit Acht-Zylinder-Motor, Vierganggetriebe und dem auf die Hecktür gepinselten Schriftzug *Sandman*.

Die Reifen sind platt, und die Batterie ist nicht angeschlossen, doch ich steige ein, rolle mich auf der Ladefläche zusammen und decke mich mit meiner Jeansjacke zu.

Ich will mich nicht erinnern, doch die Erinnerungen sind wie Splitter, die sich in meinem Kopf verhaken und wehtun, wenn ich darauf drücke.

»Erzähl mir was, was wahr ist«, fordert Saxon mich auf.

»Zum Beispiel?«

»Irgendwas Interessantes. Irgendwas Überraschendes. Wenn du willst, fang ich an. Wusstest du, dass Mozart ein Furz-Tagebuch geführt hat?«

»Der Komponist?«

»Ja.«

»Woher weißt du das?«

»Ich weiß es einfach. Jetzt bist du dran.«

Ich überlegte eine Weile. »Die Menschen haben siebentausend Jahre lang Schafe gehalten, ehe sie auf die Idee kamen, ihre Wolle zu nutzen.«

Sie lachte. »Ooh, das gefällt mir. Wie wär's damit? Wenn du zu viele Rote Bete isst, werden dein Pipi und deine Kacke lila.«

»Das denkst du dir aus.«

»Ist mir selbst passiert.«

Sie legte die Hand auf ihr Herz.

# 3

Als Luke sieben war, bekam er eine Lungenentzündung. Fünf Tage lang dämmerte er erschöpft im Fieberwahn zwischen Schlaf und Wachsein, während meine Mum an seinem Krankenhausbett saß, seine Stirn abtupfte und betete, dass Gott sie an seiner Stelle nehmen sollte. Angus hörte auf zu trinken und ging freiwillig zur Messe, zündete eine Kerze an und gelobte, ein guter Mensch zu werden. Ich wurde jeden Tag zur Schule geschickt, wo Lukes Name im Morgengebet erwähnt wurde.

Wir waren mittlerweile in das Haus in der All Saints Road umgezogen, und ich hatte ein eigenes Zimmer. Als Luke wieder nach Hause kam, schlief Mum neben ihm. Ich hörte ihn in der Nacht husten, seine Brust rasselte, und sein Bettgestell klapperte. Er klang wie jemand, der von innen ertrank.

Jahre später, als ich zur Armee ging, entschuldigte Mum sich dafür, dass sie Luke mehr von sich gegeben hatte als mir. »Ich habe euch beide geliebt, aber du hast mich nicht so sehr gebraucht wie er«, sagte sie. »Sobald du laufen konntest, bist du losgestürmt, wolltest immer die Welt erkunden. Du warst ein Pionier. Luke war ein Siedler.«

Es dauerte zwei Monate, bis Luke zur Schule zurückkehrte, und noch mal zwei, ehe Mum ihm erlaubte, wieder schwimmen zu gehen und Fahrrad zu fahren. Die Zeit seiner Genesung verbrachte er hauptsächlich im Bett, umgeben von seinen Murmeln, seinen Legos und seiner Steinsammlung.

Er wiederholte das Schuljahr, weil er so weit zurückgefallen war. Daraus wurde ein Muster, weil ihm das Lesen und

Schreiben schwerfiel. Lukes Kopf konnte keine Zahlen und phonetischen Laute aufnehmen. Selbst die simpelsten Ideen waren ihm unbegreiflich, wenn sie nicht in alltäglichen Begriffen erklärt oder praktisch angewendet werden konnten.

Fragen stürzten auf Luke ein und umringten ihn wie lange verschollene Cousins aus Victoria. Warum klebt Klebstoff nicht im Inneren der Flasche? Wenn man etwas vergisst, wohin verschwindet es? Was sehen Blinde, wenn sie träumen?

Er stellte diese Fragen so oft, dass Mum verzweifelt erklärte: »Das weiß Gott allein!«

»Wirklich?«, fragte Luke.

»Er weiß alles«, sagte Mum.

Von da an glaubte Luke, Gott und die Bibel hätten alle Antworten.

# 4

Ich wache im Halbdunkel auf, durstig und mit verklebten Augen. Sonnenlicht fällt schräg durch die Wände des Schuppens, Staubpartikel schweben in der Stille. Ich krieche aus dem Wagen und schnüre mit vor Kälte tauben Fingern meine Schuhe.

Das Gras draußen ist von Tau bedeckt. Ich hinterlasse Fußabdrücke, als ich zu einem Hahn gehe und Wasser trinke, das ich mit meinen hohlen Händen schöpfe. Ich überlege erneut, in das Haus einzubrechen, doch ich darf nicht riskieren, gegen meine Bewährungsauflagen zu verstoßen.

Mein Magen knurrt. Seit ich das Gefängnis verlassen habe, habe ich nichts mehr gegessen. Ich beschließe, in die Stadt zu laufen und in einem Café zu frühstücken oder bei Bertoli's ein Teilchen zu kaufen. Ich lasse den Koffer im Schuppen stehen und folge dem Pfad neben dem Haus. Ein Pitbull-Terrier schießt durch den Nachbargarten und wirft sich mit seinem ganzen Gewicht gegen den Maschendrahtzaun. Der Zaun beult sich aus, der Hund wird zurückgeschleudert und versucht es erneut, nichts als blinde Wut und gefletschte Zähne.

Ein Gesicht taucht an der Hintertür auf. Ein Mann mit nacktem Oberkörper, einem Dschungel von Brusthaar und einer Wampe, die über den Bund seiner tief sitzenden Jeans quillt.

»Das ist Hausfriedensbruch«, brüllt er und blinzelt in die Morgensonne.

»Ich hab nichts gemacht.«

Ich verstaue die Briefe zusammen mit meiner Kleidung und dem Geld in meinem Koffer und schiebe ihn unter meine Pritsche. Startklar für den morgigen Tag lege ich mich hin, schließe die Augen und höre, wie Derek sich unter seinem Handtuch einen abrubbelt.

Zwölf Stunden. Eine Stunde für jedes Jahr, das ich an diesem Ort verbracht habe. Was ist da eine weitere Nacht? Ich nehme mir vor, nichts zu träumen, aber Luke kommt mir in die Quere.

Als mein Bruder geboren wurde, war ich fünf Jahre alt. An einem späten Nachmittag setzten bei Mum die Wehen ein, und Angus, mein Stiefvater, schickte mich nach unten zu Mr und Mrs Bertoli in die Bäckerei.

»Sag ihnen, deine Mum ist im Krankenhaus«, sagte er.

»Wann können wir sie besuchen?«

»Morgen.«

Angus ging in den Pub, um zu feiern. Am nächsten Morgen fand ich ihn im Tiefschlaf auf der Hintertreppe, den Hausschlüssel in der Hand.

Im Krankenhaus verliefen wir uns auf der Suche nach der Entbindungsstation zweimal, was Angus immerhin die Gelegenheit gab, Blumen aus einem anderen Zimmer zu klauen. Mum saß aufrecht im Bett, ihr Gesicht war verquollen, sie hatte dunkle Ringe unter den Augen, und ihr Haar war steif von getrocknetem Schweiß. Sie stieß Angus weg, als er versuchte, sie zu küssen, weil er nach Schnaps und Zigaretten roch. Dann sah sie mich am Ende des Bettes stehen und winkte mich zu sich. »Komm her, du.«

Ich hangelte mich am Laken ins Bett und kletterte in ihre Arme. Sie verzog das Gesicht, als ich sie zu fest drückte.

»Und wo ist er nun? Wo ist mein Junge?«, fragte Angus.

»Er schläft im Säuglingssaal.«

»Ich möchte ihn sehen. Ich möchte seine Ankunft begießen.« Er zog eine kleine Flasche Whisky aus der Jackentasche.

»Das darfst du hier drinnen nicht trinken.«

»Wer will mich verdammt noch mal daran hindern?«

»Das wäre wohl ich«, sagte eine Krankenschwester mit irischem Akzent, die beinahe so groß war wie Angus und doppelt so schwer. »Alkohol und Fluchen sind auf dieser Station nicht erlaubt.«

Angus sah sie trotzig an und trank einen Schluck. Er wollte die Flasche wieder zuschrauben, aber die Schwester riss sie ihm aus der Hand. Er versuchte sie zurückzubekommen, doch sie hielt die Flasche hinter ihren Rücken. Brüste an Brust, Auge in Auge standen sie sich gegenüber. Angus blinzelte als Erster. Er blickte zu Mum, damit sie ihn unterstützte, doch sie war eingeschlafen und atmete in mein Haar.

Auf dem Weg nach draußen bekamen wir auch Luke zu sehen. Ich weiß noch, dass ich meine Nase an die Scheibe gedrückt und ihm gewunken habe, aber er lag nur da, in eine Decke gewickelt und so klein, dass er in einen Schuhkarton gepasst hätte. In dem Säuglingssaal waren noch weitere Babys, aber Luke war anders. Er hatte dunkelviolette Blutergüsse auf beiden Seiten der Stirn, die mit der Zeit verschwanden, doch die Vertiefungen an seinen Schläfen blieben wie Daumenabdrücke in Knete.

Auch mit den Blutergüssen war Luke ein schönes Baby. Die Krankenschwestern, Putzfrauen und Tea Ladies reichten ihn herum wie ein Paket auf einer Geburtstagsparty, jede wollte ihn mal halten.

Luke hatte offenbar nichts dagegen. Als Baby und Kleinkind weinte er fast nie, auch nicht, wenn er hungrig, müde oder krank war. Verstimmt und aufgewühlt reagierte er nur, braunen Anzug, braune Schuhe, weißes Hemd und eine dunkelorangefarbene Krawatte.

»Hallo, Gavin«, begrüße ich ihn.

»Für dich Detective Sergeant Aimes.«

»Jawohl, Sir«, sage ich ohne jeden ironischen Unterton.

Wenn es in Yulara so etwas gibt wie eine Berühmtheit, dann ist es Gavin Aimes. In seiner Jugend galt er als ein Top-Talent im Rugby, das mit der australischen Schülerauswahl durch England getourt ist. Er hatte bereits einen Vorvertrag als Profi bei South Sydney, doch dann erlitt er beim Sturz von einem Pferd einen dreifachen Beinbruch.

In der Schule war er ein Jahr über mir, und wir haben eine Zeit lang in derselben Mannschaft gespielt, doch ich war nie so gut wie »the Arrow«. So nannten ihn alle – den Pfeil. Das Team hatte nur einen Job – den Ball zum »Arrow« zu befördern. Danach blickten wir ihm nur noch nach. Mit einem Hüftschwung und einem explosionsartigen Antritt schoss er durch die kleinste Lücke, zog links oder rechts am Fullback vorbei oder stieß ihn mit der offenen Hand aus dem Weg. Es war, als wollte man einen Pfeil aufhalten, daher der Spitzname. Jetzt ist er Polizist, genau wie sein alter Herr, Warwick Aimes. Ganz der Vater ... Der Apfel fällt nicht weit ...

»Komm mit«, sagt er mit meinem Entlassungsschreiben in der Hand.

Ich folge ihm vorbei an Büros den Flur hinunter und erwarte, dass er eine der Türen öffnet. Stattdessen gehen wir durch den Hintereingang nach draußen und vorbei an den Polizeifahrzeugen über den Hof. Unter einer Weide bleiben wir stehen, halb verborgen von einem Vorhang aus Zweigen.

»Was machst du hier?«, fragt er.

»Constable Wakeham hat mich hergefahren.«

»Spiel nicht den Schlauberger.«

»Ich besuche meine Mum.«

»Wie lange bleibst du?«

»Das habe ich noch nicht entschieden.«

»Einen Tag? Zwei?«

»Vielleicht auch länger.«

»Das wäre nicht klug.«

»Ich will keinen Ärger machen.«

»Ja, aber das wirst du trotzdem tun.«

»Ich habe meine Strafe abgesessen.«

»Das spielt keine Rolle.« Er schiebt einen Klumpen Speichel im Mund hin und her und spuckt in den Staub.

In der nachfolgenden Stille frage ich nach seinem Dad.

»Er ist seit vier Jahren im Ruhestand«, sagt Gavin.

»Die Rosen pflegen?«

»So was in der Richtung.«

Solange ich denken kann, ist Warwick Aimes der Sergeant des Reviers gewesen. Wenn Gavin ein berühmter Rugby-Spieler war, dann war sein alter Mann berühmt dafür, Köpfe einzuschlagen. Wenn in irgendeinem Pub im Ort eine Schlägerei ausbrach, schritt Warwick ein, knallte Leute an die Wand, schubste sie Treppen hinunter und verteilte Schläge, wo er nur konnte.

»Grüß ihn von mir«, sage ich.

»Nein, werd ich nicht.«

»Vielleicht könntest du mir einen Gefallen tun«, sage ich. »Larry Bulgin hat gesagt, Mum wäre im Krankenhaus.«

»Sie hatte einen Schlaganfall. Man hat sie in einem Pflegeheim untergebracht. Hat sich niemand bei dir gemeldet?«

»Nein.«

»Rufst du sie nicht an?«

»Sie hat kein Telefon.«

»Wer hat denn heutzutage kein Telefon?«

»Jemand, der Morddrohungen erhält und Hundescheiße in den Briefkasten geworfen bekommt.«

Gavin antwortet nicht.

»Kann ich jetzt gehen?«

»Ich kann dich hinfahren.«

»Wohin?«

»Du kannst deine Mum besuchen und dich dann verpissen.«

»Sehr nett von dir, aber ich komme allein klar.«

»Ich meine es ernst, Arlo. Du bist hier nicht willkommen. Ich gebe dir vierundzwanzig Stunden. Danach kann ich dich nicht mehr beschützen.«

# 5

Eltham Court ist fast wie ein Anbau des Yulara District Hospital und liegt auf demselben Hügel am Nordrand der Stadt. Zu Fuß folge ich dem alten Highway, biege erst links und dann rechts ab und komme zu einer Einfahrt mit einem Schild, auf dem ein tanzendes älteres Paar abgebildet ist.

Ich drücke auf die Klingel am Empfangstresen. Jemand ruft aus einem anderen Zimmer: »Empfang!«

»Ich bin mit Mrs Jackson beschäftigt«, antwortet eine andere Stimme.

»Einen Moment«, sagt eine dritte Stimme. Alles Frauen.

Ich nehme eine Hochglanzbroschüre und betrachte weitere weichgezeichnete Bilder von lächelnden alten Menschen, die Karten spielen, bowlen oder gärtnern.

Eine Frau betritt eilig das Empfangsbüro. Sie trägt einen blauen Kittel, eine dunkle Hose und ein Tuch um den Kopf. Sie lächelt mich an, und ihre Augen blitzen auf, als sie mich wiedererkennt.

»Hallo, Arlo.«

Es dauert einen Moment, bis ich ihr Gesicht eingeordnet habe. »Helen?«

Sie hält sich die Hand vor den Mund – eine Angewohnheit aus der Kindheit, als sie vorstehende Schneidezähne hatte, sodass sie den Mund nur mühsam vollständig schließen konnte.

»Arbeitest du hier?«

»Ich bin die Leiterin. Wenn du meine Briefe gelesen hättest, wüsstest du das.«

Ich denke an die gebündelten Packen mit Briefen in meinem Koffer. Ich will eine Entschuldigung stottern, finde jedoch keine Worte.

»Keine Sorge, Arlo. Ich bin nicht wütend«, sagt sie, lässt die Hand sinken und zeigt, als sie lächelt, ihre geraden weißen Zähne und Fältchen um die Augen.

Lange Zeit starren wir uns einfach nur lächelnd an, als wollten wir die fehlenden Jahre ausfüllen, indem wir den Moment aufsaugen. Helen wendet den Blick als Erste ab.

»Seit wann bist du draußen?«

»Seit gestern.«

»Bist du hier, um deine Mum zu besuchen?«

»Wie geht es ihr?«

»Gut. An den meisten Tagen. Sie hatte vor zwei Monaten einen Schlaganfall, der eine leichte Lähmung und Gedächtnisverlust zur Folge hatte.« Ihr Blick trübt sich. »Womöglich wird es nicht mehr besser, aber ich bete für sie.«

Ich will sie fragen, ob ihr Gott jemals zuhört, doch ich habe kein Recht, ihren Glauben in Zweifel zu ziehen.

»Um diese Tageszeit ist sie bestimmt im Garten«, sagt Helen. »Sie ist wie eine Katze, die immer das sonnigste Fleckchen findet.«

Ich folge ihr durch einen offenen Aufenthaltsbereich mit Topfpflanzen, Sofas und Sesseln. Eine Gruppe alter Menschen guckt Fernsehen mit laut aufgedrehtem Ton – eine Spielshow. Andere dösen oder zanken sich über ein Puzzle und werfen sich gegenseitig vor, Teile zurückzuhalten.

Mum sitzt auf einer Bank in der Sonne, die von zwei Hecken windgeschützt ist. »Guten Morgen, Mary«, sagt Helen. »Ein stattlicher Mann ist gekommen, um Sie zu besuchen.«

Mum nestelt an ihrem Haar, als wäre ich ein Verehrer, der ihr den Hof machen will. Ich hocke mich vor sie und blicke ihr direkt in die Augen. Ihr Haar ist fast weiß, ihre Haut wie zerknittertes Seidenpapier. Wann ist sie so alt geworden?

»Hallo, Mum.«

Ohne Vorwarnung verpasst sie mir eine schallende Ohrfeige.

»Du solltest auf Luke aufpassen«, faucht sie.

Mir schießen Tränen in die Augen. »Es tut mir leid.«

»Hast du ihn mitgebracht?«

»Luke ist tot, Mum.«

»Sei nicht albern. Sag ihm, er soll sich duschen, bevor er kommt. Ich möchte nicht, dass er nach Pferden riecht.«

Ich blicke zu Helen, verlegen und unsicher, was ich sagen soll.

»Wie wär's, wenn ich euch eine Kanne Tee hole«, sagt sie. »Ihr könnt ihn hier draußen trinken.«

Sie geht, und ich bin mit Mum allein. Ihr linkes Augenlid hängt herunter, als hätte es sich beim Blinzeln verhakt, und ihre Hände sind durchscheinend, ein Anatomiemodell, bei dem man jede Vene, Sehne und jeden Knochen sehen kann.

»Du hättest mir sagen sollen, dass du kommst. Dann hätte ich mir die Haare machen lassen«, sagt sie.

»Du siehst großartig aus.«

»Pfffftt!«

»Nett hast du es hier. Fühlt sich wahrscheinlich an, als würde man in einem Hotel wohnen.«

Sie beugt sich näher zu mir und flüstert: »Die wollen mich vergiften.«

»Wirklich?«

»Und sie lassen mich nicht nach Hause.« Sie zeigt auf einen Pfleger, der einen Heimbewohner im Rollstuhl über einen Kiesweg schiebt. »Leute verschwinden. Einen Tag sind sie noch da. Am nächsten sind sie weg.«

»Vielleicht gehen sie nach Hause.«

»Oder sie werden im Garten verbuddelt.« Sie blickt über meine Schulter. »Ich mache mir Notizen. Wenn ich so weit bin, rufe ich die Polizei.«

Mum hebt das Strickzeug in ihrem Schoß an. Darunter liegen ein kleines Spiralnotizbuch und ein Bleistiftstummel. Sie lässt mich eine Seite lesen, doch ihre Handschrift ist so wirr und krakelig, dass ich nur die Worte »Gift« und »Leichen« entziffern kann.

Sie versteckt das Notizbuch wieder unter dem Strickzeug.

»Was strickst du?«

»Söckchen. Jane Crooks bekommt wieder ein Baby.«

»Ist sie dafür nicht schon ein bisschen zu alt?«

»Sei nicht so unverschämt.«

Jane Crooks muss mittlerweile Mitte fünfzig sein. Früher hat sie den Kiosk in der Grundschule betrieben. Mum kennt jeden in Yulara. Als Hebamme hatte sie mehr als zweitausend Babys auf die Welt geholt und konnte sich an den Namen jedes einzelnen erinnern. Es war, als würde sie sie aus der Luft pflücken, so wie sie farbige Knöpfe aus ihrem Nähkästchen auswählte – die Namen der Mütter, der Kinder und Enkelkinder, ganze Familienstammbäume mit Wurzeln so tief wie ihre eigenen.

Auch nachdem sie aufgehört hatte zu arbeiten, behielt Mum die Übersicht über jede Geburt, jeden Todesfall, jede Verlobung, jede Hochzeit, jede Operation, jede Krankheit, jede Scheidung, jede Trennung und jede größere Anschaffung in Yulara. Sie kannte die Geheimnisse der Leute, bevor sie Geheimnisse wurden, weshalb ich mich manchmal fragte, ob sie die Beichte in der St. Patrick's Church belauschte und so die Sünden der Stadt mitbekam.

Helen ist wieder aufgetaucht, in den Händen ein Tablett

mit einer Kanne Tee, zwei Tassen, Milch, Zucker und einem Teller mit Keksen. Sie lächelt mich an und zieht sich wieder zurück. Mum nimmt den Deckel von der Kanne und lässt die Teebeutel abtropfen. Sie besteht darauf, einzugießen.

»Die Milch kann ich mir selbst nehmen«, sage ich.

»Ist etwas verkehrt daran, wie ich es mache?«

»Nein, aber du gibst mir immer zu viel.«

»Ach, hör auf zu flunkern«, schimpft sie, gießt Milch in die Tassen und greift nach dem Zucker.

»Für mich nicht.«

»Seit wann das denn?«

»Seit Urzeiten.«

»Du bist so ein Trotzkopf. Einen Tag Zucker. Am nächsten nicht.«

Sie gibt mir zwei Stücke.

»Wann kommt Luke mich besuchen?«

»Er kann nicht kommen. Es tut mir leid.«

»Du solltest auf ihn aufpassen.«

»Ich weiß.«

Ihr Mund steht leicht offen, und ich erkenne die Enttäuschung in ihrem Blick. »Er sollte hier sein, nicht du. Er hat mich immer geliebt. Er hätte mich nicht in ein Pflegeheim gesteckt.«

»Ich habe dich nicht hierhergebracht.«

»Pfffft!«

»Ich renoviere das Haus und hol dich dann heim.«

»Was ist verkehrt mit dem Haus?«

»Es sind ein paar Reparaturen fällig.«

»Hast du eine wilde Party gefeiert?«

»Nein, Mum.«

Sie erklärt mir, dass ich stinke und unrasiert bin.

»Für wie alt hältst du mich?«, frage ich.

»Ist das eine Fangfrage?«

»Nein, ich meine es ganz ernst.«

»Also, wenn ich fünfzig bin, musst du …«

»Du bist vierundsiebzig, Mum.«

»Du bist so ein Lügner.«

Sie starrt in ihre Tasse, als wollte sie die Teeblätter lesen, und fängt an, einen Song aus einem alten Musical zu summen. Die hat sie sich an verregneten Sonntagnachmittagen immer zusammen mit Luke angeschaut – Klassiker wie *Die oberen Zehntausend*, *Singin' in the Rain* und *Hello, Dolly!*. Vielleicht begibt sie sich dorthin, wenn ihre Gedanken wandern – sie tanzt mit Fred Astaire oder säuselt ein Duett mit Bing Crosby.

Helen unterbricht uns. Im Speiseraum wird das Mittagessen serviert. Ich nehme Mums Arm und führe sie zu ihrem Tisch, wo sie ihre Suppenschale und ihr Brötchen bewacht, als hätte sie Zeit im Gefängnis verbracht.

Ich gehe zurück ins Büro. Helen sitzt nicht an ihrem Schreibtisch. Sie hockt draußen auf der Treppe.

»Ich habe deine Briefe aufbewahrt«, sage ich.

»Aber du hast sie nicht gelesen.«

»Ich wollte, dass du mich vergisst … dass du dein Leben weiterlebst.«

»Du hättest trotzdem zurückschreiben können.«

Ich mustere sie verstohlen. Sie ist dünner, ihre Augen sind größer, ihre Wangenknochen ausgeprägter. Mit ihrer blassen Haut wirkt sie beinahe ätherisch. Ich bemerke einen schlichten goldenen Ring an ihrem Ringfinger.

»Wer ist der Glückliche?«

Sie dreht den Ring an dem Finger. »Ich bin verwitwet.«

»Das tut mir leid.«

»Ich habe Eddie Whitely geheiratet.«

»Aber Eddie war …«

»Alt? Er war zweiundfünfzig. Ich war vierundzwanzig.«

Ich erinnere mich an Eddie. Er hatte eine Spedition, die *Haul or Nothing* hieß und Fracht zwischen Melbourne und Sydney transportierte.

»Der Dorfklatsch behauptet, ich hätte Eddie zu Tode gevögelt«, sagt Helen.

»Das ist eine echte Leistung.«

»Es stimmt nicht. Ich habe ihn vergiftet. Ich habe ihm all seine Lieblingsspeisen gekocht und gewartet, dass er an Arterienverstopfung stirbt.«

»Du trägst den Ring immer noch.«

»Er hält die Vampire fern.«

»Gibt es davon viele?«

»Die verheirateten sind die Schlimmsten.« Helen blickt auf die Uhr. »Ich sollte zurück an die Arbeit.«

Ich möchte nicht, dass sie geht. Ich frage sie nach ihrem jüngeren Bruder Bernie.

»Er ist tot«, sagt sie, und ihr Blick trübt sich. »Hat seinen Wagen in der Nangus Road um einen Baum gewickelt. Betrunken. Wenigstens hat er sonst niemanden getötet.«

Sie steht auf und streicht über das Hinterteil ihrer Hose. »Ich habe im Büro etwas für dich.«

Ich folge ihr nach drinnen, wo sie mir eine Keksdose mit einem gemalten Bild der Tower Bridge auf dem Deckel überreicht, die ursprünglich edles Mürbegebäck enthielt, in Wachspapier gewickelt und ordentlich aufgereiht.

Ich nehme den Deckel ab, und mein Blick fällt auf Briefe, Fotos und diverse offizielle Unterlagen. Eine Eigentumsurkunde für das Haus. Ein Trauschein. Mums Sparbuch. Ein Rosenkranz. Lukes Firmungsurkunde. Eine Schleife, die er mit zwölf bei einem Sportfest gewonnen hat. Heiligenmedaillen. Die Zulassungspapiere für den Wagen. Eine Schiedsrichterpfeife. Diverse Schmuckstücke.

Mums Hausschlüssel sind auch dabei. Ich stecke sie ein. Ein Foto löst sich von den anderen, ein Schnappschuss von einem Ausflug nach Canberra. Luke und ich stehen auf der Treppe vor dem Parlamentsgebäude. Ich in meinem besten Sonntagsstaat, lange Hose und Hemd mit Paisleymuster, während Luke nur eine enge gelb-schwarze Badehose trägt. Er grinst in die Kamera.

»Er musste sich auf der Fahrt übergeben«, erkläre ich. »Das war alles, was er noch zum Anziehen hatte.«

Sie lacht. »Wie alt war er da?«

»Ungefähr acht.«

»Gott, er war wirklich ein süßes Kind.«

»Er hat uns allen das Herz gebrochen.«

Ich spüre ihre Schulter an meiner, ihre Brust an meinem Unterarm. Es fühlt sich vertraut, erregend und verzweifelt traurig an, weil es mich daran erinnert, was ich verpasst und was ich verloren habe.

»Warst du schon draußen am Grab?«, fragt sie.

»Noch nicht.«

»Vielleicht lässt du es lieber. Vandalismus.«

Ich lege das Foto weg, schließe die Keksdose und halte sie in meinem Schoß.

»Du hast eine Menge verpasst … und auch wieder gar nichts«, sagt Helen.

»Du könntest mich auf den neuesten Stand bringen. Vielleicht können wir zusammen etwas trinken gehen.«

»Ich glaube nicht, dass das eine gute Idee ist.«

»Du hast recht.«

Stille. Helen nestelt an ihrem Kopftuch herum, ohne mich anzusehen.

»Ich kann verstehen, wenn du nicht mit mir gesehen werden willst ... unter den Umständen«, sage ich.

»Das ist es nicht«, sagt sie und beißt sich auf die Unterlippe. Ich kann den blassen Abdruck ihrer Zähne erkennen. »Am Donnerstag habe ich um sechs Feierabend. Du kannst mich hier abholen.«

in dem geschlossenen Hof. Wir betreten das Gebäude durch die Tür auf der Rückseite. Die Fliegengittertür fällt klappernd zu.

Constable Wakeham zeigt auf einen harten Plastikstuhl. »Setzen Sie sich.«

»Warum bin ich hier?«, frage ich noch einmal.

»Ich muss das hier bestätigen lassen.« Sie hält das Entlassungsschreiben hoch. »Und mein Chef will mit Ihnen reden. Er frühstückt gerade, aber er ist auf dem Weg.«

»Ist das wirklich nötig?«, frage ich und halte meine gefesselten Hände hoch.

Sie zögert, doch dann schließt sie die Handschellen auf.

»Vielen Dank, Constable Wakeham«, sage ich und reibe mir die Handgelenke. Mir fällt ein Teller mit Keksen auf dem Tresen ins Auge. »Kann ich mir einen nehmen?«

»Nein.«

Sie geht in ihr Büro und kommt mit einem Sandwich zurück, das sie sich am Morgen geschmiert haben muss, denn das Brot ist frisch. Es ist ein gutes Sandwich mit einer Scheibe Roastbeef auf Weißbrot, so rot, wie es sein sollte, und leicht gesalzen.

»Bertoli's?«

»Woher wissen Sie das?«

»Von diesem Brot habe ich geträumt.«

Das bringt mir ein Lächeln ein, ein echtes.

Hinter dem Tresen zischt ein Kollege sie an: »Das ist Arlo Hackett.«

»Ich weiß. Er wurde auf Bewährung entlassen.«

»Sagt wer?«

»Seine Papiere.«

Die Fliegengittertür schwingt auf und fällt klappernd wieder zu. Der Wachraum wird kleiner. Der Chef trägt einen

»Wann?«

»Gestern.«

»Können Sie das beweisen?«

»In meiner Tasche ist ein Brief.«

Sie zieht mich hoch, bis ich aufrecht sitze. Die Feuchtigkeit hat mein Hemd und meine Hose durchweicht. Die Polizistin richtet die Pistole auf meinen Kopf, greift in meine Jacke, zupft den Brief heraus und entfaltet ihn mit einer Hand.

»Das ist meine Entlassungsbescheinigung«, sage ich. »Mit den Daten der Bewährungsfrist und den Bewährungsauflagen.«

Larry Bulgin ist gekommen, um zu gaffen. »Ich hab Ihnen ja gesagt, er ist gefährlich.«

»Gehen Sie wieder rein, Mr Bulgin«, sagt Constable Wakeham.

»Dafür könnten Sie einen Orden kriegen – einen kaltblütigen Mörder zu schnappen.«

»Ich sagte, Sie sollen zurücktreten.«

»Ist er geflohen? Wir hätten in unseren Betten ermordet werden können. Falls es eine Belohnung gibt, ich hab ihn als Erster gesehen, richtig?«

Wakeham zerrt mich auf die Füße, filzt mich gründlich und klopft meine Arme und Beine ab. Sie findet ein kleines Bündel Geldscheine, das sie mir sofort zurückgibt.

»Bin ich verhaftet?«

»Sie sind vorläufig festgenommen.«

»Ich habe nichts getan.«

»Steigen Sie in den Wagen.«

Die Polizeistation von Yulara ist nur drei Blocks entfernt. Das rote Backsteingebäude aus den 1940er-Jahren hat ein Blechdach, einen Doppelschornstein und ein blaues Schild an der Fassade. Der Streifenwagen fährt durch das Tor und parkt

»Sind Sie ein Einbrecher?«

»Nein.«

»Ein Hausbesetzer?«

»Nein.«

»Na, Sie verpissen sich besser!«

Er ist aus dem Haus getreten. Jetzt erkenne ich ihn. Larry Bulgin. Grauer, als ich ihn in Erinnerung hatte. Fetter. Er war früher Rodeo-Reiter, bis er den Beruf wegen einer Verletzung aufgeben musste. Danach arbeitete er als Stallgehilfe für Monte Pope, einen örtlichen Pferdetrainer, wurde jedoch gefeuert, weil er einem Pferd einen »Milkshake« verpasst hatte – also ihm mit einem Schlauch Natron in den Magen gespült hatte, damit es schneller lief.

»Ich suche Mrs Hackett«, sage ich. »Wissen Sie, wo sie ist?«

»Im Krankenhaus. Sie hatte einen Schlaganfall.« Er mustert mich eingehender. »Kenne ich Sie?«

Ich antworte nicht. Sein Hund springt immer noch gegen den Zaun und versucht, den Maschendraht aufzubeißen. Bulgin packt ihn am Halsband und reißt ihn so heftig zurück, dass der Hund würgt.

Ich gehe weiter durch das Tor und die Straße hinunter Richtung Stadt. Kurz vor der St. Patrick's Church höre ich, dass hinter mir ein Auto bremst und mir im Schritttempo folgt. Ich drehe mich um und sehe einen Streifenwagen mit einer jungen Polizistin am Steuer.

Sie lässt das Fenster herunter. »Bleiben Sie stehen, Sir.«

Der Wagen hält. Die Polizistin steigt aus. Mitte zwanzig. Kein Make-up. Sie trägt eine Uniform, hellblaue Bluse, dunkelblaue Hose, schwarze Schuhe und Schirmmütze mit schwarz-weiß kariertem Band. Sie rückt ihren Gürtel mit dem Pistolenhalfter an der rechten Hüfte zurecht. Auf ihrem Namensschild steht *Constable Gloria Wakeham.*

»Wohnen Sie hier in der Gegend?«, fragt sie.

»Früher mal.«

»Wie heißen Sie?«

»Habe ich was Verkehrtes getan?«

»Ich muss Ihren Ausweis sehen.«

»Ich habe keinen.«

»Einen Führerschein oder eine Krankenversicherungskarte?«

»Nein.«

»Machen Sie es mir nicht unnötig schwer, Sir. Was hatten Sie auf dem Hackett-Grundstück verloren?«

»Ich habe meine Mutter gesucht.«

»Wie heißen Sie?«

»Arlo Hackett.«

Sie befiehlt mir zu warten und geht zurück zu dem Streifenwagen. Ich sehe, wie sie ins Funkgerät spricht. Ihr Kopf schnellt hoch, und sie reißt die Augen auf. Ehe ich mich versehe, ist sie wieder ausgestiegen und hinter der offenen Wagentür in die Hocke gegangen, ihre Pistole auf meine Brust gerichtet.

»Hände hoch!«

»Sie machen einen Fehler.«

»Ich sagte, Hände hoch. Sofort!«

Ich hebe langsam beide Hände.

»Auf den Boden. Zuerst auf die Knie. Dann auf den Bauch.«

Ich liege auf dem feuchten Gras.

Sie macht einen Schritt vor. »Hände auf den Rücken.«

»Ich stelle keine Gefahr dar.«

Sie drückt mir ein Knie ins Kreuz und lässt Handschellen um meine Handgelenke zuschnappen. »Sie sollten im Gefängnis sein.«

»Ich wurde entlassen.«

wenn ich das Zimmer verließ; er wimmerte leise und zeigte zur Tür, bis ich zurückkam. Dann lächelte er und schwenkte seine kleinen Fäuste.

Als er zu alt für sein Kinderbett wurde, teilten wir uns ein Zimmer mit zwei nebeneinanderstehenden Einzelbetten. Nachts streckte er den Arm über die Lücke dazwischen und hielt meine Hand. Das erste Wort, das Luke sprach, war »Hand«, das zweite »Arlo«, und das dritte war »furzen«, weil Bessie, unser Labrador, das häufig machte.

Manchmal fiel Luke nachts aus dem Bett und rollte sich auf dem Boden direkt unter meinem Bett zusammen, weil er mir nahe sein, mich jedoch nicht wecken wollte. Dort entdeckte ich ihn dann, halb erfroren, mitten im Winter, zog ihn unter meine Decke und schmiegte mich an ihn, bis er aufhörte zu zittern.

In jenen ersten Jahren wohnten wir über Bertoli's Bakery in der Elizabeth Street, in einem Haus, das immer nach frischem Brot und gebackenem Zucker roch. Es war eine richtige Bäckerei mit gusseisernen Öfen im Keller, schwarz wie ein verbrannter Toast, und einem kleinen Verkaufstresen, in dem die Brote, Brötchen und Teilchen mit Zuckerguss in Körben ausgestellt waren.

Mr Bertoli war in Italien aufgewachsen und in den 1950er-Jahren nach Australien ausgewandert, zusammen mit Tausenden weiterer Arbeitsmigranten, die halfen, das Snowy Hydro Scheme zu bauen. Sie gruben gigantische Tunnel, in denen Wasser kanalisiert wurde, mit dem riesige Strom erzeugende Turbinen angetrieben wurden. Er heiratete eine Aborigine aus Harden, und gemeinsam ließen sie sich in Yulara nieder und eröffneten die Bäckerei.

Als Luke vier oder fünf war, fragte er Mr Bertoli, weshalb Mrs Bertoli schwarz war.

»Ich habe sie zu lange im Ofen gelassen«, antwortete der.

Lukes Augenbrauen schossen nach oben. »Sie haben sie in den Ofen gesteckt?«

»Mit köstlichem Zuckerguss. Deshalb ist sie so süß.«

Die Wohnung im ersten Stock hatte zwei Schlafzimmer, ein Badezimmer, ein Wohnzimmer und eine hellgrüne Küche. Lukes und mein Zimmer hatte eine Blumentapete und Schimmelflecke an der Decke, die erblühten und größer wurden. Wenn ich auf dem Bett lag, konnte ich in den Mustern Gesichter erkennen, alte Chinesen und einäugige Piraten, aber Luke sah nur Wolken und Hunde.

Er wachte immer früh auf. Ich hörte, wie er aufstand und am Ende seiner Matratze sein Spielzeug aufbaute. Er sortierte Legosteine nach Größe und Farbe. Wenn Mum zur Frühmesse oder zum Pfarrhaus gegangen war, um den Priestern Frühstück zu machen, zog ich Luke an, gab ihm eine Schüssel Frühstücksflocken und schaltete den Fernseher ein. Damals war er noch zu jung, um mich zu beeindrucken. Ich wusste, dass ich ihn lieben sollte, und das tat ich, obwohl ich ihm das nie sagte. So etwas sagten Brüder nicht zueinander, genauso wenig wie Väter zu ihren Söhnen. Als ich mit achtzehn unser Zuhause verließ, um zur Armee zu gehen, schüttelte Angus mir die Hand. Es gab keine Umarmungen und keine Tränen. Wir waren Männer.

Lange Zeit schöpfte niemand Verdacht, dass mit Luke etwas nicht stimmen könnte. Ja, er lernte erst spät Laufen und Sprechen und wiegte beim Einschlafen den Kopf hin und her, aber so war Luke eben. Später erfuhr ich von den Komplikationen bei seiner Geburt. Lukes Kopf war zu groß für Mums Geburtskanal gewesen, weshalb man eine Geburtszange verwendet hatte, und die Nabelschnur hatte sich um Lukes Hals gewickelt und die Sauerstoffzufuhr ein paar Minuten zu lang sechshundert davon, gebündelt in vier ordentlichen Packen, frankiert, abgestempelt und ungelesen.

Derek, mein Zellengenosse, kommt mit einem um die Hüfte gewickelten Handtuch und tropfnassem Haar vom Duschen zurück.

»Das Wasser ist noch heiß«, sagt er, kriecht auf seine Pritsche und präsentiert seinen behaarten Arsch und seine baumelnden Eier.

»Herrgott! Zieh dir was an.«

»Genieße es, solange du kannst«, erwidert er grinsend und sieht dann die Briefe. »Wirst du sie jetzt lesen?«

»Nein.«

»Vielleicht hat sie dir Nacktfotos geschickt.«

»Die Wärter kontrollieren unsere Post.«

»Oder sie hat dir schmutzige Sachen geschrieben. Ich könnte die Briefe für dich lesen und dir die saftigen Stellen erzählen.«

»Nein.«

»Wie sieht sie aus?«

»Nett.«

»Große Titten?« Er macht eine Handbewegung, als würde er etwas zusammendrücken.

»Ich rede nicht über ihre Titten.«

»Ach, komm schon, gib mir irgendwas.« Derek reibt sich im Schritt. »Wie hast du sie kennengelernt?«

»Ich habe ihr Schwimmen beigebracht.«

»Fingern im Pool. Nett.«

»So war ich nicht.«

»Warum liest du ihre Briefe nicht?«

»Sie hat etwas Besseres verdient.«

»Besser als was?«

»Besser als mich.«

Sie steht auf und streckt die Hand aus. Ich kann mich nicht erinnern, wann mir zum letzten Mal jemand die Hand gegeben hat, schon gar nicht eine Frau. Ihre Finger sind kühl und trocken, und ich kann den Zitronenduft ihres Shampoos riechen.

»Viel Glück, Arlo. Ich hoffe, dass ich Sie nie wiedersehe.«

In meiner Zelle finde ich eine braune Papiertüte auf meiner Pritsche vor. Sie enthält meine irdischen Besitztümer – eine Armbanduhr, ein T-Shirt, eine Jeansjacke, einen abgelaufenen Führerschein und einen Umschlag mit fünfundneunzig Dollar und ein paar Cent.

Ich muss ein Formular unterschreiben, um die Entgegennahme zu bestätigen. Ich bin so aus der Übung, dass ich die Unterschrift im ersten Anlauf verschmiere.

Arlo Hackett

Im Gefängnis musste ich nirgendwo unterschreiben. Die einzigen Briefe, die ich geschrieben habe, waren an Mum, und die habe ich mit »dein dich liebender Sohn« beendet. Und sie ist auch die Einzige, die mir geschrieben hat, außer Helen Churcher. Ich bin mit Helen zur Schule gegangen, und nach meinem Abschied von der Armee waren wir eine Weile zusammen. Meistens waren wir im Kino oder in einer Kneipe oder haben am Flussufer gesessen. Ich dachte, es würde irgendwohin führen – zu Liebe, Ehe, der Gründung einer Familie –, aber Gott lacht, wenn man solche Pläne macht.

Ich habe einmal geantwortet und Helen erklärt, dass sie mich vergessen sollte, doch sie hat mir weitergeschrieben. Ich weiß nicht, warum. Gewohnheit. Reue. Masochismus. Ein Brief pro Woche, zwölf Jahre lang. Jetzt habe ich mehr als

# 6

Das Erste und Letzte, was die Sonne in Yulara berührt, ist die Spitze des Mount Auspicious. Ich weiß nicht, warum er als Berg bezeichnet wird. Er hat eher die Form eines Sauerteigbrots und ist vernarbt von Kratern, die zurückgeblieben sind, als vor mehr als einem Jahrhundert die Goldminen aufgegeben wurden.

Als Kinder wurden wir davor gewarnt, durch die Senken am Hang zu laufen, weil der Boden plötzlich nachgeben und uns verschlucken könnte. Das entdeckte ich im Alter von elf, als ich mich auf dem Heimweg von der Schule auf ein Rennen mit dem Schulbus einließ. Es ging natürlich um eine Wette. Muzza Munroe hatte gesagt, ich könne unmöglich gewinnen.

Um schneller zu sein als der Bus, musste ich den Weg über den Mount Auspicious nehmen. Ich lief die zerfurchte Piste bis zum Aussichtspunkt hinauf und auf der anderen Seite wieder hinunter. Auf dem Weg nach unten sah ich, wie der Bus sich in einem niedrigen Gang in der Ferne den Hügel hinaufkämpfte. Gleich würde er in die Park Street abbiegen und dann in die Chisolm Avenue.

Ich rannte durch das kniehohe Gras den Abhang hinunter, meine Schultasche schlug gegen meine Knie. Dann tat sich plötzlich und ohne jede Vorwarnung der Boden unter meinen Füßen auf wie das Maul eines Wals, der aus der Tiefe aufgetaucht war. Mein Schwung trug mich bis zur anderen Seite des Abgrunds, wo ich mich an Grasbüschel klammerte, während die Erde unter meinen abgetretenen Lederschuhen wegbrach.

Ich hangelte mich zum Rand des Kraters hoch und spähte mit klopfendem Herzen in das Loch hinab. Ein Augenpaar leuchtete mir entgegen. Ein Fuchs? Ein Hund? Ein Mensch?

Ich rief. Meine Stimme hallte aus der Tiefe wider. Irgendwo da unten war meine Schultasche.

Ich rannte nach Hause und fand Angus, der die Feuerwehr von Yulara alarmierte. Ich fuhr im Löschwagen mit und zeigte den Feuerwehrleuten die Stelle. Sie rückten mit Seilen, Leitern und dem Enthusiasmus von Freiwilligen an und errichteten ein Stativ über dem Schacht. Ihr kleinster Mann wurde in einem Haltegurt herabgelassen. Er kam mit einem abgemagerten, schlammbedeckten Mischlingshund wieder heraus, der versuchte, mir die Nase abzulecken, so dankbar war er.

Ich wollte den Hund behalten. Das fühlte sich nur gerecht an. Aber Rocky gehörte einer Familie, die ein Stück hangabwärts wohnte. Bill und Irene Mellor hatten zwei Wochen lang Anzeigen im *Yulara Advocate* geschaltet und für die Rückkehr von Rocky zwanzig Dollar Belohnung ausgesetzt. Sie hatten die Hoffnung, ihn noch lebend zu finden, schon aufgegeben, als ich mit Rocky in den Armen an ihre Tür klopfte. Angus begleitete mich. Hinterher erzählte er mir, er habe ihre Belohnung abgelehnt und stattdessen einen Kürbis aus ihrem Garten angenommen.

»Rocky zu retten, sollte Belohnung genug sein«, erklärte er mir im Pub, nahm einen frischen Zwanziger aus seiner Brieftasche und schob ihn über den Tresen. Er kaufte mir eine Zitronenlimonade und eine Tüte Chips, während er für sich ein großes Toohey's New bestellte … und dann noch eins, bis das Geld alle war. Wir aßen wochenlang Kürbis. Ich kann den Geschmack bis heute nicht ab.

Zu Hause schließe ich mit Mums Schlüssel die Tür auf. Angeln quietschen, und Sonnenlicht fällt auf die geschlossene

Veranda. Eine zweite Tür führt in den Flur, der bis zur Rückseite des Hauses geht, mit Räumen zu beiden Seiten. Zunächst zwei Schlafzimmer, dann Wohn-, Ess- und Badezimmer sowie Küche und Waschküche. Nach hinten raus gibt es zwei weitere Schlafzimmer, eins kaum groß genug für ein Einzelbett, eine Kommode und ein schmales Bücherregal.

Die Dielen ächzen traurig, und mit dem Staub wirbeln Gespenster auf. Ich ziehe die Vorhänge im Wohnzimmer zurück. Licht fällt durchs Fenster auf Mums alte Nähmaschine mit Bakelitknöpfen und silbernen Spulen. Daneben ein Korb voller Garnrollen und Stoffreste.

Über dem Kamin hängt ein Foto von meinem Urgroßvater William Tierney. Er kam 1894 aus Irland über Amerika nach Yulara, um eine Eisenbahnbrücke über den Murrumbidgee zu bauen. Sein Sohn blieb hier und wurde der erste Bahnhofsvorsteher von Yulara. Meine Mutter Mary Tierney war eins seiner sieben Kinder, von denen nur zwei überlebten.

Sie wuchs in dem Bahnhofsgebäude bei den Gleisen auf und ging zur St. Patrick's Primary und danach auf die Yulara High School, die sie mit sechzehn verließ, um sich im Yulara District Hospital zur Krankenschwester ausbilden zu lassen. Alle sagten, sie sei ein gutes Mädchen, ein nettes Mädchen, ein frommes Mädchen, das ihrer Familie alle Ehre machen würde. Gewiss würde irgendjemand sie heiraten. Aber die Jahreszeiten vergingen, die Sonne beschrieb ihren Kreis, der Fluss schwoll an und wieder ab, und Mary blieb unerklärlicherweise partnerlos.

Sie war schon Mitte dreißig, als sie ein Studium absolvierte, um Hebamme zu werden. Zu den Vorlesungen fuhr sie regelmäßig mit dem Zug nach Sydney. Eine dieser Fahrten veränderte den Lauf ihres Lebens für immer und war unbeabsichtigt der Beginn des meinigen. In einem Zweite-Klasse-Waggon lernte sie einen Mann kennen, der mit ihr ins People's Palace ging, ein Budget-Hotel in der Nähe des Hauptbahnhofs, wo sie sich ihrer Liebe, ihrer Lust oder ihrer Langeweile hingaben.

Mary kehrte schwanger nach Yulara zurück und weigerte sich, den Namen des Vaters zu nennen oder mich zur Adoption freizugeben. Und auch wenn sie weiter jeden Sonntag zur Messe ging, mich taufen ließ und im katholischen Glauben erzog, nahm sie selbst nie wieder am Heiligen Abendmahl teil. Als ich sie Jahre später fragte, warum, antwortete sie: »Nur einer von uns beiden kann in den Himmel kommen.«

Ich habe immer gehofft, dass sie es sein würde. Ich trete ihr meinen Platz auf dieser Reise bereitwillig ab.

Als Angus vorbeikam, wurde die Zeit für Mum schon knapp. Eine Frau, die in einer Stadt wie Yulara mit vierzig nicht verheiratet war, würde wahrscheinlich eher vom Blitz getroffen werden als einen Ehemann finden. Das ist die Realität in den meisten Kleinstädten, wo die infrage kommenden jungen Männer und Frauen in die Großstadt ziehen, um zu studieren, Arbeit zu finden oder das Abenteuer zu suchen.

Angus war ein Soldat mit Lungenschaden, ein Schnäppchen in einem großen Totalausverkauf des Lebens. Das war nach dem Vietnamkrieg, als viele Männer ohne die eine oder andere Extremität oder anderweitig unvollständig heimkehrten. Angus meinte, er habe noch Glück gehabt, was wahrscheinlich stimmt, obwohl er ein widerwärtiges Rasseln in der Lunge hatte, das klang, als würde jemand die Eiswürfel in einem Milkshake abgießen.

Ich weiß nicht, wie seine Lungen beschädigt wurden. Vielleicht war es das Agent Orange oder irgendein anderer Cocktail aus Chemikalien, den die Amerikaner über dem Dschungel abgeworfen haben. Er sprach nie darüber. Er beschwerte sich auch nicht, beantragte keine Entschädigung, lebte im

Gegensatz zu vielen anderen Veteranen nicht in der Vergangenheit und bekam auch keine feuchten Augen, wenn er von seinem Militärdienst sprach. Er marschierte nicht bei den Paraden zum nationalen Gedenktag mit, nahm nicht an den traditionellen Zeremonien teil und spielte nicht Two-up im Veteranen-Club. »Ich habe für das Recht gekämpft, *nicht* zu marschieren«, sagte er. »Das ist die Bedeutung von Freiheit.«

Trotz seiner Kriegsverletzungen war er ein verkappter Segen für Mary. Ein Gottesgeschenk in Uniform. Sie heirateten an einem Samstagnachmittag im September 1967 in der St. Patrick's Church – Mutter in Weiß, Angus in einem geliehenen Anzug und meine Wenigkeit als Brautführer. Auf den Fotos sieht meine Mutter wirklich glücklich und mehr als nur ein bisschen selbstzufrieden aus. Sie hatte endlich einen Ehemann gefunden, für gute wie für schlechte Tage, Lungenschaden hin oder her – was konnte eine Frau mehr verlangen?

Sie verbrachten ihre Flitterwochen in einer Pension am Strand von Narooma, deren Wirtin Mrs Moon ihnen noch jahrelang eine Weihnachtskarte schickte. Das Motiv war immer dasselbe: rote Glöckchen inmitten von silbernen Blättern aus Glitzer. Schon wenige Stunden nach dem Aufstellen begann der Klebstoff zu schmelzen, und Glitzer rieselte auf den Kaminsims unter dem Foto von William Tierney, sodass es aussah, als hätte er Schuppen.

Über diesen Kaminsims streiche ich jetzt mit dem Finger. Es gibt Nagellöcher, wo Heiligabend unsere Socken hingen, und eine Stelle, wo eine umgekippte Weihnachtskerze die Tapete versengt hat.

Die Möbel sind noch dieselben – der Fernsehschrank, die Musiktruhe mit Bakelitknöpfen, das klumpige Sofa und Angus' Sessel mit Brandlöchern auf der Unterseite des Polsters von seinen Zigaretten.

Die Keksdose immer noch in der Hand, gehe ich durch die Räume und werde von Erinnerungen überwältigt. Einige sind in Marmor gehauen, andere in Holz geschnitzt. Einige wenige sind verputzt und übertapeziert worden wie Risse in der Wand.

Die Küchentresen sind staubig, fettig und mit Kakerlakenkot bedeckt. Der Linoleumboden hat Risse und rollt sich an einigen Stellen auf. Ich öffne den Kühlschrank, weiche einen Schritt zurück und halte mir Mund und Nase zu.

Ich nehme einen Müllsack und werfe alles hinein, was ich finde, bevor ich einen Eimer mit kaltem Seifenwasser fülle und den Kühlschrank mit einer Bürste sauber schrubbe. Danach wische ich zweimal den Boden, bis das Muster auf den Fliesen zu erkennen ist.

Wann ist meine Mutter zur Hamsterin geworden? Alle Regale sind vollgestellt mit Glaswaren, nicht zueinander passenden Tellern, Marmeladengläsern und Margarinebechern, Aluminiumtöpfen und angestoßenen Tassen. Vielleicht war sie es leid, Sachen auszusortieren.

Ich erstelle eine Liste von benötigten Dingen – Farbe, Pinsel, Kitt, Schmirgelpapier, Flüssigseife, Nägel und Schrauben –, die ich im Baumarkt besorgen will. Ich stelle die Zündflamme des Gasboilers ein, damit ich morgen früh heißes Wasser habe, aber was den Strom betrifft, muss ich warten, bis ich die Rechnung bezahlt habe.

Am frühen Abend wird es zu dunkel, um weiterzuarbeiten, außerdem bin ich erschöpft. Ich setze mich auf die Treppe hinter dem Haus und trinke Wasser aus einem alten Becher, als ich ein Rascheln im hohen Gras höre. Erst denke ich, es ist eine Schlange, aber dafür haben wir die falsche Jahreszeit. Eine Hündin beäugt mich von der Ecke des Schuppens. Ihr Fell sieht räudig aus, und sie hat einen krummen Schwanz und eine graue Schnauze.

»Hey, Mädchen«, sage ich. »Hast du Durst?«

Ich fülle eine alte Schüssel mit Wasser. Sie trinkt, wedelt mit dem Schwanz und lässt sich hinter den Ohren kraulen. Sie hat unendlich traurige braune Augen. Kein Halsband.

»Wem gehörst du?«, frage ich. Sie schnuppert an meiner Hand. »Ich hab nichts zu essen für dich.«

Als ich wieder ins Haus gehe, legt sie sich auf die Treppe und hebt jedes Mal den Kopf, wenn sie hört, wie ich mit mir selbst spreche.

Ich beginne, ihr Geschichten über das Haus und über Luke zu erzählen. Er war sechs, und ich war zwölf, als wir eingezogen sind. Der Makler erzählte Angus, dass das Haus einst Captain Moonlite als Versteck gedient hatte, dem Bushranger und berühmten Gesetzlosen, der im November 1879 von berittenen Soldaten in der Nähe von Yulara gefasst wurde. Später hängte man ihn in Darlinghurst Gaol.

Die Geschichte gefiel Angus, aber meine Mutter war entsetzt. Sie machte sich Sorgen, was ihre Kirchengruppe oder die Damen der Landfrauenvereinigung dazu sagen würden. Wegen des Skandals ihrer Schwangerschaft war ihr Ruf ohnehin schon befleckt – in Yulara war Scheinheiligkeit eine ansteckende Krankheit, mit der sich vor allem die Frommen infizierten.

Als Luke ungefähr acht war, habe ich ihm in den Sommerferien einmal eingeredet, Captain Moonlite hätte seinen Schatz in unserem Garten vergraben. Ich präsentierte sogar eine Schatzkarte, die ich vorher mit Zitronensaft gemalt hatte und die erst lesbar wurde, wenn man sie über eine Kerze hielt. Die Karte zeigte allerdings nur ungefähr die Stelle, wo Gold und Silber vergraben waren. Luke grub den Komposthaufen, den Gemüsegarten und die Rosenbüsche um. Ich dachte, er würde nach einer Stunde aufgeben, doch er buddelte den ganzen Tag und weiter bis in den Abend.

Mum war im Krankenhaus und brachte ein Baby auf die Welt. Als sie nach Hause kam, war ihr Garten verwüstet. Ich schob die Schuld auf Luke. Er protestierte nicht. Ich war ein mieser Bruder.

Das Wasser ist gerade warm genug, um zu duschen. Hinterher ziehe ich saubere Sachen an und überlege, was ich wegen des Abendessens unternehmen will. In der Elizabeth Street gibt es ein chinesisches Restaurant, oder ich könnte in einen der Pubs gehen. Inzwischen wird ganz Yulara wissen, dass ich zurück bin. Die Nachricht wird sich über Gartenzäune, in Supermarktgängen und an den Tresen von Kneipen verbreitet haben. Was werden sie über mich sagen? Nichts Gutes.

Die Hündin folgt mir, als ich durch den Vorgarten gehe und auf die leere Straße trete. Dunkelheit hat die Lebendigen gefressen wie ein Ungeheuer aus dem Märchen, doch ich weiß, dass ich nicht allein bin. Menschen hinter Fenstern, Türen und auf Veranden beobachten mich. Eine von ihnen erkenne ich, Becca Saunders. Sie war früher Lukes und meine Babysitterin.

Ich winke ihr zu. Sie reagiert nicht. Sie tritt unter eine Lampe auf ihrer Veranda. Ihr Haar ist kürzer, als ich es in Erinnerung habe, und in einer anderen Farbe gefärbt. Sie trägt eine Latzhose und Schlappen.

»Dachte ich's mir doch, dass du es bist«, sage ich lächelnd.

Sie antwortet nicht.

»Wie ist es dir ergangen?«

Becca hebt und senkt die Schultern. Das Licht auf der Veranda bildet eine Art Heiligenschein um ihren Kopf, und ich kann ihre Augen nicht sehen.

»Arbeitest du noch in dem Café?«

»Ich bin jetzt an der Highschool.«

»Als Lehrerin?«

»Als Verwaltungsassistentin.«

»Das ist gut.«

Die Hündin reibt ihre Schnauze an meiner Hand. »Weißt du, wem die gehört? Sie hat kein Halsband.«

»Ich hab sie schon ein paarmal hier gesehen.«

Es entsteht eine längere Pause.

»Wie geht es deiner Mum?«, fragt sie.

»Ihr Verstand verabschiedet sich.«

»Ist vielleicht ein Segen. Seit wann bist du draußen?«

»Seit gestern.«

»Warum bist du zurückgekommen?«

»Ich wusste nicht, wohin ich sonst gehen sollte.«

»Es ist ein großes Land.«

Das hört man die Leute häufig sagen. Sie sprechen von der beglückenden Freiheit der Straße und dem Erkunden neuer Horizonte, aber tatsächlich führen nicht viele Menschen ein solches Leben. Die meisten wünschen sich ein Dach über dem Kopf. Einen Job. Eine Familie. Einen Ort, wo sie hingehören.

»Heißt das, du bleibst hier?«, fragt sie.

»Bis ich das Haus renoviert habe.«

»Wie lange wird das dauern?«

»Ein paar Monate.«

Erneutes Schweigen.

»Ich weiß noch, wie du auf Luke und mich aufgepasst hast. Ich habe dir immer Liebesbriefe geschrieben und Blumen aus dem Garten geschenkt.«

»Daran erinnere ich mich nicht«, sagt sie steif.

Ich frage sie nach ihrem alten Freund. Ich weiß noch, dass er einen Dodge Charger mit kaputtem Auspuff fuhr. Ich glaube, er hieß Daryl.

»Ich habe ihn geheiratet«, sagt sie.

»Oh. Gut.«

»Inzwischen sind wir geschieden.«

»Tut mir leid, das zu hören.«

Es entsteht eine weitere lange Pause. Als ich die Straße hinunterblicke, fällt mir auf, wie viele Leute vor ihren Häusern, in Hauseingängen und hinter Fenstern stehen und mich beobachten. Anstarren. Mustern.

»Meinst du, diese Stadt wird mir je verzeihen?«, frage ich.

»Nicht in einer Million Jahren.«

# 7

Jedes Mal, wenn ich die Augen schließe, verliebe ich mich aufs Neue. Nicht in das Mädchen, aber in die Erinnerung an sie. Ich spüre, wie ihre Wimpern meine Wange streifen, ihren weichen Atem an meinem Hals. Sie riecht nach Shampoo, klingt wie ein Liebeslied und schmeckt wie ein Zitronendrops, das auf meiner Zunge schmilzt. Sauer und süß.

Ich erinnere mich an den Tag, als wir uns zum ersten Mal begegnet sind – einen heißen Februarnachmittag, an dem die Straßen schimmerten wie eine Fata Morgana. Ich hatte riesige Schweißflecken unter den Achselhöhlen. Ich hatte westlich von Yulara auf einem Grundstück, das seit drei Jahren keinen richtigen Regen mehr gesehen hatte, den ganzen Tag ein Bohrloch gegraben. Im gesamten Distrikt waren die Stauseen zu schlammigen Tümpeln oder Talkesseln mit rissigem Boden vertrocknet; das Vieh musste von Hand gefüttert und aus Tanklastern getränkt werden.

Ich fuhr mit dem Sandman zurück in die Stadt, als der Motor überhitzte und Qualm durch die Luftschlitze quoll. Ich hielt am unbefestigten Straßenrand und klappte die Motorhaube auf. Mit einem alten Lappen schraubte ich den Kühlerdeckel ab und machte einen Satz zurück, als eine Fontäne aus Dampf und kochendem Wasser in den Himmel schoss und mit einem Zischen wieder auf dem Motorblock landete.

In einem Trog in der Nähe füllte ich eine leere Flasche mit Wasser. Das goss ich in den Kühler und sah zu, wie es durch ein Loch direkt wieder auf die Straße floss. Ich fluchte. Gestrandet.

Ich wartete, dass ein Wagen vorbeikam, der mich mitnehmen konnte. Eine Viertelstunde verging. Die Sonne in meinem Nacken fühlte sich an wie die Flamme eines Schweißbrenners. Dann nahte ein Fahrzeug in einer Staubwolke. Ich winkte. Der Land Cruiser donnerte, scheinbar fahrerlos, an mir vorbei. Dann flackerten die Bremslichter auf, und der Wagen kam weiteren Staub aufwirbelnd am Straßenrand zum Stehen.

Ich schnappte meine Werkzeugkiste, joggte durch die Staubwolke und riss die Beifahrertür auf.

»Danke, Kumpel«, sagte ich, bevor ich die Person am Steuer ansah.

»Sehe ich aus wie dein Kumpel?«, fragte sie.

Das Mädchen konnte kaum übers Lenkrad gucken. Sie trug eine Schuluniform, Faltenrock und weiße Bluse, dazu glänzende schwarze Schuhe. Ihre Nase war mit einer feinen Schicht Sommersprossen übersät, und ihr Gesicht war so glatt, dass sie eher in einen Kinderfahrautomaten vor einem Supermarkt gepasst hätte, der wackelt, wenn man Zehn-Cent-Münzen einwirft.

»Willst du jetzt einsteigen?«, fragte sie.

»Darfst du schon fahren?«

»Möchtest du lieber laufen?«

Einen Moment lang erwog ich das tatsächlich, doch dann stieg ich in den Land Cruiser. Sie fuhr an, trat das Gaspedal durch, umkurvte Schlaglöcher in der Schotterstraße und bremste vor Weiderosten. Ihre Handgelenke waren nicht breiter als das Lenkrad, und sie kam mit den Füßen kaum an die Pedale. Eiskalte Luft blies aus den Lüftungsschlitzen, und ich wurde mir meines schweißnassen Hemdes und meiner schmutzigen Hände bewusst.

Sie griff nach einer Schachtel Zigaretten zwischen den Sitzen, zog mit den Zähnen eine heraus und drückte auf den Anzünder am Armaturenbrett.

»Willst du eine?«

»Nein.«

Sie öffnete das Fahrerfenster einen Spalt breit. Heiße Luft wehte herein. Sie zündete die Zigarette an, inhalierte und blies Rauch aus dem Mundwinkel.

»Ist das dein Auto?«, fragte ich.

»Ja.«

»Du siehst aus wie zwölf.«

»Ich bin achtzehn.«

»Und du besitzt einen Land Cruiser?«

»Hat mein Daddy mir gekauft.«

»Schön für dich.«

Sie paffte an der Zigarette, mehr zur Show als genussvoll. Wir überquerten eine einspurige Brücke über einen ausgetrockneten Flusslauf, an dessen Ufer sich Bäume drängten wie zusammengetriebene Tiere. An einem Stacheldrahtzaun waren tote Kakadus aufgehängt.

»Warum machen sie das?«, fragte sie.

»Es soll die anderen Vögel von den Pflanzen fernhalten.«

»Von welchen Pflanzen?«

»Guter Einwand. Wie heißt du?«

»Saxon.«

»Ich bin Arlo. Wo gehst du zur Schule, Saxon?«

»Gar nicht.«

»Du trägst eine Schuluniform.«

»Ich bin abgegangen.«

Bei ihr klang es so offensichtlich. »Fährst du nach Hause?«

»Ja.«

»Und wo ist das?«

»Ein Stück die Straße runter.«

Sie wollte es mir offensichtlich nicht erzählen, also hörte ich auf, Fragen zu stellen.

»Am Stadtrand von Yulara gibt es eine Tankstelle«, sagte ich. »Dort kann ich vielleicht jemanden beauftragen, meinen Wagen abzuschleppen.«

Saxon nickte, als würde sie den Laden kennen. Die Warnleuchte der Tankanzeige blinkte.

Zehn Kilometer weiter fuhren wir auf den Highway Richtung Yulara. Die Ausfahrt zur Tankstelle war von weißen Steinen gesäumt, Eukalyptusbäume spendeten Schatten für einen einzelnen, mit Vogelkacke gesprenkelten Picknicktisch.

Saxon parkte abseits der Zapfsäulen.

»Dein Tank ist fast leer. Du solltest ihn auffüllen.«

»Zahlst du?«

»Ich?«

»Das ist nur fair. Du wärst da draußen gestorben.«

»Irgendjemand wär schon vorbeigekommen.«

»Und hätte deine Leiche gefunden.«

Ich blickte zu den Zapfsäulen. »Ich gebe zehn Dollar dazu.«

»Sagen wir fünfzehn, und du spendierst mir was Kaltes zu trinken.«

Ich ging zu der Verkaufsbude. »Eine Pepsi«, rief sie mir nach.

Die Insektenschutztür fiel klappernd zu und scheuchte die Fliegen auf, die auf dem Gitter saßen. Ich nahm zwei Getränkedosen aus dem Kühlschrank. Die Frau hinter dem Tresen hatte eine Figur wie ein Eis am Stiel, runde Schultern und dünne Beine.

»Gibt es hier einen Automechaniker?«, fragte ich.

Sie drehte sich um und rief: »Marty!«

»Was?«, antwortete eine Männerstimme.

»Kundschaft.«

Er kam in einem ölverschmierten blauen Overall aus dem Hinterzimmer und wischte sich mit einem Papierhandtuch die Hände ab. Marty Gascoigne. Wir hatten zusammen im U-12-Rugby-Team gespielt. Marty hatte Tackles gemieden, jedoch dazu geneigt, mit den Knien voran zu spät in einen Zweikampf zu kommen.

Er nickte. Ich nickte. Er blickte aus dem Fenster zu Saxon. Sie war es bestimmt gewohnt, angestarrt zu werden. Von Männern und Jungen. Vielleicht auch von Frauen. Schönheit ist Schönheit.

»Mein Sandman hat etwa dreißig Meilen westlich von hier auf der Boorak Road schlappgemacht. In der Nähe von O'Learys Silo. Meinst du, du könntest ihn reparieren oder von einer Klippe stoßen?«

»Ich kann ihn mir ansehen. Abschleppen kostet hundert Dollar. Fünfzig sofort.« Er streckte die Hand aus und verlangte seine Bezahlung. Wenn ich in dem Tempo weitermachte, war das Geld, das ich an diesem Tag verdient hatte, weg, bevor ich zu Hause ankam.

Ich bezahlte das Benzin, die Getränke und den Abschleppwagen und kehrte zu dem Land Cruiser zurück. Saxon hatte ihre Schultasche von der Rückbank genommen und war in der Damentoilette verschwunden. Als sie zurückkam, trug sie ein Flanellhemd und verblichene Khakishorts mit großen Taschen. Sie hatte sich Wasser ins Gesicht gespritzt und ihre Haare befeuchtet, bevor sie sie unter eine Baseballkappe gestopft hatte.

Ich trank langsam, während sie den Kopf in den Nacken legte, die Pepsi runterkippte, den Mund abwischte und rülpste wie ein Trucker.

»Sehr charmant«, sagte ich.

»Ich bitte um scheiß Entschuldigung«, erwiderte sie lachend und hielt sich die Coladose an die Stirn. »Wo kann ich hier schwimmen gehen?«

»Willst du nicht nach Hause?«

»Ich hab's nicht eilig.«

»Das Schwimmbad schließt in einer halben Stunde.«

»Was ist mit dem Fluss?«

»In der Nähe der Brücken gibt es eine Badestelle.«

»Zeigst du sie mir?«

Ich zögerte.

»Ich beiße nicht.«

*Oh, aber du bist gefährlich*, dachte ich. *In Gesellschaft von jemandem wie dir könnte ein Mann eine Menge Ärger bekommen.*

Wir fuhren durch eine flache Schlucht von einstöckigen Häusern, gedrängt auf zweitausend Quadratmetern, mit summenden Klimaanlagen an den Seitenfenstern, Glas und Wellblech, in denen sich blitzend die Sonne spiegelte.

Wir fuhren über das Gemeindeland und vorbei an dem Campingpark am Flussufer, überquerten die Prince Alfred Bridge und bogen rechts ab. Wir holperten über die Gleise, passierten die Halle des Police Boys Club und folgten einer zerfurchten Lehmpiste entlang des Flussufers. Ich sagte Saxon den Weg an, hatte jedoch zunehmend den Eindruck, dass sie genau wusste, wohin sie fahren musste.

Wir hielten auf einer Grasböschung oberhalb eines Kieselstrands, der zum Teil im Schatten von Rotem Eukalyptus lag. Stromaufwärts zeichneten sich die Straßen- und die Eisenbahnbrücke als Silhouetten vor dem wolkenlosen Himmel ab.

»Viel Spaß beim Schwimmen«, sagte ich und wandte mich zum Gehen.

»Kommst du nicht mit?«

»Heute nicht.«

»Solltest du aber. Nichts für ungut, aber du stinkst ein bisschen.«

»Ich hab keine Badehose dabei.«

»Ich auch nicht.«

Sie lachte, hüpfte aus dem Wagen, knöpfte ihre Bluse auf und zog ihre Shorts herunter. Darunter trug sie weiße Baumwollunterwäsche. Sie setzte sich ins Gras, zog Schuhe und Socken aus, griff in ihren Rücken und hakte den Verschluss ihres BHs auf.

Ich versuchte, nicht hinzugucken.

»Kommst du?«

»Nein.«

»Warum nicht?«

»Ich finde, es ist nicht richtig.«

»Wie alt bist du?«, fragte sie.

»Sechsundzwanzig.«

»Und ich bin achtzehn. Wir sind beide erwachsen.«

»Streng genommen bist du immer noch ein Teenager.«

»Wir wollen schwimmen, nicht ficken.«

Ich zuckte innerlich zusammen. Ich kannte nicht viele Frauen, die so derb redeten. Zu Hause hatten wir einen Glaskrug, in den man für jeden Fluch eine Münze werfen musste, und ich sorgte dafür, dass er immer gut gefüllt war, eine Aufgabe, die ich von Angus geerbt hatte.

Die Badestelle lag abseits der Strömung, und der Wasserstand war niedriger als sonst, wegen der Trockenheit und weil das Snowy Hydro Scheme Wasser anstaute, um damit Turbinen zu betreiben.

Saxon stakste vorsichtig über die Kiesel und watete bis zu den Knien und dann bis zu den Hüften in den Fluss. Im letzten Moment drehte sie sich um und warf ihre Baseballkappe auf den Kiesstrand. Dann hechtete sie nach vorn und verschwand unter Wasser. Ich wartete, dass sie wieder auftauchte, doch ich sah nur Blasen. Zehn Sekunden, fünfzehn … zwanzig.

Ich sprang aus dem Wagen, riss mir das Hemd vom Leib, hüpfte in Richtung Wasser und zog die Stiefel aus. Ich warf mich in die träge Strömung und versuchte abzuschätzen, wohin sie getrieben sein könnte, wenn sie unter Wasser gegen einen Stein oder Baumstamm gestoßen war.

Ich atmete tief ein, tauchte unter, tastete mich blindlings vor, berührte den Grund und tauchte wieder auf. Ich wollte gerade einen neuen Anlauf nehmen, als ich sie lachen hörte. Sie schwamm keine zehn Meter entfernt von mir im Schatten eines Eukalyptusbaums.

»Ich kann die Luft eine Minute lang anhalten«, sagte sie und kraulte mit einem kraftvollen Schlag in die Sonne. »Ach komm schon, sei nicht wütend.« Sie strampelte vor mir auf der Stelle. »Fühlst du dich jetzt nicht besser?«

Mein Herz raste immer noch. Sie legte die Arme um meinen Hals, schlang die Beine um meine Hüfte und küsste mich auf die Wange.

»Danke, dass du mich gerettet hast.«

»Ich denke, du solltest mich loslassen.«

»Wieso?«

»Es ist nicht … Du solltest nicht … Das ist nicht …«

»Kriegst du einen Steifen?«

»Nein!« Ich stieß sie weg. »Sei nicht eklig.«

»An einer Erektion ist nichts verkehrt. Es ist ganz natürlich.«

Ich watete kopfschüttelnd zurück Richtung Ufer.

»Ich glaube nicht, dass du pervers bist«, sagte Saxon. »Im Gegensatz zu anderen Leuten.«

»Von denen kennst du wohl eine Menge, was?«

»Im letzten Schuljahr sind Lisa Dembicki und ich zu einem

FKK-Strand in Mosman gefahren. Da haben sich alle möglichen Perversen in den Büschen versteckt und so getan, als würden sie Vögel beobachten.«

»Ihr wart nackt baden?«

»Oben ohne.«

Es war klar, dass Saxon mich schocken wollte, doch ich wusste nicht, ob sie frühreif, naiv oder einfach nur dumm war. Vielleicht alles zusammen, oder sie war sich der Wirkung, die sie auf Menschen hatte, kein bisschen bewusst.

Ich watete aus dem Wasser und setzte mich in den Sand, um zu Puste zu kommen. Saxon legte sich im flachen Wasser auf den Bauch und betrachtete die glatten Kiesel.

»Hast du eine Freundin?«

»Nein.«

»Findest du mich hübsch?«

»Du bist zu dünn.«

»Die Leute sagen, ich sehe aus wie Winona Ryder.«

»Wer?«

»Die Schauspielerin. Sie hat in *Heathers* mitgespielt.«

»Den hab ich nicht gesehen.«

»Du bist so ein alter Mann.«

Sie lachte und schwamm stromaufwärts in den Schatten der Eisenbahnbrücke, wo die Hochwasserstände durch Ablagerungen markiert wurden, die an den Masten hafteten. Ein Fisch sprang. Ein Hund bellte. In der Ferne hallte ein Schuss wider. Saxon watete ans Ufer und streifte ihr Hemd über. Sie lehnte sich zurück und schirmte mit dem Unterarm die Augen ab. Von der Brise hatte sie eine Gänsehaut, und ihr Schamhaar verdunkelte den weißen Stoff ihres Baumwollslips.

Dann richtete sie sich plötzlich auf, bündelte ihr Haar zu einem Pferdeschwanz, wrang Wasser heraus und ließ ihn auf den Rücken ihres Hemds fallen.

»Ich bin am Verhungern.«

»Ich habe in meiner Werkzeugtasche eine Orange.«

»Wir könnten ein Picknick machen.«

»Mit einer Orange?«

»Für einen Mann mit einem so interessanten Gesicht hast du eine ziemlich beschränkte Fantasie. Ich hol eine Decke. Ich hab eine im Wagen.«

Die karierte Decke bauschte sich zu einem Ballon auf und sank auf das Gras. Saxon schüttelte sie einmal aus und strich dann die Ecken glatt. Schließlich setzte sie sich im Schneidersitz in die Mitte und sah zu, wie ich die Orange schälte und in zwei Hälften teilte. Frische Schweißtropfen schimmerten auf ihrer Oberlippe und klebten an den Sommersprossen auf ihrer Nase. Dieses Mädchen hatte nichts Verhärmtes, Erschöpftes oder Verbittertes. Nichts Verblichenes oder Beschädigtes. Keine Narben, Piercings oder Tattoos. Ich konnte mir vorstellen, wie sie durch die Highschool gesegelt war, hübsch und beliebt, der Stolz ihrer Eltern.

Wir saugten geräuschvoll an den Orangenstücken und spuckten die Kerne ins Gras. Ich ging in die Hocke und betrachtete den Boden. Über unseren Köpfen krächzte eine Elster und flog unter die Masten der Brücke.

»Erzähl mir was, was wahr ist«, sagte sie.

»Zum Beispiel?«

»Wusstest du, dass Affen in der Wildnis keine Bananen essen?«

»Nein.«

»Und in Afrika malen sie Augen auf die Hinterteile von Kühen, damit sie nicht von Löwen angegriffen werden.«

»Wo lernst du dieses Zeug?«

»Vom Leben.«

Ich lachte, sie runzelte die Stirn. »Jetzt bist du dran.«

Ich überlegte.

»Diese Brücke hat mein Urgroßvater gebaut«, sagte ich dann und zeigte auf die Steinpfeiler, die aus dem Fluss ragten und die eisernen Bögen und die Fahrbahn mit den Gleisen trugen, die den Murrumbidgee in knapp fünfundzwanzig Meter Höhe überquerten.

»Er ist Ende des vergangenen Jahrhunderts aus Amerika hergekommen, weil er wusste, wie man Viadukte und Stahlbrücken baut. Das Hauptstück in der Mitte hat eine Spannweite von über fünfundsechzig Metern. Die Stahlelemente wurden in Pennsylvania geschmiedet. Sein Job war es, die Teile zusammenzusetzen.«

»Wie ein Puzzle.«

»Genau.«

»Als die Brücke fertig war, musste sie getestet werden. Man koppelte drei schwere Lokomotiven samt Tender mit einem Gesamtgewicht von mehr als dreihundert Tonnen aneinander und fuhr sie mit gut sechzig Stundenkilometern über die Brücke. Danach ging man davon aus, dass sie sicher war.«

»Ist die Brücke noch in Benutzung?«

»Die Strecke wurde vor fünf Jahren stillgelegt.«

»Warum?«

»Mangelnde Nutzung. Vernachlässigung. Eine Flut.«

Sie legte sich auf den Rücken und blickte zu den Metallbögen hoch. »Guck mal! Da oben ist jemand.«

Mein Blick folgte ihrer ausgestreckten Hand, und ich sah vier Jungen im Teenageralter, die über das Gleisbett zu dem Abschnitt über dem Wasser gingen.

»Sie wollen schwingen«, sagte ich.

»Schwingen?«

»Warte ab.«

Die Jungen kletterten von dem Gleis auf eine niedrigere

Plattform, die ein Stück über das Wasser hinausragte. Einer hakte ein Seil los, das hoch über ihnen an dem tragenden Bogen befestigt war. Er stellte einen Fuß in eine Schlinge am Ende des Seils, stieß sich ab und schwang in einem anmutigen Bogen über den Fluss, so weit weg von dem Vorsprung, wie es das Seil erlaubte, bevor die Schwerkraft ihn zurückriss.

»Das Wasser ist nicht tief genug«, sagte Saxon alarmiert.

»Er fällt nicht.«

Der Junge schwang erneut über den Fluss und noch einmal, und jedes Mal wurde der Bogen kürzer, bis er hilflos über dem Wasser baumelte.

»Wie kommt er zurück nach oben?«, fragte Saxon.

»Guck hin.«

Kurz darauf wurde ein dünneres Seil sichtbar, an dem die anderen Jungen zogen und so ein Pendel in Bewegung setzten, dessen Ausschlag irgendwann so groß war, dass der Junge sich wieder auf die Plattform schwingen konnte.

»Hast du das schon mal gemacht?«, fragte sie.

»Als ich jung und dumm war.«

»Wie alt?«

»In deinem Alter.«

»Du denkst, ich bin jung und dumm?«

»Die Geschworenen beraten sich noch.«

»Den Schwung« zu machen, war in Yulara ein Initiationsritus der Mannwerdung. Bis man achtzehn wurde, war man entweder von der Brücke geschwungen oder galt als Feigling. Es war egal, wie viele Warnschilder die Stadt aufstellte und wie viele Vorträge Eltern und Polizisten hielten. Stacheldraht hatte auch nichts genutzt.

Im Kopf hatte ich den Schwung schon zahllose Male bewältigt, bevor ich es zum ersten Mal wagte, mich der Herausforderung in der Realität zu stellen. Und jedes Mal, wenn ich dort hinaufstieg, war es beängstigend und berauschend. Die Last der Erwartung. Die Angst, die einem auf die Eingeweide drückte und den Schließmuskel zusammenzog.

Die ersten paar Meter sind die schlimmsten – der freie Fall, in dem es einem vorkommt, als hätte das Seil sich von der Brücke gelöst. Dann spannt es sich mit einem plötzlichen Ruck, schwingt in einem weiten Bogen über das Wasser und beschleunigt auf Endgeschwindigkeit. Beim ersten Mal schreit jeder, vor Freude oder Erleichterung oder Angst.

Saxon beobachtete, wie der Junge sicher nach oben gezogen wurde und ein anderer seinen Platz einnahm.

»Ist schon mal jemand gefallen?«, fragte sie.

»Ein Kumpel von mir, Muzza Munroe, hat behauptet, er wäre gesprungen. Er sagte, es hätte fünf Sekunden gedauert, bis er auf dem Wasser aufgeschlagen ist, aber das war gelogen.«

»Woher weißt du das?«

»Muzza war echt beschissen in Physik und ein miserabler Lügner.«

Saxon lachte und schauderte leicht. Die Schatten waren länger geworden, und die Luft kühlte allmählich ab.

»Du solltest nach Hause fahren«, sagte ich.

»Ich muss heute Abend nicht nach Hause kommen.«

»Machen deine Eltern sich keine Sorgen?«

»Ich ruf sie an«, erwiderte sie nonchalant.

»Wo willst du übernachten?«

»Ich kann im Wagen schlafen.«

»Ich glaube nicht, dass das eine gute Idee ist.«

»Ich könnte mit zu dir kommen«, sagte sie und zog hoffnungsvoll eine Braue hoch.

»Nein.«

»Nur für eine Weile. Ein oder zwei Stunden.«

»Und was dann?«

Sie antwortete nicht, sondern wechselte das Thema. »Warum ist dein Haar so kurz geschnitten?«

»Ich war früher in der Armee«, sagte ich.

»Ich bin Pazifistin. Ich mag keine Kriege.«

»Ich auch nicht.«

»Warum bist du dann zur Armee gegangen?«

»Ich wollte einen Beruf lernen.«

»Wie man Menschen umbringt?«

»Ich habe Maschinenbau studiert.«

»Warum hast du die Armee verlassen?«

»Mein Stiefvater ist gestorben. Jemand musste auf Mum und meinen Bruder aufpassen.«

Das war nicht die ganze Geschichte, aber es reichte aus.

»Wie ist er gestorben?«, fragte Saxon.

»Er ist verblutet.«

Sie zog die Beine an den Körper und beugte sich vor, bis ihre Stirn auf ihren Knien lag.

»Ich könnte jemanden umbringen, wenn ich müsste«, sagte sie. »Unter den richtigen Bedingungen.«

»Es gibt keine richtigen Bedingungen.«

»Was ist mit Hitler? Ihn hätte ich umgebracht, wenn ich die Gelegenheit gehabt hätte.«

»Vielleicht Hitler.«

»Und Stalin?« Sie ratterte eine Reihe weiterer Namen wie Pol Pot und Mao herunter. Dann richtete sie sich auf und wandte sich mir direkt zu. »Zeig mir deine Hände.«

Ich kam mir vor wie ein Schuljunge bei der Inspektion vor dem Abendessen. Saxon fasste meine Finger und strich über eine Linie in meiner Handfläche.

»Das ist deine Herzlinie, und das ist deine Kopflinie, und das ist dein Venusgürtel.«

»Ich habe einen Venusgürtel?«

»Er bedeutet, dass du extreme Höhen und Tiefen erlebst. Du suchst Aufregung, aber du bist auch sehr sinnlich. Du kannst sehr sensibel sein, aber du musst deinen Jähzorn im Zaum halten. Habe ich recht?«

»Du hast offensichtlich meine Briefe gelesen.«

Sie wusste, dass ich mich über sie lustig machte. Sie ließ meine Hände los und nannte mich einen Philister.

»Weißt du überhaupt, was ein Philister ist?«

»Halt die Klappe.«

Ein Fisch sprang in die Luft und tauchte platschend wieder ins Wasser. Ich zog meine Kleider an, die steif von Schweiß waren. Saxon folgte meinem Beispiel und strich sich Erde und Gras von den Füßen, bevor sie ihre Schuhe anzog.

»Kann ich dich bis irgendwohin mitnehmen?«, fragte sie hoffnungsvoll.

»Du hast schon genug getan.«

»Es war ein guter Tag, oder nicht?«

»Ja.«

Ich nahm meine Werkzeugkiste und begann die Schotterstraße hochzulaufen, die vom Ufer wegführte. »Heute Nacht wirst du von mir träumen«, rief sie mir nach.

»Wieso das?«

»Es ist einfach so.«

Ich überquerte das Doppelgleis und erreichte die Straßenecke.

*Dreh dich nicht um*, sagte ich mir. *Dreh dich nicht um.*

Als ich es doch tat, hob Saxon die Hand, und ihre Miene leuchtete erwartungsvoll auf, aber ich winkte nur kurz und wandte mich wieder ab. Ich war nicht für sie verantwortlich, zu Hause war sie besser aufgehoben. Zumindest wollte ich das glauben.

# 8

In Yulara hat nie jemand Berühmtes gelebt, ist dort gestorben oder auch nur zufällig vorbeigekommen, wenn man Captain Moonlite, den Bushranger, nicht mitzählt und den Kriegspremier, der 1942 einen lokalen Cafébesitzer weckte, weil sein Kriegskabinett eine Gruppe hungriger Reisender war.

Yulara ist eine verschlafene Stadt, eine konservative Stadt, eine Stadt, die je nach Pegelstand des Niederschlagsmessers erblüht oder kriselt. 1963 ließ der Stadtrat eine Zeitkapsel unter dem Fundament des neuen Rathaussaals vergraben. Sie wurde von Pater Martell, dem frisch eingetroffenen Gemeindepastor, gesegnet. Die Metalltonne wurde zugeschweißt und überbetoniert, und man brachte eine Plakette an, die verkündete, dass die Tonne in hundert Jahren wieder ausgegraben werden sollte.

Ich werde dann nicht mehr da sein, doch ich vermute, dass sie von Ortsansässigen mit denselben Nachnamen und Gesichtszügen geöffnet werden wird, die Begeisterung darüber heucheln, dass sie eine Tonne voller sauberer Luft und Schwarz-Weiß-Fotos einer kaum veränderten Stadt finden, zusammen mit alten Tageszeitungen und den Samen eines auf der Yulara Agricultural Show 1962 preisgekrönten Kürbisses.

»Ich dachte mir schon, dass du es bist«, sagt eine Kellnerin in einem Kittelkleid, schwarzen Leggings und weißen Tennisschuhen. Ich erkenne sie. Mandy Flynn. Sie pustet eine widerspenstige Strähne aus ihren Augen. »Alle reden über nichts anderes als dich.«

»Schlechte Nachrichten verbreiten sich schnell.«

»Bist du eine schlechte Nachricht?«

»Nicht mit Absicht.«

Ich sitze in einer Nische im Windmill Café und studiere die Plastikspeisekarte, die seit meinem letzten Besuch unverändert ist. Die Hälfte der Tische sind besetzt. Die meisten Gäste strengen sich an, nicht in meine Richtung zu starren, und flüstern verschwörerisch.

Ein Paar steht auf und zahlt an der Kasse. Die Frau beschwert sich vernehmlich über das »Gesindel«, das heutzutage hier verkehrt. Ihr Mann ermahnt sie, leiser zu sprechen, und blickt nervös in meine Richtung.

»Die werden schon wiederkommen«, sagt Mandy. »Gibt ja sonst nichts, wo sie hingehen können.«

Sie und Saxon waren gleich alt, und ich glaube, sie waren Freundinnen, obwohl ich das nicht mit Sicherheit weiß. Ich erinnere mich, dass Mandy total pferdeverrückt war und an den Wochenenden an Reitturnieren teilgenommen hat. Sie trägt ihre Haare immer noch wie früher zu einem Dutt hochgesteckt. Als ich sie von der Seite sehe, erkenne ich, dass sie schwanger ist.

»Dein Erstes?«, frage ich.

»Gott, nein. Nummer vier. Ich bin das reinste Zuchttier.«

»Wer ist der Glückliche?«

»Freddy Hewson.«

»War er nicht deine Jugendliebe?«

»Seit ich fünfzehn war.«

»Und du hast ihn geheiratet?«

»Nein, er hat mich geheiratet«, sagt sie keck. »Und dann bin ich fett geworden.«

»Du bist nicht fett.«

Sie lacht und wölbt den Rücken, wie um ein Gewicht auszubalancieren. »Wo wohnst du?«

»In dem alten Haus. Und du?«

»Wir haben ein Haus im Banksia Estate gekauft, südlich des Flusses. Freddy arbeitet für CommBank«, sagt sie stolz. »Er ist stellvertretender Zweigstellenleiter.«

Ich bestelle Rührei, Bacon, Bohnen, Toast und Kaffee. Mandy notiert es und steckt den Notizblock in die Tasche ihrer Schürze. Der Besitzer des Cafés, Leon Emery, beobachtet uns von der Doppeltür zur Küche. Sein Gesicht ist dermaßen mit Aknenarben übersät, dass er aussieht wie ein abgekauter Bleistift. Er winkt noch beharrlicher.

»Ich glaube, Leon will was von dir.«

Mandy murmelt etwas und geht mit schwingenden Hüften zur Küche. Ihre Stimmen tragen durch das Lokal. Leon zeigt fuchtelnd auf mich und will, dass ich verschwinde. Ich rutsche von meiner Bank und gehe zum Tresen.

»Ich hab es mir anders überlegt, Mandy. Mach mir das Frühstück zum Mitnehmen. Ein Brötchen mit Ei und Bacon und einen Kaffee.«

»Du kannst hierbleiben«, sagt sie.

»Das ist schon okay. Ich warte lieber draußen. Viel Glück mit dem Baby.«

Sie hält vier Finger hoch. »Ich bin so eine Masochistin.«

Ich verzehre mein Frühstück auf der ausgetretenen steinernen Treppe von St. Patrick's. Ich überlege, ob ich die Kirche betreten soll – nicht um zu beten, sondern um zu sehen, ob sich etwas verändert hat. An der Tür klebt ein Pappschild: *In den Räumlichkeiten wird kein Geld aufbewahrt. Dies ist ein Haus Gottes. ER beobachtet dich.*

Auf einer Anzeigetafel daneben sind die Zeiten für die Messe, die Beichte und für Taufen aufgelistet. Pater Corday ist immer noch der Gemeindepfarrer; Pater Martell, der vor vier Jahren gestorben ist, wird nirgendwo erwähnt.

Ich stoße das schwere Portal auf, tauche die Finger in das Weihwasserbecken und bekreuzige mich aus Gewohnheit. Ich blicke durch den Mittelgang bis zum Altar, zu den bunten Fenstern und den Statuen von der lieben Frau vom Heiligen Herzen, der Jungfrau Maria, und von Jesus.

Ich will gerade wieder gehen, als ich aus dem Augenwinkel eine Bewegung ausmache. Ein Junge tanzt auf den Stufen vor dem Altar. Er trägt ein Messdienergewand, eine knielange schwarze Robe und ein weißes Chorhemd. In dem Licht, das durch die farbigen Fenster fällt, sieht er beinahe außerirdisch aus, während er sich dreht und dreht wie ein Blatt, das vom Baum geweht wurde.

Plötzlich bleibt er stehen. »Ist da jemand?«

»Bloß ich.«

»Wer sind Sie?«

»Niemand, wegen dem du dir Sorgen machen musst.«

Er blickt sich zur Sakristei um.

»Pater Corday ist nicht da.«

Ich trete aus dem Schatten. Der Junge hat schulterlanges Haar, zarte Gliedmaßen und markante Wangenknochen, die eine Modezeitschrift zieren könnten.

»Was machst du hier?«

»Ich bin Messdiener.«

»Das sehe ich. Ist heute Morgen eine Messe?«

»Nein. Um zehn hört Pater Corday die Beichte.«

Er weist in den hinteren Teil der Kirche, wo in einer Nische drei Kammern stehen, eine für den Priester und zwei für Beichtende.

»Wofür braucht er da einen Messdiener?«, frage ich.

»Um den Massenandrang zu kontrollieren.«

Ich lache. Er lächelt.

Er balanciert auf der Kante der Stufe, als würde er auf

einem Seil tanzen. »Haben Sie irgendwelche Sünden zu beichten?«

»Im Moment nicht«, sage ich.

»Mir fallen auch nie welche ein. Meistens denke ich mir sie aus.«

»Ist das nicht das Gleiche wie lügen?«

»Vielleicht sollte ich das beichten.« Er grinst. »Glauben Sie, er ist hier?«

»Wer?«

»Gott.«

»Ich glaube nicht an Gott.«

»Na, dann sind Sie hier falsch.«

Ich lache, und er runzelt die Stirn, unsicher, was der Witz war.

»Ich hatte einen jüngeren Bruder, der Messdiener war«, sage ich.

»Ich mag die Gewänder. Darin hat man das Gefühl, etwas Besonderes zu sein.«

»Er mochte sie auch.«

Der Junge balanciert immer noch auf der Stufe und kommt auf mich zu. Von draußen höre ich laute Stimmen, die einen Namen rufen. Clem. Er blickt erschrocken auf.

»Ich glaube, jemand sucht dich«, sage ich.

»Das machen sie ständig.«

»Wieso?«

Er zuckt mit den Schultern.

»Hast du Ärger?«

»Nicht mehr als üblich.«

Die schwere Tür wird mit einem Quietschen aufgezogen.

»Sagen Sie denen, dass ich nichts gestohlen habe?«, fragt Clem.

»Was zum Beispiel?«

»Sagen Sie es ihnen einfach.«

Ich blicke den Gang hinunter. Jemand betritt die Kirche. Constable Wakeham kommt auf mich zu. Als ich mich wieder umdrehe, ist Clem verschwunden.

»Haben Sie einen Jungen gesehen?«, fragt sie.

»Er war gerade noch hier.«

»Wohin ist er gegangen?«

Ich zeige auf die Sakristei. »Ich glaube, er ist dort lang.«

»Haben Sie mit ihm gesprochen?«

»Er wollte, dass ich Ihnen sage, dass er nichts gestohlen hat.«

»Was zum Beispiel?«

»Das hat er nicht gesagt.«

Wakeham murmelt vor sich hin und geht Richtung Sakristei. Dort prallt sie mit Pater Corday zusammen, der eingetroffen ist, um die Beichte zu hören. Der Priester hat mehr Fältchen um die Augen, als ich es in Erinnerung habe, doch er hat immer noch dasselbe dunkle Haar und die näselnde Stimme. Er ist angemessen priesterlich gekleidet – schwarze Hose, weißes Hemd mit goldenen Kreuzen am Kragen –, und unter seinem Arm klemmt eine gefaltete Galoppsportzeitung.

»Ich habe gerade Clem gesehen«, erklärt er Constable Wakeham. »Er ist in Robe und Chorhemd die Elizabeth Street hinuntergerannt.«

»Hat er sie gestohlen?«, fragt sie.

Der Priester zögert. »Als Diebstahl würde ich es nicht bezeichnen.«

»Wie würden Sie es denn bezeichnen?«, fragt sie.

Er weiß nicht, was er antworten soll.

»Als Leihgabe«, schlage ich vor.

»Ja, als Leihgabe.«

Constable Wakeham seufzt angewidert, bevor sie die Verfolgung des Jungen aufnimmt.

Pater Corday lächelt mich an. Er hat immer noch schreckliche Zähne. »Schön, dich zu sehen, Arlo.«

»Dieser Ansicht sind nicht alle.«

»Nun, im Hause Gottes bist du willkommen.«

»Sie retten immer noch Seelen«, sage ich.

»Eine nach der anderen.«

»Es hat mir leidgetan, das von Pater Martell zu hören. Mum hat es mir geschrieben.«

»Jetzt regelt er die Angelegenheiten im Himmel. Und liest zweimal am Tag die Messe.«

»Mit Luke als Messdiener«, füge ich hinzu.

Der Priester versteift sich.

»Ach, richtig, Luke wird nicht dort sein«, sage ich.

Pater Corday breitet die Hände aus. »Das wissen wir nicht. Der Herr vergibt jenen, die reinen Herzens sind und aufrichtig bereuen.«

»Was ist mit jemandem, der sich das Leben nimmt?«

»Manchmal sieht die Kirche ein solch bedauerliches Ereignis als Folge einer psychischen Erkrankung und nicht durch Bösartigkeit motiviert.«

Trotzdem haben die Gemeindemitglieder protestiert, als Luke auf der katholischen Seite des Friedhofs begraben wurde. Ich lasse dieses Detail unerwähnt.

»Hast du deine Mum besucht?«, fragt Pater Corday.

»Gestern.«

»Traurig, sie so zu sehen. Ich vermisse ihre Kochkünste, und niemand kann die Blumen so arrangieren wie sie.« Er verbeugt sich, küsst den Altar und bekreuzigt sich.

»Wer hat Ihnen erzählt, dass ich wieder da bin?«, frage ich.

»Helen Churcher. Sie kommt jeden Morgen vorbei und zündet eine Kerze für deinen Bruder an.«

»Für Luke?«

»Eine so reizende junge Frau. Gütig. Aufmerksam. In Anbetracht ihrer Umstände …«

»Umstände?«

»Sie hat ihren Mann verloren und hat alle Hände voll zu tun.«

*Womit*, will ich fragen, doch die Intensität seines Blicks lenkt mich ab. Er scheint mein Gesicht zu studieren und nach den Spuren einer Veränderung in mir zu suchen.

»Wann hast du zum letzten Mal gebetet?«, fragt er.

»Ich kann mich nicht erinnern.«

»Ich weiß, du hast deinen Weg verloren, Arlo, aber du kannst ihn wiederfinden. Gott wird zuhören.«

*Vielleicht bin ich lieber verloren*, denke ich, sage jedoch: »Das merke ich mir.«

»Werde ich dich am Wochenende in der Messe sehen?«

»Unwahrscheinlich.«

»Ich höre jetzt gleich die Beichte.«

»Ich hatte keine Zeit, zu sündigen.«

»Sogar die Apostel hatten Zeit, zu sündigen. Petrus hat Jesus dreimal verleugnet.«

»Ehe der Hahn gekräht hat.«

»Du kennst die Bibel noch.«

»Ich erinnere mich an die Geschichten.«

Ich verlasse die Kirche und kehre zurück in die Stadt, wo ich jeden Blickkontakt meide. Im Postamt bezahle ich die Stromrechnung, bevor ich im Baumarkt die benötigten Sachen kaufe. Der Verkäufer schlägt vor, dass ich sie mir nach Hause liefern lassen soll, zieht das Angebot jedoch zurück, nachdem er mit seinem Chef gesprochen hat. Ich muss meine Einkäufe selbst nach Hause tragen und dafür zweimal den Hügel hinauf und hinunter laufen.

Auf dem zweiten Weg bemerke ich einen großen weißen Wagen, der mir offenbar in einigem Abstand folgt. Wegen der stark getönten Windschutzscheibe kann ich den Fahrer nicht erkennen, doch der Wagen hat mehrere Antennen, was auf eine Funkausstattung hindeutet. Ein Zivilfahrzeug der Polizei. Bestimmt Gavin Aimes, der mich kontrolliert. Ich überlege zu winken, aber ich will ihn nicht verärgern.

Am späten Vormittag bin ich mit der Arbeit am Haus zugange, schmirgele die Fensterrahmen ab und kratze Kitt aus den Rillen. Eine der Regenrinnen ist durchgerostet, und das Fallrohr hat sich von der Wand gelöst. Es fühlt sich gut an, wieder mit den Händen zu arbeiten und die Sonne auf dem Rücken zu spüren.

Die Hündin ist immer noch bei mir. Sie folgt mir durch den Garten, liegt unter der Leiter oder sucht sich ein sonniges Plätzchen im Garten. Ich weiß nicht, wie sie heißt, aber ich nenne sie »Hund«, weil ich keine zu große Anhänglichkeit entwickeln will für den Fall, dass ihr Besitzer auftaucht.

Während der Arbeit rede ich, und Hund hört zu, spitzt in einer Art Zeichensprache ihre Ohren oder legt sie flach an, als wollte sie meine Geschichten kommentieren. Ich bin mit den Küchenfenstern beschäftigt, als ich höre, dass jemand an die Haustür klopft. Ich gehe um das Haus herum. Auf den Stufen steht eine junge Frau mit einem Notizblock in der Hand.

»Kann ich Ihnen helfen?«, frage ich.

Sie beäugt mich nervös. »Arlo Hackett?«

»Wer möchte das wissen?«

»Rose Tapper. Ich bin Reporterin beim *Yulara Advocate*. Ich hatte gehofft, dass Sie mir ein kurzes Interview geben.«

Ihr Wagen parkt in der Nähe des Tores. Auf dem Beifahrersitz sitzt ein Fotograf, der mich durch ein langes Objektiv anvisiert.

»Er hätte fragen können«, sage ich.

Rose wirkt nervös. »Was hätten Sie gesagt?«

»Nein.«

Ich mache einen Schritt auf sie zu. Sie weicht zurück.

»Was wollten Sie mich fragen, Rose Tapper?«

»Warum sind Sie nach Yulara zurückgekehrt?«

»Ich komme von hier.«

»Das heißt, Sie wollen bleiben?«

»Ich bringe das Haus auf Vordermann.«

»Um es zu verkaufen?«

»Ich brauche Geld für das Pflegeheim meiner Mutter.«

Rose blickt über die Schulter und dann wieder auf ihren Notizblock. Ihre Stimme bebt.

»Haben Sie den Eltern des Mädchens, das Ihr Bruder vergewaltigt und ermordet hat, irgendetwas zu sagen?«

»Nichts, was ich sagen könnte, wird sie zurückbringen.«

»Sie waren Mittäter.«

»Ich habe Beihilfe nach der Tat geleistet.«

»Finden Sie nicht, dass das Haarspalterei ist?«

»Ich sage Ihnen, wie es war.«

»Und tut es Ihnen leid, was Sie getan haben?«

»Ich habe seither jeden Tag daran gedacht, was geschehen ist, und mir gewünscht, ich hätte etwas daran ändern können.«

Rose macht sich mit gesenktem Kopf Notizen.

»Ihre Anwesenheit hier wird alte Wunden aufreißen«, sagt sie.

»Das ist nicht meine Absicht.«

Sie blickt zu dem Haus. »Dürfen wir einen Blick hineinwerfen? Ein paar Fotos machen?«

»Nein.«

»Wir könnten uns hinsetzen und ein richtiges Interview führen. Sie könnten mir Ihre Seite der Geschichte erzählen.«

»Es gibt nur eine Seite.«

Rose steckt den Notizblock in ihre Handtasche. Als sie den Reißverschluss aufzieht, bemerke ich eine Dose Pfefferspray. Sie geht zum Vorgartentor. Der Fotograf macht immer noch Bilder. Erst als sie weggefahren sind, wird mir bewusst, dass ich das Kittmesser in der Hand halte.

# 9

An dem Morgen, nachdem ich Saxon kennengelernt hatte, wachte ich im Dunkeln auf und wusste, dass irgendetwas nicht stimmte. Es war, als hätte sich die Achse der Erdumdrehung um ein oder zwei Grad verschoben, genug, dass die Vögel schief sangen, die Zikaden verstummten und die Wolken gegen den Wind zogen.

Kenny Spalding hatte mich gebeten, den Schulbus zu fahren, weil er seine schwangere Schwester im Wagga Airport vom Flieger abholen wollte. Es war nicht das erste Mal, dass ich die Schulrunde machte, Kinder in den Randgemeinden und bei den Farmen in der Umgebung abholte und sie vor einer der drei Schulen der Stadt absetzte.

Seit meinem Abschied von der Armee nahm ich solche Gelegenheitsjobs an. Ich war ein Hansdampf in allen Gassen, ein Handwerker, Laufbursche, ein Mann für alle Fälle, der Türangeln reparieren, Steckdosen neu verkabeln, Bilder aufhängen, Wände streichen, Regale aufstellen, Löcher graben oder Abflüsse und verstopfte Rohre reinigen konnte. Vor allem jedoch mähte ich Rasen mit einer alten Victa 18, dem Angus den Spitznamen »der Zehenschneider« verpasst hatte.

Außerdem meldete ich mich freiwillig bei der Feuerwehr von Yulara und absolvierte meine Ausbildung zusammen mit einer bunt zusammengewürfelten Truppe von Typen, die ich kannte – Handwerker, Bauarbeiter und Mechaniker. Sie waren mit ebenso viel Ernst bei der Sache wie ich und überwiegend unfit. Kenny Spalding war einer von ihnen. Sein Schulbus war eine uralte Rostlaube mit Schiebefenstern und einer Tür, die sich mit einem Kurbelgriff öffnen ließ. Die Route führte hauptsächlich über einspurige Teer- und unversiegelte Schotterstraßen, die kaum breit genug waren, dass zwei Fahrzeuge aneinander vorbeifahren konnten. Die Kinder warteten ordentlich gekämmt in ihren Schuluniformen am Straßenrand. Die meisten waren schon seit dem ersten Hahnenschrei auf den Beinen und hatten Arbeiten auf der Farm erledigt.

Nach der Fahrt stellte ich den Bus bei Kennys Haus ab, wo eine Nachricht auf mich wartete. June Avernathys Hund Trixie war aus dem Garten ausgebüxt und terrorisierte die Hühner des Nachbarn. Trixie war eine steinalte Australian-Kelpie-Dame ohne Zähne, die versuchte, ihre ruhmreichen Tage als Hirtenhund wieder aufleben zu lassen, indem sie alles zusammentrieb, was sie finden konnte. Der Nachbar, Bert Smith, hatte gedroht, sie zu erschießen, wenn er sie noch mal in seinem Garten erwischte.

Ich traf Trixie bei der Bewachung von einem Dutzend Hühner an und brachte sie nach Hause. Weil mein Wagen immer noch in der Werkstatt war, ging ich zu Fuß in die Stadt, reparierte eine Teemaschine in der Versammlungshalle der Landfrauenvereinigung und holte die verschriebenen Medikamente für Anyo Geddes ab, der im vergangenen Monat eine künstliche Hüfte bekommen hatte.

Am frühen Nachmittag trampte ich zur Werkstatt und holte den Sandman ab. Ich musste hundert Dollar für einen neuen Kühler berappen. Zusammen mit den Abschleppkosten hatte ich diese Woche schon mehr Geld ausgegeben, als ich verdient hatte.

Immer noch leicht verwirrt machte ich mich auf den Heimweg, als irgendetwas mich bewog, an der Elizabeth Street abzubiegen und zum Fluss zu fahren. Der Wagen holperte durch Schlaglöcher über die Schotterpiste. Als ich den Land Cruiser entdeckte, sank mein Mut. Er parkte an derselben Stelle wie am Tag zuvor, auf der Grasböschung oberhalb des Kiesstrands, westlich der Eisenbahnbrücke.

Ich hielt neben dem Wagen. Die Türen waren abgeschlossen. Auf der Kühlerhaube trockneten Kleider. Ich rief Saxons Namen und blickte den Fluss hinunter zu den Untiefen und dem Schatten unter den Eukalyptusbäumen. Ich machte mir Sorgen, dass sie allein schwimmen gegangen und in Schwierigkeiten geraten war. Lange die Luft anhalten zu können, würde ihr nicht helfen, wenn sie mit dem Kopf gegen einen Fels gestoßen oder unter einem Baumstamm eingeklemmt war.

Während ich noch am Ufer stand, hörte ich von Weitem jemanden »Huhu!« rufen. Ich blickte stromauf- und stromabwärts, zum anderen Ufer und die Straße hinunter.

Ich hörte den Ruf erneut und sah Saxon auf einem Vorsprung am nördlichen Ende der Eisenbahnbrücke stehen. Sie trug abgeschnittene Jeans und ein Trägertop, hielt das Schwingseil und winkte mit der anderen Hand.

Schreiend und fluchend rannte ich los. Die Schotterpiste hinauf, an der Halle vorbei, zum Gleisanschluss und über das Gleis. Hoch über dem Wasser hüpfte ich von Schwelle zu Schwelle und überquerte die Brücke.

Als ich das nördliche Ende erreichte, war ich direkt über Saxon. Sie hatte auf mich gewartet. Aber während ich noch Luft holte, stellte sie ihren Fuß in die Schlinge am Ende des Seils und stieß sich ab. Ich schrie, doch es war zu spät. Sie schwang in einem weiten Bogen über das Wasser, kreischte vor Angst und quiekte dann vor Lachen. Die Schwerkraft trug sie zurück, doch sie machte keine Anstalten, sich mit den Beinen an die Plattform zu haken. Stattdessen schwang sie erneut.

Ich kletterte auf den Vorsprung hinunter und packte das Führungsseil. Sie wurde langsamer und verlor an Schwung. Schließlich hing das Seil schlaff herunter, und sie schwebte fünfzehn Meter über dem Wasser.

»Ich sollte dich dort hängen lassen«, rief ich.

»Warum?«

»Weil du verrückt, dumm und kindisch bist.«

»Du hast es auch gemacht.«

»Aber nicht allein.«

»Ich habe gewartet, bis du da warst.«

»Das ist einfach lächerlich. Du hattest keine Ahnung, dass ich kommen würde.«

»Ich wusste, du würdest irgendwann auftauchen. Du bist in mich verliebt.«

»Das ist Bullshit.«

»Trotzdem bist du hier.«

Sie klang so großspurig und selbstsicher, dass ich ihr am liebsten eine Lektion erteilt hätte, doch ich wusste nicht wie.

»Rettest du mich jetzt, oder soll ich springen?«

»Du würdest eh nicht springen.«

Sie löste eine Hand von dem Seil. »Ist das eine Mutprobe?«

»Nein! Tu's nicht!«

Ich zog sie zurück zum Mast und legte die Arme um ihre Hüften, als sie ihre Füße wieder auf den Vorsprung stellte. Sie küsste mich auf die Wange und sagte: »Mein Held. Jetzt bist du dran.«

»Nein. Wir steigen runter.«

»Sei kein Spielverderber.«

Erst jetzt wurde mir so richtig bewusst, wie hoch wir über dem Wasser waren und wie schmal die Plattform war, auf der wir standen. Ich machte einen Schritt zurück und hakte den Arm um einen Metallträger.

»Hast du Höhenangst?«, fragte sie.

»Nein.«

»Soll ich dir helfen?«

»Nein, alles gut.«

Saxon kletterte auf das Brückendeck mit den Gleisen und drehte sich um. Ich hatte mich nicht bewegt. Ich erwartete, dass sie eine spöttische Bemerkung machen würde, irgendwas über den großen harten Soldaten, der unter Höhenangst litt. Stattdessen kletterte sie wieder herunter, fasste meine Hände und legte sie auf ihre Hüften.

»Nicht nach unten gucken«, sagte sie. »Und jetzt folge mir. Mit Babyschritten.«

So stiegen wir auf das Brückendeck mit dem Gleis und gingen zurück bis zum Flussufer. Dort setzten wir uns auf die karierte Decke, bis mein Herzschlag sich wieder beruhigt hatte.

»Warum bist du nicht nach Hause gefahren?«, fragte ich.

»Ich habe Angst vor meinem Stiefvater.«

»Warum?«

»Er ist ein Tyrann, der gern Menschen kontrolliert.«

»Wen kontrolliert er?«

»Meine Mum. Er versucht, auch mich zu kontrollieren, aber ich wehre mich.«

»Ist er gewalttätig?«

»Er droht mir.«

»Wo wohnst du?«

»Booralong Station.«

»Das ist das Haus von Frank Winacott. Ist er dein …?«

»Ja.«

»Du willst mich verarschen.«

Saxon ließ den Kopf sinken.

»Frank ist dein Stiefvater?«

Sie antwortete nicht.

Für Yulara war die Familie Winacott beinahe so etwas wie königlicher Adel. Frank war der lokale Parlamentsabgeordnete und größte private Grundbesitzer der Southern Tablelands. Sein Vater, George Winacott, war in den 1970ern stellvertretender Premierminister von New South Wales gewesen, bevor er beim Absturz eines Kleinflugzeugs ums Leben kam. Bei der fälligen Nachwahl gewann Frank den Parlamentssitz und hatte ihn seitdem gehalten.

Seine Frau war vor einigen Jahren gestorben. An irgendeinem Krebs. Frank hatte sie in ihren letzten Monaten gepflegt und sich dadurch eine Menge Sympathie erworben.

»Wann ist Frank dein Stiefvater geworden?«, fragte ich.

»Vor fünf Monaten.«

»Was ist mit deinem leiblichen Vater?«

»Er ist Bergbauingenieur in Papua-Neuguinea. Ich sehe ihn nur selten. Frank hat mich gezwungen, meinen Namen zu ändern.«

»Und jetzt bist du abgehauen?«

»Nicht direkt.«

»Du sollst eigentlich auf einem Internat sein?«

»Ich nehme ein Sabbatjahr.«

»Mein Gott! Sie sind bestimmt schon ganz krank vor Sorge. Pack deine Sachen ein, ich bring dich nach Hause.«

»Ich würde lieber bei dir bleiben.«

»Nein.«

»Ich könnte Pflichten im Haushalt übernehmen. Ich kann putzen und kochen.«

»Fahr nach Hause, Saxon.«

»Das kann ich nicht.«

»Dann fahr irgendwo anders hin. Zu einem Verwandten … einer Freundin.«

»Nein.«

Ich blickte auf meine Uhr. Ich musste am Nachmittag wieder den Schulbus fahren.

»Eine Nacht«, sagte ich. »Aber nur, wenn du deine Mum anrufst. Ich will, dass du ihre Erlaubnis einholst.«

Saxon schlang die Arme um meinen Hals und versuchte, mich auf den Mund zu küssen, doch ich wandte das Gesicht ab, sodass sie nur meine Wange erwischte. Ich löste sie von mir.

»Du kannst mir bis zu uns nach Hause nachfahren.«

Sie warf die Kleidungsstücke auf die Rückbank des Land Cruiser und setzte sich ans Steuer. Wir fuhren hintereinander über das Gemeindeland und durch die Stadt. Hin und wieder blickte ich in den Rückspiegel, um mich zu vergewissern, dass sie noch hinter mir war.

Ich bog in die Einfahrt zu unserem Haus, und Saxon parkte neben mir auf dem Rasen.

Ich riss die Fliegengittertür auf und rief: »Hey, Mum, ich hab einen Stromer aufgelesen.«

»Abendessen, ein Bett oder beides?«, rief sie von irgendwo im Haus.

»Beides.«

Sie tauchte auf und entdeckte Saxon. »Du hast nicht gesagt, dass es ein Mädchen ist.«

»Dazu hast du mir keine Zeit gelassen.«

Ich stellte die beiden einander vor.

»Du kannst sie Mrs Hackett nennen«, sagte ich.

»Unsinn. Nenn mich Mary. Komm rein. Komm rein. Dein Zimmer ist den Flur hinunter. Zweite Tür rechts. Das Badezimmer ist hier entlang. Ich hol dir ein frisches Handtuch.«

»Wo ist Luke?«, fragte ich.

»Er ist noch bei den Ställen«, sagte Mum.

»Wer ist Luke?«, fragte Saxon.

»Mein Lieblingssohn«, sagte Mum und zwinkerte ihr zu.

Als ich aufbrach, saßen sie am Küchentisch, tranken Tee, aßen Teekuchen mit Butter und plauderten wie alte Freundinnen. Das war Saxons Superkraft – Herzen und Köpfe einzunehmen.

Es war schon nach sechs, als ich nach Hause kam. Luke stand am Waschbecken und schälte Kartoffeln fürs Abendessen. Er trug noch seine Arbeitskleidung, King-Gee-Shorts, kariertes Hemd und dicke Socken. Die Stiefel hatte er neben der Hintertür stehen lassen, weil sie nach Pferdemist stanken.

Saxon deckte den Tisch, Mum würzte die Lammkoteletts und kochte eine Minzsauce.

»Du hast also meinen Bruder kennengelernt«, sagte ich und zerstrubbelte Lukes Haar, was ihn ärgerte.

»Wir sind beste Freunde«, erwiderte Saxon.

Luke sah sie blinzelnd an, unsicher, was er sagen sollte.

»Mach den Mund zu, sonst kommen Fliegen rein«, sagte Mum.

Er klappte den Mund zu und fasste sich an die Lippen, als wollte er sich vergewissern.

»Wo habt ihr Salz und Pfeffer?«, fragte Saxon.

Luke zeigte auf einen Schrank.

»Danke, Zuckerschnute. Und was ist mit den Saucen?«

Er zeigte auf den Kühlschrank.

»Danke, Schätzchen.«

Als sie den Tisch fertig gedeckt hatte, machte ich ihr ein Zeichen, mir zur Treppe hinter dem Haus zu folgen, wo ich eine Verandaschaukel gebaut hatte.

»Was hat deine Mum gesagt?«

»Ich hab ihr erklärt, dass ich morgen nach Hause komme.«

»Hast du ihr erzählt, dass du hier bist?«

»Nein.«

Ich war erleichtert. Ich wollte mir Frank Winacott nicht zum Feind machen, und morgen würde Saxon wieder weg sein.

Als das Essen fertig war, ging ich ins Bad, um mir die Hände zu waschen. Luke folgte mir. Er hatte sich geduscht und rasiert und Angus' altes Old-Spice-Rasierwasser aufgetragen.

»Wer ist sie?«, fragte er.

»Ein Mädchen.«

»Was macht sie hier?«

»Sie braucht einen Platz zum Übernachten.«

»Wieso?«

»Probleme zu Hause.«

»Wieso?«

»Ich weiß es nicht, aber sie ist unser Gast. Und was machen wir, wenn wir Gäste haben?«

»Wir geben ihnen das Gefühl, willkommen zu sein.«

»Genau.«

Im Esszimmer trug Mum das Essen auf. Lammkotelett, Minzsauce, Erbsen, Möhren und Kartoffelbrei. Saxon setzte sich auf den Stuhl, der der Küche am nächsten war, ohne zu ahnen, dass das Lukes Platz war. Er wurde unruhig und wiegte den Oberkörper hin und her. Sie erkannte ihren Fehler, stand auf, zog den Stuhl zurück und sagte: »Hier solltest du sitzen, mein Sonnenschein.«

Luke blickte sich um, als erwartete er, dass sich noch jemand zu uns gesellen würde.

Als wir endlich saßen, bat Mum ihn, das Tischgebet zu sprechen, was er mit übertrieben lauter Stimme tat.

»Segne uns, Herr, und diese deine Gaben, die wir aus deiner Güte empfangen werden durch Christus, unseren Herrn. Amen.«

»Amen«, sagte Saxon und begann, das Essen zu verteilen. Sie nahm Lukes Teller und häufte einen Löffel Kartoffelbrei neben seine Erbsen und Möhren. Als sie den Teller abstellte, bemerkte sie Lukes entsetzten Gesichtsausdruck.

»Was ist los?«

»Es berührt sich«, erklärte ich.

»Was?«

»Das Gemüse.«

Luke starrte auf den Teller, wo ein Klecks Kartoffelbrei auf die Erbsen getropft war.

Saxon hätte beinahe gelacht, doch dann erkannte sie seine Verzweiflung. Sie nahm eine Gabel und begann, Kartoffeln, Erbsen und Möhren sorgfältig voneinander zu trennen. Dabei plauderte sie die ganze Zeit angeregt über ihr Internat in Sydney und die Ausflüge, die sie zur Staatsbibliothek und zur New South Wales Art Gallery gemacht hatte.

Mum hatte sie bereits über ihre Familie ausgefragt und nach irgendeiner Verbindung gesucht – einem entfernten Cousin, einer gemeinsamen Freundin oder irgendeinem Punkt in der Vergangenheit, wo sich Wege gekreuzt hatten. Das war Mums Superkraft, die Welt kleiner zu machen.

Während des Essens und des Nachtischs, Bananen mit Vanillesauce, sagte Luke nichts, sondern starrte Saxon bloß an, als wäre sie ein exotischer Vogel, der aus seinem goldenen Käfig geflohen war. Jede ihrer Gesten und Marotten faszinierte ihn – wie sie die Beine übereinanderschlug, ihr Haar zur Seite schnippte und sämtliche Zähne zeigte, wenn sie lächelte. Saxon wirkte nicht verlegen. Sie sonnte sich vielmehr in seiner Aufmerksamkeit, redete ihn mit Kosenamen an und gab ihm von allem einen Nachschlag.

Nachdem wir gegessen, den Tisch abgeräumt und abgewaschen hatten, setzte ich mich auf die Verandaschaukel unter einer nackten Glühbirne, die klimperte, wenn Motten sich in das Licht stürzten. Es war ein warmer Abend, und zahlreiche Glühwürmchen tanzten in der Dunkelheit. Saxon setzte sich zu mir, und wir lauschten Müttern, die ihre Kinder zum Baden und Schlafengehen nach drinnen riefen.

Mum zog sich für die Nacht zurück, Luke folgte ihr wenig später, weil er die Augen nicht mehr offen halten konnte. Er würde schon vor dem Morgengrauen wieder aufstehen, sich Frühstück machen und zu den Ställen radeln.

Saxon sah ihm nach.

»Was ist verkehrt mit ihm?«

»Er ist ein bisschen langsam.«

»Autistisch.«

»Ich weiß nicht, was das bedeutet. Seine Sauerstoffzufuhr war im Mutterleib kurz unterbrochen.«

»Er sieht so normal aus. Und attraktiv. Ich kenne Mädchen, die ihn ohne Zögern bespringen würden.«

»Bespringen?«

»Du weißt, was ich meine.«

»Du bist auf eine reine Mädchenschule gegangen. Ich kann mir nicht vorstellen, dass da viel besprungen wurde.«

»Du wärst überrascht. Vielleicht war es eine Brutstätte lesbischer Liebe.«

»Ich dachte, das wäre nur eine Männerfantasie.«

»Ist es eine von deinen?«

Sie konnte nicht sehen, dass ich rot wurde, doch sie lachte trotzdem und stellte Fragen über Luke. Ich erzählte ihr, dass er als Stallbursche für einen lokalen Pferdetrainer arbeitete.

»Wo ist dein Dad?«

»Ich habe ihn nie kennengelernt.«

»Aber das Hochzeitsfoto auf dem Kaminsims.«

»Das ist Angus, Lukes Dad, nicht meiner.«

»Du hast gesagt, er wäre verblutet.«

»Als ich bei der Armee war.«

»Wie?«

»Ein Unfall.«

In der Folklore von Yulara wurde es als Angus' letzter Gang bezeichnet. Achtundfünfzig Schritte. Kaum länger als zwei Cricket-Würfe oder ein halbes Fußballfeld.

Angus war kein geborener Handwerker, auch wenn er die nötigen Werkzeuge besaß und häufig behauptete, über Qualifikationen und Erfahrung zu verfügen, die er nicht besaß. Er hatte Larry Bulgin bei einem Anbau für sein Haus geholfen (ohne Planungsgenehmigung oder überhaupt einen Plan). Dabei war er mit einem Trennschleifer auf eine Leiter gestiegen, um einen Stahlträger durchzuschneiden. Das Werkzeug kreischte und vibrierte in seinen Händen, als die Trennscheibe sich lockerte, von der Maschine löste und in hoher Geschwindigkeit rotierend von der Decke und einer Wand abprallte, bevor sie wieder auf Angus zukam. Sie segelte quer durch den Raum, schnitt sich in seinen Oberschenkel und durchtrennte Sehnen, Arterien und Venen.

Angus legte ruhig den Trennschleifer aus der Hand und humpelte zu dem Erste-Hilfe-Kasten, aber mit Pflaster und Mull ließ sich die Blutung nicht stoppen. Ein Bein hinter sich herziehend, schleppte er sich aus dem Haus durch den Garten bis zu unserer Hintertür, wo er unserer Mum erklärte, sie solle einen Krankenwagen rufen.

Bei diesen achtundfünfzig Schritten verlor er die Hälfte seines Blutes – es spritzte auf den Rasen, den Zementpfad und in seine Schuhe. Mum war ausgebildete Krankenschwester und Hebamme. Sie wusste, wie man den Blutverlust durch

Druck auf die Oberschenkelarterie dämmte, doch bis dahin hatte Angus schon einen Herzstillstand erlitten, und mit nur zwei Händen konnte Mum nicht gleichzeitig die Blutung stillen und eine Herzdruckmassage durchführen.

Als die Rettungssanitäter eintrafen, war Angus bereits tot, doch sie versicherten Mum, sie habe großartige Ersthilfe geleistet, und versuchten weiter, ihn wiederzubeleben.

»Hat Luke es gesehen?«, fragte Saxon.

»Nein.«

Sie saß an das Holzgeländer gelehnt auf der Treppe, die Beine ausgestreckt. Licht fiel durch die Tür auf ihr Gesicht, das sie mir beim Reden zuwandte.

»Warte hier«, sagte sie und ging in ihr Zimmer. Sie kehrte mit einer zerbeulten Tabakdose und einem Päckchen Blättchen zurück. »Sollen wir zusammen einen Joint rauchen?«

»Woher hast du das?«

»Frag lieber nicht.«

Mit ihren kleinen, gepflegten Händen verteilte sie die Mischung gleichmäßig auf dem Blättchen, drehte mit geübten Bewegungen einen Joint, leckte die Gummierung an, klebte ihn zu und stopfte mit einem Streichholz an beiden Enden die losen Krümel hinein. Zufrieden riss sie ein Streichholz an, paffte vorsichtig und blinzelte gegen den Qualm an. Dann machte sie einen tiefen Lungenzug, hielt die Luft an und sah mich verträumt an.

Sie reichte mir den Joint. Ich konnte mich nicht erinnern, wann ich zum letzten Mal gekifft hatte. Auf jeden Fall seit vor meiner Armeezeit nicht mehr.

»Deine Mum gehört zur Truppe Gottes«, sagte sie.

»Ja.«

»Luke macht auch ein bisschen den Eindruck. Er bekreuzigt sich jedes Mal, wenn du fluchst.«

»Er betet genug für uns beide.«

Sie nahm den Joint zurück und machte noch einen tiefen Zug. Die aufflammende Glut spiegelte sich in ihren Augen.

»Wir sind nicht so verschieden, du und ich.«

»Inwiefern?«

»Manche Menschen bremsen vor einer Hügelkuppe oder uneinsehbaren Kurve und fahren vorsichtig weiter, weil sie sehen wollen, was auf sie zukommt, aber wir beide, du und ich, wir rasen mit Vollgas um die Ecke.«

»Ich bin vorsichtiger.«

»Nein. Du warst Soldat. Ich wette, du hast Gebäude betreten, ohne zu wissen, was dich hinter der Tür erwartet. Das hat dich nicht aufgehalten.«

»Das war mein Job.«

»Ich glaube, es war mehr als das. Du bist jemand, der Risiken eingeht. Deshalb bin ich hier. Du hast etwas riskiert.«

Grinsend reichte sie mir das durchgeweichte Ende des Joints. Ich kam mir dumm vor. Es war, als hätte mir jemand einen Spiegel vorgehalten, damit ich mich selbst sehen konnte, sechsundzwanzig Jahre alt und in Gesellschaft eines halbwüchsigen Mädchens, das mir einen Vortrag über meinen Charakter hielt, während zwischen meinen Fingerspitzen ein angesabberter Joint qualmte. Aber das Gras tat seine Wirkung. Ich spürte schon, wie die Realität neu zusammengesetzt wurde und ein warmes inneres Glühen meine Gelenke lockerte.

»Das ist gutes Zeug«, sagte ich.

»Siehst du, wie viel Spaß es macht, um die Ecke zu rasen?«

Eine Weile saßen wir da, spürten, wie der Abend langsam kühler wurde, und beobachteten, wie hinter den Fenstern der Nachbarn die Lichter erloschen.

Saxon lachte leise vor sich hin.

»Was ist so komisch?«, fragte ich.

»Nichts.« Sie kicherte erneut.

Wir wurden von einem Klopfen gestört – ein unerbittliches Pochen, bei dem man versteht, warum manche Menschen sich einen Türgong anschaffen. Auf der Straße vor dem Haus flackerten Lichter.

»Scheiße!«, sagte Saxon, drückte den Joint aus und versteckte die Dose mit ihrem Vorrat im Gebüsch.

Vor der Haustür standen zwei Polizisten in Uniform und Leuchtweste. Ich erkannte beide. Adam Wilson war Senior Constable mit einem Gesicht wie ein Windhund, spitz und kantig. Sein Partner war Constable Jamie Trumper. Er hatte einen Kopf wie eine Melone, die seine Mütze zu klein wirken ließ.

»Abend, Arlo«, sagte Wilson. »Wir suchen ein Mädchen namens Saxon Winacott.«

Mum kam in Morgenmantel und Pantoffeln aus ihrem Schlafzimmer. Sie schlug die Hand vor den Mund. »Was hat sie getan?«

»Sie hat in Sydney einen Land Cruiser gestohlen.« Er richtete die Taschenlampe auf den Wagen in unserem Vorgarten. »Den da.«

»Es muss sich um einen Irrtum handeln. Dieser Wagen gehört Saxon«, sagte ich.

»Hat sie dir das erzählt?«

»Ja.«

»Tja, sie hat gelogen.«

Ich erklärte Mum, dass sie Wasser aufsetzen sollte.

»Wir sind nicht gekommen, um Tee zu trinken«, sagte Trumper. »Wo ist das Mädchen?«

»Sie übernachtet heute hier.«

»Nein, tut sie nicht. Woher kennst du sie?«

»Wir sind uns gestern zufällig begegnet. Ich bin mit dem Wagen liegen geblieben, und sie hat mich mitgenommen.«

»Und du hast sie mit nach Hause genommen.«

»Es war meine gute Tat.«

»Sie ist minderjährig.«

»Sie ist achtzehn.«

»Das ist eine weitere Lüge. Sie ist aus ihrem Internat abgehauen. Ihre Eltern sind verzweifelt.«

»Sie hat heute Nachmittag ihre Mum angerufen.«

»Bzzzztt! Wieder verkehrt.«

Ich kam mir vor wie ein Idiot. Trumper hatte seine Daumen unter seinen Gürtel gehakt.

»Sammelst du gewohnheitsmäßig minderjährige Mädchen auf?«, fragte er.

»Ich habe sie nicht aufgesammelt.«

»Wusstest du, dass der Wagen gestohlen ist?«

»Natürlich nicht.«

»Aber ich nehme an, du wusstest, dass sie von der Schule abgehauen ist.«

»Sie hat gesagt, sie wäre abgegangen.«

»Du bietest einer Flüchtigen Unterschlupf.«

Ich lachte. »Sie ist ja wohl kaum Richard Kimble.«

Die Polizisten sahen mich ausdruckslos an.

»Der berühmte Mann auf der Flucht. Dr. Richard Kimble?«

Nach wie vor keine Reaktion.

»Das ist Beihilfe«, sagte Wilson.

»Jetzt mach mal halblang, Adam. Ich habe sie gerade erst kennengelernt.«

»Für dich Senior Constable Wilson.«

Trumper beugte sich näher. »Du riechst nach Gras.«

Wilson schnupperte. »Besitz von Cannabis ist eine Straftat, auf die eine Höchststrafe von bis zu zwei Jahren Haft und/oder eine Geldbuße von zweitausendzweihundert Dollar steht.«

»Und wenn du eine Minderjährige mit dem Stoff versorgt hast«, fügte Trumper hinzu, »kannst du dich vor Anklagepunkten gar nicht mehr retten.«

»Kräuterzigaretten«, sagte ich. »Dein Vetter Wayne verkauft sie.«

Die Farbe wich aus Trumpers Gesicht. Sein Cousin Wayne Gooley war seit meiner Highschool-Zeit Yularas Hauptversorger mit Cannabis – eine Tatsache, die die örtliche Polizei nie gestört hatte.

»Hol das Mädchen«, sagte Wilson.

Ich ging zurück ins Haus. Saxon war nicht in ihrem Zimmer, nicht auf der Veranda und nicht im Bad. Ich suchte im Garten, doch da war sie auch nicht. Aber die Tür des Schuppens war von innen verriegelt.

»Ich weiß, dass du da drinnen bist«, rief ich.

»Sag ihnen, dass ich weggelaufen bin«, sagte sie mit kleiner, ängstlicher Stimme.

»Das wird nicht funktionieren.«

»Kriege ich großen Ärger?«

»Du hast ein Auto gestohlen.«

»Ich habe es geliehen.«

»Hast du vorher um Erlaubnis gefragt?«

»Nicht direkt.«

»Wessen Wagen hast du gestohlen?«

»Den meiner Englischlehrerin.«

»Sie könnte Anzeige erstatten. Dann wärst du vorbestraft.«

»Das wird sie nicht tun. Sie mag mich. Ich wusste nicht, was ich sonst machen sollte.«

»Was ist passiert?«

»Das kann ich dir nicht erzählen. Es ist zu peinlich.«

»Nun, du musst rauskommen und mit der Polizei reden.«

»Ich will nicht dorthin zurück, und ich will auch nicht nach Hause.«

»Eins nach dem anderen.«

Einer der Constables fuhr den Land Cruiser zur Polizeiwache, der andere nahm Saxon in dem Streifenwagen mit. Als sie auf der Rückbank saß und aus dem Fenster starrte, wirkte sie unfassbar jung.

Ich folgte in meinem eigenen Wagen, doch die Polizei ließ mich vor der Wache warten, wo ich auf einer niedrigen Mauer saß und Eicheln auf einen Briefkasten warf. Frank Winacott traf ein und marschierte welkes Laub unter den Stiefeln zermalmend an mir vorbei. Seine Frau folgte vier Schritte hinter ihm und starrte zu Boden.

Als Nächstes kam gichtgeplagt hinkend der einzige Rechtsanwalt der Stadt, Otto Gutterson. Er trug einen zerknitterten Anzug und nicht zueinander passende Socken, weil er sich so hastig angekleidet hatte.

Ich wartete immer noch und fragte mich, ob man Saxon anklagen und mir Beihilfe vorwerfen würde.

Sie kam erst nach Mitternacht heraus, flankiert von ihrer Mutter und ihrem Stiefvater. Ich versuchte, etwas zu sagen, doch Winacott rempelte mich aus dem Weg und bohrte einen Finger in meine Brust.

»Haben Sie sie angerührt?«

»Was?«

»Was hat sie in Ihrem Haus gemacht?«

»Sie brauchte einen Platz zum Schlafen.«

»Sie hätten sie nach Hause schicken sollen.«

Saxon zerrte an seinem Arm und flehte: »Bitte. Tu ihm nichts.«

Frank hob die Hand, hielt sich jedoch zurück, als ihm bewusst wurde, dass die Polizei zusah. Schotter wurde aufgewirbelt, als ihr Wagen in hohem Tempo davonfuhr. An der nächsten Kreuzung flackerten kurz Bremslichter auf. Ich stellte mir vor, dass Saxon sich umdrehte und die Hand hob, doch der Wagen war schon verschwunden.

# 10

Als ich in Yulara aufwuchs, waren fast alle arm, aber niemand war ärmer als Helen Churcher. Sie, ihr Bruder Bernie und ihr Vater lebten in einem heruntergekommenen Haus aus Asbestzementplatten, Wellblech und unlackiertem Holz in der First Avenue. Über einen Teil des Dachs waren Planen gespannt, damit es nicht hereinregnete.

Als Mrs Churcher starb, waren Helen acht und Bernie fünf. Seitdem hatte Helen sich und ihren Bruder allein großgezogen, denn ihr alter Herr war Alkoholiker. Er arbeitete für die Gemeinde, mähte Rasen und kehrte die Straßen, wenn er nicht betrunken auf einer von ihnen herumlag.

Helen trug ihre Armut jeden Tag zur Schule – den verblichenen karierten Rock, die vergilbte weiße Bluse, die nicht zueinander passenden Socken und die abgestoßenen und mit Pappeinlagen geflickten Schuhe. Andere Kinder veranstalteten Wettbewerbe, wessen Mutter das beste Mittagessen oder die angesagtesten Snacks eingepackt hatte, während Helen ihre trockenen Sao-Biscuits und braunen Bananen vor den anderen verbarg. Sie hätte besseres Essen finden können, wenn sie in Mülltonnen gewühlt hätte.

Ich nahm kaum Notiz von ihr. Wie alle. Ich weiß noch, dass sie eine Brille mit klobigem Gestell hatte, die zu schwer für ihre kleine Nase war, sodass sie sie ständig mit dem Finger hochschieben musste. Und sie hatte so weit vorstehende Zähne, dass sie Spitznamen sammelte wie andere Kinder Murmeln. Brillenschlange. Bucky Beaver. Miss Magoo.

Mittags und in den Pausen saß sie für sich, las ein Buch und zeichnete in einem Skizzenblock. Manchmal sah ich sie mit Tüten voller Lebensmittel oder klimpernder Wodkaflaschen für ihren Dad vom Supermarkt nach Hause laufen.

All das änderte sich an einem Dienstagnachmittag Anfang Dezember im Yulara Memorial Swimming Pool, wo die Hitze über den Betonplatten schimmerte und Eis am Stiel schneller schmolz, als man es wegschlecken konnte.

Die Schule führte als Vorlauf zu den alljährlichen Schwimmwettkämpfen im kommenden Jahr einen Leistungstest durch. Reg Pryor hatte die Badeaufsicht als Rettungsschwimmer. Er lauerte vor den Tribünen, rief die dicken, asthmatischen und bewegungseingeschränkten Kinder auf und achtete darauf, dass alle den Test absolvierten, denn bei den Schwimmwettkämpfen musste jedes Kind in mindestens einer Disziplin antreten.

Helen erklärte ihm, sie könne nicht schwimmen, und er schickte sie zum Kinderbecken, wo die kleineren Kinder schwimmen lernten. Sie hatte keinen Badeanzug, deshalb hatte unsere Sportlehrerin Mrs Craig ihr einen gegeben, doch er war im Schritt zu weit und hing wie ein Sack von Helens knochigen Schultern.

Nachdem Reg ihr grundlegend erklärt hatte, wie sie den Kopf eintauchen und mit den Beinen strampeln musste, führte er sie zum tiefen Ende des großen Beckens. Helen klammerte sich an ihn und wollte nicht loslassen. Er löste nacheinander ihre Finger, doch sie schlang ihre Beine um seine Hüften.

»Beim Schwimmen muss man bloß locker bleiben«, sagte er. »Wenn man verkrampft, sinkt man wie ein Stein.«

Ein wertvoller Rat, aber Helen war wie ein Stein.

Als sie sich weigerte, ihn loszulassen, verlor Reg die Geduld und drückte ihren Kopf unter Wasser. Sie ruderte hilflos mit den Armen, schlug mit den Händen auf die Wasseroberfläche und versuchte, durch die Finger zu atmen.

»Siehst du. Es tut gar nicht weh, oder?«, brüllte er, doch sie konnte ihn nicht hören.

»Lass sie los«, sagte ich, selbst überrascht vom Klang meiner Stimme.

Reg starrte mich wütend an. »Was hast du zu mir gesagt?«

»Lass sie los.«

Er lockerte seinen Griff, und Helen tauchte hustend und spuckend auf. Wasser spritzte aus ihrem Mund und ihrer Nase.

»Wie heißt du?«, fragte Reg.

»Arlo Hackett.«

»Und du weißt alles übers Schwimmen, was, Arlo? Ein Klugscheißer wie du ist bestimmt ein Experte.«

Er schwamm auf mich zu und schleifte Helen unter seinem Arm hinter sich her wie einen Sack Getreide. Er stieß sie aus dem Becken, wo sie vor meinen Füßen zusammengerollt schluchzend und schniefend liegen blieb.

»Okay, Klugscheißer, du bringst es ihr bei«, sagte er. »Entweder sie schwimmt nächstes Jahr bei den Schwimmwettkämpfen, oder sie geht unter.«

Von dem Moment an warf Helen mir in der Schule mittags und in den Pausen schüchterne Blicke zu, lächelte mich mit ihren vorstehenden Zähnen an und hielt dann sofort die Hand vor den Mund. Kleine Liebesbeweise tauchten in meiner Schultasche oder in meinem Pult auf – Minties, Fantales und mit Glitzer verzierte, selbst gebastelte herzförmige Karten.

Natürlich zogen meine Kumpel mich deswegen auf. Vielleicht wäre es anders gewesen, wenn Helen hübsch oder beliebt gewesen wäre, doch sie war weder das eine noch das andere. Und es wäre womöglich okay gewesen, wenn ich sie hätte ignorieren können, aber ich musste ihr bis zum März das Schwimmen beibringen. Ich würde Reg Pryor beweisen, dass ein Stein sich über Wasser halten konnte.

Helen und ich verabredeten uns jeden Dienstagnachmittag nach der Schule und jeden Freitag frühmorgens im Schwimmbad. Gleich zu Beginn legte ich ein paar Grundregeln fest.

»Ich will, dass du aufhörst, mir Briefchen zu schreiben und Geschenke zu machen.«

»Ja, Arlo«, sagte sie.

»Und lauf mir nicht von der Schule nach Hause nach.«

»Ja, Arlo.«

»Und erzähl nicht allen, ich wäre dein Freund. Das bin ich nicht.«

»Ja, Arlo.«

»Und du brauchst einen besseren Badeanzug. Einen, der dir passt.«

»Ich habe kein Geld.«

»Meine Mum näht dir einen.«

Während des Unterrichts im Schwimmbad versuchte ich, jede Berührung zu vermeiden, doch Helen war eine so lausige Schwimmerin, dass ich sie im Wasser hochhalten musste, während sie strampelte und mit den Armen ruderte. Vielleicht hatte Reg recht. Vielleicht war sie ein hoffnungsloser Fall.

Die Schule endete für dieses Jahr, doch der Schwimmunterricht ging den ganzen Sommer weiter, auch über Weihnachten und Neujahr. Wir trafen uns zweimal die Woche, früh am Morgen, bevor das Schwimmbad voll wurde. An manchen Tagen war Helen so hungrig, dass sie sich nicht konzentrieren konnte, also machte ich es mir zur Gewohnheit, ihr ein süßes Brötchen mit Zuckerguss von Bertoli's Bakery mitzubringen.

Zu Beginn des neuen Schuljahrs war sie imstande, den Kopf unterzutauchen und sich auf ihre eigene unverwechselbare Weise über Wasser zu halten. Tauchen konnte sie natürlich nicht, und in tieferem Wasser klammerte sie sich an mich und umarmte mich heftiger als nötig.

Die Schwimmwettkämpfe fanden am ersten Dienstag im März statt. Alle Schüler und Schülerinnen mussten daran teilnehmen, sofern sie keine schriftliche Entschuldigung der Eltern vorweisen konnten. Helen hatte keinen Brief, weil ihr Vater wahrscheinlich betrunken und sie zu ehrlich oder zu dumm war, um einen zu fälschen.

Sie entschied sich, Freistil zu schwimmen, und wartete mit elender Miene in der Schlange, die Arme um die Brust geschlungen.

»Bleibt ganz locker, Mädchen«, sagte Mrs Craig, die einen furchterregenden schwarzen Einteiler trug, der wahrscheinlich in Mode gewesen war, als Noah schwimmen gelernt hatte.

Reg Pryor war der offizielle Starter. Als die anderen Mädchen den Pfiff vernahmen, stiegen sie auf die Startblöcke. Helen rührte sich nicht.

»Kann ich bitte im Wasser starten?«, fragte sie.

»Nein. Auf den Startblock«, sagte Reg.

Sie stieg auf den Block und starrte ins Wasser. Vor ihr erstreckten sich die Bahnen, abgetrennt durch orangefarbene Schwimmkörper an einer Bahnlinie.

Die Mädchen gingen in die Hocke und beugten sich vor. Reg hob seine Pistole. »Auf die Plätze, fertig …«

Ein Knall ertönte, eine Rauchwolke stieg auf, und fünf Mädchen sprangen ins Becken. Nach einer Verzögerung plumpste auch Helen, das Gesicht voran, ins Wasser, als wäre die Pistole mit scharfer Munition geladen gewesen. Das Aufklatschen klang widerwärtig, doch sie hob den Kopf aus dem Wasser und strampelte erbarmungswürdig los.

Niemand verfolgte das Rennen um den ersten Platz. In diesem Becken gab es nur einen Wettkampf. Reg legte die um seinen Hals hängende Pfeife ab und die Startpistole zur Seite. Mrs Craig kniete am Beckenrand und rief: »Schwimm, Helen, schwimm.« Irgendjemand auf den oberen Rängen der Tribüne wiederholte den Ruf, und er wurde von weiteren Zuschauern aufgenommen, bis die Anfeuerung zum Schlachtruf wurde. »Schwimm! Schwimm! Schwimm!«

Helen ruderte nicht mehr hilflos im Wasser. Ein schöner Anblick war es trotzdem nicht. Ihre Beine und Arme strampelten und streckten sich unkoordiniert, und sie drehte den Kopf zum Atmen nicht zur Seite, sondern reckte ihn aus dem Wasser wie ein Periskop und spähte blinzelnd zum entfernten Ende des Beckens. Es war schmerzhaft mitanzusehen, doch niemand wandte den Blick ab. Menschen schrien ihren Namen, während Reg am Beckenrand auf und ab lief, bereit einzugreifen.

Mühsam brachte Helen etwas mehr als die Hälfte der Strecke hinter sich, dann schwanden ihre Kräfte. Ihre Hüften sanken tiefer ins Wasser. Sie warf den Kopf immer hektischer hin und her, um Luft zu schnappen. Zehn Meter vor dem Ziel begann sie zu sinken. Sie würde es nicht schaffen.

Reg hatte genug gesehen. Doch ich war plötzlich neben ihm, packte seinen Arm und erklärte ihm, er solle sie lassen. Ich konnte den Schweiß seiner Achselhöhlen riechen und die zinkgefüllten Poren seiner Nase sehen.

Helens zu Rattenschwänzchen geflochtene Haare schwammen auf der Oberfläche, weil sie zu erschöpft war, den Kopf zu heben, doch unter Wasser paddelte sie immer noch zentimeterweise vorwärts. Ohne zu stoppen. Ohne zu atmen. Vielleicht hatte sie Kiemen.

Als die hässliche, unbeliebte und ungelenke Helen Churcher am Ende der Bahn anschlug, brach auf den Tribünen ein Jubel aus, der das Dach hätte anheben können, wenn es eins gegeben hätte. Helen hätte auch nicht ertrunkener aussehen können, wenn sie ertrunken *wäre*, doch sie war so glücklich, dass ihr alles egal war. Reg stand neben dem Becken und sah aus wie ein Mann, der gerade ein Gewinnlos der Lotterie in die Reinigung gegeben hatte, während Helen lachte und weinte und ihr breitestes Lächeln mit all ihren schiefen Zähnen für mich aufsparte.

Helen wartet vor Eltham Court auf mich. Statt ihrer Schwesternuniform trägt sie jetzt Jeans, Stiefel und einen hellen Rollkragenpullover. Ihr Haar ist kürzer und dichter, als ich es in Erinnerung habe. Praktisch. Pflegeleicht. Hübsch.

»Hast du einen Wagen?«, fragt sie.

»Ist noch in Arbeit.«

»Immer noch der Sandman?«

»Ein Klassiker.«

»Du bist zu alt für diese Bumsschleuder.«

Sie bietet an zu fahren. Ich habe keine Wahl. Ihr VW-Käfer ist lackiert wie ein Marienkäfer, rote Karosserie und schwarze Türen. Ich zwänge mich in den Wagen und schiebe den Beifahrersitz nach hinten.

»Wohin wollen wir fahren?«, fragt sie.

»Wir könnten uns Fish and Chips und eine Flasche Wein kaufen und zum Aussichtspunkt fahren.«

Sie reißt übertrieben schockiert die Augen auf. »Du meinst den Knutschplatz.«

»Ich meinte nicht ... Es ist nicht, dass ...«

Sie lacht und lehnt sich zur Seite, bis ihre Schulter meine berührt. »Sehen wir zu, dass wir aus der Stadt rauskommen.«

Wir fahren nach Norden über den Highway bis Jugiong, einer Kleinstadt am Ufer des Murrumbidgee. Das Sir George ist ein Traditionspub, der in den Tagen des Goldrauschs erbaut wurde. Bei der Flut von 1852 wurde er komplett weggespült und von einem irischen Siedler an höher gelegener Stelle wieder aufgebaut; er brachte Steinmetze aus Irland mit, die den Bau beaufsichtigten.

Der Pub ist viel schicker, als ich ihn in Erinnerung hatte, mit einem von Spalieren geschützten Biergarten, einer runden Feuerstelle und einem mit Holzkohle befeuerten Pizzaofen aus geschwärzten Backsteinen. Aus der zur Straße liegenden kleinen Bar dringt Folkmusik – ein Mädchen singt »Big Yellow Taxi« und klingt wie Joni Mitchell.

Wir setzen uns an einen ruhigen Tisch in der Ecke, ein Stück entfernt von der Bar. Es ist zum Glück noch früh, später sind die meisten Tische reserviert. Eine Kellnerin bringt uns die Speisekarte. Ich werfe einen Blick auf die Preise. Ein Steak kostet achtzehn Dollar, ein Hamburger zwölf. Wann ist Essengehen so teuer geworden?

Ich bestelle Drinks an der Bar – ein Glas Wein für Helen und ein großes Glas Carlton Draught für mich. Mein erstes Bier seit geraumer Zeit. Mein erster Alkohol. Zwei Arbeiter sitzen auf Hockern über ihre schaumbeschmierten Biergläser gebeugt und präsentieren ihre Arschritze. Schweißflecken auf dem Hemd, schlammverschmierte Arbeitsschuhe. Sie starren mich an. Ich meide ihren Blick. Ich kenne solche Typen. Sie schütten sich zu und suchen dann jemanden, mit dem sie ficken oder sich prügeln können, bevor sie nach Hause fahren und ihren Rausch ausschlafen.

Seit wir bei dem Lokal angekommen sind, trage ich eine Baseballkappe.

»Willst du die nicht abnehmen?«, fragt Helen.

»Sorry. Ich dachte …«

»Du hast jedes Recht, hier zu sein.«

»Ich weiß.«

Ich stecke die Kappe in meine Gesäßtasche.

»Du hast abgenommen«, sagt sie.

»Du auch.«

Sie berührt ihr Haar. »Ich probiere gerade den abgezehrten Look.«

»Ich hatte eher an ausgemergelt gedacht.«

Wir lächeln, und es fühlt sich nett an, beinahe entspannt, ohne sich anzustrengen. Die Jahre fallen von mir ab. Helen fragt mich nach dem Gefängnis. Ich beschreibe die Alltagsroutine – aufstehen um sechs, Frühstück um sieben, ein Badezimmer mit vierzig Männern teilen.

»Ich habe in der Wäscherei gearbeitet. Wir haben Laken aus lokalen Krankenhäusern, Hotels und Altersheimen gewaschen. Wir haben Jobrotation gemacht. Waschen, trocknen, verpacken. Ich habe fünfzig Cent die Stunde verdient, die für Hygieneartikel, Briefmarken und Umschläge draufgegangen sind.«

»Die du nicht benutzt hast«, sagt sie.

»Ich habe Mum geschrieben.«

Helen sieht mich traurig an. »Ich hätte dir statt Briefen Fresspakete schicken sollen. Die hättest du aufgemacht.«

Die Bemerkung ist scherzhaft gemeint, trifft mich aber trotzdem, und Helen entschuldigt sich.

»Erinnerst du dich an die Schwimmwettkämpfe?«, frage ich.

»Du hast mir beigebracht, nicht unterzugehen.«

»An dem Tag warst du die Heldin. Die ganze Schule hat dich angefeuert.«

»Ich bin Letzte geworden.«

»Aber hier hast du gewonnen«, sage ich und klopfe mir auf die Brust.

Helen streicht mit dem Zeigefinger über den Rand ihres Weinglases. »Es tut mir leid, dass ich dich gestalkt habe.«

»Ich hab mich geschmeichelt gefühlt.«

»Das ist gelogen.«

»Es war, als hätte man ein kleines Hündchen.«

»Bezeichnest du mich gerade als Hündin?«

»Nein. So hab ich das nicht gemeint.«

Sie lächelt und hält sich die Hand vor den Mund. Alte Gewohnheit.

Damals gewöhnte Helen es sich an, nach der Schule vor unserem Haus rumzuhängen. Mum hatte Mitleid mit ihr und lud sie ein, hereinzukommen. Sie saß an unserem Küchentisch und verschlang gebutterte Crumpets, von denen goldener Sirup tropfte. Es wurde zu einer Routine oder einer Gewohnheit, ich weiß nicht genau, was der Unterschied ist. Helen machte bei uns ihre Hausaufgaben, und Mum passte ihre Kleider an, kaufte ihr Unterwäsche und gab ihr Lebensmittel mit, damit sie ihrem Vater und ihrem Bruder etwas zu essen machen konnte. Helen wusste, dass es Almosen waren, doch sie nahm sie, weil es besser war, als hungrig zu bleiben.

»Ich dachte, du würdest dich in mich verlieben«, sagt sie. »Ich habe zu viele alte Filme gesehen.«

»Wir waren eine Zeit lang zusammen.«

»Ich erinnere mich.«

Ein weiteres Lächeln. Ein echtes. Ich möchte es festhalten. Ich möchte es in die Tasche stecken und mit mir herumtragen wie einen goldenen Glücksbringer.

Der Beginn ihrer Pubertät war dem Mädchen, das in meiner Erinnerung an unserem Küchentisch sitzt und Hausaufgaben macht, so peinlich, dass sie möglichst weite Klamotten trug und mit vor der Brust verschränkten Armen herumlief. Inzwischen ist sie eine Frau mit begradigten Zähnen und reiner Haut, die sich bewegt wie eine Turnerin in Vorbereitung ihrer Bodenkür – die Schultern gestrafft, das Kinn erhoben, die Brust rausgestreckt, auf Zehenspitzen.

Die Verwandlung war in Sydney passiert, wo sie studiert hatte, um Krankenschwester zu werden. Die milchflaschendicken Brillengläser waren durch Kontaktlinsen ersetzt worden, ein Kieferchirurg hatte ihre Zähne gerichtet, und nachdem sie nicht mehr dem zersetzenden Frauenhass ihres Vaters ausgesetzt war, gewann sie endlich auch an Selbstvertrauen.

Eine Kellnerin bringt unser Essen. Steak und Pommes frites für mich, Lammkoteletts und Gemüse für Helen. Beim Essen plaudern wir über Yulara. Wer hat wen geheiratet? Wer ist geschieden? Wer ist bankrottgegangen? Wer ist weggezogen?

In dem Restaurant ist es voller und lauter geworden, Gespräche, Gelächter und eine Symphonie von klirrenden Gläsern und Besteck erfüllen den Raum. Ich bestelle weitere Getränke. Helens Wangen haben von dem Wein oder der Wärme Farbe angenommen.

»Ich kann nicht glauben, dass du hier bist«, sagt sie. »Ich dachte, du würdest so weit wie möglich weggehen. Von vorne anfangen. Leben.«

»Das ist Leben.«

»Das ist Existieren. Ich habe viel an dich gedacht«, sagt sie nachdenklich. »Ich habe versucht, dir meine Träume zu schicken.«

»Sie sind angekommen, aber ein bisschen verschwommen.«

»Beim nächsten Mal mache ich sie klarer.«

»Es wird kein nächstes Mal geben.«

Sie wendet verlegen den Blick ab, wechselt das Thema und fragt mich nach meinem Tag. Ich erzähle ihr, dass ich die

Tapeten in der Küche abgerissen und die Türrahmen abgeschliffen und zum Lackieren vorbereitet habe.

»Hast du mit jemandem gesprochen?«

»Mit der Hündin.«

»Du hast einen Hund?«

»Sie gehört mir nicht direkt, aber sie lungert die ganze Zeit bei mir rum.«

»Hat sie einen Namen?«

»Ich nenne sie Hund. Dann fühle ich mich weniger verbunden, falls sie geht.«

»Bist du einsam?«

»Nicht mehr als sonst.«

»Nach Eddies Tod dachte ich, ich brauche niemanden, aber an manchen Tagen ...« Sie lässt den Satz unvollendet.

»Bist du seitdem mit jemandem ausgegangen?«

»Nein.«

»Wie lange ist das her?«

»Acht Jahre.« Unsere Blicke treffen sich. »Komm bloß nicht auf Gedanken.«

»Werde ich nicht.«

Als Helen aus Sydney zurückkam, nahm sie einen Job bei Doc McCabe an, organisierte seine Termine, verabreichte Impfungen, verband Schnittwunden, Kratzer und Verbrennungen. In der Zeit kamen wir zusammen. Es fühlte sich gut an. Natürlich. Helen liebte Mum und Luke und verlor nie ein böses Wort über irgendjemanden, nicht mal über die Arschlöcher, die sie in der Schule beschimpft und verspottet hatten.

Wir haben fertig gegessen. Sie möchte keinen Wein mehr.

»Pater Corday hat mir erzählt, dass du fast jeden Tag eine Kerze für Luke anzündest«, sage ich.

»Ich vermisse ihn.«

»Ich auch.«

»Vermisst du Saxon?«, fragt sie. Ich weiß, dass die Frage aufgeladen ist.

»Ja.«

»Hast du sie geliebt?«

»Nicht so.«

»Wie denn?«

»Sie war eine Naturgewalt.«

»Sie hat dich erregt.«

»Sie hat jeden Raum heller gemacht, den sie betreten hat. Sie hat die Menschen beseelt.«

»Warst du auch beseelt?«

»Ja.«

Helen sieht mich traurig an, und ich will das Lächeln von eben aus der Tasche ziehen und wie einen Trumpf ausspielen, um diese Unterhaltung zu beenden.

Ich entschuldige mich und gehe zur Toilette. Auf dem Weg durch das Restaurant und die Bar fällt mir auf, dass Menschen mich anstarren und tuscheln. Beim Händewaschen gönne ich mir den Luxus von warmem Wasser. Weitere Blicke folgen mir, als ich an unseren Tisch zurückkehre. Eine Frau spricht mit Helen. Sie entfernt sich eilig und wirft mir einen bösen Blick zu.

»Was hatte das denn zu bedeuten?«, frage ich.

»Nichts.«

»Möchtest du einen Nachtisch?«

»Nein. Gehen wir.«

Sie fasst meinen Arm, reckt das Kinn und ignoriert die Blicke der Leute. Wir durchqueren das Restaurant und verlassen das Lokal durch den Biergarten und ein Seitentor zur Straße. Helens VW parkt gegenüber.

Hinter uns sind Schritte zu hören. Schuhe auf Schotter. Zwei Männer treten aus dem Schatten. Ich erkenne sie von vorhin in der Bar wieder. Ein Name kommt mir in den Sinn. Callum Winacott. Saxons Stiefbruder. Er war siebzehn, als sie starb. Jetzt ist er älter. Kräftiger. Mürrischer. In seiner rechten Hand hält er einen Kreuzschlüssel. Zwei weitere Männer steigen aus einem Muscle-Car und gesellen sich zu den beiden. Sie haben Tücher oder Bandanas um den Kopf gewickelt, um das Gesicht zu verbergen.

»Gehen Sie aus dem Weg, Nurse Churcher, sonst könnten Sie verletzt werden«, sagt Callum und macht einen Schritt zur Seite, um uns den Fluchtweg zu versperren. »Er ist ein Kinderficker. Ein Vergewaltiger.«

Helen zieht mich näher zu sich. »Er hat niemanden vergewaltigt.«

Sie zeigt auf einen der maskierten Männer. »Warum versteckst du dein Gesicht, Teddy Bryant? Ich kenne deine Mum und deine Schwester. Sie sind gute Menschen.«

Teddy blickt zu seinem Kumpel.

»Und dich erkenne ich auch, Liam Price«, sagt Helen. »Ich habe Schotterkörner aus deinem Hintern gepickt, als du mit dem Motorrad gestürzt bist.«

»Hör nicht auf sie«, sagt Callum.

»Ich schlage keine Frau«, sagt Teddy.

»Pack sie einfach.«

»Pack du sie doch.«

Helen geht dazwischen. »Wenn du jetzt gehst, Callum, erzähle ich deinem Vater nichts davon.«

»Rufen Sie ihn an. Er wird begeistert sein.«

»Nicht, wenn du verhaftet wirst.«

Sie zieht mich zwischen den Männern hindurch vorwärts. Ich habe den VW fast erreicht, als der Kreuzschlüssel auf meine Schulter trifft und ich mit dem Kopf voran gegen die Wagentür geschleudert werde. Der nächste Schlag hallt noch lange nach dem Aufprall in meinem Schädel wider. Nur mit Mühe halte ich mich auf den Beinen.

Es ist nicht das erste Mal, dass ich Prügel einstecke. Im Gefängnis bin ich selbst gebastelten Stichwaffen aller Art und mit Steinen oder Billardkugeln beschwerten Socken ausgewichen. Ich habe gegen Männer um mein Leben gekämpft, für die Gewalt ein Sport oder eine Berufung war.

Ich bin in der Unterzahl und unbewaffnet und habe kaum Aussicht, siegreich aus der Sache herauszukommen, trotzdem werde ich von einer Welle der Dankbarkeit überwältigt, denn ich habe jetzt einen Grund, zu kämpfen. Auf den Knien ramme ich die Faust in Callums Unterleib und höre, wie mit einem Stöhnen die Luft aus seinem Körper entweicht. Als er zu Boden sinkt, entwinde ich ihm den Kreuzschlüssel und werfe ihn beiseite.

Jemand packt mich von hinten und versucht, meine Arme zu fixieren, doch ich reiße meinen Kopf in den Nacken und spüre, wie seine Nase bricht. Er wendet sich ab, hält sich das Gesicht und fängt das Blut mit den Händen auf.

Helen hat sich von hinten auf Teddy gestürzt, die Beine um seine Hüfte geschlungen und ihre Finger in seine Augenhöhlen gegraben. Er dreht sich schreiend im Kreis und brüllt seinen Kumpeln zu, sie mögen »die Hexe« von ihm runterziehen.

Liam versucht, Helen von Teddys Rücken zu zerren, doch sie lässt nicht locker.

Jemand verpasst mir einen Schlag in die Nieren, und meine Knie werden weich. Ich ducke mich, um dem nächsten Schlag auszuweichen, packe meinen Angreifer, als er kurz aus dem Gleichgewicht gerät, am Arm und ramme den Unterarm gegen seine Kehle. Er fasst sich an den Hals und sinkt um Luft ringend zu Boden.

Helen klammert sich immer noch an Teddy und drückt auf seine Augen. Er fleht sie an, ihn loszulassen. Liam Price schafft es nach wie vor nicht, sie wegzuzerren. Ich rufe seinen Namen und fordere ihn heraus, doch er rührt sich nicht. Allmählich verlässt ihn der Mut. Callums Saufkumpan hat bereits den Rückzug angetreten und stolpert zurück in den Pub. Liam folgt ihm.

Jetzt sind wir nicht mehr in der Unterzahl, aber der Kampf ist ohnehin vorbei. Helen rutscht von Teddys Rücken und wischt sich die Hände an ihrer Jeans ab.

»Ich bin blind«, schluchzt Teddy und versucht, etwas zu erkennen. Tränen strömen über seine Wangen.

»Nicht anfassen«, sagt Helen. »Du musst sie mit salzigem Wasser ausspülen. Achte darauf, dass es steril ist. Danach legst du eine kühle Kompresse drauf.«

Callum nimmt Teddys Arm und führt ihn zu dem Muscle-Car. Sie diskutieren, wer fährt. Am Ende gibt Teddy Callum die Schlüssel. Als der Wagen verschwunden ist, fasst Helen mein Gesicht mit beiden Händen, dreht es in das Licht einer Laterne und mustert meine Pupillen.

»Du hast vielleicht eine Gehirnerschütterung.«

»Mir geht es gut.«

Sie hält drei Finger hoch. »Wie viele?«

»Drei.«

»Wer ist Premierminister?«

»Der kleine Typ mit den buschigen Augenbrauen.«

»Wie heißt er?«

»Mr Arschgeige.«

Sie lacht. »Welchen Monat haben wir?«

»April.«

Sie streicht mit den Fingern über meine Arme und meine Brust und tastet nach Blutergüssen und möglichen Brüchen.

Mir schießen Tränen in die Augen.

»Was ist los? Hab ich dir wehgetan?«

»Nein.«

»Warum weinst du?«

»Das würdest du nicht verstehen.«

Wie könnte sie? Ich kann mich nicht erinnern, wann eine Frau mich zuletzt so berührt hat – mit Güte und Anteilnahme –, und mir wird mit einem Mal schmerzhaft bewusst, wie viel ich verpasst habe. Vertrautheit, menschlichen Kontakt, das Gefühl, zu jemandem zu gehören, der sich um einen sorgt.

»Es tut mir leid«, sage ich und wische die Tränen ab.

»Was?«

»Alles.«

# 11

Wir fahren schweigend nach Hause. Helens Gesicht wird von den Scheinwerfern der entgegenkommenden Fahrzeuge beleuchtet. Sie ist blass, um die Augen ist Mascara verschmiert. Sie wirkt ausgehöhlt. Erschöpft.

»Es war ein Fehler, hierher zurückzukommen«, sage ich.

»Du bist doch erst seit ein paar Tagen hier.«

»Kleine Städte haben ein langes Gedächtnis.«

»Wer hat dir das erzählt?«

»Meine Seelenklempnerin im Gefängnis.«

»Du hattest eine Therapeutin?«

»Sie war im Preis inbegriffen.«

Sie kurvt durch die stillen Straßen. Hinter Gardinen brennen Lichter, Fernsehbildschirme werfen Schatten. Als sie in die Einfahrt fährt, schwenken die Frontscheinwerfer über die Fassade des Hauses. Sie bremst hart und flucht. Ein Wort ist in Rot an die Hauswand geschmiert.

*Vergewaltigerschwein!*

Wir starren schweigend auf das Graffiti.

»Ist nicht schlimm. Ich wollte morgen eh streichen«, sage ich, um die Stimmung zu lockern. »Das waren wahrscheinlich irgendwelche Kids.«

»Such nicht noch nach Ausflüchten für sie«, sagt Helen und macht den Motor aus. Nächtliche Geräusche erfüllen den Wagen. Eine Eule. Ein bellender Hund. Zirpende Zikaden.

»Du könntest noch auf einen Kaffee mit reinkommen?«, frage ich.

»Ich trinke keinen Kaffee.«

»Tee?«

»Das ist keine gute Idee.«

Weiteres Schweigen.

»Kann ich dich morgen sehen?«, frage ich.

»Nein.«

»Freitag ist dein freier Tag.«

»Ich muss nach Wagga.«

»Ich könnte mitkommen.«

»Nein.«

Ich weiß nicht, ob sie mir aus dem Weg gehen oder mir sagen will, dass ich aufhören soll, es zu versuchen. Bevor ich zu einem Schluss komme, nimmt sie einen leeren Umschlag aus dem Handschuhfach und schreibt etwas auf.

»Das ist die Nummer meines Handys. Du solltest dir eins anschaffen.«

»Vielleicht, wenn ich Geld hätte.«

Sie summt leise. »In Eltham Court wird ein Gärtner und Hausmeister gesucht. Es ist nur eine Teilzeitstelle und auch nicht besonders gut bezahlt, aber du könntest deine Mum besuchen und ...«

»Dich öfter sehen.«

Helen antwortet nicht. Ich beuge mich zu ihr und küsse sie auf die Wange, bevor ich die Wagentür öffne und schnell aussteige. Ich halte den Umschlag in der Hand, als sie davonfährt.

Auf dem Weg zur Haustür fällt mir Hund ein. Ich rufe ihren Namen. Nichts. Als ich aufgebrochen bin, lag sie auf der Treppe vor der Hintertür. Ich gehe ums Haus und pfeife leise. Im Haus nebenan brennt Licht. Eine Gestalt steht unter dem Verandalicht. Eine Wampe wie ein Medizinball. Larry Bulgin. Sein Pitbull zerrt an der Leine.

»Du hattest Besuch«, ruft er. »Dein Hund hat gebellt.«

»Haben Sie den Wagen gesehen?«

»Nee.«

»Ich kann meinen Hund nicht finden.«

»Erzähl das jemandem, der sich drum schert.«

Bulgin geht wieder ins Haus. Ich sehe im Schuppen nach und laufe an dem Zaun auf der Rückseite des Gartens entlang. Ich bin schon fast wieder beim Haus, als ich ein leises Winseln in der Nähe des Komposthaufens höre.

Ich gehe in die Hocke und warte. Hund taucht auf, den Bauch am Boden, den Blick niedergeschlagen, verängstigt. Ich warte mit angelegten Armen, bis sie zu mir kommt. Sie legt sich flach in das taufeuchte Gras.

»Alles gut, Mädchen. Du hast nichts falsch gemacht.«

Ich strecke die Hand aus. Sie zuckt zurück. Ich bewege mich langsamer, kraule sie hinter den Ohren und streiche über ihr Fell, besorgt, dass sie verletzt sein könnte.

»Sie kommen nicht zurück«, sage ich. »Ich bin jetzt hier.«

Ich bringe sie ins Haus, und sie rollt sich auf der geschlossenen Veranda zusammen, wo ich mit einer alten Armeedecke ein Lager für sie bereite. Nachdem sie es sich bequem gemacht hat, fülle ich einen Eimer mit heißem Seifenwasser, suche eine Bürste mit steifen Borsten und nehme beides mit nach draußen. Ich schrubbe über die Buchstaben an der Hauswand, bis sie keine Botschaft mehr sind, sondern nur noch ein großer, verschmierter rosafarbener Fleck. Anschließend gehe ich durchs Haus und prüfe, ob alle Fenster und Türen verschlossen sind.

Es gibt nur ein Zimmer, das ich seit meiner Rückkehr noch nicht betreten habe. Am Türrahmen sieht man immer noch die Markierungen, die Mum gemacht hat, wenn sie Luke mit dem Rücken zur Tür aufgestellt und mit einem Maßband aus ihrem Nähkästchen gemessen hat, um wie viel er gewachsen war. Irgendwann musste sie auf einen Stuhl steigen, um seinen Kopf zu erreichen und einen Bleistiftstrich zu ziehen.

Mit elf war Luke schon so groß wie ich. Er war in der Grundschule zweimal sitzen geblieben, sodass er zwei Jahre älter als seine Mitschüler und mit Abstand der größte Junge in seiner Klasse war. Seine Größe hätte ihn eigentlich schützen müssen, aber Luke war so sanft, dass die anderen Kinder seine Gutmütigkeit und sein langsames Denken ausnutzten. Sie lachten ihn aus, doch ihn schien das nicht zu stören, weil Menschen über viele Dinge lachten und es keinen Grund gab, das persönlich zu nehmen.

Als er eines Tages nicht zur gewohnten Zeit aus der Schule heimkam, machte ich mich auf die Suche. Ich fand ihn am Rande des Schulhofs, wo er hinter einer Eiche hockte. Er und seine Klassenkameraden würden Verstecken spielen, erklärte er mir.

»Warst du das einzige Kind, das sich versteckt hat?«, fragte ich.

»Ja.«

»Hast du gehört, wie die anderen dich gesucht haben?«

»Nee.«

Mir wollte das Herz brechen.

»Ich bin gut in Verstecken«, sagte er.

»Ja, das bist du.«

Luke konnte vergesslich und ungeschickt sein, manchmal trug er zur Schule zwei verschiedenfarbige Socken, ein falsch geknöpftes Hemd oder einen Pulli auf links. Außerdem neigte er dazu, Wörter zu verdrehen und durcheinanderzubringen, sagte »Verpappung« statt »Verpackung« und »Randamine« statt »Mandarine«. Albträume waren »Allräume«, Tausendfüßler »Raupenfüße«.

Niemand erwähnte Begriffe wie Dyslexie, Autismus oder ADHS. Lehrerinnen sagten, er würde »in seinem eigenen Tempo lernen«, oder nannten ihn »hoch kreativ«. Luke kümmerte das nicht. Einmal hörte ich, wie er Larry Bulgin von nebenan erklärte, dass er nicht gut sei in Lesen und Schreiben oder Fangen und Werfen.

»Was kannst du denn gut?«, fragte Larry.

»Essen«, sagte Luke.

Als er die Highschool begann, war er schon vierzehn, maß einen Meter sechsundachtzig und war einen Kopf größer als alle anderen in seinem Jahrgang. Deshalb saß er im Klassenzimmer auch immer ganz hinten. Die Lehrer riefen ihn nur selten auf, und Luke meldete sich nicht, wenn er etwas nicht verstand. Einige hatten Mitleid mit ihm, schrieben aufmunternde Bemerkungen oder benoteten seine Aufsätze und Tests übertrieben wohlwollend, aber auch ein »Mangelhaft« oder »Ungenügend« beeindruckte Luke nicht groß. Das einzige Versagen, das er fürchtete, war, nicht von der Brücke schwingen zu können.

Ihm war offenbar bewusst, dass ihn eines Tages unweigerlich jemand zum Schwingen herausfordern würde – zum Beweis, dass er »Eier« hatte. Mir sind solche Sprüche mittlerweile zuwider, weil zu viele Männer Dummheit mit Mut und Aggression mit Männlichkeit verwechseln.

Ich hatte meine Grundausbildung bei der Armee abgeschlossen und war auf Heimaturlaub, als ich mit ein paar Kumpeln zum Fluss hinunterfuhr, um zu schwimmen und Bier zu trinken. Luke nervte schon die ganze Zeit, folgte mir überallhin und fiel mir zur Last. Jemand fragte ihn, ob er den Schwung schon gemacht habe. Schnell wurde eine Herausforderung daraus. Luke sah mich an und hoffte, dass ich eine Ausrede für ihn hatte, aber ich war es leid, auf ihn aufzupassen. Ehe ich meinen Fehler erkannte, kletterten wir schon auf die Plattform. Muzza und Dale begleiteten uns, Dave Morton blieb unten und bewachte unser Bier.

Muzza machte dumme Witze darüber, ob Luke sich auf dem Weg zum Seil eher übergeben oder vollscheißen würde.

»Kann ich dein Fahrrad haben, wenn du nicht zurückkommst?«, fragte Dale.

Luke sah elend aus, doch er kniff nicht. Wir schritten nebeneinander die gesamte Länge der Brücke von Süden nach Norden ab und überquerten den trägen braunen Fluss. Auf dem Vorsprung war nicht genug Platz für alle, deshalb blieben Muzza und Dale auf dem Gleis und ließen ihre abgewetzten Sneaker über den Rand baumeln. Ein leichter Wind war aufgekommen, der das Wasser kräuselte und die Äste der Bäume unter uns bewegte.

Luke war auf allen vieren und klammerte sich an den Vorsprung wie ein Gecko. Er zitterte am ganzen Körper. Ich spürte es, als ich die Hand auf seine Schulter legte.

»Du musst das nicht machen«, gab ich ihm flüsternd die Erlaubnis, wieder zurückzuklettern. Luke schüttelte den Kopf.

»Hey, Luke, schau dir die Aussicht an«, schwärmte Muzza.

»Er ist gerade zu beschäftigt damit, sich an den Geschmack des Mittagessens zu erinnern«, sagte Dale und johlte vor Lachen.

»Du kannst es ein anderes Mal machen«, sagte ich zu Luke. »Du hast noch jede Menge Zeit.«

Luke schüttelte den Kopf, unfähig, ein Wort herauszubringen.

»Los. Los. Jetzt lass mal knacken«, sagte Dale.

»Hereinspaziert, hereinspaziert zum Trip deines Lebens«, tönte Muzza.

Gemeinsam begannen sie zu rufen: »Schwing. Schwing! Schwing!«

Luke richtete sich auf und wischte sich die Hände an seiner Jeans ab. Ich gab ihm das Seil und hielt es fest, während er seinen Fuß in die Schlinge stellte und sich zentimeterweise näher an den Rand des Vorsprungs bewegte.

»Schwing! Schwing! Schwing!«, skandierten die anderen.

»Einmal raus«, sagte Luke.

»Und zurück«, fügte ich hinzu.

»Du fängst mich doch auf, oder, Arlo? Du fängst mich sicher auf.«

»Ich fang dich auf.«

»Versprich es.«

»Ich verspreche es.«

»Schwing! Schwing! Schwing!«

Luke schloss die Augen und stieß sich ab. Das Seil ruckelte auf den ersten Metern des Falls, bevor es seine Höchstgeschwindigkeit erreichte und über den Fluss schwang, aus dem Schatten in die Sonne.

»Yaaahoooo!«, rief Dale.

»Hoffentlich hat er eine braune Unterhose an«, sagte Muzza.

Das Seil war bis zum höchsten Punkt gependelt und schwang zurück.

Luke riss die Augen auf – in ihnen lag nackte Angst. Die Plattform war leer. Ich war nach oben zu den anderen geklettert. Wir waren drei Klugscheißer, die unerreichbar auf dem oberen Deck saßen und winkten. Luke schwang erneut über den Fluss … und noch mal … und noch mal, bis das Seil schlaff herunterhing.

Irgendwann kletterte ich auf die tiefer gelegene Plattform, hakte das Führungsseil los und zog Luke nach oben. Er klammerte sich so fest an das Seil, dass ich seine Finger einzeln lösen musste. Es dauerte eine halbe Stunde, ihn zu bewegen, die Leiter hinunterzusteigen. Er sprach nicht. Er weinte nicht. Er sagte nichts, doch ich wusste, dass etwas anders geworden war. Ich war nicht mehr sein Held.

Jetzt stehe ich vor seinem Zimmer und kann oder will es nicht betreten. Ich möchte ihn um Erlaubnis fragen, dabei kannte Luke keine Geheimnisse und keine Verstellung. Er hatte keine verborgenen Tiefen und Hintergedanken. Alles lag offen zutage.

Ich trete über die Schwelle und finde den Raum genau so vor, wie ich ihn in Erinnerung habe. Das Bett, der Kleiderschrank, der Schreibtisch, die Kommode, seine Sammlung wahlloser Objekte auf der Fensterbank – buntes Glas, ein Axtkopf aus Stein, eine versteinerte Eidechse, eine Katzenaugenmurmel, ein Stein mit Narrengold.

Mum hat alles so gelassen, wie es war. Sie ist wie eine dieser Cargo-Kult-Anhängerinnen in Neuguinea oder im Südpazifik, die Modelle von Flugzeugen im Dschungel bauten und hofften, die Europäer würden zurückkommen und ihnen ihre Schätze bringen.

Ich drehe mich langsam einmal im Kreis, streiche mit dem Finger über die Regale, den Stapel seiner Comic-Alben und den eiförmigen Stein, den er am Lake Eucumbene gefunden hat und von dem ich behauptet habe, er wäre von einem Tyrannosaurus rex gelegt worden.

Ich setze mich aufs Bett. Die Matratze gibt nach, als würde der Abdruck seines Körpers sich immer noch darauf abzeichnen. Auf der Kommode stehen Fläschchen mit Rasierwasser und Haaröl, die Angus gehört haben. Ich ziehe die oberste Schublade auf und entdecke ein Foto, auf dem Luke, Mum und ich vor dem Haus stehen. Es wurde gemacht, nachdem ich mich der Armee angeschlossen hatte. Ich habe meine Uniform an, Luke trägt meinen Schlapphut schief auf dem Kopf. Seine Augen sind groß und leuchtend und dunkelbraun. Er hat buschige geschwungene Augenbrauen und eine nicht zu bändigende Schmachtlocke. Mum steht zwischen uns. Sie reicht kaum bis zu meiner Schulter und bis zu Lukes Brust, und sie grinst wie eine Brautjungfer, die gerade den Brautstrauß gefangen hat.

Angus betätigte den Auslöser der Kamera. Er war der Familienfotograf, deshalb gibt es nur wenige Bilder von ihm. Er stand außerhalb und hielt die Ereignisse fest, ohne jemals erkennen zu lassen, welche Rolle er selbst spielte.

Ich lege das Foto zurück und nehme einen aufgerissenen Umschlag aus der Schublade. Er ist an »Luke Hacketts Mutter« adressiert und muss persönlich zugestellt worden sein, denn er hat keine Briefmarke und keinen Poststempel. Darin befindet sich ein einseitiger Brief, handgeschrieben mit einem klecksenden Kuli.

*Liebe Mrs Hackett,*
*Sie kennen mich nicht, und ich werde meinen Namen nicht preisgeben, aber ich kannte Ihren Sohn Luke. Wir sind uns nur einmal begegnet, in einer schlimmen Nacht an einem schlimmen Ort voller böser Menschen.*

*Ich hatte nie zuvor eine Nacht in einer Polizeizelle verbracht. Ich war bis dahin noch nie festgenommen worden, und es wird auch nie wieder passieren, denn diese Nacht hat mich das Fürchten gelehrt.*

*Ich habe in meiner Zelle geweint, und Ihr Junge, Luke, hat mich gehört. Er hat mich nach meinem Namen gefragt, sich vorgestellt und mir von Ihnen, seinem Bruder Arlo und den Pferden erzählt, die er füttert und tränkt.*

*Ich weiß, dass Luke diesem armen Mädchen angeblich schreckliche Dinge angetan hat. Und wenn das stimmt, hat er das, was ihm widerfahren ist, verdient, aber zu mir war er sehr freundlich, und ich befürchte, dass er wahrscheinlich egal was gesagt hätte, damit sie aufhören, ihn zu schlagen. Die Polizisten haben ihn abwechselnd festgehalten und auf ihn eingeprügelt und erst aufgehört, als Luke keinen Mucks mehr machen konnte. Ich habe nicht gesehen, wie es passiert ist, aber ich habe gehört, was sie getan haben, und ich habe gesehen, wie sie ihn zurück in seine Zelle geschleift haben.*

*Danach hat Luke nicht mehr mit mir gesprochen. Ich glaube, er war an Stellen gebrochen, die niemand sehen konnte. Am nächsten Morgen hat man ihn gewaschen und ins Gericht gebracht. Den Rest wissen Sie.*

*Ich denke oft an Luke. Sie bestimmt auch. Und ich wünschte, ich hätte irgendetwas tun können, um seine Schmerzen zu lindern und Sie zu trösten.*

*Mit freundlichen Grüßen*

*Lukes Freund*

Ich lese den Brief noch einmal und suche nach einem Hinweis auf den Verfasser. Er hat gesagt, dass er in der Nacht in den Arrestzellen war. War er ein weiterer Verdächtiger?

Ich will mich nicht erinnern. Ich will nicht vergessen. Ich rolle mich auf Lukes Bett zusammen, mein Kopf auf seinem Kissen, seine Stimme in meinem Kopf.

»Du fängst mich doch auf, oder, Arlo? Du fängst mich sicher auf.«

# 12

Nachdem ihre Eltern sie auf der Polizeiwache abgeholt hatten, sah ich Saxon fast einen Monat lang nicht wieder. Ich versuchte, sie in Booralong Station anzurufen. Einmal hinterließ ich eine Nachricht auf dem Anrufbeantworter. Ein anderes Mal nahm ihre Mutter ab und drohte, die Polizei zu rufen, wenn ich ihre Tochter nicht in Ruhe ließ.

»Ist sie zurück auf ihr Internat gegangen?«, fragte ich.

»Das geht Sie nichts an.«

»Ich möchte bloß …«

Sie legte auf.

Saxon hatte nur ein paar Stunden in unserem Haus verbracht, doch ihre Abwesenheit war wie eine Zahnlücke, auf die ich immer wieder mit der Zunge stieß. Die anderen spürten es auch. Mum nannte sie »dieses nette Mädchen, das du mit nach Hause gebracht hast« und beschrieb sie als einen »frischen Lufthauch«, und Luke nannte sie »das hübsche Mädchen, das mich angelächelt hat«.

Wir kehrten in unsere Alltagsroutine zurück. Ich erledigte Gelegenheitsjobs in der Stadt, Mum versorgte Pater Corday und Pater Martell, putzte die Sakristei und kochte ihnen Essen, und Luke ging zu den Ställen und kümmerte sich für Monte Pope um dessen Pferde.

Morgens fuhr er bei jedem Wetter mit dem Fahrrad zur Rennbahn, wo er noch vor Anbruch der Dämmerung eintraf. Er mistete die Ställe aus, ersetzte altes Stroh durch neues, zäumte die Pferde auf und führte sie zur Rennbahn. Er half den Jockeys beim Aufsitzen und beobachtete, wie die Pferde alle Gangarten trainierten, vom langsamen Schritt über den Trab bis zum Galopp. Fünfzehn Sekunden für die Achtelmeile. Achthundert Meter. Tausend.

Anschließend spritzte er die Pferde ab, rieb sie trocken, kratzte ihre Hufe aus und gab ihnen Futter, bevor er am Nachmittag zurückkehrte und ihnen das Nachtlager bereitete.

Pater Corday zeigte reges Interesse an Lukes neuer Stellung und befragte ihn ausführlich über »Zwischenzeiten«, Konditionstraining und Erholungsphasen. Der Priester hatte ständig einen Bleistift hinter dem Ohr klemmen und trug seine Galoppsportzeitung noch mit in den Beichtstuhl. Er kannte die Details zum Stammbaum jedes Pferdes – Erzeuger, Muttertier, Geschwister, Preisgelder, G1-Rennen-Siege und Starts bei den Country Championships. In einem kleinen Notizbuch sammelte er Informationen über bestimmte Jockeys. Idealgewicht. Bevorzugte Peitschenhand. Bevorzugter Rennstil.

Einige Jockeys seien intellektuell und kreativ, sagte er, andere hingegen stur auf das Ziel fixiert, und die besten von ihnen wüssten, welchen Ansatz man bei welchem Tier wählen musste.

»Wie kommt es, dass Sie so viel darüber wissen?«, fragte ich ihn einmal.

»Lebenslanges Studium«, sagte er und tippte auf sein Notizbuch.

»Ist Glücksspiel nicht eine Sünde?«

»Das wird in der Bibel nicht erwähnt.«

»War Jesus nicht dagegen, das Los zu werfen?«

»Dabei ging es darum, das Los zu werfen, um Gottes Willen zu erkennen. Von einer Each-Way-Wette für fünf Dollar auf den Favoriten in Rosehill ist nirgendwo die Rede.«

Ich hatte den Verdacht, dass Pater Corday seine Finger im Spiel hatte, als Luke den Job bei den Ställen bekam. Seine Motive waren sicherlich vollkommen rein, doch er lud Luke ein, jeden Tag nach seiner Arbeit auf der Rennbahn für einen Plausch und eine Tasse Tee im Pfarrhaus vorbeizukommen.

Ungefähr zu der Zeit kam ich mit Helen zusammen. Scheinbar eher zufällig, auch wenn Helen einem erklären würde, dass es in unseren Sternen geschrieben stand.

Anfang März fand in der Landwirtschaftshalle auf dem Yulara Showground der alljährliche Bachelor-and-Spinster-Ball statt, der Ball für die Junggesellen und Jungfern, besser bekannt als der B&S. Die Leute kamen von nah und fern – Cowboys, Cowgirls, Schafscherer, Farmarbeiter, Viehtreiber, Zaunbauer –, alle auf der Suche nach einer Gelegenheit, Dampf abzulassen oder einen potenziellen Partner oder eine Partnerin kennenzulernen. Frauen trugen Partykleider, Männer »Western Black-Tie« – ein weißes Button-up-Hemd, schwarze Hose und Krawatte.

Helen kam als Date von irgendwem – einem Schafscherer namens Ricky Ferguson, der offenbar mehr daran interessiert war, sich zu besaufen und zu prügeln, als zu tanzen. Als er am Ende bewusstlos in einer Lache Erbrochenem auf dem Rasen vor der Halle lag, bot ich Helen an, sie nach Hause zu fahren. Vom Aussichtspunkt auf dem Mount Auspicious sahen wir die Sonne aufgehen. Keine Küsse. Keine Versprechen. Ein Anfang.

Eine Woche später klapperte es vor Anbruch der Dämmerung an der Haustür. Luke war schon wach und schmierte sich Stullen für die Arbeit. Er öffnete die Tür, und Saxon sank schluchzend in seine Arme. So fand ich die beiden. Saxon weinte, Luke sah aus, als würde er eine noch nicht detonierte Bombe halten.

Ich löste sie von ihm. Sie hielt sich die Hände vors Gesicht und sagte: »Nicht gucken.«

Ich zog ihre Hände weg und sah ihre blutige Lippe, den Bluterguss auf ihrer Wange und ihr linkes Auge, das beinahe komplett zugeschwollen war.

»Wer war das?«

Saxon schüttelte den Kopf.

»Wie bist du hierhergekommen?«

»Zu Fuß.«

»Von wo?«

»Von zu Hause.«

Das war fünfundzwanzig Kilometer entfernt. Sie musste die ganze Nacht durchgelaufen sein.

Aufgeweckt von dem Lärm kam Mum aus ihrem Schlafzimmer. Sie stieß einen Schrei aus und übernahm das Kommando. Sie verscheuchte mich und führte Saxon ins Bad. Flüstern. Tränen.

»Was macht sie hier?«, fragte Luke.

»Sie nimmt ein Bad.«

»Aber warum?«

»Jemand hat ihr wehgetan.«

»Wer würde so etwas tun?«

»Ein Monster.«

Als Saxon wieder auftauchte, trug sie Mums Morgenmantel und hatte ein Handtuch wie einen Turban um ihren Kopf gewickelt. Mum hatte einen Beutel tiefgefrorene Erbsen aus dem Gefrierfach genommen, den Saxon auf ihre geschwollene Wange drückte, während sie am Küchentisch saß, Tee trank und Toast aß.

»Saxon wird eine Weile bei uns bleiben«, sagte Mum. »Sie bekommt das hintere Schlafzimmer.«

Ich ging zu meinem Kleiderschrank und kehrte mit Angus'

alter Pentax-Kamera zurück. Ich forderte Saxon auf, den Beutel mit den Erbsen herunterzunehmen.

»Was machst du?«, fragte sie.

»Ich sammle Beweise.«

»Ich geh nicht zur Polizei. Er bringt mich um.«

»Sieht so aus, als hätte er das schon versucht.«

»Nein, bitte.«

»Okay, das ist deine Entscheidung, aber ich will es trotzdem dokumentieren, für alle Fälle.«

Sie ließ mich die Fotos machen, nahm mir jedoch das Versprechen ab, den Film nicht ohne ihre Erlaubnis entwickeln zu lassen und die Bilder niemandem zu zeigen. Meine Finger zitterten vor Wut, als ich auf den Auslöser drückte und den Film vorspulte.

Anschließend verließ ich das Haus und folgte der Nangus Road in westlicher Richtung aus der Stadt. Einen Kilometer hinter Yulara bog ich in eine Schotterstraße und fuhr über Weideroste und ausgetrocknete Flussbette, vorbei an Roten Eukalyptusbäumen, die mit den Schneiden von Äxten markiert worden waren, in uralten Zeremonien, die ich nicht verstand.

Das Haus hatte Sandsteinmauern, einen Doppelkamin und eine Veranda mit gewölbtem Dach, die teilweise von Glyzinien bewachsen war. Es war umgeben von sattgrünem Rasen, der sich deutlich von den vertrockneten Weiden drum herum abhob. Ein überdachter, von Weinreben umrankter Weg führte zu einem Swimmingpool und einem Grillplatz.

Frank Winacott gehörte zur sogenannten Squattocracy, dem alten Geldadel, dessen Wurzeln bis zu den ersten Siedlern zurückreichten, die in diese Gegend kamen, bevor es Straßen, Gesetze oder Grundstücksrechte gab. Seine Vorfahren steckten ihren Claim ab, vergifteten die Eingeborenen mit unreinem Mehl und machten sich daran, ein feindliches Land zu zähmen, indem sie es in ein Stück Cornwall verwandelten. Jener erste Winacott verlor eine Frau an die Pocken, eine zweite an einen Schlangenbiss und drei Kinder an Ruhr, Tetanus und Lungenentzündung. Aber die Familie überlebte und kam zu Wohlstand, dehnte ihren Landbesitz aus, entnahm Wasser aus den Flüssen und brachte Schafe in die South West Slopes.

Ich hielt vor dem Haus. Noch bevor ich den Motor abgeschaltet hatte, wurde die Haustür geöffnet. Mrs Winacott kam die Treppe heruntergerannt und blickte auf der Suche nach Saxon an mir vorbei.

»Wo ist sie? Haben Sie sie gefunden?«

Als sie und Frank Saxon auf der Polizeiwache abgeholt hatten, hatte ich nicht groß Notiz von ihr genommen, doch jetzt erkannte ich, dass sie jünger war als ihr Mann, mit einem Augenbrauen-Tattoo und blond gefärbtem Haar, das sich in der Stirn zu einem spitzen Ansatz verjüngte.

Ohne auf ihre Fragen zu antworten, ging ich ins Haus und durch einen Flur mit poliertem Hartholzboden, in dem Porträts von Franks Vorfahren hingen.

Mrs Winacott folgte mir.

»Welches ist Saxons Zimmer?«, fragte ich.

»Sie können hier nicht einfach so reinplatzen. Haben Sie sie gesehen?«

»Ja.«

»Wo ist sie?«

»In Sicherheit. Haben Sie sie geschlagen oder Frank?«

»Wie können Sie es wagen anzudeuten ... Ich würde niemals ... Es war ...«

»Ein Unfall?«, schlug ich vor. »Sie ist ausgerutscht und in Franks Faust gefallen?«

»Er wollte ihr nicht wehtun. Er ist losgefahren, um sie zu suchen. Wir sind völlig verzweifelt.«

Ein Junge im Teenageralter kam aus einem der Zimmer. Callum Winacott trug eine tief sitzende Schlafanzughose, sein Oberkörper war nackt. Er kratzte sich am Bauchnabel. »Wer sind Sie, verdammt noch mal?«

»Wo ist Saxons Zimmer?«

Er wollte mir nicht antworten, doch sein Blick zuckte zu der Tür gegenüber. Ich stieß sie auf und betrat ein Mädchenzimmer mit ungemachtem Bett, Postern von Madonna und George Michael und einer Pyramide von Stofftieren, die sich auf den Kissen breitmachten.

Mrs Winacott schrie, ich solle sofort verschwinden. Ich fand einen kleinen Koffer und begann, Klamotten aus einer Kommode hineinzustopfen. Callum machte einen Schritt nach vorn. Offensichtlich wollte er seine Männlichkeit beweisen. Ich fuhr herum und sah ihn direkt an.

»Noch einen Schritt, und ich häng dich an den Haken hinter der Tür.«

Er blieb stehen.

»Ich rufe die Polizei«, sagte Mrs Winacott.

»Gute Idee. Dann kann ich denen zeigen, was Ihr Mann mit Saxons Gesicht gemacht hat.«

Ich zog eine weitere Schublade auf und griff eine Handvoll Unterwäsche, die sich leichter anfühlte als Luft. Socken. T-Shirts. Ein Walkman.

Mrs Winacott hatte aufgehört zu weinen. »Sagen Sie ihr, sie soll nach Hause kommen. Sagen Sie ihr, es tut ihm leid.«

Ich bemerkte ein Buch unter Saxons Kopfkissen – eine Art Notiz- oder Tagebuch. Der Einband war mit Fotos verziert, die sie aus Hochglanzmagazinen ausgeschnitten hatte. Ich legte das Notizbuch auf ihre Kleider. Der Koffer war mittlerweile so voll, dass er sich nicht richtig schließen ließ. Ich trug ihn mit beiden Armen aus dem Haus und lud ihn in den Sandman. Mrs Winacott folgte mir nach draußen und flehte mich weiter an, Saxon nach Hause zu schicken.

Ich ignorierte sie, setzte mich hinters Steuer und fuhr davon, ohne einen Blick in den Rückspiegel zu werfen. Ich wollte ihren Reichtum, ihre Privilegien und ihre falschen Tränen nicht sehen. Vielleicht war sie auch ehrlich betroffen, doch sie hätte Saxon beschützen müssen. Das war ihr Job.

Kurz vor dem Haupttor kam mir ein Pick-up-Truck entgegen, der aus einer Staubwolke auftauchte, am Steuer Frank Winacott. Er hielt mitten auf der Straße und stieg aus. Ich hielt ebenfalls an. Wir trafen uns auf halber Strecke zwischen unseren Autos, während sich um uns herum der Staub setzte.

Er trug eine Moleskin-Hose, ein kariertes Hemd und einen ramponierten Akubra-Hut. Er war ein großer Mann, übergewichtig, aber muskulös wie ein verfetteter Ex-Sportler. In seiner Jugend hatte Frank Football gespielt und einen Ruf als Abräumer gehabt, der sich, Schulter, Knie oder Unterarm voran, ohne Rücksicht auf Verluste in jedes Tackling stürzte. Jetzt machte er auf dieselbe Art Politik.

»Wo ist meine Stieftochter?«

»Sie wohnt hier nicht mehr.«

Leise fluchend ballte er die Fäuste. Ich rührte mich nicht.

»Wollen Sie mich schlagen, so wie Sie sie geschlagen haben?«, fragte ich. »Wenn Sie möchten, können Sie es mir zeigen. War es mit der Faust oder mit der flachen Hand? Und wie oft?«

Sein Schlag kündigte sich lange vorher an, sodass ich ohne Mühe ausweichen konnte, weil Frank alt und langsam war. Er richtete sich gerader auf und forderte mich erneut heraus, die Fäuste erhoben wie ein Boxer. Ich breitete die Hände aus, eine Geste, die unterwürfig oder provozierend gemeint sein konnte.

Er wollte sich auf mich stürzen, doch ich machte einen Schritt zur Seite wie ein Matador. Er stolperte an mir vorbei, und ich verpasste ihm mit der flachen Hand einen Klaps auf den Hinterkopf, was ihn noch wütender machte. Wild um sich schlagend ging er erneut auf mich los. Wenn er mich verfehlte, gab ich ihm jedes Mal einen weiteren Klaps mit, was ihn noch mehr in Rage versetzte.

Als er irgendwann erschöpft war und seine Bewegungen langsamer wurden, nutzte ich seinen restlichen Schwung, um ihm ein Bein zu stellen. Er landete auf dem Hintern. Er hatte Schweißflecken unter den Achselhöhlen, sein Gesicht war verschmiert. Ich hob seinen Hut auf, klopfte den Staub ab und setzte ihn auf seinen Kopf.

»Wenn Sie versuchen, Saxon mit Gewalt heimzuholen, geht sie direkt zur Polizei.«

»Kein Mensch wird ihr glauben«, erwiderte er.

»Man wird den Fotos glauben. Denken Sie an den Skandal, Frank. Die Bilder auf der Titelseite jeder Zeitung. Dann viel Glück für Ihre Wiederwahl.«

Er murmelte etwas, doch ich ging davon, setzte mich wieder hinters Steuer und ließ den Staub und die Beschuldigungen in der Luft schweben.

# 13

Der *Yulara Advocate* ragt aus dem Briefkasten. Ich möchte die Zeitung dort stecken lassen, doch ich brauche das Papier, um den Boden abzudecken, wenn ich die Zimmer streiche.

Die halbe Titelseite wird von einem Foto von mir eingenommen. Meine Augen sind halb geschlossen, meine Lippen gekräuselt, in der Hand halte ich ein Kittmesser, mit dem ich in die Kamera winke.

*Die Heimkehr des Mörders*, lautet die Schlagzeile. *Exklusiv von Rose Tapper.*

*Ein Komplize bei der Vergewaltigung und Ermordung der Schülerin Saxon Winacott ist zwölf Jahre nach seiner Verurteilung an den Tatort zurückgekehrt.*

*Arlo Hackett, 38, wurde am Karfreitag auf Bewährung aus der Haft im Long Bay Jail entlassen. Die Polizei in Yulara hat ihn bereits vorübergehend festgenommen und mündlich ermahnt. Der Advocate traf Hackett gestern vor dem Haus seiner Mutter an, wo er die Reporterin mit einem Messer bedrohte.*

*Hackett forderte mich auf, sein Grundstück zu verlassen, und erklärte, er habe den Eltern von Saxon Winacott nichts zu sagen. Auf die Frage, warum er nach Yulara zurückgekehrt sei, sagte Hackett: »Ich komme von hier.«*

*»Haben Sie vor, hier zu bleiben?«*

*»Eine Zeit lang.«*

*Ein ausführliches Interview lehnte Hackett ab. Er erklärte jedoch, dass er das Haus seiner Mutter renovieren und verkaufen wolle, um die Kosten für ihre Pflege zu bezahlen.*

*Im März 1989 wurde Hackett wegen Beihilfe nach der Tat im Fall der Vergewaltigung und Ermordung von Saxon Winacott verurteilt, der Stieftochter von Frank Winacott, dem Parlamentsabgeordneten der National Party. Der mutmaßliche Mörder Luke Hackett floh während einer Krankenhausbehandlung aus dem Polizeigewahrsam und nahm sich das Leben.*

*Um einen Kommentar gebeten, erklärte Frank Winacott, die Entlassung von Arlo Hackett auf Bewährung sei eine Beleidigung für die Stadt und für seine Stieftochter.*

*»Meine Saxon hat keine zweite Chance bekommen, warum also sollte er eine kriegen? Ich weiß, dass ich als Christ die andere Wange hinhalten soll und dass Jesus wollen würde, dass ich verzeihe, aber so weit kann ich nicht gehen. Arlo Hackett hat es verdient, in der Hölle zu schmoren.«*

Der Artikel fährt fort, die Einzelheiten des Falles noch einmal aufzubereiten, bebildert mit Fotos von Luke und Saxon sowie von Frank Winacott und seiner Frau, die bei der Beerdigung Saxons Sarg folgen.

Hund schlägt mit ihrem wedelnden Schwanz gegen mein Bein und will gefüttert werden. Es ist erstaunlich, wie schnell wir eine gemeinsame Routine entwickelt haben. Sie läuft mir hinterher, wenn ich draußen bin, und schläft nachts auf der Veranda. Manchmal höre ich sie scharren, wenn sie im Schlaf Kaninchen jagt.

Nach dem Frühstück laufe ich in die Stadt, wo ich ein paar Farbkarten und Vorstreichfarbe besorgen will, um den Graffiti-Fleck an der Hauswand zu überstreichen. Kurz entschlossen mache ich einen Umweg und steige die Treppe zu Otto Guttersons Kanzlei hinauf. Otto ist schon seit vor meiner Geburt Rechtsanwalt in Yulara – die meiste Zeit war er der einzige. Er ist groß und raubeinig, mit Trinkernase und zerknittertem Anzug, ein Tausendsassa, der Eigentumsübertragungen, Testamentsvollstreckungen, Scheidungen, Sorgerechtsfragen, Nachlassplanung, Personenschäden und Zivilrechtssachen regelt.

Ich stoße die Glastür auf. Eine junge Frau in einem Bleistiftrock steht über die offene Schublade eines Aktenschranks gebeugt.

»Bin gleich da«, sagt sie, ohne aufzublicken. Ich strenge mich an, nicht ihre wohlgeformten Waden zu bewundern. Die Frau richtet sich auf und dreht sich um. Sie wirft einen kurzen Blick zu dem Kalender auf ihrem Schreibtisch. »Haben Sie einen Termin?«

»Nein, aber Otto kennt mich.«

»Otto arbeitet hier nicht mehr.«

»Sein Name steht an der Tür.«

»Er ist im Ruhestand. Ich habe seine Kanzlei übernommen.« Sie streckt die Hand aus. »Ich bin Camille Gutterson.«

»Sie haben denselben Nachnamen.«

»Sie sind ein Schnellmerker, was? Otto ist mein Onkel.«

Sie ist auf jeden Fall attraktiver als Otto. Hübsch auf eine Mädchen-von-nebenan-Art, mit sanften Kurven, Grübchen und einem freundlichen Lächeln. Aber da ist noch etwas anderes.

»Sind wir uns schon mal begegnet?«, frage ich.

»Sie haben mir noch nicht erzählt, wer Sie sind.«

Ich blicke auf ihren Schreibtisch und sehe ein Exemplar des *Yulara Advocate* mit meinem Foto auf der Titelseite.

»Sie wissen, wer ich bin.«

Im selben Moment fällt mir auch ein, wo ich sie schon einmal gesehen habe. Sie war an dem Tag, als ich verurteilt wurde, im Gericht – eine gelangweilt wirkende Teenagerin in burschikoser Kleidung, die hinter Otto am Tisch der Verteidigung saß, den Kopf in einem Buch vergraben.

»Sie sind Anwältin geworden«, stelle ich das Offensichtliche fest.

»Eigentlich wollte ich Anthropologin werden.«

»Was ist passiert?«

»Es gibt keine Stämme mehr zu entdecken.«

Ich kann nicht sagen, ob sie sich über mich lustig macht.

»Wie geht es Otto?«, frage ich.

»Lungenkrebs Stadium vier.«

»Das ist traurig zu hören.«

Sie nimmt hinter dem Schreibtisch Platz und weist auf den Stuhl gegenüber. Die Zeitung liegt zwischen uns.

»Sind Sie deshalb hier?«, fragt sie.

»Nein.«

»Gut. Ich bin keine Spezialistin für Verleumdungsfälle, doch ich bezweifle, dass eine Klage aussichtsreich wäre. Wie kann ich Ihnen helfen?«

»Meine Mutter ist dement, und ich brauche Geld für ihre Pflege. Ich renoviere ihr Haus, aber ich weiß nicht, ob ich es verkaufen darf.«

»Sie brauchen eine Vollmacht.«

Camille öffnet eine Schublade und nimmt eine Aktenmappe heraus.

»Nach dem Schlaganfall Ihrer Mutter habe ich die Treuhänder- und Vormundschaft übernommen, doch Sie können beantragen, dass man Ihnen die Kontrolle ihrer Angelegenheiten überträgt. Ich besorge die Formulare und helfe Ihnen beim Ausfüllen, aber nur, wenn ich sicher bin, dass Ihnen ehrlich an den Interessen Ihrer Mutter gelegen ist.«

»Ich habe nicht vor, ihr Geld zu stehlen.«

»Gut zu wissen.« Sie macht eine Notiz auf einem gelben Block. »Wohnen Sie in dem Haus?«

»Ja.«

»Wie kann ich Sie erreichen?«

»Sie könnten vorbeikommen.«

»Ich mache keine Hausbesuche.«

»Tja, ich habe kein Telefon.«

Camille zieht eine Schublade auf und nimmt ein kleines silbernes Handy mit Tasten und einem Minibildschirm heraus. »Es hat Otto gehört, aber er hat sich nie daran gewöhnt, es bei sich zu tragen.« Sie gibt mir das Telefon. »Es ist ein Prepaid-Konto. Guthaben können Sie bei der Post aufladen. Falls jemand für Otto anruft, sagen Sie ihm, er ist im Ruhestand.«

Ich halte das Gerät in der Hand und staune, wie klein es ist. Früher waren Mobiltelefone Ziegelsteine, die von Spionen und Verbrechern herumgeschleppt wurden. Dieses hier sieht aus wie ein Spielzeug oder ein Scherzartikelfeuerzeug. Camille nimmt ein Ladekabel aus der Schublade und schreibt die Nummer auf ein Post-it.

Sie zeigt mir, wie ich das Menü aufrufen kann, das auf dem kleinen Display aufleuchtet. »Meine Nummer ist in den Kontakten. Sie können mich anrufen oder simsen.«

»Simsen?«

»Das kriegen Sie schon raus.«

Sie steht auf und erwartet, dass ich gehe, doch ich bleibe sitzen und ziehe den Brief aus der Tasche.

»Den habe ich beim Aufräumen gefunden. Er war an meine Mutter adressiert.«

Camille liest schweigend. Als sie fertig ist, faltet sie das Blatt wieder.

»Ich möchte ihn finden«, sage ich.

»Warum?«

»Ist das nicht offensichtlich? Er war mit Luke in den Arrestzellen. Sie haben miteinander gesprochen. Er hat Dinge gehört und gesehen.«

»Sie sind auf Bewährung draußen, Arlo. Stechen Sie nicht in dieses Hornissennest.«

»Die Polizisten haben Luke geschlagen.«

»Was sie bestreiten werden.«

»Aber der Brief ...«

»Beweist gar nichts.«

»Vielleicht war der Verfasser ein Verdächtiger?«

Camille kneift die Augen zusammen. »Glauben Sie, dass Ihr Bruder schuldig war?«

»Damals habe ich es geglaubt.«

»Und jetzt?«

Ich antworte nicht. Was soll ich sagen? Wie kann ich es ihr begreiflich machen? Mir tritt ein Bild von zwei Jungen vor Augen, die auf einem Vorsprung hoch über dem Fluss stehen. »Du fängst mich doch auf, oder, Arlo?«, fragt Luke. »Du fängst mich sicher auf.«

Camille wartet immer noch auf meine Antwort.

»Ich habe jemandem versprochen, dass ich das tun würde«, sage ich.

»Wem haben Sie es versprochen?«

Schweiß kribbelt in meinen Achselhöhlen. »Luke.«

Sie betrachtet mich einen Moment lang und seufzt dann. »Ich werde sehen, was ich machen kann.«

Wir gehen zur Tür, und sie blickt mir nach, als ich die Treppe hinuntersteige. Unten angekommen höre ich ihre Stimme.

»Hey, Arlo.«

»Ja.«

»Halten Sie sich aus allem Ärger raus.«

# 14

Saxon schlief noch, als ich am nächsten Morgen mit einer Liste von Erledigungen das Haus verließ. Cathy Powell wollte, dass ich ihre Waschmaschine anschloss, und Elise Horner brauchte Hilfe bei der Bestattung ihrer Katze Tibbles, die an Altersschwäche und Überfütterung gestorben war. Eigentlich hatte Elise Pater Corday gebeten, die Bestattung zu leiten, doch der hatte Bedenken geäußert und vorgeschlagen, dass ich an seiner Stelle ein paar Worte sagen könnte.

Ich war unwillentlich zum Lieblingslückenbüßer der Stadt geworden. Wenn jemand zum Arzt, zum Friseur, ins Krankenhaus oder zum wöchentlichen Bingo-Abend im Saal der Heilsarmee gebracht werden musste, wurde ich gerufen. Neben zahlreichen anderen Jobs, die erledigt werden wollten, lieferte ich Lebensmittel aus, löste Rezepte ein, holte Pakete ab, beerdigte Haustiere, rettete Katzen und fuhr den Schulbus. Keiner dieser Aufträge machte mich reich, denn meine Kunden waren arm oder lebten von der Wohlfahrt und entlohnten mich lieber mit einer Tasse Tee, Keksen oder einem Stück Biskuitkuchen, serviert mit einem Klecks guter Ratschläge wie dem, ich solle mir ein »nettes Mädchen« suchen und sesshaft werden.

Am frühen Nachmittag passte ich Pater Martell ab, als er das Pfarrhaus verließ. Wegen seiner nachlassenden Sehkraft war der Priester nur noch mit »weniger bedeutenden Amtspflichten« betraut, doch er machte weiter, als wäre alles wie immer.

»Guten Tag, Pater«, sagte ich.

Er blinzelte mich hinter Brillengläsern an, die so dick waren, dass sie seine Augen verzerrten.

»Wer ist da?«

»Arlo Hackett.«

Sein Gesicht legte sich in Falten. »Ah, hallo, Arlo. Deine Mum hat mir gerade ein leckeres Mittagessen gekocht. Willst du sie besuchen?«

»Nein, ich will Sie besuchen, Pater.«

»Also, ich wollte gerade nach Tumut aufbrechen, um die Beichte zu hören.«

»In die Richtung muss ich auch – wie wär's, wenn ich Sie fahre?«

»Oh, ich möchte mich nicht aufdrängen ...«

»Ich habe eben gesehen, wie die Highway-Patrol an der Stadtgrenze Posten bezogen hat.«

»Na, dann nehme ich die Nebenstrecke.«

»Die sind entschlossen, Sie zu schnappen, Pater.«

Darüber dachte er einen Moment nach, nahm mein Angebot dann an und stieg in den Sandman. Als wir die Stadt verließen, fuhren wir an den auf der Lauer liegenden Polizisten vorbei. Der Priester winkte, murmelte leise »Arschlöcher« und bekreuzigte sich.

Pater Martell war offiziell für blind erklärt worden, fuhr jedoch ohne Führerschein weiter. Er behauptete, Gott würde ihn leiten. Doch das schützte nicht die Briefkästen, Zaunpfähle und Autos, die er streifte. Ich kannte seinen Terminkalender und versuchte, ihn abzupassen und durch die Gegend zu kutschieren.

Auf der Fahrt nach Tumut redeten wir über Fußball – die Variante mit rundem Ball, die Pater Martell lieben gelernt hatte, als er für das Priesteramt in Italien studiert hatte, für ihn die einzige Sportart, die diesen Namen tragen durfte.

»Du wolltest mit mir reden«, sagte er schließlich.

»Es geht um die Predigt von letztem Sonntag. Ich habe nicht verstanden, was Sie meinten, als Sie gesagt haben, dass Hoffnung und Verzweiflung Gegensätze sind, aber trotzdem aus demselben Holz und von denselben Umständen geprägt.«

»Du hast zugehört?«

»Sie klingen überrascht.«

»Das bin ich verdammt noch mal auch.«

Er lachte und erklärte, dass Verzweiflung unsere Sicht auf die Welt färbt und uns skeptisch gegenüber der Zukunft und negativ gegenüber der Gegenwart stimmt, während die Hoffnung das Leben nimmt, wie es ist, in dem Wissen, dass wir, was immer auch passiert, »in der sanften Umarmung eines gnädigen Geheimnisses leben, das Jesus seinen Vater nannte«.

Nach der Beichte fuhr ich ihn wieder nach Hause. Ich hatte bereits dafür gesorgt, dass er seinen Wagen nicht benutzen konnte, indem ich das Batteriekabel gezogen und die Zündkerzen herausgedreht hatte. Die lokale Autowerkstatt würde mich sofort anrufen, wenn der alte Priester sich bei ihnen meldete.

Als ich an dem Abend nach Hause kam, gingen Saxon und Mum Schnittmuster für Kleider durch, die im Wohnzimmer auf dem Boden verteilt waren. Saxon erklärte ihr, welche der Schnitte wieder in Mode waren oder leicht abgeändert »krass« aussehen würden.

»Ich bringe Saxon Nähen bei«, sagte Mum.

»Eine wertvolle Fertigkeit im Leben.«

»Woher willst du das wissen? Du kannst ja nicht mal einen Knopf annähen.«

»Das stimmt nicht. Ich habe bei der Armee stopfen gelernt.«

»Wenn du nicht gerade gelernt hast, wie man Menschen tötet«, sagte Saxon.

»Ich habe niemanden getötet.«

»Er war kein besonders guter Soldat«, sagte Mum. »Deshalb haben sie ihn rausgeworfen.«

Das weckte Saxons Interesse. »Das hast du mir gar nicht erzählt. Hast du die falsche Person erschossen?«

»Nein.«

»Hast du sie in die Luft gejagt?«

»Für wen hältst du mich?«

»Der Krieg macht manchmal seltsame Dinge mit den Menschen.«

»Ich habe in keinem Krieg gekämpft.«

»Ach, komm schon, erzähl es mir.«

»Du bist noch zu jung.«

»So was sagen nur alte Leute.«

Ich war überzeugt, Saxon würde nicht lockerlassen, doch in dem Moment wurden wir von einem Klopfen unterbrochen. Vor der Tür standen Frank Winacott und seine Frau. Frank trug seine übliche Uniform aus Jeans, weißem Hemd, Blazer und Cowboystiefeln, seinen Hut hielt er in den Händen. Mrs Winacott hatte sich sorgfältig geschminkt und trug einen mit Zellophanpapier eingeschlagenen Korb mit exotischen Früchten. Er war so schwer, dass ihre Arme zitterten.

Frank schenkte mir ein routiniertes Lächeln. »Entschuldigen Sie, dass ich Sie zu Hause störe, Arlo, aber ich wollte mich für das entschuldigen, was neulich passiert ist.«

Er machte eine Pause und wartete, dass ich ihn hereinbat. Ich rührte mich nicht.

»Das ist für Sie«, sagte Mrs Winacott und hielt den Korb hoch. Ich nahm ihn ihr ab, weil sie Gefahr lief, ihn fallen zu lassen. »Ich bin übrigens Cathy. Ist Saxon da?«

»Ja.«

»Können wir mit ihr sprechen?«

Bevor ich antworten konnte, ergriff wieder Frank das Wort, mit dröhnender Stimme, weil ihm bewusst war, dass Saxon wahrscheinlich hinter der Tür lauschte.

»Ich wollte mich bei ihr entschuldigen. Ich habe einen Fehler gemacht, und ich verspreche, dass es nicht wieder vorkommen wird.«

»Nein, wird es nicht«, sagte ich.

Eine Vene pulsierte an Franks Stirn.

»Wir wollten uns vergewissern, dass es Saxon gut geht«, sagte Mrs Winacott.

»Es geht ihr bestens.«

»Möglicherweise halten Sie sie gegen ihren Willen fest.«

»Sie ist frei, zu kommen und zu gehen, wie sie möchte.«

»Das will ich von ihr selbst hören«, sagte Frank, dem es in den Fingern juckte, mir die Tür ins Gesicht zu schlagen.

»Ich bin hier«, sagte Saxon, trat hinter mir hervor und ging auf ihre Mutter zu. Mrs Winacott schlang die Arme um sie. Saxon erwiderte die Umarmung nicht, wehrte sie jedoch auch nicht ab.

»Wir wollen, dass du nach Hause kommst«, flehte Mrs Winacott unter Tränen.

»Ich bleibe hier.«

»Es tut deinem Vater leid.«

»Er ist *nicht* mein Vater.«

Frank legte den Hut an die Brust. »Es wird nie wieder vorkommen. Darauf gebe ich dir mein Wort.« Er wartete Saxons Antwort nicht ab. »Ich habe mit deiner Schule gesprochen und deine Englischlehrerin für die Benutzung ihres Wagens entschädigt. Direktorin Mrs Ainsworth hat sich damit einverstanden erklärt, dass du zurückkommst, wenn du einen Brief schreibst und Reue zeigst.«

»Ich will nicht zurück aufs Internat.«

»Du kannst nicht einfach abhauen. Du bist zu jung.«

»Ich bin siebzehn. Wenn ich wollte, könnte ich sofort von der Schule abgehen.«

»Was ist mit deiner Ausbildung?«, fragte ihre Mutter. »Und mit deiner Musik?«

»Ich gehe auf die örtliche Highschool.«

»Sei nicht albern. Sie ist voller ...« Frank beendete den Satz nicht.

Saxon übernahm es für ihn. »Armer Leute? Pöbel? Deiner Wählerschaft?«

»Leg mir keine Worte in den Mund«, sagte Frank. »Und du kannst dich nicht einfach ohne meine Erlaubnis an einer Schule anmelden.«

»Ich bin alt genug, meine eigenen Entscheidungen zu treffen.«

Mrs Winacotts Stimme stieg um eine Oktave. »Wie willst du an Geld, Kleidung und Nahrung kommen?«

»Ich besorg mir einen Job.«

Frank gab einen verächtlichen Laut von sich. »Du hast in deinem ganzen Leben noch keinen Tag gearbeitet. Hol deine Sachen, wir fahren.«

»Nein.«

Er machte einen Schritt auf sie zu und presste leise hervor: »Steig in den verdammten Wagen.«

Saxon rührte sich nicht. Diesen Moment wählte ich, um auf die Veranda zu treten und mich zwischen die beiden zu stellen.

»Sie haben gesagt, was Sie sagen wollten. Jetzt können Sie gehen.«

Frank ballte die Fäuste. »Ich würde gern unter vier Augen mit Ihnen sprechen.«

Saxon blieb mit ihrer Mutter auf der Veranda, während ich

Frank in den Vorgarten folgte, wo unsere Schritte die Zikaden verstummen ließen. Mir fiel auf, dass auf der Straße zwei Autos parkten.

Frank drehte sich um. »Schlafen Sie mit meiner Tochter?«

»Nein!«

»Warum ist sie hier?«

»Wir bieten ihr eine Bleibe.«

»Sie *hat* ein Zuhause.«

»Und vielleicht kehrt sie dorthin zurück, wenn ihre Blutergüsse verblasst sind.«

Er hob die Hand und machte ein Zeichen in Richtung der parkenden Autos. Die Wagentüren gingen gleichzeitig auf. Zwei Männer stiegen aus. Einen von ihnen erkannte ich. Eric Sandine. Wir waren zusammen auf der Grundschule gewesen. Damals hatten wir ihn Sardine genannt. Er war einen Kopf größer als alle anderen und hatte mit zwölf angefangen, sich zu rasieren. Irgendwann holten die anderen Jungen ihn ein, doch Erics Level an Aggressivität und Bösartigkeit erreichten wir nie.

Sardine nahm mich gar nicht zur Kenntnis, als er auf das Haus zuging. In seiner rechten Hand baumelte eine Bullenpeitsche, die sich über den Boden wand wie eine Schlange, die durchs Gras glitt. Sein Kumpel war älter und hatte tätowierte Unterarme. Er hielt einen Axtstiel ohne Kopf in der Hand.

Als die Männer das Tor erreichten, tauchte wie aus dem Nichts Luke neben mir auf. »Alles in Ordnung, Arlo?«, fragte er.

Die Männer blieben stehen.

»Hallo, Eric, wie geht es dir?«, fragte Luke und klang ehrlich interessiert.

»Gut«, sagte Sardine. »Mit dir wollen wir keinen Stunk.«

Luke wandte sich an mich. »Wer stinkt?«

»Es ist eine Redewendung«, sagte ich. »Du solltest wieder reingehen.«

Der tätowierte Mann verdrehte die Augen. »Wer ist der Spasti?«

Luke ignorierte die Beleidigung mit einem Lächeln, wenn er sie überhaupt verstanden hatte. »Ich bin Luke. Wie heißen Sie?«

»Rumpelstilzchen«, sagte der tätowierte Mann.

»Freut mich, Sie kennenzulernen, Mr Stilzchen«, sagte Luke.

Lachen. Feixen.

»Nun macht schon«, sagte Frank.

Der tätowierte Mann trat vor und holte mit seiner Axt aus, doch Luke packte einfach den Stiel, als würde er einen Bumerang aus der Luft pflücken, entwand ihn dem Mann und warf ihn weg. Er landete trudelnd in den Zweigen eines Zylinderputzers auf der anderen Straßenseite.

Der unvermittelte Verlust der Waffe nahm offenbar beiden Männern den Schneid. Sie wichen vorsichtig zurück, als wäre Luke ein Kleinkind mit einer geladenen Pistole.

»Hören Sie, Frank. Das könnte sehr hässlich werden«, sagte ich. »Gebrochene Knochen. Blutvergießen. Ich würde Ihnen raten, Saxon in Ruhe zu lassen. Vielleicht entscheidet sie sich dann freiwillig, nach Hause zurückzukehren.«

»Sie gehört Ihnen nicht«, sagte Mrs Winacott.

»Sie gehört niemandem«, erwiderte ich. »Sie hat sich entschieden, hierzubleiben, aber Sie können sie jederzeit besuchen.«

Frank schien seine Niederlage einzusehen, doch es war keine endgültige Kapitulation. Ich wusste, er würde wiederkommen. Als die Wagen losfuhren, schlang Saxon die Arme um Lukes Hals, küsste ihn auf die Wange und nannte ihn

»mein Held«. Er wurde so rot wie der Granatapfel in dem Obstkorb, eine Frucht, die wir alle noch nie gegessen hatten.

Mum tischte das Abendessen auf. Anschließend schälte sie die »Randaminen« und servierte dazu Eiscreme. Normalerweise aßen wir Mandarinen aus der Dose, feine Schnitze in süßem Saft.

»Erzähl mir was, was wahr ist«, sagte Saxon.

»Das hässlichste Obst schmeckt immer am besten«, sagte Luke und wischte sich Saft vom Kinn.

# 15

Ich ging nicht davon aus, dass Saxon bleiben würde. Ich dachte, in ein oder zwei Wochen würde sie wieder verschwunden sein. Entweder ihr würde das Geld ausgehen, oder sie würde ihre Mutter vermissen oder Frank so viele Zugeständnisse abpressen, dass es sich lohnte, nach Hause zurückzukehren.

Aber es kam anders.

In den ersten paar Tagen blieb sie in der Nähe des Hauses, half Mum bei der Hausarbeit und klagte, dass »die Jungs« faul seien und nicht »ihren Teil leisten« würden.

»Die Zeiten haben sich geändert, Mrs H«, sagte sie. »Frauen sind befreit. Wir sind nicht bloß Haussklaven und Dekoration. Ich habe jedenfalls nicht vor, in der Küche Köchin und im Schlafzimmer eine Hure zu sein.«

»Das will ich auch hoffen«, sagte Mum und meinte den Teil mit dem Schlafzimmer. »Ich habe nur einen anständigen BH, und den werde ich nicht verbrennen.«

Wenn die Pflichten erledigt waren, guckten sie Seifenopern wie *General Hospital* oder *Schatten der Leidenschaft* im Nachmittagsfernsehen oder hörten Musik. Saxon brachte Mum den Cabbage Patch bei und »Walk Like an Egyptian«, bis sie beide vor Lachen zusammenbrachen.

Familienalben wurden hervorgekramt. Saxon betrachtete Bilder von Luke und mir als Babys, Kleinkinder und Schulanfänger. Luke hielt sich im Hintergrund, unsicher, wie er sich einbringen konnte.

»Was machen sie jetzt, Arlo?«, fragte er.

»Sie reden über uns.«

»Warum?«

»Sie finden uns amüsant.«

»Warum?«

»Vermutlich, weil wir es sind.«

Später wandte sich das Gespräch den Themen Nähen und Mode zu.

»Was machen sie jetzt, Arlo?«

»Sie reden über Kleider.«

»Warum?«

»Frauen mögen Kleider.«

»Warum?«

»Mit Kleidern sagen sie etwas darüber, wer sie sind.«

»Was sagen sie?«

»Etwas über ihren persönlichen Geschmack, ihre Identität und ihr Selbstwertgefühl.«

»Sagen meine Kleider auch etwas?«

»Ja. Vielleicht.«

Lukes kompletter Kleiderschrank bestand aus Jeans, King-Gee-Shorts, Flanellhemden und Arbeitsschuhen; er hatte allerdings auch einen Satz schicker Kleidung für die Messe.

»Ist Saxon deine Freundin?«, fragte er.

»Nein.«

»Kann sie meine Freundin sein?«

»Du könntest sie fragen, aber ich glaube, Saxon sucht gerade nicht nach einem Freund.«

Luke nickte, und ich konnte beinahe hören, wie die Rädchen in seinem Kopf rotierten. Er war zwanzig Jahre alt und hatte noch nie eine Freundin gehabt, doch er war auf der Suche nach der wahren Liebe. Seine Vorstellungen von Romantik hatte er aus den alten Filmen, die er an verregneten

Sonntagnachmittagen mit Mum guckte. Er wollte jemanden wie Doris Day oder Grace Kelly heiraten, in einem Haus mit weißem Gartenzaun wohnen und zwei Kinder haben, einen Jungen und ein Mädchen, und einen Hund namens Rex.

Am ersten Sonntag nach Saxons Ankunft klopfte Mum an ihre Schlafzimmertür. »Wir brechen in einer Viertelstunde zur Kirche auf.«

»Hä?«, antwortete Saxon benommen.

»Sonntagsmesse.«

»Ich bin nicht gläubig.«

»Jetzt schon.«

Zehn Minuten später hatte Saxon sich noch immer nicht gerührt. Mum klopfte erneut und öffnete die Tür. Saxon war in die Bettdecke gewickelt.

»Du hast fünf Minuten.«

»Ich geh nächste Woche.«

»Nein.«

Mum nahm ein Kleid, eine Strumpfhose und Schuhe aus ihrem Kleiderschrank und legte sie auf dem Stuhl aus. Dann setzte sie sich auf die Bettkante und schob die Hand unter die Decke.

»Autsch! Sie haben mich gekniffen«, sagte Saxon.

»Und das mache ich noch mal, wenn du nicht aufstehst.«

»Das ist Körperverletzung.«

»Nein, das ist Kneifen. Mädchen kneifen. Ich bin ein Mädchen. Du kommst mit zur Messe.«

»Sagt wer?«

»Sage ich. Und ich bin der Boss in diesem Haus. Du kannst so lange bleiben, wie du möchtest, aber nur, wenn du meine Regeln befolgst. Messe am Sonntag ist eine von ihnen.«

»Was ist mit Arlo?«

»Er kommt auch mit.«

»Und Luke?«

»Ist schon dort.«

Sie murmelte etwas von »Gulag«, schleppte sich ins Bad und zurück in ihr Zimmer, wo sie sich eilig ankleidete. Wenig später kam sie auf die Veranda.

»Was hast du da an?«, fragte Mum.

»Ein Kleid.«

»Nicht das, das ich ausgesucht habe. Das ist nicht mal ein halbes Kleid.«

»Gefällt es Ihnen nicht?«

»Die Jungen können deine Dingsda sehen.«

»Meine Dingsda?«

»Du weißt, was ich meine.«

»Mein Höschen?«

»Ja. Was auch immer.«

»Oder meine Vagina?«

»Das Wort benutzen wir in diesem Haus nicht.«

»Sie benutzen keine Vagina?«

»Hör auf, es zu sagen.«

Saxon lachte. Mum wollte ihr eine Schleife ins Haar stecken.

»Wie alt bin ich, fünf?«, sagte Saxon und brachte ihr vom Schlaf zerzaustes Haar mit Klammern und einem Haarband in Form. Dann sagte sie wieder »Vagina« und wiederholte es auf dem Weg zur Kirche so oft wie möglich.

Als wir in St. Patrick's ankamen, begrüßte Mum wie üblich die Leute, doch ich spürte, dass Saxon im Mittelpunkt der Aufmerksamkeit stand – und nicht nur wegen ihres Kleides. Sie saß neben mir in unserer üblichen Bank, dritte Reihe von hinten auf der linken Seite der Kirche.

»Wo ist Luke?«, flüsterte Saxon.

»Du wirst schon sehen.«

Die Kirchenpianistin spielte die ersten Takte von »Blest Be the Lord«.

»Jessesmaria! Was ist denn das für ein Lärm?«, sagte Saxon und hielt sich die Ohren zu.

Mrs Offmech hämmerte weiter auf die Tasten ein, als hätten sie ihr persönlich ein Leid angetan. Gleichzeitig sang sie den Choral in einer komplett anderen Tonart als der Chor. Die Gemeinde war so verwirrt, dass nur wenige Gläubige einstimmten; stattdessen litten sie still und beteten, dass es aufhören möge.

Pater Corday kam aus der Sakristei, begleitet von Pater Martell und zwei Messdienern. Nur einer der beiden war ein Junge. Der andere war Luke, zwei Köpfe größer, in einem weißen Gewand, das bis auf seine Oberschenkel fiel.

Pater Corday unterbrach Mrs Offmech, bevor sie eine dritte Strophe anstimmen konnte.

»Im Namen des Vaters und des Sohnes und des Heiligen Geistes.«

»Amen.«

»Die Gnade unseres Herrn Jesus Christus, die Liebe Gottes und die Gemeinschaft des Heiligen Geistes sei mit euch allen.«

»Und mit deinem Geist.«

»Meine Lieben, wir wollen unsere Sünden bekennen zur Vorbereitung für den Empfang der heiligen Sakramente.«

Die Messe ging weiter, gelegentlich unterbrochen von einem weiteren qualvollen Choral. Pater Martell las aus der Heiligen Schrift die Geschichte vom Guten Samariter, wobei er mit einer Lupe über die Sätze glitt. Pater Cordays Predigt klang verdächtig wie eine, die ich ihn schon mindestens zweimal hatte halten hören.

Beim Heiligen Abendmahl blieb Saxon neben Mum sitzen, während wir Übrigen zum Altar gingen, um den »Leib Christi« zu empfangen, eine Oblate, die sich auf der Zunge auflöste. Fünfzig Minuten später war die Messe vorbei, und Mrs Offmech stimmte einen Choral zum Auszug an, bei dem es sich um »Der Herr ist mein Hirt« oder auch »Du großer Gott« gehandelt haben könnte.

»Bitte mach, dass es aufhört«, flüsterte Saxon auf dem Weg nach draußen.

Wir konnten nicht sofort gehen. Mum musste noch die Blumen einsammeln und ins Pflegeheim bringen, und ich hatte Pater Corday versprochen, in der Sakristei eine Glühbirne auszutauschen.

Helen blieb ebenfalls noch und folgte mir in die Kirche.

»Wer ist sie?«, flüsterte sie und blickte über die Schulter.

»Saxon Winacott.«

»Warum hat sie neben euch gesessen?«

»Sie wohnt vorübergehend bei uns.«

»Warum?«

»Sie hatte Streit zu Hause.«

Helen biss sich auf die Unterlippe, offensichtlich nicht glücklich darüber. »Kann sie nicht bei jemand anderem wohnen?«

»Mum hat sie eingeladen.«

Saxon hatte die Kirche ebenfalls wieder betreten und betrachtete die Fenster und die Kreuzwegstationen. Sie musterte das Klavier und strich mit den Fingern über die Tasten. Dann setzte sie sich und spielte ein paar Töne, gefolgt von weiteren, erst langsam, dann immer schneller. Die Melodie erhob sich bis zu den Streben und der gewölbten Decke. Mum hörte auf, die Blumen einzusammeln, Pater Corday kam zurück in die Kirche. Luke trat aus der Sakristei, wo er Umhang und Chorhemd abgelegt hatte, und kniete sich neben das Klavier, unschlüssig, ob er auf Saxons Finger oder ihre nackten Füße schauen sollte, mit denen sie die Pedale bediente.

Als der letzte Ton verklungen war, blickte Saxon auf und bemerkte, dass sie ein Publikum hatte. Sie klappte den Deckel des Klaviers zu, rutschte von dem Hocker und wich langsam zurück.

»Entschuldigen Sie. Ich wollte nicht …«

»Du spielst wie ein Engel«, sagte Pater Corday, klappte das Klavier wieder auf und tippte auf den Klavierstuhl. »Setz dich. Spiel etwas anderes.«

»Was denn?«

Pater Corday zog wahllos ein Blatt aus einem Notenschrank in der Nähe, stellte es auf den Notenständer und machte Saxon ein Zeichen, weiterzuspielen.

Sie begann zögernd, wurde jedoch rasch selbstbewusster und flocht kleine Schnörkel und Verzierungen ein, bis es klang, als würde sie auf mehreren Klavieren spielen. Pater Corday bewegte dazu die Hände wie ein Dirigent.

»Du kannst alles spielen«, sagte er, als das Lied fertig war – eine Feststellung, keine Frage.

»Wenn Sie die Noten haben.«

»Ausgezeichnet. Du bist engagiert.«

Saxon sah ihn ausdruckslos an.

»Du spielst dreimal die Woche. Samstagabends und sonntags um acht und um zehn.«

»Was, wenn ich nicht spielen will?«, fragte Saxon.

Der Priester sah sie überrascht an. »Gott hat dir eine Gabe verliehen.«

»Gott hatte gar nichts damit zu tun. Ich habe zwölf Jahre lang geübt.«

»Was ist mit Mrs Offmech?«, fragte Mum, die einen Strauß Blumen in der Hand hielt.

»Sie wird es verstehen«, sagte Pater Corday, der wohl ahnte, dass ihm ein schwieriges Gespräch bevorstand.

»Wie hoch ist die Bezahlung?«

Pater Corday zog eine Augenbraue hoch. »In der Regel leisten Gemeindemitglieder ihre Dienste ehrenamtlich.«

»Vergessen Sie's.«

»Du wirst es als Gefallen für mich tun«, sagte Mum.

»Aber das ist nicht fair.« Saxon wandte sich hilfesuchend an mich. Ich blieb stumm.

»Unter einer Bedingung«, sagte sie wieder zu Pater Corday. »Ich darf jederzeit auf dem Klavier üben. Und ich meine nicht Choräle und so 'n Scheiß.«

»Dein Mundwerk!«, tadelte Mum.

Saxon winkte ab. »Was immer ich spielen will.«

Der Priester schürzte die Lippen. »Nichts, in dem Obszönitäten und unchristliche Handlungen vorkommen.«

»Einverstanden.«

Er rieb sich die Hände, lächelte und zeigte dabei seine schrecklichen Zähne. Warum in Gottes Namen fand nicht irgendjemand einen Zahnarzt für ihn?

# 16

Ich habe die Fassade des Hauses fertig gestrichen und die letzten Spuren des Graffitis übermalt. Außerdem habe ich die verrosteten Fallrohre ausgetauscht und zwei morsche Bodendielen auf der Veranda ausgebessert. Die Regenrinnen sind marode, doch ich habe kein Geld, um sie zu ersetzen. Nächste Woche werde ich die Fensterrahmen von außen streichen und dann im Haus weitermachen.

Seit der Schlägerei vor dem Sir George und dem Vandalismus an meinem Haus ist Helen mir aus dem Weg gegangen. Ich kann es ihr nicht verdenken. Niemand, der mir Güte oder Freundschaft anbietet, bleibt lange unberührt, das weiß ich. Ein Stück Hundekacke hat kein sauberes Ende zum Anfassen.

Vielleicht hätte ich Helen zurückschreiben sollen, als ich im Gefängnis war, oder ihr zumindest die Höflichkeit erweisen sollen, ihre Briefe zu lesen, doch ich konnte sie nicht bitten, auf mich zu warten. Sie hatte schon lange genug gewartet – all die Jahre, in denen sie mir nach Hause gefolgt war und gehofft hatte, dass ich sie bemerken würde.

Seit unserer Verabredung ist eine Woche vergangen. Als ich Mum in Eltham Court besuche, sehe ich Helen im Aufenthaltsraum mit einigen Bewohnern sprechen. Sie lächelt und redet sie mit Vornamen an, berührt Schultern und Hände, gibt ihnen das Gefühl, etwas Besonderes zu sein. Wie schafft sie das?

Ich folge ihr zu ihrem Büro und klopfe an die Tür. Sie sitzt am Schreibtisch und blickt konzentriert auf einen Computerbildschirm.

»Wie ist es dir ergangen?«, frage ich.

Sie blickt auf und setzt eine Brille mit schwarzer Fassung ab. »Gut.«

»Ich habe dir Nachrichten hinterlassen. Eine davon war eine SMS. Meine erste.«

»Glückwunsch.«

Sie wendet sich wieder dem Computer zu. Sie verhält sich mir gegenüber heute anders. Kühl. Misstrauisch. Als hätte sie sich den Finger an etwas Scharfem gepikst und wollte es nicht noch einmal riskieren. Das Schweigen breitet sich aus. Sie tippt etwas zu Ende und blickt auf. »Was kann ich für dich tun, Arlo?«

»Du hast gesagt, es gäbe hier vielleicht einen Teilzeitjob.«

»Ich habe mich geirrt.«

»Okay, verstehe. Es ist bloß, dass ich den Job wirklich gut gebrauchen könnte.«

Erneutes Zögern. Ein Seufzen. Sie zieht eine Schublade auf und nimmt ein Bewerbungsformular heraus. »Ich kann dir eine zweiwöchige Probezeit anbieten. Ich brauche deine Steuernummer und die Informationen zu deinem Bankkonto.«

»Ich habe kein Bankkonto.«

»Wir können dich bar bezahlen, bis du eins hast.«

Ich fülle das Formular aus und unterschreibe es. Papierkram und Unterschriften sind für mich immer noch ungewohnt. Helen nimmt ein weiteres Blatt – eine Liste von Arbeiten, die erledigt werden müssen. »Als Erstes müssen der Rasen gemäht und die Wegkanten getrimmt werden. Vor dem Speiseraum ist eine Regenrinne verstopft, und auf der Terrasse gibt es eine Ameisenplage.« Sie liest die weiteren Punkte auf der Liste. »Für Arbeiten im Haus darf ich dich nicht einsetzen, bis die Polizei ihr Okay gegeben hat.«

»Verstehe.«

Helen steht auf und nimmt einen Schlüssel von einem Brett hinter der Tür. »Ich zeig dir den Werkzeugschuppen.«

Ich folge ihr aus dem Haus und durch einen Garten im englischen Stil mit Rosen, Hortensien, Lilien und Lavendel.

Wir gehen durch ein Tor, das mit einem Zahlenschloss gesichert ist. »Du wirst jede Menge alte Leute treffen, die dir Ratschläge geben, wie du deinen Job machen sollst. Jeder Einzelne von ihnen ist ein Experte. Entweder das, oder sie erzählen dir langwierige Geschichten, die kein Ende haben.«

»Sie sind einsam.«

»Sie langweilen sich.«

Wir erreichen einen Fertigbauschuppen mit Rolltor. Helen schließt das Vorhängeschloss auf, und gemeinsam schieben wir das Tor nach oben. In dem Schuppen stehen ein von Grasschnitt bedeckter Sitzmäher und diverse Gartenwerkzeuge zum Stutzen, Graben, Trimmen und Harken. Es gibt Metallregale mit Säcken von Pflanzerde, Düngemittel und Chemikalien zur Vernichtung von Unkraut und Pflanzenschädlingen.

»Wie war es in Wagga?«, frage ich und beginne, die Werkzeuge zu inspizieren.

»Verzeihung?«

»Du hast gesagt, du würdest nach Wagga fahren.«

»Ah. Richtig. Ja.«

»Warst du shoppen?«

»Nein.«

»Hast du eine Freundin besucht?«

»Du musst nicht alles über mich wissen«, faucht sie.

»Entschuldige. Ich wollte nicht …«

Ich überprüfe die Anzeige des Mähers und schüttele einen Kanister, um zu sehen, wie viel Benzin noch übrig ist, bevor ich den Mäher aus dem Schuppen in die Sonne schiebe.

Helen wartet vor dem Schuppen, was ein gutes Zeichen ist.

Ich erwähne den Brief, den ich in Lukes Zimmer gefunden habe, und dass ich bei Camille Gutterson war und sie gebeten habe, herauszufinden, wer ihn geschrieben haben könnte.

»Willst du dich selbst bestrafen?«, fragt sie.

»Ich will wissen, was geschehen ist.«

»Ich sag es dir. Ein Mädchen wurde ermordet. Luke hat gestanden und sich dann umgebracht. Ende der Geschichte.«

»Die haben ein Geständnis aus ihm rausgeprügelt.«

»Deswegen ist er nicht unschuldig.«

Helens nächste Bemerkung bleibt ihr im Hals stecken. Sie macht ein Geräusch, als hätte sie Schluckauf, und in ihren Augen schimmern Tränen.

»Du bist hier das Opfer – nicht Luke und bestimmt nicht Saxon.«

»Was ihr zugestoßen ist, hatte sie nicht verdient.«

»Vielleicht nicht, aber du denkst, sie war Rotkäppchen, unschuldig, allein im Wald auf dem Weg zum Haus ihrer Großmutter. Aber vielleicht war es umgekehrt. Vielleicht war sie der Wolf.«

»Das glaube ich nicht.«

Ihre Gesichtszüge werden hart. »Das liegt daran, dass du mit ihr geschlafen hast.«

»Ich habe mit *dir* geschlafen.«

»Und ich war eine weitere Kerbe in deinem Bettpfosten.«

»Nein. Du irrst dich. Du warst anders. Du warst …«

»Sag es nicht«, faucht sie mich an. »Erzähl mir nicht, dass ich etwas Besonderes war. Du hast mich nicht mal angeguckt, bevor ich mir die Zähne habe richten und die Augen habe operieren lassen. Und bevor ich Titten bekommen habe.«

»Wir sind jeden Tag zusammen zur Schule gegangen. Du hast deine Hausaufgaben in unserem Haus gemacht.«

»Ich habe dich gestalkt.«

»Wir waren befreundet.«

»Befreundet!«, höhnt sie. »Du hast mit der Hälfte aller Frauen in Yulara geschlafen. Ich kann Namen nennen. Und nachdem du mit mir geschlafen hattest, konntest du nicht schnell genug wegkommen. Deshalb hast du auf schuldig plädiert.«

»Sei nicht albern.«

Sie senkt die Stimme zu einem Flüstern. »Ich habe dir jede Woche geschrieben. Du hast nicht zurückgeschrieben. Du hast meine Briefe nicht mal gelesen.«

»Ich wollte, dass du mich vergisst.«

Sie wendet sich ab. »Das hätte ich tun sollen. Das wollte ich auch.«

Ich verspüre den Drang, sie zu umarmen, doch sie ist so zart, dass sie zerbrechen könnte. Stattdessen sehe ich ihr nach und denke an all die Möglichkeiten, wie ich das besser hätte hinkriegen können.

In den nächsten vier Stunden mähe ich den Rasen, trimme die Kanten und kippe den Grasschnitt in die Komposttonne. Als ich fertig bin, gehe ich zu ihrem Büro. Die Stiefel habe ich ausgezogen, um keine Spuren von Erde und Gras auf dem Boden zu hinterlassen.

»Das mit vorhin tut mir leid«, sage ich.

»Mir auch.«

»Möchtest du am Sonntag vorbeikommen? Ich könnte ein paar Steaks besorgen und einen Salat machen.«

»Ich weiß nicht, ob das eine gute Idee ist.«

»Du hast recht. Ich werde aufhören zu fragen.«

Ich wende mich zum Gehen. Sie hält mich zurück. »Ich will nicht, dass du aufhörst zu fragen, Arlo. Ich will, dass du …« Sie beendet den Satz nicht. »Um wie viel Uhr?«, fragt sie.

»Gegen sieben.«

Sie wird abgelenkt von einem Tumult. Laute Stimmen. Rufe. Wir blicken aus der Tür. Eine halb nackte Gestalt rennt über den Weg. Arme pumpen wie Kolben, Beine wie verblichene Hühnerknochen. Dünnes weißes Haar flattert im Wind. Meine Mutter hat es geschafft, der Schwester zu entkommen, die sie duschen soll, und einen Ausbruch in die Freiheit gewagt.

Ich nehme die Verfolgung auf und fange sie ab, bevor sie die Straße erreicht hat. Ich hebe sie hoch und trage sie über meiner Schulter wie ein Feuerwehrmann, während sie mich mit allen Schimpfwörtern bedenkt, die ihr einfallen.

Wenn es bloß ein Glas gäbe, in das man bei jedem Fluch eine Münze werfen muss.

# 17

Saxon war kein Mond; sie war eine Sonne, um die die Menschen kreisten und Wärme, Licht und Kraft aufsogen. Wenn ich nach Hause kam, konnte es immer sein, dass sie gerade in Trägertop und abgeschnittenen Jeans zu lauter Musik durchs Wohnzimmer tanzte und mitsang: »Girls Just Want to Have Fun«, »Like a Virgin« und »Don't Stop Believing«.

Wenn sie meine Lasagne probierte, packte sie sich an den Hals und begann zu würgen. Die Scharade endete damit, dass sie seitlich von ihrem Stuhl kippte und sich tot stellte. Luke fiel jedes Mal darauf herein und kniete neben ihr, um Erste Hilfe zu leisten.

Und nach jedem Essen bestand sie darauf, dass wir Strohhalme zogen, wer den Tisch abräumen musste, auch wenn sie an der Reihe war. Wenn sie verlor, erklärte sie, man müsse drei, fünf oder sieben Mal gewinnen.

Sie ging zur Yulara High School und versuchte, sich für die zwölfte Jahrgangsstufe anzumelden, kehrte jedoch enttäuscht zurück.

»Sie haben gesagt, ich bräuchte eine Erlaubnis von meinen Eltern.«

»Mit wem hast du gesprochen?«

»Mit Mr Crawley.«

Bryan Crawley war schon zu meiner Schulzeit der Direktor der Yulara High gewesen, wo man ihm den Spitznamen »Creepy« verpasst hatte. Er war ein überheblicher Schnösel, der selbst im Winter Shorts und Strümpfe trug und seine Mittagspausen damit verbrachte, auf dem Schulhof zu patrouillieren und Schüler aufzufordern, den Abfall aufzuheben, vor allem die Mädchen in ihren karierten Röcken.

Saxon trug Jeans, eine weiße Bluse und Sandalen. »Hattest du das an?«, fragte ich.

»Was ist verkehrt daran?«

»Creepy hat so ein Ding mit Mädchen in Jeans. Er denkt, Jeans sind eine Einstiegsdroge für Lederkleidung und den Abstieg zur Biker-Braut.«

»Was?«

»Ist auch egal. Ich klär das.«

Ich fuhr zur Schule und stellte meinen Wagen auf den Besucherparkplatz. Ich nahm die Abkürzung durch die Naturgärten, weil ich wusste, dass das Creepy ärgern würde, der gerne mit einem Fernglas an seinem Bürofenster stand, um Kids zu beobachten, die die Warnschilder ignorierten.

Mrs Fitzpatrick, die Schulsekretärin, blickte von ihrem Schreibtisch auf.

»Arlo Hackett. Ich dachte, dich wären wir losgeworden«, sagte sie.

»Erinnern Sie sich an den Namen von jedem Schüler?«, fragte ich.

»Oh nein, aber du warst ziemlich denkwürdig.«

»In positivem Sinne, hoffe ich.«

»Was glaubst du?«

»Ist Creepy da?«

»Wer?«

»Entschuldigen Sie. Mr Crawley.«

Ein Lächeln huschte über ihre Lippen. »Ich sage ihm, dass du da bist.«

Ich saß auf einem Plastikstuhl vor seinem Büro. Das rief Erinnerungen an den Muck-up-Day der Stufe zwölf wach, den Tag der Abschluss-Streiche, an dem ich beinahe von der Schule geflogen wäre, weil ich einen Stunt gebracht habe, der in die Schullegende eingegangen ist. Erst rief ich bei der Polizeiwache von Yulara an und meldete, dass eine Gruppe von als Bauarbeiter verkleideten Schulabgängern die Straße vor der Schule aufreißen würde. Dann erklärte ich den kommunalen Arbeitern, die die Schlaglöcher in der Straße flickten, dass eine Gruppe von als Polizisten verkleideten Schulabgängern versuchen wollte, sie zu verhaften. Bei der folgenden Schlägerei wurden fünf Personen festgenommen, zwei erlitten leichte Verletzungen.

Niemand gab zu, die Anrufe gemacht zu haben, aber Mr Crawley hielt mich für den Schuldigen. Er versuchte, zu verhindern, dass ich meine Abschlussprüfung machte, doch ich hatte mich bereits bei der Armee verpflichtet, deshalb hätte es ohnehin keine Rolle gespielt.

Seine Tür ging auf. Ein Kopf lugte hervor. Große Ohren, schütteres Haar. Ein enger Pullover, den seine Frau ihm gestrickt hatte. Sie liebte Primärfarben.

»Du bist zu alt zum Nachsitzen und zu jung, um Vater zu sein«, sagte er und bat mich in sein Büro. Das Fernglas lag immer noch auf der Fensterbank. »Ich habe gesehen, wie du durch den Garten gefahren bist, ohne die Schilder zu beachten.«

»Dort gibt es Schilder?«

Er lächelte knapp. Sein Büro war unverändert. An den Wänden hingen Diplome und Auszeichnungen neben einem Foto von Creepy, wie er beim Queen's Baton Relay vor den Commonwealth-Spielen 1982 den Staffelstab trug.

»Ich bin wegen Saxon Winacott hier. Sie möchte sich gerne an der Schule anmelden.«

»Nicht ohne Erlaubnis ihrer Eltern.«

»Zeigen Sie mir, wo das steht.«

»Verzeihung?«

»Zeigen Sie mir die Bestimmung. Das muss doch irgendwo aufgeschrieben sein.«

»Du kannst es mir glauben.«

»Nein. Sie verweigern ihr den Zugang zu schulischer Bildung.«

»Die Stufe zwölf ist voll.«

»Dies ist eine staatliche Schule. Sie sind verpflichtet, eine Schülerin aufzunehmen.«

Creepy lehnte sich auf seinem Stuhl zurück, legte die Hände auf den Bauch und sah mich selbstgefällig an.

»Ein Direktor kann eine Anmeldung ablehnen, wenn er oder sie befürchtet, dass ein Kind ein nicht hinnehmbares Risiko für die Sicherheit und das Wohlbefinden der schulischen Gemeinschaft darstellt.«

»Was für ein Risiko stellt sie dar?«

»Ich habe meine Entscheidung getroffen.«

»Frank Winacott hat sich bei Ihnen gemeldet.«

»Mr Winacott ist ein langjähriger Förderer der Schule.«

»Ja, er engagiert sich leidenschaftlich für staatlich geförderte Bildung. Deshalb schickt er seine Kinder auch auf Privatinternate.«

Mein Sarkasmus ließ Creepy unbeeindruckt, er schien das Ganze zu genießen.

»Saxon wird Beschwerde bei der Schulbehörde einlegen«, sagte ich.

»Nur zu. Das wird Monate dauern, und die Schulbehörde wird die Entscheidung mir überlassen, weil dies *meine* Schule ist.«

»Ich werde mich offiziell über Sie beschweren.«

»Mit welcher Begründung?«

»Ich kann eidesstattliche Erklärungen von mindestens einem Dutzend ehemaliger Schülerinnen besorgen, die Ihnen vorwerfen, sie unangemessenerweise aufgefordert zu haben, sich auf dem Schulhof zu bücken, was ihnen sehr unbehaglich war.«

Creepys Gesicht verfärbte sich bis zu den Ohrenspitzen.

»Das ist eine empörende Verleumdung«, polterte er. »Niemand wird dir glauben.«

»Aber die Schulbehörde ist verpflichtet zu ermitteln. Ihre gesamte Laufbahn wird unters Mikroskop gelegt werden – jede Beschwerde, jedes Fragezeichen. Eine solche Ermittlung könnte Monate dauern und wie eine Wolke über Ihrem Kopf schweben.«

»Ich lasse mir nicht drohen.«

»Das sollten Sie auch nicht – so kurz vor dem Ruhestand.«

Creepy blinzelte mich an, sein markanter Adamsapfel hüpfte auf und ab, als er schluckte.

»Saxon wird ein Gewinn für die Schule sein«, sagte ich. »Sie ist intelligent und fleißig. Sie ist ein musikalisches Wunderkind.«

»Unser Musikangebot ist sehr …« Er zögerte, als würde er nach dem richtigen Wort suchen. Er kam auf »rudimentär«.

»Saxon wird ihre eigenen Studien verfolgen. Es ist nur für ein halbes Jahr. Im November macht sie ihre Abschlussprüfung.«

»Sie hat keine Uniform und keine Schulbücher.«

»Die besorge ich ihr.«

Mr Crawley schloss die Augen und schien mich wegzuwünschen, doch ich war immer noch da, als er sie wieder öffnete. Er zog ein Formular aus der untersten Schublade. »Sie kann nach Ostern anfangen.«

Ich verließ sein Büro und sprach mit Mrs Fitzpatrick über

Schuluniformen. Sie schloss das Fundbüro auf, wo wir zwei weiße Blusen, einen karierten Rock und einen flaschengrünen Pullover aussuchten. Außerdem gab es Lehrbücher für Mathe und Wirtschaftswissenschaften sowie ramponierte Exemplare von *Othello* und einem Drama von Joe Orton, die Saxon im Englischunterricht lesen würde.

Es kostete mich achtunddreißig Dollar. Saxon versprach, mir das Geld zurückzuzahlen, wenn sie einen Wochenendjob gefunden hatte. Sie hatte fast fünf Wochen Unterricht verpasst, doch ich war zuversichtlich, dass sie das schnell genug aufholen würde. Sie war intelligent und saugte Informationen auf wie ein Schwamm, nicht alle davon relevant oder besonders nützlich. Musste irgendjemand ernsthaft wissen, dass »Flatulenzen« eine Reihe von Fürzen waren? Oder dass Moskitos für die Hälfte aller Toten der Menschheitsgeschichte verantwortlich waren?

Größere Sorge machte ich mir darüber, ob sie sich einfügen würde. Saxon auf die Yulara High School zu schicken, war, als würde man einen Paradiesvogel in einer Geflügelfarm absetzen. Sie war auf tausend kleine Arten anders. Nicht nur ihrem Alter voraus, sondern auch weltgewandter. Sie war in Sydney aufgewachsen, mit all den Seltsamkeiten, der Buntheit und Diversität, die zu einer Großstadt gehören. Jetzt würde sie sich unter Menschen mischen, die keine einzige offen schwule oder lesbische Person kannten, die noch nie einen Drogenabhängigen, eine Dragqueen, einen Muslim oder einen Juden gesehen hatten.

»Jemanden wie dich sind sie nicht gewohnt«, erklärte ich ihr.

»Das hört sich an, als wäre ich ein Freak.«

»An einem Ort wie diesem wird Anderssein nicht gern gesehen.«

»Inwiefern bin ich anders?«

»Du bist starrsinnig und ein Kommi.«

»Du denkst, ich bin eine Kommunistin?«

»Ich denke, du bist rebellisch.«

»Das ist das Netteste, was du je zu mir gesagt hast.«

Wir saßen auf der Verandaschaukel hinter dem Haus. Saxon nahm mir mein Bier ab und trank einen Schluck, bevor ich es ihr wieder entwinden konnte.

»Ich bin alt genug, um Alkohol zu trinken, wenn du es mir erlaubst.«

»Ich erlaube es dir aber nicht.«

Sie zog eine Schnute, schmollte aber nicht. Dann fragte sie: »Warum bist du noch hier? Du könntest überall hingehen. Du könntest alles sein, alles machen ... Warum bleibst du in Yulara?«

»Mum und Luke brauchen mich.«

»Du kannst dein Leben nicht für andere leben.«

*Manchmal muss man das*, wollte ich sagen, doch das war nicht die Wahrheit. Ich hatte keine großen Pläne, Ziele oder Ambitionen.

»Du bleibst doch nicht wegen *ihr* hier, oder?«, fragte Saxon.

Sie meinte Helen. Die beiden hatten versucht, miteinander auszukommen, sich jedoch in einem gegenseitigen Misstrauen eingerichtet, das an Hass grenzte.

»Du bist zu gut für diese Stadt«, sagte Saxon. »Die Leute denken, Luke wäre der Einfältige, aber du bist derjenige, der sich ausnutzen lässt.«

»Von Leuten wie dir, meinst du?«

»Ja. Genau.«

Sie grinste und griff erneut nach meinem Bier, doch die Flasche war schon leer.

»Sobald ich mit der Schule fertig bin, bin ich hier weg«, sagte sie. »Ich werde ein Musikstipendium bekommen, Klavier studieren, als Pianistin um die ganze Welt reisen und in großen Konzertsälen auftreten. Ich werde Abenteuer und Liebesaffären haben und eine Spur gebrochener Herzen hinterlassen.«

»Ist das alles?«

»Du lachst mich aus.«

»Überhaupt nicht. Wenn es jemand schaffen kann, dann du.«

Sie schlang die Arme um meine Hüfte und drückte ihren Kopf an meine Brust. Ich spürte ihren spitzen Hüftknochen und die unterste Rippe ihres Brustkorbs.

»Du könntest mit mir kommen«, sagte sie.

»Ich könnte nicht mithalten.«

»Danke für heute.«

»Was habe ich gemacht?«

»Du hast mir einen Platz an der Schule besorgt.«

# 18

In meiner Tasche lärmt es. Es dauert einen Moment, bis mir das Handy einfällt. Ich ziehe es hektisch heraus, drücke auf eine rot leuchtende Taste und halte es nervös ans Ohr.

»Hallo?«

»Ich schicke Ihnen eine SMS mit einem Namen und einer Adresse. Ich bin nicht sicher, wie aktuell sie ist.«

»Wer ist da?«

»Wie viele Menschen haben diese Nummer?«

»Oh, Sie sind's.«

Camille Gutterson lacht. Ihre Stimme klingt so nah, dass ich mich über die Schulter umsehe.

»Arlo?«

»Ja.«

»Denken Sie daran, was ich zu dem Thema gesagt habe, sich aus allem Ärger rauszuhalten.«

Sie beendet den Anruf. Kurz darauf piept das Telefon. Auf dem Display leuchten Worte auf. Ein Name: Richard Warnock. Eine Adresse: Er wohnt in Nangus, ein Fleck auf der Landkarte, westlich von Yulara.

Neben der Renovierung des Hauses habe ich den Sandman wieder flott gemacht. Ich habe Öl und Bremsflüssigkeit gewechselt, die Batterie ausgetauscht und die Zündkerzen gereinigt. Eine örtliche Werkstatt hat die Reifen aufgepumpt und das Benzin aus dem Tank abgesaugt, weil ich irgendwo gelesen habe, dass Benzin ein Verfallsdatum hat. Der Kfz-Mechaniker hat den Wagen für verkehrstauglich erklärt und mir den Inspektionsbericht mitgegeben. Meine Zulassungspapiere sollten in ein paar Tagen eintreffen, und ich habe einen vorläufigen Führerschein beantragt.

Ich setze rückwärts aus dem Schuppen und lasse den Motor im Leerlauf tuckern, während ich die Spiegel einstelle. Gewaschen und poliert sieht der Sandman beinahe so aus wie an dem Tag, an dem ich ihn bei Devlin Frasers Autosalon vom Hof gefahren habe. Ich war achtzehn, und er kostete mich fünfzehnhundert Dollar – Geld, das ich zusammengespart hatte, indem ich Rasen gemäht, Kanten getrimmt, Regenrinnen und Abflüsse gereinigt hatte. Ich liebte diesen Wagen mehr als alles, was ich je besessen hatte, weil er meine HMS Endeavour, mein Raumschiff Enterprise und meine Tardis war. Er konnte mich bringen, wohin ich wollte.

Ich bin so lange nicht gefahren, dass ich es vorsichtig angehen lasse, als ich durch die Straßen von Yulara kurve. Außerdem ist mir bewusst, dass die Polizei nur nach einem Vorwand sucht, mich festzunehmen und mir einen Verstoß gegen die Bewährungsauflagen vorzuwerfen. Auf der offenen Landstraße beschleunige ich und lasse die Fenster herunter, sodass der Fahrtwind die Spinnweben wegpustet. Mein Lächeln ist so breit, dass ich verhaftet werden könnte, weil ich high vor Glück und frischer Luft bin.

Nangus besteht aus etwa fünf Straßen, aber es gibt ein Postamt, eine anglikanische Kirche, eine Grundschule, ein Gemeinschaftshaus, eine Feuerwache, einen Gemischtwarenladen und eine Autowerkstatt. Richard Warnock wohnt in einem holzverkleideten Haus mit Blechdach und zwei Außengebäuden. Auf einer Wäschespinne trocknen Kleider und Hemden, Kinderklamotten, Handtücher.

Ich klopfe. Niemand antwortet. Ich gehe ums Haus. Auf der Rückseite parkt eine Zugmaschine. Sie ist frisch gewaschen, Chrom glänzt in der Sonne. Ein Mann in einem Feinrippunterhemd und verwaschenen Jeans poliert das Schild an der Fahrertür: *Iron Horse Freight.*

»Guten Tag«, sage ich und hebe die Hand. »Ich habe geklopft. Niemand hat geantwortet.«

»Peggy ist nebenan«, erwidert er und wischt sich die Hände an dem Poliertuch ab.

»Ich suche Richard Warnock.«

»Sie haben ihn gefunden.«

Er weist auf einen schattigen Platz mit einem massiven Holztisch und Baumstümpfen als Hocker.

»Sind Sie Lkw-Fahrer?«

»Selbstständiger Transportunternehmer. Vor allem Sydney und Melbourne, aber wenn die Bezahlung stimmt, mache ich auch längere Touren.«

»Haben Sie je für Eddie Whitely gearbeitet?«

»Mein erster Boss. Nachdem er den Löffel abgegeben hat, habe ich mich selbstständig gemacht.« Er betrachtet mein Gesicht. »Sind wir uns schon mal begegnet?«

»Nein.«

»Sie kommen mir bekannt vor.«

»Ich bin Arlo Hackett.«

Diese Information kommt an wie eine Ohrfeige; Warnock verzieht das Gesicht vor Schmerz oder Trauer.

»Sie haben einen Brief an meine Mutter geschrieben. Sie haben ihn nicht namentlich unterschrieben, aber ich weiß, dass Sie es waren.«

Er antwortet nicht, schlägt jedoch den Blick nieder, blickt dann zur Straße und wünscht, dass ich verschwinde.

»Ich will keinen Ärger machen. Ich will bloß wissen, was passiert ist.«

»Sie haben den Brief gelesen. Mehr gibt es nicht zu sagen.«

Warnock setzt sich auf einen Baumstumpf und fängt an, eine Zigarette zu drehen. Er klebt das Papierchen an seine Unterlippe, nimmt eine Portion Tabak aus einem Beutel und formt sie in seiner Handfläche.

Er hält mir den Beutel hin, doch ich schüttele den Kopf.

»Es wird Peggy nicht gefallen, dass ich mit Ihnen rede. Sie möchte nicht daran erinnert werden.«

»Woran?«

»Es war das einzige Mal, dass ich je die Hand gegen sie erhoben habe. Ich war betrunken. Sie hat mich aus dem Haus ausgesperrt. Ich bin gewaltsam eingedrungen und habe sie geschlagen. Darauf bin ich nicht stolz. Ich schäme mich. Sie hat die Polizei gerufen. Ich wurde festgenommen. Es ist seitdem nie wieder passiert. Ich schwöre. Sie können sie fragen.«

Er bläst Rauch aus dem Mundwinkel.

»Man hat mich zum Ausnüchtern in eine Arrestzelle gesteckt. Am nächsten Morgen ist Peggy gekommen und hat mich abgeholt. Sie wollte keine Anzeige erstatten. Sie hat mich auf andere Art zahlen lassen, doch das hatte ich verdient. Sie hätte mich verlassen können. Sie ist geblieben. Jetzt haben wir zwei Kinder. Gehen beide auf die Schule im Ort.«

»Sie haben meinen Bruder getroffen.«

»Ich habe mit ihm gesprochen. Er war gut zu mir. Ich war mittlerweile wieder nüchtern und voller Selbstmitleid, weil ich dachte, ich hätte Peggy verloren. Luke hat gesagt, ich solle beten und um Vergebung bitten. Ich wusste nicht, wie man betet. Also hat er es mir vorgemacht.«

»Hat er Saxon Winacott erwähnt?«

»Nein. Ihren Namen habe ich erst später gehört.«

»In dem Brief steht, dass Luke geschlagen wurde.«

»Alle paar Stunden holten die Polizisten ihn zur Vernehmung ab. Ich konnte durch das Observationsfenster nur ein kleines Stück vom Flur sehen. Wenn sie ihn zurück in seine Zelle brachten, haben sie ihn beschimpft und beleidigt und gegen die Wände gestoßen.«

Warnock hält inne und zupft sich einen Tabakkrümel von der Zungenspitze. »Sie sagten Sachen wie ›haltet seine Arme fest‹ und ›spart das Gesicht aus‹. Ich konnte die Schläge hören. Luke sagte immer wieder, es täte ihm leid, doch sie hörten nicht auf. Sie haben die Scheiße aus ihm rausgeprügelt – buchstäblich. Ich konnte es riechen. Die Bullen haben sich beschwert, dass sie die Sauerei wegmachen mussten. Da habe ich auch gesehen, wie Luke durch den Korridor geschleift wurde. Sie hielten ihn an den Armen. Er war nackt.«

»Haben Sie einen von ihnen erkannt?«

»Den großen Sergeant.«

»Warwick Aimes.«

»Ja. Er wusste, dass ich etwas gesehen hatte, denn er kam hinterher in meine Zelle und hat mich gefragt. Ich hab ihm erklärt, ich hätte geschlafen. Hab gesagt, ich hätte nichts gehört. Er sagte: ›Gute Antwort.‹«

»Was ist mit Luke passiert?«

»Später haben sie ihn zurück in seine Zelle gebracht. Ich habe ihn gerufen, doch er hat nicht geantwortet. Ich habe ihn weinen gehört.«

»Haben Sie ihn noch einmal gesehen?«

»Nee. Am nächsten Morgen hat Peggy mich abgeholt. Als ich meine Sachen eingesammelt habe, hab ich einen Polizisten gefragt, was Luke getan hatte. Er sagte, ein Mädchen wäre vergewaltigt und ermordet worden.«

Warnock fängt an, sich eine weitere Zigarette zu drehen.

»Ich habe in meinem Leben einen großen Fehler gemacht. Ich habe Peggy geschlagen und sie erschreckt. Damit muss ich leben. Aber wissen Sie, was ich außerdem noch zutiefst bereue?«

Ich antworte nicht.

»Ihrem Bruder nicht geholfen zu haben. Ich habe Albträume deswegen – ich höre Luke nach seiner Mutter rufen und das Vaterunser sprechen. Ich weiß nicht, ob er dieses Mädchen getötet hat – aber so hätte man niemanden behandeln dürfen.«

Warnock knibbelt an einem eingerissenen Fingernagel und beißt ihn ab. »Glauben Sie, er hat sie umgebracht?«

»Nicht mit Absicht.«

»Was soll das heißen?«

»Manchmal konnte Luke seine eigene Kraft nicht einschätzen.«

Warnock spuckt in den Staub. »Ich habe versucht, jene Nacht zu vergessen, doch ein paar Jahre später habe ich vor Goulburn einen Anhalter mitgenommen, einen jungen Typen aus Yulara. Er hat gesagt, er wäre bei einem Fußballspiel in Sydney gewesen, doch ich hatte meine Zweifel.«

»Wieso?«

»Er hatte Glitzer im Haar und trug Lidschatten. Ich habe mich gefragt, ob er beim Mardi Gras war. Ich hab nichts gegen Schwule. Jeder, wie er mag, sag ich immer. Leben und leben lassen. Kurz vor Yass sind wir an einer Plakatwand mit einem Bild vorbeigefahren, auf dem Frank Winacott, der lokale Parlamentsabgeordnete, lächelnd an einem Zaunpfahl lehnte. Der junge Anhalter sagte, er hätte Franks Stieftochter gekannt – die, die ermordet worden war. Er sagte, sie wäre ein Flittchen gewesen. Ich habe ihm erklärt, dass es unhöflich ist, schlecht von den Toten zu sprechen, doch er meinte, jede Menge Typen hätten sie gebumst – manchmal auch zwei gleichzeitig. Ich habe angehalten und ihn aufgefordert, auszusteigen. Daraufhin hat er mich beschimpft und gesagt, ich wäre genauso ein Loser wie Luke Hackett.«

»Hatte dieser Anhalter auch einen Namen?«

»Er nannte sich Bernie.«

»Hat er Ihnen seinen Nachnamen gesagt?«

»Nee.«

Ich kenne nur einen Bernie. Helens Bruder.

# 19

Ich räume die Farbdosen, Pinsel und Abdeckplanen weg, um das Haus für Besuch präsentabel zu machen. Gegen den Terpentingeruch kann ich nichts machen, außer die Fenster zu öffnen und zu lüften.

Im Schuppen finde ich den alten Grill und schrubbe den Rost mit einer Stahlbürste ab, streiche ihn mit Öl ein und klemme ihn zwischen zwei Stapel Backsteine. Ich zerknülle Zeitungspapier, arrangiere das Anzündholz und lege größere Holzscheite bereit.

Larry Bulgin beobachtet mich durch sein Fenster. Seit dem Abend, als das Haus mit Graffiti beschmiert wurde, haben wir nicht mehr miteinander gesprochen. Es hat keine weitere Attacke gegeben, aber manchmal wache ich nachts unvermittelt panisch auf und lausche mit gespitzten Ohren auf das Geräusch von splitterndem Glas oder zischenden Flammen. Deswegen stehen neben den Fenstern und der Haustür zur Sicherheit auch Eimer voller Wasser, die ich jedoch wegräume, bevor Helen kommt.

Ich warte auf der Veranda, als ihr VW vor dem Haus hält. Sie hat eine Flasche Wein und eine Topfpflanze mitgebracht.

»Ein Geschenk zum Einzug«, sagt sie.

Ich nehme ihr die Pflanze ab. Küsse sie auf die Wange.

»Stell sie in die Nähe eines Fensters und denk dran, sie zu gießen«, fügt sie hinzu und legt zwei Schritte Abstand zwischen uns.

»Ich hatte noch nie eine Pflanze.«

»Es ist ein Trainingsparcours für Elternschaft.«

»Werde ich Vater?«

»Eines Tages.«

Ich bin nervös in ihrer Gegenwart, während sie ganz entspannt wirkt. Ich habe vergessen, Dressing für den Salat zu kaufen, deshalb rührt sie selbst eins an – Öl, Essig, eine Prise Zucker, Salz und Pfeffer. Danach sitzt sie in eine warme Jacke gehüllt auf der Treppe hinter dem Haus und sieht zu, wie ich das Feuer schüre und unter dem Grillrost langsam ein Bett aus glühenden Kohlen bereite.

Sie nippt an ihrem Wein. »Weißt du noch, wie wir im Autokino von Wagga *Dirty Dancing* gesehen haben?«

»Ja.«

»Du hast gesagt, es wäre ein Mädchen-Film, aber du hast ihn trotzdem mit mir angeschaut. Und danach sind wir zum Aussichtspunkt gefahren und haben im Licht der Scheinwerfer getanzt.«

»Ich konnte nicht tanzen.«

»Aber du hast es versucht.«

»Du warst in Patrick Swayze verknallt.«

»Ich war in dich verknallt.«

Sie redet über die Stadt – über Leute, an die ich mich vielleicht erinnere. Ich möchte sie nach ihrem Bruder Bernie fragen, darüber, mit wem er befreundet gewesen sein könnte und warum er Saxon ein Flittchen genannt hat, doch jetzt ist nicht der richtige Zeitpunkt.

»Wie magst du dein Steak?«

»Medium rare.«

Das Fleisch brutzelt auf dem Grill. T-Bone mit einem schönen Fettrand. Ich will die Steaks gerade wenden, als ich eine Sirene höre, die näher kommt. Vor dem Haus verstummt sie. Schritte auf der Treppe vorm Haus. Klopfen.

Bevor ich öffnen kann, kommen zwei Feuerwehrmänner ums Haus in den Garten. Freiwillige der örtlichen Feuerwache. In Uniform. Übergewichtig. Keuchend.

»Wo ist das Feuer?«, fragt einer von ihnen.

Ich antworte nicht sofort. Er blickt zu dem Grill, sieht die Steaks, die Folienkartoffel und den Salat, der noch auf sein Dressing wartet.

»Gilt ein totales Feuerverbot?«, frage ich.

»Nein.«

Verärgert wendet er sich seinem Kollegen zu. »Sag den Jungs, sie können wieder einpacken.«

»Wer hat das Feuer gemeldet?«, frage ich.

»Die Information liegt mir nicht vor.«

Ich blicke zu Larry Bulgins Haus und sehe Umrisse einer Gestalt hinter dem Fenster.

Der Feuerwehrmann scheint mich zu erkennen. Er sieht Helen an. »Alles in Ordnung, Miss?«

»Ja.«

Er bemerkt die Farbdosen und Terpentinflaschen neben der Treppe hinter dem Haus. »Das ist ein Brandrisiko.«

»Sie sind leer.«

Er überprüft es, nickt Helen zu und wünscht ihr einen guten Abend. Mich ignoriert er. Mir fallen die Steaks wieder ein. Sie haben zu lange gebraten. Helen sagt, dass ihr das nichts ausmacht. Wir essen im Haus, bei Kerzenlicht, wickeln die Kartoffeln aus der Folie und bestreichen sie mit Butter.

Ich habe die Gesellschaft von Frauen immer geliebt, doch ich habe mich schon sehr lange nicht mehr getraut, an eine bestimmte Frau zu denken. Als ich jetzt Helen beobachte, die frei heraus lacht und nachdenklich antwortet, möchte ich den Moment festhalten, damit ich ihn später noch einmal durchleben kann, damit ich sie Stück für Stück aus der Erinnerung zusammenfügen kann – ihren Mund, ihre Augen, ihre Nase, ihre Lippen.

Wir räumen den Tisch ab und spülen. Ich lege Musik auf.

»Ich möchte tanzen«, sagt sie.

»Ich hab immer noch zwei linke Füße.«

Sie streckt die Arme aus und winkt mich näher zu sich. »Du musst mich nur halten und dich mit mir hin und her bewegen.«

»Das kriege ich hin.«

Wir wiegen uns gemeinsam zu der Musik, einem Song, der Mut macht, zu träumen, dass es noch nicht vorbei ist.

Sie blickt mir in die Augen. Hebt ihre Lippen. Ich küsse sie auf den Mund, doch sie zieht sich zurück, als wäre der Impuls verflogen.

»Tut mir leid. Das war eine schlechte Idee«, sage ich.

Sie macht sich bereit zum Gehen.

»Bleib noch.«

»Ich kann nicht.«

»Wohin musst du denn?«

»Nach Hause.«

»Wartet dort jemand auf dich?«

»Ja.«

»Ein Mann?«

»Nein.«

»Wann wirst du mich in dein Leben lassen?«

»Wenn ich sicher bin, dass das hier etwas Ernstes ist.«

»Für mich ist es das.«

»Nein. Du bist bloß ein paar Monate hier. Du verkaufst das Haus und verschwindest wieder.«

Sie nimmt ihre Jacke. Ich möchte, dass sie noch bleibt. »Darf ich dich etwas über Bernie fragen?«

»Was ist mit ihm?«

»Wie gut kannte er Saxon?«

Helen zieht eine Augenbraue hoch. »Er war schon nicht mehr auf der Schule, als sie dort war.«

»Ja, aber er hat sie bestimmt in der Kirche spielen hören.«

»Wenn er sich mal aufgerafft hat, hinzugehen.«

»War er schwul?«

»Wer hat dir das erzählt?«

Ich erzähle ihr von dem Lkw-Fahrer, der in der Nacht, als Luke festgenommen wurde, in den Arrestzellen war.

»Ein paar Jahre später hat er einen Anhalter mitgenommen, einen Typen namens Bernie, der aus Sydney kam und zurück nach Yulara wollte. Mit Glitzer im Haar und Lidschatten.«

»Bernie ist seit sieben Jahren tot.«

»Das war vorher.«

Schweigen. Helen spricht als Erste. »Niemand wusste das über Bernie. Er hat es geheim gehalten.«

»War bestimmt nicht leicht in einer Stadt wie dieser.«

»Alle paar Monate ist er nach Sydney gefahren und hat dort ein paar Tage als der gelebt, der er sein wollte. Ich habe ihn nicht verurteilt, aber ich habe mir Sorgen gemacht wegen Aids, Vorurteilen und Gewalt gegen Schwule.«

»Bernie hat dem Lkw-Fahrer erzählt, dass Saxon mit jeder Menge Typen geschlafen hat. Er hat sie ein Flittchen genannt.«

Das Wort lässt Helen zusammenzucken. »Nun, sie war promiskuitiv.«

»Nein.«

»Du kannst nichts Falsches an ihr finden, was?«

»Und du kannst nichts Gutes in ihr sehen.«

Helen wendet sich ab und nimmt ihre Jacke und ihre Autoschlüssel. An der Haustür dreht sie sich noch einmal um und erklärt zum Abschied: »Sie ist seit zwölf Jahren tot und gewinnt immer noch.«

Als das Motorengeräusch ihres Wagens verklungen ist, fühle ich mich einsamer, als ich mich im Gefängnis jemals gefühlt habe.

# 20

»Saxon riecht gut«, sagte Luke. »Riechen alle Mädchen gut?«

»Meiner Erfahrung nach schon.«

»Ich rieche nach Pferden.«

»Nicht, wenn du duschst.«

Luke hatte angefangen, mehr Sorgfalt auf seine Körperpflege zu verwenden, seit Saxon bei uns wohnte. Er verbrachte mehr Zeit im Bad und hatte nicht nur die alten Fläschchen mit Rasierwasser entdeckt, die Angus gehört hatten, sondern auch dessen Haaröl und das Old-Spice-Deo.

Im Umgang mit Saxon war er schüchtern. Er wurde beinahe panisch, wenn er sie traf, wie sie gerade aus dem Bad kam. Auch wenn sie vollständig bekleidet war und ein Handtuch um den Kopf trug, wandte er den Blick ab und sagte nur immer wieder »sorry«.

Eine seiner regelmäßigen (von Saxon zugeteilten) Pflichten im Haus bestand darin, Mum dabei zu helfen, die Wäsche zu sortieren. Dabei wurde er jedes Mal rot, wenn er auf Unterwäsche oder einen BH von Saxon stieß, und legte sie hastig wieder weg.

Er fing an, sich zum Abendessen schicker anzuziehen und seine Schmachtlocke mit Brylcreem zu bändigen. Er trug sein bestes weißes Hemd, auf das er in dem chinesischen Restaurant Sojasauce gekleckert und dann so heftig daran herumgeschrubbt hatte, dass der Fleck doppelt so groß geworden war.

Mum hatte sich beschwert und gemeint: »Ich bin doch kein Dukatenesel.«

»Kann man ein Dukatenesel sein?«, fragte Luke.

»Reiche Leute schon.«

Luke steckte das Hemd in die Hose, um den Fleck zu verbergen, und knöpfte die Ärmel zu.

»Du siehst gut aus heute Abend«, sagte Saxon und zerzauste ihm das Haar.

Normalerweise hasste Luke es, angefasst zu werden, doch nun legte er den Kopf zur Seite wie ein Hund, der erwartete, dass man ihn hinter dem Ohr kraulte.

Nach dem Abendessen kam er zu mir in den Schuppen, wo er sich auf einen Hocker setzte und zusah, wie ich den Vergaser des Sandman reinigte.

»Findest du sie hübsch?«, fragte er.

»Wen?«

»Saxon.«

»Ja.«

»Wirst du sie heiraten?«

»Nein.«

»Warum nicht?«

»Weil sie eine Freundin ist.«

»Kann ich sie heiraten?«

»Ich weiß nicht, ob Saxon heiraten will.«

»Wieso nicht?«

»Sie möchte studieren und reisen und überall auf der Welt Musik machen.«

Luke verstummte eine Weile.

»Ich könnte ihr Freund sein.«

»Vielleicht sucht sie nicht nach einem Freund.«

»Wie erkennt man das?«

»Du musst sie fragen.«

Am nächsten Tag kam Luke von den Ställen nach Hause, duschte und ging noch einmal aus, um zu den Geschäften zu laufen. Dann schlich er sich unbemerkt zurück ins Haus und wartete auf Saxons Heimkehr. Um sechs Uhr fegte sie ins Haus wie ein sich drehender Wind, die Wangen rot vor Kälte, nachdem sie von der Kirche, wo sie Klavier geübt hatte, nach Hause gerannt war.

Luke überreichte ihr einen in Zellophanpapier gewickelten Strauß rosafarbener Nelken.

»Die sind hübsch«, sagte Saxon. »Für wen sind die?«

»Für dich.«

»Warum?«

»Weil du Blumen magst.«

»Woher weißt du, dass ich Blumen mag?«

»Mädchen mögen Blumen.«

Sie lächelte. »Deiner Erfahrung nach?«

Luke nickte unsicher. Saxon nahm den Strauß und zog eine einzelne Blüte heraus, die sie Luke hinters Ohr steckte. Sie küsste ihn auf die Wange. »Ich liebe meine Blumen, vielen Dank.«

Luke fasste sich an die Wange und betrachtete seine Finger. Dann erinnerte er sich an seine nächste Frage.

»Gehst du mit mir aus?«

»Wohin?«

»Auf ein Date.«

Saxon lachte, aber nicht auf eine gemeine Art. »Ein Date. Ich weiß nicht, ob ich gerade in der Verfassung für ein Date bin. Ich bin zurzeit nicht in Bestform.«

»Du riechst gut.«

»Danke.«

Luke wartete weiter geduldig auf eine Antwort.

»Wie wär's, wenn wir das auf ein anderes Mal verschieben?«

»Welches andere Mal?«

»Wir können ein Date haben, wenn ich mich wieder wohler in meiner Haut fühle.«

»Wann?«

»Bald.«

»Nächste Woche?«

»Vielleicht.«

Ich unterbrach die beiden und erklärte Luke, dass ich im Schuppen seine Hilfe bräuchte. Er wirkte verwirrt, doch er folgte mir. Ich sagte, er solle sich auf den Hocker setzen und seine Hose nicht schmutzig machen.

»Wir haben einen wichtigen Job zu erledigen – du und ich. Wir müssen auf Saxon aufpassen.«

»Ich möchte auf sie aufpassen.«

»Ja, aber wir sind jetzt ihre großen Brüder. Wir sind ihre Familie.«

»Sie hat doch schon eine Familie.«

»Ja, aber im Moment will sie nicht mit ihnen zusammenleben.«

»Ist sie deshalb so traurig?«

»Du denkst, sie ist traurig?«

»Immerzu.«

# 21

Die Stadtbibliothek von Yulara liegt ein Stück zurück von der Elizabeth Street in einem kleinen öffentlichen Park, der von sich kreuzenden Betonwegen durchzogen wird, an denen Kopien von Verkehrsschildern stehen. Als Kinder haben wir hier Radfahren gelernt und sind den Schildern gefolgt, die uns anwiesen, anzuhalten, abzubremsen, Vorfahrt zu gewähren und uns einzuordnen.

Eine Bibliothekarin flickt mit Klebeband den eingerissenen Einband eines Buches. In einem Knopfloch ihrer Bluse steckt ein Gänseblümchen, an der Brusttasche trägt sie ein Namensschild. Margo. Ich kenne sie nicht. Eine Zugezogene. Ich bin erleichtert. Ich wünschte, der ganze Ort wäre voller Neuankömmlinge, die keine persönlichen Erinnerungen an die Geschichte der Stadt haben und keine Vorfahren auf dem örtlichen Friedhof.

Ich frage nach alten Ausgaben von Tageszeitungen.

»Wie weit zurück wollen Sie gehen?«

»Dreizehn Jahre. 1988.«

»Die Zweihundertjahrfeier?«

»Verzeihung?«

»Die Feierlichkeiten am Australia Day. Zweihundert Jahre seit Landung der First Fleet in Botany Bay. Elf Schiffe mit Sträflingen und Siedlern. Betreiben Sie Ahnenforschung?«

»Nicht direkt.«

»Ich bin verwandt mit einem Sträfling«, sagt Margo. »Mein Ururur-was-auch-immer wurde wegen Pferdediebstahls nach

Australien deportiert. Er war erst neunzehn. Konnte weder lesen noch schreiben. Laut der Dokumente war er einen Meter fünfzig groß mit rötlicher Gesichtsfarbe, hellem Haar und haselnussbraunen Augen. Er hatte eine Narbe über der linken Augenbraue. Kein Wunder, dass ich so klein bin.«

Margo wartet, dass ich etwas sage, doch ich weiß nicht genau, wie ich auf diese Flut von Informationen reagieren soll.

»Spezielle Daten?«, fragt sie.

»Oktober und November 1988.«

»Die Ausgaben auf Papier reichen nur sechs Jahre zurück. Alles davor ist auf Mikrofilm. Ich kümmere mich kurz um die Dame, und dann schaue ich, was ich finden kann.«

Eine junge Mutter mit einem Kleinkind wartet darauf, Bücher auszuleihen. Ich trete zur Seite und wünsche ihr einen guten Tag. Sie antwortet nicht. Stattdessen fasst sie die Hand ihres Kindes ein wenig fester, wie um fluchtbereit zu sein.

Sie und Margo stecken flüsternd die Köpfe zusammen und blicken in meine Richtung. Ich spüre die Hitze im Nacken, greife jedoch beiläufig nach einer Angelzeitschrift und blättere durch ganzseitige Anzeigen für Schnellboote und Angelausrüstung.

Margo winkt mich zum Tresen. Sie runzelt die Stirn. »Dürfen Sie hier sein?«

»Es ist eine öffentliche Bibliothek.«

»Die Frau hat gesagt, Sie wären ein verurteilter Sexualverbrecher und dürften sich nicht in der Nähe von Kindern aufhalten. Hierher kommen auch Schulgruppen.«

»Ich stehe in keinem Register. Ich bin auf Bewährung.«

Margo scheint mit sich zu ringen. »Es gibt ein Mikrofilmlesegerät im Lagerraum. Mir wäre es lieber, wenn Sie das benutzen.«

»Verstehe.«

Sie führt mich in einen Raum auf der Rückseite der Bibliothek, in dem Regale voller Bücher stehen, die neu eingebunden, katalogisiert oder repariert werden müssen. Sie öffnet eine Dose mit einem Mikrofilm, schiebt ihn auf eine Spule, fädelt ihn an einer kleinen Linse vorbei bis zu einer leeren Spule auf der anderen Seite.

»Mit diesem Hebel bewegt man den Film rückwärts und vorwärts. Und hiermit stellt man die Schärfe ein«, sagt sie und fügt hinzu: »Wir schließen in einer Stunde.«

Als ich in dem Lagerraum allein bin, spule ich den Film vor, bis eine Titelseite aufleuchtet. Der *Yulara Advocate* erscheint zweimal wöchentlich, dienstags und freitags, doch für besondere Feierlichkeiten und Ereignisse mit großem Nachrichtenwert werden auch Sonderausgaben gedruckt.

Ich weiß nicht genau, wonach ich suche. Dreizehn Jahre lang habe ich mich nur auf den Augenblick im Hier und Jetzt konzentriert, anstatt über die Vergangenheit zu grübeln. Jetzt will ich Antworten auf Fragen, die ich für geklärt gehalten hatte. Ich glaube, dass mein Bruder ein Mädchen getötet und sich dann selbst das Leben genommen hat und dass ich beide hätte retten können. Vielleicht stimmen nur zwei dieser Dinge.

Die Bilder verschwimmen, als ich den Film über die Lichtquelle ziehe. Ich halte an und stelle das Bild scharf. Schnellvorlauf. Stopp. Scharfeinstellung. Die Schlagzeile lautet: »Schülerin ermordet – Mann in Gewahrsam«.

*Die Polizei ermittelt im Fall der brutalen Vergewaltigung und Ermordung einer siebzehnjährigen Schülerin am Freitagabend. Die Tat geschah bei einer Geburtstagsparty auf dem Yulara Showground, bei der sechzig Teenager anwesend waren.*

*Ein zwanzigjähriger ortsansässiger Mann wurde festgenommen, nachdem er beobachtet wurde, wie er das Mädchen am Samstagmorgen durch die Straßen von Yulara trug und ihre Leiche in der St. Patrick's Church ablegte.*

*Bisher wurden zwei Tatorte ermittelt - zum einen die Kirche, zum anderen eine Stallanlage beim Yulara Showground. Teams der Spurensicherung der New South Wales Police haben am Samstag in einem Wettlauf gegen die Zeit in den Ställen Proben gesammelt, bevor der Fluss den Tatort überflutete und unzugänglich machte.*

*Der Name des Opfers ist der Polizei bekannt, soll jedoch erst veröffentlicht werden, wenn die nächsten Verwandten benachrichtigt wurden.*

*Während des gesamten Wochenendes versammelten sich Menschen vor der St. Patrick's Church und legten Blumen, Karten und Stofftiere ab. Andere zündeten Kerzen für das tote Mädchen an und beteten für sie.*

*Stadtrat Devlin Fraser sagte, die Stadt sei »bis ins Mark erschüttert« und »in Trauer vereint«, doch in den kommenden Tagen sei mit weiteren Traumata zu rechnen.*

*»Wir stehen immer noch unter Schock, aber die Freundlichkeit und das Mitgefühl, die ich in den vergangenen Tagen erlebt habe, waren herzerwärmend und haben mir den Glauben an die Menschheit zurückgegeben.«*

Am nächsten Tag druckte der *Yulara Advocate* eine »Sonderausgabe« mit rot umrandeter Titelseite und einem Foto von Saxon in der Schuluniform ihres Internats. Das Haar zurückgekämmt, die Knie geschlossen, die Hände im Schoß.

*Bei der am Wochenende in Yulara ermordeten Teenagerin handelt es sich um Saxon Winacott, Stieftochter von Frank Winacott aus Booralong Station, dem Parlamentsabgeordneten der National Party. MrWinacott ist seit achtzehn Jahren der lokale Vertreter im Parlament, wo er seinem Vater George Winacott nachfolgte, dem ehemaligen stellvertretenden Premierminister von New South Wales.*

*Saxon besuchte den Abschlussjahrgang der Yulara High School und sollte ab der kommenden Woche ihre Abschlussprüfungen machen. Sie spielte regelmäßig Klavier in der St. Patrick's Church. Gemeindepfarrer Pater Corday nannte sie ein musikalisches Wunderkind, das »von Gott berührt« war.*

*Am Abend veröffentlichte Saxons Familie eine Erklärung, in der sie mitteilte, man sei »fassungslos über diese Tragödie« und würde darum bitten, in Ruhe zu trauern.*

Auf den folgenden Seiten gibt es weitere Artikel, Berichte von Augenzeugen, Reaktionen und Fotos.

*»Es sollte ein Abend werden, an dem alle Spaß haben«, sagte Betsy Nagel, die zusammen mit ihrem Zwillingsbruder Jason ihren achtzehnten*

*Geburtstag feierte. »Wir haben getrunken und getanzt, um vor den Abschlussprüfungen noch mal Dampf abzulassen.«*

*Betsy sagte, dass sie und Saxon früher am Abend zusammen getanzt hatten.*

*»Danach habe ich sie kaum noch gesehen. Ich dachte, dass sie sich mit einem Jungen in ein gemütliches Eckchen verzogen hatte.«*

*Freddy Hewson, ebenfalls Schüler der Stufe zwölf, sagte, dass die Party allmählich ausgeklungen sei, nachdem um Mitternacht die Band aufgehört hatte zu spielen.*

*»Einige von uns wollten den Sonnenaufgang erleben und sind zum Fluss gegangen. Dort habe ich Saxon zuletzt gesehen. Wir haben ein Feuer gemacht und uns Geistergeschichten erzählt.«*

*Der Sänger der Band, Nathan Williams, selbst ehemaliger Schüler der Yulara High, nannte Saxon eine talentierte Musikerin.*

*»Wir haben sie auf die Bühne gezogen, sie hat das Keyboard übernommen und ein paar Fleetwood-Mac-Nummern mitgespielt. Das Mädchen hatte es echt drauf.«*

Die nächste Ausgabe des *Yulara Advocate* erschien am Dienstag. Diesmal prangte auf der Titelseite ein Foto von Luke, der in Handschellen zu einem Polizeiwagen geführt wird.

**Beschuldigter im Mordfall Saxon**

*Die ermittelnden Detectives im Mordfall Saxon Winacott haben einen ortsansässigen Mann offiziell der Vergewaltigung und des Mordes beschuldigt. Luke Angus Hackett wurde am Samstag nach einer Konfrontation in einer örtlichen Kirche festgenommen.*

*Hackett, 20, aus der All Saints Road in Yulara, arbeitet als Stallbursche für den lokalen Rennpferde-Trainer Monte Pope. Er ist ein ehemaliger Schüler der Yulara High und vor vier Jahren von der Schule abgegangen.*

*Auf den Stufen vor der Pfarrkirche der Gemeinde St. Patrick's erklärte Detective Chief Inspector Ambrose Pike, die Polizei habe entschlossen gehandelt, um schnell eine Festnahme vorzunehmen und so die Sicherheit der Gemeinschaft zu gewährleisten.*

*Pike verlas eine kurze Erklärung der Familie des Opfers. Frank und Catherine Winacott seien »verzweifelt«, berichtete er, und »nach wie vor benommen nach dem Verlust ihrer hinreißenden Tochter Saxon«.*

*»Wir möchten der Polizei unser ausdrückliches Lob aussprechen, dass sie Saxons Mörder so schnell gefasst hat, und wir möchten der Gemeinschaft für das Mitgefühl und die Unterstützung danken«, sagten die Winacotts. »Wir haben in den letzten Tagen Hunderte von Karten und Botschaften erhalten, in denen nicht nur Trauer und Fassungslosigkeit zum Ausdruck*

*gebracht wurden, sondern auch Gebete und Beileid ausgesprochen wurden. Irgendwann werden wir sie auch persönlich beantworten, doch für den Augenblick bitten wir darum, in Ruhe gelassen zu werden.«*

*Diese Kommentare erreichten uns am Ende eines weiteren emotionalen Tages für die Stadt Yulara, die immer noch erschüttert wirkt von der Tragödie. Luke Hackett wird in der örtlichen Polizeiwache festgehalten und wartet auf seinen ersten Termin vor Gericht am Dienstag.*

*Inzwischen kommen weitere Details über Saxon Winacotts letzte Tage und Wochen ans Licht. Berichten zufolge hatte sie nach einem Streit mit ihren Eltern zuletzt bei der Familie des Verdächtigen in Yulara gewohnt. Gestern öffnete Luke Hacketts Bruder Arlo die Tür des Hauses. Auf die Frage, warum sein Bruder Saxon ermordet hatte, erklärte er, er wisse es nicht, und bat uns zu gehen.*

*Die St. Patrick's Church ist seit der Tragödie geschlossen, soll jedoch am Mittwoch wieder öffnen. Dann wollen die Gemeindepfarrer Pater Corday und Pater Martell eine Mahn- und Gebetswache für Saxon Winacott und ihre Familie abhalten.*

Ich erinnere mich daran, wie der Reporter an unsere Haustür geklopft hat. Ich wurde übertölpelt. Es war das erste Mal, dass mir jemand ein Mikrofon unter die Nase hielt und eine derart aufgeladene Frage stellte. »Was glauben Sie, warum Ihr Bruder Saxon Winacott getötet hat?« Was sollte ich darauf antworten? Ich hätte schweigen sollen. Ich hätte die Tür schließen sollen. Stattdessen sagte ich, dass ich es nicht wüsste, was die Wahrheit war, aber es ließ Luke schuldig wirken.

Es gibt weitere Fotos. Eins zeigt Saxon am Klavier. Auf einem anderen trägt sie eine knallige Skijacke und eine Wollmütze und lehnt, Skistöcke in der Hand, am Stamm eines Schnee-Eukalyptus.

In der Zeitung werden Augenzeugen zitiert, doch nur wenige scheinen sich einig darüber, was sie gesehen haben. Ein Autofahrer, der in der Nähe von Billson Park unterwegs war, sagte, Luke habe ausgesehen, als würde er kein Mädchen, sondern ein verwundetes Tier tragen. »Ich dachte, er hätte einen Hund oder ein Kalb angefahren«, sagte er.

Georgia Steele war vor dem Postamt, als Luke Saxon über die Elizabeth Street trug. »Beide sahen halb ertrunken aus. Ich dachte, er hätte sie aus dem Fluss gerettet.« Lexi Browning kam gerade aus dem Windmill Café, als Luke die Stufen zu der Kirche hinaufstieg. »Es war wie eine dieser religiösen Aufführungen zu Ostern, wissen Sie, wo jemand ein Kreuz trägt, nur dass er den Körper einer Frau getragen hat.«

Ein forensischer Psychologe, der Luke nie getroffen hatte, stellte Ferndiagnosen über seinen Geisteszustand und erklärte, Luke sei womöglich besessen von Saxon gewesen. Wenn sie ihn zurückgewiesen hatte, könnte das eine aggressive Wut ausgelöst haben. »Er hasste es, sie nicht kontrollieren zu können. Er hasste die Bedrohung für sein fragiles Selbstgefühl, die sie darstellte.«

Ich wollte schreien. Luke hasste niemanden. Er liebte Saxon. Er vergötterte sie. Er hätte sein Leben für sie gegeben.

Die Artikel und Kommentare lösten eine Flut von Leserbriefen aus. Einige beschwerten sich über Eltern, die ihren minderjährigen Kindern erlaubten, Alkohol zu trinken und ohne Aufsicht spät auszugehen. Ein Leser schrieb, dies sei der Beleg für das größere Böse in einer Gesellschaft, in der Mädchen durch vulgäre Musik hypersexualisiert würden und sich »wie Prostituierte kleiden« dürften. Jemand forderte eine Ausgangssperre ab zweiundzwanzig Uhr für alle Personen unter achtzehn.

Mein Handy vibriert. Es ist eine SMS von Camille. Sie hat Dokumente, die ich unterschreiben soll, um die Kontrolle über Mums Angelegenheiten zu übernehmen.

*Ich treffe Sie im Haus.*

Ich tippe eine Antwort: *Ich dachte, Sie machen keine Hausbesuche.*

*Gewöhnen Sie sich nicht dran.*

Ich beginne, den Mikrofilm zurückzuspulen, als ich von Motorenlärm vor dem Gebäude abgelenkt werde. Harley-Davidsons, die eher knurren als schnurren. Motoren werden abgeschaltet. Männliche Stimmen dringen in die Bibliothek. Ich öffne einen Spalt weit die Tür und sehe drei Männer in schwarzer Lederkleidung, die mit der Bibliothekarin sprechen.

»Der Anrufer hat gesagt, er ist hier«, sagt einer von ihnen. Ich kann sein Gesicht nicht sehen.

»Ich weiß nicht, von wem Sie sprechen«, sagt Margo.

»Arlo Hackett. Jemand hat ihn gesehen.«

»Die Bibliothek schließt gleich. Bitte gehen Sie.«

Ohne sie zu beachten, beginnen die Männer, die Gänge zu durchsuchen. Margo versucht, sie aufzuhalten, doch man erklärt ihr, sie solle sich setzen und die Klappe halten. »Und Finger weg vom Telefon«, sagt der Mann, der die Befehle erteilt. Ich sehe kurz sein Gesicht. Eric Sandine. Sardine. Vielleicht arbeitet er immer noch für Frank Winacott.

»Was wollte Hackett?«, fragt er.

»Das geht Sie nichts an«, sagt Margo.

»Es ist nicht sicher, ihm Zutritt zu der Bibliothek zu erlauben. Nicht, wenn Kinder da sind.«

Um den Ausgang zu erreichen, müsste ich am Eingangstresen vorbei. Und sobald ich mich zeige, sitze ich in der Falle.

»Er ist nicht hier«, ruft einer der anderen Männer.

»Ich guck im Lagerraum nach«, sagt Sardine.

»Der ist nur für Angestellte«, sagt Margo.

Ich schaue mich nach einem Objekt um, mit dem ich die Tür verbarrikadieren kann. Dabei fällt mir ein langes hohes Fenster auf. Ich steige auf den Schreibtisch, blicke in den Hof, in dem Recycling-Tonnen für Flaschen und Dosen stehen. Ich löse den Riegel, klappe das Fenster auf und zwänge Kopf und Schultern mühsam durch die enge Lücke. Meine Füße baumeln noch in der Luft und suchen Halt an der Wand, als ich höre, wie die Tür des Lagerraums geöffnet wird.

»Hier drinnen!«, brüllt Sardine.

Er packt mein linkes Bein. Ich trete mit dem anderen heftig nach hinten aus und höre ein Grunzen und Fluchen. Der Schwung katapultiert mich vollends durch das Fenster, und ich lande, Kopf voran, auf einem Müllcontainer mit Plastikdeckel, der sich unter meinem Gewicht durchbiegt und meinen Fall abpolstert.

»Draußen!«, ruft Sardine.

Ich rappele mich auf die Füße und renne mit nur einem Schuh los; den anderen habe ich verloren. Ich male mir eine Cinderella-artige Suche nach dem Besitzer aus, quer durch die Stadt, nur ohne märchenhaftes Happy End. Niemand wird die wahre Liebe finden oder glücklich bis ans Ende seiner Tage leben.

Ich durchquere den Park und nehme eine Abkürzung über einen Spielplatz mit bunten Röhren und Rutschen, klettere über einen Zaun, renne die Otway Street hinunter, vorbei an der Feuerwache und der Baptistenkirche, und biege rechts in die Punch Street.

Ich höre die Motorräder – Auspuffe und Motoren –, bevor ich sie sehe. Zwischen den Häusern blitzt Chrom in der Sonne. Ich schlüpfe in eine Einfahrt und krieche, flach auf den Boden gepresst, unter eine niedrige Hecke, die Ameisenperspektive auf die Straße. Ich halte die Luft an. Mein Herz pocht.

Das Dröhnen kommt näher und entfernt sich wieder. Ich warte. Die Motorräder kehren zurück. Sie suchen mich. Sie sind ganz in der Nähe, Motoren knurren.

»Er versteckt sich hier irgendwo«, sagt Sardine.

»Wir können nicht alle Gärten absuchen.«

»Die Bibliothekarin hätte die Cops rufen sollen.«

Ich nehme eine Bewegung wahr. In der Einfahrt steht ein kleiner Junge, in einer Hand einen Plastikroboter, in der anderen einen Kinderroller. Er hat einen Bürstenschnitt, große Ohren und eine Zahnlücke. Ich lege einen Finger auf die Lippen, um ihm begreiflich zu machen, dass er still sein soll. Er wendet sich zum Haus, dann zu den Männern, die auf der Straße reden, und wieder zu mir.

»Hey, Bobby, hast du deine Spielsachen eingesammelt?«, ruft eine Frau von drinnen.

»Nee.«

»Tja, es gibt erst einen Keks, wenn du fertig bist.«

Er antwortet nicht. Mir fällt ein bunter Ball neben meinen Füßen ins Auge. Ich drehe mich um, hebe ihn auf und rolle ihn zu dem Jungen.

»Spielst du Verstecken?«, fragt Bobby.

Ich nicke und sehe ihn flehend an.

Eine Stimme von der Straße. Sandine. »Hey, Kleiner, hast du hier einen Typen vorbeikommen sehen?«

Bobby blickt zu dem Mann und wieder zu mir. Er fasst sich unsicher in den Schritt und zögert noch einen Moment, ehe er sich umdreht und den Kopf schüttelt.

# 22

Camille wartet vor dem Haus, die Haare hochgesteckt, die Wangen rosafarben vor Kälte.

»Wieso haben Sie so lange gebraucht?«

»Probleme mit dem Wagen.«

Sie blickt an mir vorbei. »Welcher Wagen?«

»Ich habe ihn vor der Bibliothek stehen lassen.«

Sie blickt auf meine Füße. »Ein Schuh?«

»Es war die Art Tag.«

Ich führe sie in die Küche, fülle den Wasserkessel und erzähle ihr die Geschichte.

»Und einer von ihnen war Eric Sandine?«, fragt sie besorgt.

»Ja. Die anderen habe ich nicht erkannt.«

Ich spüre, dass sie mir etwas verschweigt, doch ich bohre nicht nach, sondern führe sie durchs Haus, um ihr die Fortschritte der Renovierungsarbeiten zu zeigen. Sie macht Vorschläge – kleine Ergänzungen mit vielleicht großer Wirkung – und weist auf Details hin, die ich übersehen habe. Hinterher koche ich ihr einen Tee, und wir sitzen in der Küche und lauschen dem Brummen des Kühlschranks, dem Ticken der Wanduhr und dem Knacken des Wellblechdachs, das sich ausdehnt und zusammenzieht, während die Sonne tiefer sinkt und Schatten wirft, die durch den Garten kriechen.

Schließlich bricht sie das Schweigen. »Hatten Sie je Zweifel, dass Luke sie getötet hat?«

»Ja. Nein. Vielleicht am Anfang.«

Sie legt den Kopf zur Seite. »Und jetzt?«

»Luke war nicht gewalttätig oder aggressiv. Er war groß und langsam wie ein Elefant, der durchs Leben poltert. Er hat seine Schritte gesetzt, als wollte er dem Boden nicht wehtun, aber manchmal hat er versehentlich Dinge zerbrochen. Einmal hat er ein Glas mit Gewürzgurken zerdrückt, das Mum nicht aufgekriegt hat. Es ist in seiner Hand zerborsten, sie musste mit acht Stichen genäht werden. Türklinken lösten sich, Stühle brachen zusammen, aber es war nie mit Absicht, nie bewusst …«

Ich sehe Camille an und möchte, dass sie mir glaubt.

»Sie werden mich auslachen. Aber ich habe ihn im Spiegel gesehen, heute Morgen. Ich habe mir die Zähne geputzt, und da stand er plötzlich hinter mir.«

»Ein Geist?«

»Eine Erinnerung.«

»Haben Sie mit ihm gesprochen?«

»Dann wäre ich wirklich verrückt.«

Sie lächelt traurig. »Was würden Sie ihn fragen, wenn Sie die Gelegenheit hätten?«

»Ich würde ihn fragen, warum er gestanden hat.«

»Vielleicht war er schuldig.«

»Haben Sie je seine Aussage gelesen?«

»Nein.«

»Gibt es vielleicht eine Aufnahme?«

»Das war damals noch nicht Vorschrift.«

Ich zögere, erwarte mehr, brauche mehr. Dann erzähle ich ihr von Richard Warnock und davon, was er in der Arrestzelle der Polizei gesehen und gehört hat.

»Er hat gesagt, Luke wäre so übel geschlagen worden, dass er sich selbst beschmutzt hat.«

»Das reicht nicht für eine Wiedereröffnung des Falls.«

»Das verlange ich auch gar nicht.«

Sie zieht eine Braue hoch. »Was verlangen Sie denn?«

»Ich will wissen, was passiert ist.«

»Ein Mädchen ist gestorben. Luke hat gestanden. Sie sind ins Kreuzfeuer geraten. Lassen Sie es gut sein, Arlo.«

»Hat Otto Lukes Geständnis gehört? Hat irgendjemand außer der Polizei es gehört?«

»Das spielt keine Rolle. Mündliche und nicht unterschriebene Aussagen galten 1988 noch als Beweis. Die Polizei hatte das letzte Wort.«

»Was ist mit Richard Warnocks Brief?«

»Wird er eine Aussage machen?«

»Nein.«

»Wird er uns erlauben, seinen Namen zu nennen?«

»Nein.«

»Dann haben wir keine Grundlage für einen Revisionsantrag, und die Polizei wird bestimmt nicht riskieren, Fehler oder Versäumnisse in der Vergangenheit offenzulegen, indem sie die eigene Ermittlung infrage stellt. Man wird sagen, eine erneute Untersuchung des Falles sei zu teuer und nicht im Interesse der Öffentlichkeit. Das Ganze sei zu lange her.«

Nach einer langen Pause runzelt sie die Stirn, als würde sie überlegen, ob sie mir etwas erzählen soll. Schließlich spricht sie, wählt ihre Worte dabei sorgfältig.

»Während meines Jurastudiums habe ich in den Semesterferien für meinen Onkel Otto gearbeitet; ich habe die Ablage gemacht und Korrespondenz erledigt. Einmal kam eine Frau in die Kanzlei, die schon zum dritten Mal wegen Fahrens unter Alkoholeinfluss angezeigt war. Sie hatte bereits ihren Führerschein verloren, nun drohte ihr eine Haftstrafe. ›Fragen Sie mich, warum ich trinke‹, sagte sie. Ich erklärte ihr, das sei nicht wichtig, doch sie erzählte mir den Grund trotzdem. Jahre zuvor war sie in den Semesterferien für den Sommer nach Hause gekommen. Sie ging zu einer Party im Haus einer Freundin in Yulara. Sie trank zu viel und schlief in einem Zimmer ein. Als sie wieder aufwachte, lag ein Mann auf ihr, und weitere warteten darauf, dass sie an die Reihe kamen.«

Camille hält inne, als müsse sie ihre Wut hinunterschlucken. »Die Frau ist nicht zur Polizei gegangen, und sie hat es nicht ihren Eltern erzählt. Sie hat sich selbst die Schuld gegeben, weil sie sich betrunken und in diese verletzliche Lage gebracht hatte. Ich erklärte ihr, dass es nicht ihre Schuld war, doch sie war entschlossen, sich selbst zu bestrafen. Deshalb würde sie trinken, sagte sie. Um ihre Sinne abzustumpfen ... um nichts mehr zu spüren.«

»Warum erzählen Sie mir das?«

»Sie war nicht die Einzige.«

»Wie meinen Sie das?«

»Andere Frauen sind zu mir gekommen und haben ähnliche Geschichten erzählt – wie sie mit Alkohol abgefüllt und gezwungen worden waren, mit mehreren Männern Sex zu haben. Es war irgendein krankes Initiationsritual – nicht für die Mädchen, sondern für die Jungen.«

»Und Sie glauben, Saxon ...?«

»Ich erzähle Ihnen bloß, was ich weiß.«

Meine Gedanken springen zwischen wahllosen Fäden hin und her. Ich will sie bis zur Mitte des Netzes verfolgen, um die Spinne aufzuspüren.

»Hat die Frau Namen genannt?«

»Das darf ich Ihnen nicht sagen.«

»War Bernie Churcher einer von ihnen?«

»Wieso?«

»Richard Warnock ist Lkw-Fahrer, er macht Ferntransporte. Ein paar Jahre nach Saxons Tod hat er einen Anhalter mitgenommen, der sagte, er habe sie gekannt. Er hat sie ein

Flittchen genannt und behauptet, ein Haufen seiner Kumpel hätten mit ihr geschlafen.«

»Bernie Churcher ist tot.«

»Das war vor seinem Tod. Lebt eine von diesen Frauen heute noch in der Stadt?«

»Ich werde Ihnen keine Namen nennen.«

»Aber Sie könnten Kontakt mit ihnen aufnehmen. Sie fragen …«

»Was genau soll ich sie fragen?«

Darauf weiß ich keine Antwort, doch anscheinend starre ich Camille an, denn ihre Gesichtszüge werden hart. »Warum gucken Sie so?«

»Wie?«

»Als wollten Sie, dass ich die Wiederaufnahme eines Falles anstrebe, der tot, begraben und vergessen ist.«

»Ich habe ihn nicht vergessen. Und die Stadt auch nicht.«

»Ich ermittle nicht in Kriminalfällen. Das ist Aufgabe der Polizei, und die wird diesen Fall niemals wieder öffnen.«

»Was ist mit neuen Beweisen?«

»Sie haben bloß einen nicht unterschriebenen Brief.«

»Sie haben recht. Es ist eine dumme Idee. Ich bringe das Haus in Schuss und verschwinde aus der Stadt. Lasse all das hinter mir.«

Ich warte. Camille wartet. Die Luft zwischen uns steht. Ein aufgeladenes Schweigen.

»Himmel!«, murmelt sie kopfschüttelnd. »Ich wusste, dass Sie Ärger bedeuten.«

# 23

Der Herbst ging in den Winter über, und der brachte Regen. Die Weiden verfärbten sich grün, Stauseen füllten sich, und die Turbinen des Snowy Hydro Scheme rotierten. Saxon wohnte jetzt seit vier Monaten bei uns, doch es fühlte sich länger an, weil sie mit ihrer Energie, ihrer Musik und ihrem Lachen so viel Raum einnahm.

Sie neigte dazu, zu viele Intimitäten von sich preiszugeben, wann sie »die Maler im Keller« hatte oder Besuch von »Tante Rosa« bekam.

»Wer ist Tante Rosa?«, fragte Luke.

»Meine nervige Tante«, sagte sie.

»Wohnt sie bei uns?«

»Nur für eine Woche.«

Er sah sie verwirrt an. »Wo soll sie schlafen?«

»In meinem Bett.«

Später versuchte ich, ihm den Zusammenhang von Eisprung und Monatsblutung zu erklären. Luke wurde rot und hielt sich die Ohren zu.

In regelmäßigen Abständen kam Sergeant Warwick Aimes unangemeldet vorbei und erklärte, er wolle »nach dem Mädchen sehen«. Meistens tauchte er frühmorgens auf und hämmerte so heftig gegen die Haustür, dass sie in den Angeln klapperte.

»Wo ist sie?«, fragte er und drängte an mir vorbei in den Flur.

»Sie schläft.«

»Dann weck sie.«

»Haben Sie einen Durchsuchungsbeschluss?«

»Brauch ich nicht.«

Er stand vor ihrem Schlafzimmer und klopfte laut. »Bist du züchtig bekleidet?« Er wartete ihre Antwort nicht ab, sondern öffnete die Tür. Saxon war in ihre Bettdecke gewickelt.

»Aufstehen.«

»Wieso?«

»Wir müssen reden.«

»Erst wenn Sie das Zimmer verlassen.«

»Du bist nackt?«

»Das hätten Sie wohl gern.«

Ich führte Aimes in die Küche, wo er Schränke öffnete, den Inhalt des Kühlschranks begutachtete und mit einem Finger über die Tresen strich, als würde er erwägen, das Haus zu kaufen. Saxon erschien in Mums altem Bademantel.

»Geht es dir gut?«, fragte er.

»Bis Sie mich geweckt haben, schon.«

Er wies mit dem Daumen auf mich. »Hat er dich angerührt?«

»Nein.«

»Was ist mit dem anderen?«

»Luke? Nein.«

»Also, ich hab gesehen, wie er dich anguckt. Er ist nicht richtig im Kopf.«

»Er ist ein Schatz.«

Aimes grunzte und blickte zum Büfett, auf dem sich ein paar Lehrbücher stapelten.

»Wie läuft es in der Schule?«

»Gut.«

»Schließt du Freundschaften?«

»Ein paar.«

»Du musst nicht hierbleiben. Du hast ein wunderbares eigenes Zimmer in einem sehr viel schöneren Haus. Menschen, denen du am Herzen liegst. Eine Familie.«

»Dies ist meine Familie.«

Aimes schnaubte und ging zurück durch den Flur. Vor Saxons Zimmer blieb er stehen und zeigte auf die Tür.

»Die braucht ein Schloss.«

Ich hatte weniger Arbeit, weil das Gras bei kaltem Wetter nicht wuchs, doch ich beschäftigte mich damit, Kessel zu flicken, Rohre zu isolieren und Heizungen zu reparieren.

Saxon beantragte L-Nummernschilder, damit sie in Begleitung legal fahren lernen durfte, und ich begann, sie zu unterrichten. Doch sie brauchte keine Anleitung. Man stiehlt kein Auto und fährt damit von Sydney bis Yulara, ohne es einigermaßen zu beherrschen.

Sie organisierte sich einen Wochenendjob und arbeitete samstags in dem lokalen Autosalon von Devlin Fraser. Mr Fraser besaß eine ganze Reihe von Unternehmen sowie das schönste Haus in Yulara, auf einem Doppelgrundstück mit Blick über den Fluss.

Fraser hatte sein Vermögen gemacht, als die Stadtumgehung für den Highway gebaut wurde. Jahrzehntelang waren die Menschen davon ausgegangen, dass die Umgehung östlich der Stadt verlaufen würde, doch Devlin kaufte Land im Westen, dessen Wert sich verdreifachte, als die für die Planung zuständige Kommission von Bundesstaat und Bundesregierung schließlich die Streckenführung bekannt gab. Die Leute mutmaßten, dass Devlin über Insiderwissen verfügte, doch das waren Gerüchte, die nie bewiesen wurden.

Jetzt war er ein großes Tier in Yulara, Stadtrat und Vorsitzender der örtlichen Handelskammer, mit einem Verkäufer-

Lächeln und dem Händedruck eines Politikers. Seine Werbespots wurden jeden Abend im Fernsehen ausgestrahlt. In dem jüngsten trug er einen Safari-Anzug und einen Tropenhelm, hielt eine falsche Elefantenbüchse in der Hand und erklärte den Leuten, sie sollten in seinem »Jumbo-Verkaufsraum auf Schnäppchenjagd gehen«, und »wenn Sie keins finden, sind Sie zu dumm-bo zum Fahren«.

Ich lernte Mr Fraser kennen, als ich siebzehn war und mir im Sommer Geld damit verdiente, in der Stadt Rasen zu mähen. Eines Tages schob ich den Rasenmäher gerade nach Hause, als Fraser in einem glänzenden neuen Ford Fairlane LTD neben mir hielt. Die Fenster glitten elektrisch herunter.

Er war ein großer Mann mit einer eigenartig hohen Stimme und einem Kinn, das wie in Stein gehauen aussah. Er stützte den Ellbogen auf das offene Fenster. »Willst du noch einen Job?«

»Eigentlich nicht.«

»Nun, jetzt hast du einen. Weißt du, wo ich wohne?«

»Ja, Sir.«

»Mäh den Rasen vor und hinter dem Haus, aber behellige meine Frau nicht. Hast du verstanden?«

»Wie werde ich bezahlt?«

»Komm zu meinem Autosalon, aber halt dich vom Haus fern.«

»Ja, Sir.«

»Und auch von dem Schuppen hinterm Haus.«

»Okay.«

Ohne ein weiteres Wort fuhr er davon.

Am nächsten Nachmittag schob ich den Mäher zu dem Haus, durch das Tor und den Weg hinunter. Ich kontrollierte die Tankanzeige, zog behutsam den Choke und riss an dem Starterseil. Der Motor stotterte und erstarb wieder. Das Scheißding sprang jedes Mal schwer an.

Ich blickte zum Haus, einem Gebäude im Federation-Stil aus dunklem Backstein mit Rahmen aus weißen Backsteinen. Die umlaufenden Veranden hatten verschnörkelte Holzpfosten und Ziergiebel. Die Fenster waren aus Blei- oder Buntglas.

An einem der Fenster stand eine Frau und beobachtete mich. Als sich unsere Blicke trafen, verschwand sie so blitzartig, dass ich mich fragte, ob ich mir ihre Erscheinung eingebildet hatte. Ich wusste, wer sie war. Jenny Malouf war eine örtliche Schönheitskönigin, die beim Miss-Showgirl-Wettbewerb bei der Royal Agricultural Show in Sydney 1972 Zweite geworden war. Laut Keiran Pollard, einem lokalen Viehzüchter, der bei der Show die Auszeichnungen verlieh, hätte sie gewinnen müssen. Keiran hatte die Wertung verfolgt und meinte, das Mädchen, das Erste wurde, sei im falschen Pavillon gewesen. Dann muhte er.

Bei ihrer Heimkehr war Jenny eine lokale Berühmtheit. Drei Jahre später heiratete sie Devlin Fraser, den begehrenswertesten Junggesellen der Stadt, und verschwand danach beinahe sofort von der Bildfläche. Nun war sie Mitte dreißig, zweifache Mutter, und die Leute sahen sie nur gelegentlich im Supermarkt oder in einem schicken neuen Wagen, mit dem sie die Kinder von der Schule abholte.

Nachdem ich den Rasen vor dem Haus gemäht hatte, verteilte ich den Grasschnitt um die Rosenbüsche und schob den Mäher ums Haus in den Garten auf der Rückseite, wo es einen Swimmingpool und einen kleinen Spielplatz mit Rutsche, Wippe und einer Doppelschaukel gab.

Ich sah den Schuppen, den Mr Fraser erwähnt hatte. Er sah aus wie ein Bunker aus Formbetonsteinen, ohne Fenster, mit zwei Türen, beide von Vorhängeschlössern gesichert. Ein Eingang führte zu einer von hohen Hecken abgeschirmten

Nebenstraße. Die andere Tür führte in den Garten hinter dem Haus und war mit Bewegungsmeldern ausgestattet.

Einen Rasenmäher durch hohes Gras zu schieben, war eine Arbeit, bei der man ins Schwitzen kam und durstig wurde. Ich zog mein T-Shirt aus und wischte mir das Gesicht ab. An meiner Brust und meinen Unterarmen klebte Grasschnitt. Als ich den Fangkorb erneut leerte, blieb ich an einem Wasserhahn stehen, um etwas zu trinken. Die Fliegengittertür klapperte. Jenny Fraser trat aus dem Haus, in der Hand ein Glas kaltes Wasser.

»Du hättest an die Tür kommen sollen«, sagte sie.

»Mr Fraser hat gesagt, ich soll Sie nicht behelligen.«

Sie trug ein dünnes weißes Leinenkleid mit einem Saum und Ärmeln aus gestickter Spitze. Die Sonne in ihrem Rücken schuf einen goldenen Kranz um ihren Kopf und enthüllte die Umrisse ihres Körpers unter dem Kleid. Ich hielt die Luft an und wandte den Blick ab.

Ich gab ihr das Glas zurück. »Vielen Dank, Mrs Fraser.«

»Du kannst mich Jenny nennen. Wie heißt du?«

»Arlo.«

»Bist du schon bezahlt worden, Arlo?«

»Mr Fraser hat gesagt, er würde sich darum kümmern.«

»Nein. Lass mich das machen.«

Sie ging weg. Ich starrte ihr nach. Sie drehte sich um. »Kommst du?«

Ich wartete an der Hintertür.

»Du kannst ruhig reinkommen«, sagte sie.

»Ich bin voller Gras.«

»Das stört mich nicht.«

Ich betrat das Haus, verlegen, verschwitzt und mit nacktem Oberkörper. Die Klimaanlage ließ mich sofort frösteln.

Mrs Fraser kam mit einem Portemonnaie zurück. »Wie viel nimmst du?«

»Fünf Dollar.«

»Aber unser Garten ist so groß.«

Ich zuckte die Schultern.

»Ich gebe dir zehn«, sagte sie und durchsuchte stirnrunzelnd die Fächer der Börse. »Oh.«

»Stimmt irgendetwas nicht?«

»Nein. Warte hier.«

Wieder verschwand sie, und ich hörte, wie sie Schubladen und Schränke öffnete, bevor sie zurückkam.

»Tut mir schrecklich leid. Ich dachte, ich hätte noch genug, doch ich habe das Budget für diese Woche schon ausgegeben. Devlin gibt mir erst am Freitag wieder Geld.«

Ich sagte ihr, sie solle sich keine Sorgen machen, doch sie schien kurz davor, in Tränen auszubrechen. Ich wusste nicht, ob aus Traurigkeit oder aus Frustration.

»Mr Fraser wird mich morgen bezahlen«, sagte ich.

»Erzähl ihm nicht, dass wir uns begegnet sind.«

»Was?«

»Sag ihm nicht, dass du im Haus warst.«

Ich nickte und ging wieder nach draußen. Ich holte den Rasenmäher und schob ihn nach Hause. Am nächsten Tag ging ich bei dem Autosalon vorbei. Mr Fraser fragte, ob ich seine Frau behelligt hätte. Ich verneinte. Er sagte, ich solle für den Rest des Sommers alle zwei Wochen den Rasen mähen, mit denselben Anweisungen wie beim ersten Mal.

»Komm nicht in ihre Nähe. Verstanden?«

»Ja, Sir.«

Als die Weihnachtsferien begannen, wurde es schwieriger, Mrs Fraser aus dem Weg zu gehen. Die Kinder waren zu Hause und spielten häufig im Pool. Das kleine Mädchen war eine Miniaturausgabe ihrer Mutter mit espressofarbenen Augen und dichtem dunklem Haar. Der Junge sah mehr aus wie sein Vater, hatte jedoch einen puddingweichen Körper und einen Überbiss.

An einem Tag plantschten die Kinder im Pool, und Mrs Fraser lag auf einem Handtuch, als ich ankam. Sie richtete sich auf und bedeckte sich, als wäre sie nackt, dabei trug sie einen züchtigen Badeanzug und eine große Spiegelsonnenbrille. Ich entschuldigte mich und bot an, an einem anderen Tag wiederzukommen, doch sie wies mich an, zunächst den Rasen vor dem Haus zu mähen. Als ich fertig war, schob ich den Mäher ums Haus. Die Kinder waren immer noch im Pool, und Mrs Fraser saß am Rand und ließ am flachen Ende die Füße ins Becken baumeln.

Ich mähte den Rasen und strengte mich an, sie nicht anzusehen, doch mein Blick suchte sie immer wieder. Sie war auf eine Art schön, die einen vergessen ließ, was man sagen wollte oder warum man vor ihr stand und versuchte, sie nicht anzustarren.

Sie nahm eine Flasche mit Sonnenöl aus ihrer Tasche und begann, es langsam auf ihre Arme und Beine aufzutragen. Ihre Bewegungen flossen ineinander wie in einem grazilen Tanz, der choreografiert und von einer Generation Frauen an die nächste weitergegeben worden war.

Ich stellte den leeren Fangkorb ab.

Jenny lag auf dem Bauch und streifte die Träger ihres Badeanzugs von den Schultern, um Bräunungsstreifen zu vermeiden. Als sie sich hinlegte, sah ich kurz ihre Brust. Ich wandte rasch den Blick ab, beschämt und erregt.

»Ist alles in Ordnung?«, fragte sie.

»Ja.«

Ich beugte mich über den Rasenmäher, studierte die Tankanzeige und wünschte, meine Erektion würde verschwinden.

Als ich später mit dem Trimmen der Kanten fertig war,

brachte Jenny mir Limonade und schlug vor, dass ich mich im Pool abkühlte. Nachdem ich mit einem Schlauch den Grasschnitt abgespritzt hatte, hüpfte ich in meinen Shorts ins Wasser. Die Kinder sprangen auf mich, und wir spielten Marco Polo und andere Spiele. Irgendwann gesellte Jenny sich zu uns. Wir setzten jeweils ein Kind auf unsere Schultern und versuchten, das andere Team zu Fall zu bringen.

Ich ließ Jenny gewinnen, was den kleinen Jungen aufregte, der nicht gern verlor. Wütend zog er an meinen Haaren. Anstatt ihn abzuwerfen, kitzelte ich ihn, bis er pinkeln wollte.

»Was glaubst du, was du da machst?«, brüllte eine Stimme.

Devlin Fraser stand am Rand des Pools, sein Gesicht hatte die Farbe eines verbrannten Backsteins. Er befahl mir, das Becken zu verlassen. Ich schwamm zu der Leiter und stieg die Sprossen hinauf. Meine Shorts klebten an meinen Oberschenkeln.

»Ich habe ihm gesagt, er könne sich im Pool abkühlen«, sagte Jenny mit zitternder Stimme.

»Halt den Mund!«

»Er war mit dem Mähen fertig.«

»Ich habe gesagt, du sollst den Mund halten!«

»Sei nicht wütend.«

Er hob die Hand. Sie zog den Kopf ein.

»Geh rein und zieh dir verdammt noch mal was an.«

Die Kinder waren verstummt, doch das kleine Mädchen zitterte am ganzen Körper.

Ich nahm meine Schuhe und Socken, holte den Mäher und schob ihn über den Weg zur Straße. Mr Fraser folgte mir. Am Vordertor packte er mich von hinten, legte den Unterarm um meinen Hals und schnitt mir die Luft ab.

»Vögelst du meine Frau?«, fragte er mit einem tiefen, leisen Flüstern.

»Was?«, krächzte ich, ohne Luft zu bekommen.

»Du hast mich gehört.«

»Nein!«

»Wenn du hierherkommst, sprichst du nicht mit ihr, du siehst sie nicht an, du klopfst nicht an die Tür.«

»Ja.«

»Und wenn ich dich noch mal in meinem Swimmingpool erwische, lasse ich dich wegen unbefugten Betretens festnehmen.«

»Ich wollte nicht ...«

Er löste seinen Griff und stieß mich weg.

Ich kehrte zwei Wochen nicht zu dem Haus zurück. Ich wäre auch gar nicht wieder hingegangen, wenn Mr Fraser mir nicht über Mum eine Nachricht hätte zukommen lassen, dass der Rasen in seinem Garten gemäht werden müsse.

Jenny kam nicht nach draußen, während ich arbeitete. Sie brachte mir kein Glas Wasser oder Limonade. Als der Briefträger kam, brachte ich die Briefe zum Haus. Sie öffnete die Tür ein Stück weit, das Gesicht hinter einem Vorhang aus Haaren verborgen, trotzdem sah ich die Blutergüsse auf ihrer Wange, die sich von Violett zu Gelb verfärbten, sowie weitere Spuren an ihrem Hals.

Ich stieß die Tür auf, streckte die Hand aus und strich ihr Haar beiseite.

»War das meinetwegen?«

»Es war meine Schuld.«

»Wie?«

»Devlin mag es nicht, wenn ich mit Männern spreche.«

»Wieso nicht?«

»Er sagt, ich flirte mit ihnen.«

Sie sah mich hilflos an. »Früher war ich Mitglied im Tennisclub. Ich war vier Jahre in Folge Damenmeisterin. Aber ich habe aufgehört. Ich gehe mit den Kindern nicht mehr ins Schwimmbad oder zu Geburtstagsfeiern ihrer Schulfreunde oder zum Sonntagssport, wenn Devlin mich nicht begleitet. Ich erzähle dir das nur, weil ich will, dass du es verstehst.«

*Was soll ich verstehen*, dachte ich.

»Er klingt paranoid.«

»Er ist beschützend«, erwiderte sie und wandte mir im Profil ihre unversehrte Gesichtshälfte zu. »Wenn ich das Haus verlasse, muss ich erklären, wo ich gewesen bin. Selbst wenn ich nur die Kinder zur Schule gebracht oder Lebensmittel eingekauft habe, überprüft Devlin hinterher den Kilometerstand, um zu sehen, wie weit ich gefahren bin. Und er geht jeden Monat die Telefonrechnung durch. Wenn er eine Nummer nicht kennt, muss ich sie anrufen und ihm das Telefon geben. Meistens ist es ein Händler, Telefonwerbung oder jemand, der sich verwählt hat.«

»Das ist verrückt«, sagte ich, weil mir keine andere Antwort einfiel. »Wie oft schlägt er Sie?«

»Nur wenn er wütend ist.«

»Und wie oft ist das?«

Jenny schüttelte den Kopf und begann, Ausflüchte zu machen. »Er ist ein guter Vater. Die Kinder lieben ihn. Und hinterher tut es ihm immer leid.«

»Sie können nicht hierbleiben.«

»Wohin soll ich denn gehen?«

»Was ist mit Ihrer Mutter?«

»Sie glaubt mir nicht. Sie denkt, Devlin wäre ein Prinz und ich die glücklichste Frau der Welt.« Jenny sah mich flehend an. »Du darfst es keinem erzählen. Versprich es mir, Arlo. Kein Wort.«

Ich hielt mich an ihre Bitte und holte am nächsten Tag mein Geld im Autohaus ab. Ich mähte weiter den Rasen und sah

Jenny manchmal am Fenster stehen oder mit den Kindern spielen.

Das änderte sich eines Tages, als die Schule wieder angefangen hatte. Jenny kam aus dem Haus und bat mich, ihr dabei zu helfen, etwas Schweres anzuheben. Ich blickte an ihr vorbei zur Straße.

»Keine Sorge, Devlin ist in Canberra.«

Ich folgte ihr nach drinnen. Im Flur stand eine Leiter unter einer aufgeklappten Deckenluke. Sie gab mir Anweisungen, welchen Karton sie vom Speicher haben wollte.

»Da drin sind unsere Winterkleidung und die Schneesachen«, sagte sie und hielt die Leiter fest, als ich hinaufstieg. »Er müsste beschriftet sein.«

Aber ich konnte den Karton, den sie meinte, nicht finden.

»Lass mich mal nachsehen«, sagte sie.

Ich hielt die Leiter fest. Ihr geblümtes Sommerkleid streifte mein Knie, als sie hinaufstieg. Ich sah ihre Waden und ihre zarten Füße mit den lackierten Nägeln.

»Gefunden«, sagte sie und zerrte den Karton zu der Luke. »Aber du musst ihn tragen.«

Beim Heruntersteigen rutschte sie aus. Ich fing sie auf und hielt sie fest, die Arme um ihre Hüften. Ich ließ sie langsam herunter. Ihr Körper drückte sich gegen meinen. Ihr Gesicht. Ihr Unterleib. Die Zeit verlangsamte sich, und dann küssten wir uns. Sie öffnete ihren Mund. Ich öffnete meinen. Zungen berührten sich. Schmeckten. Saugten. Begehrten.

Wir stolperten rückwärts in ein Schlafzimmer und zerrten an unserer Kleidung. Jenny streifte das Kleid über ihren Kopf und stieß mich aufs Bett. Ich war schmutzig und verschwitzt, doch das störte sie offenbar nicht. Sie drehte sich auf die Knie und beobachtete uns im Spiegel des Kleiderschranks.

»Von hinten«, sagte sie. »Ich will sehen, wie du es machst.«

»Warum?«

»Weil du nicht er bist.«

Ich sah unser Spiegelbild und fand, dass es brutal aussah, doch sie drängte mich, weiterzumachen, und schien sich zu konzentrieren, schien etwas zu suchen, verzweifelt die Hand auszustrecken, nach einem Moment des Entkommens.

Hinterher sprachen wir nicht. Ich zog meine Shorts und mein T-Shirt an, nahm meinen Mäher und ging nach Hause. Es war nicht mein erstes Mal – ich hatte auf der Party zu Penny Henneys sechzehntem Geburtstag mit ihrer Schwester Judy geschlafen –, doch das hier fühlte sich anders an. Nicht falsch und auch nicht richtig. Ich war sicher, dass die Leute, denen ich auf der Straße begegnete, wussten, was ich getan hatte. Dass es mir ins Gesicht geschrieben stand oder an den Augen zu erkennen war. Ich hatte einem Mann Hörner aufgesetzt. Ich hatte eine Todsünde begangen. Auf mich wartete die Hölle.

Ich sagte mir, dass es nie wieder passieren würde. Und ich überlegte, ob ich es Pater Corday oder Pater Martell beichten sollte, als ich im Beichtstuhl kniete, doch schon damals begann ich an der Macht göttlicher Vergebung zu zweifeln.

Ich kehrte zu Jenny zurück. Wir machten es wieder und wieder, trafen uns, wenn Devlin Fraser nicht in der Stadt war oder eine Ratssitzung hatte, wenn die Kinder im Schulcamp oder zum Spielen verabredet waren oder bei Freunden übernachteten. Meine Angst vor Devlin Fraser reichte nicht an meine Teenager-Libido oder -Dummheit heran. Jenny riskierte sogar noch mehr, denn ich wusste, was Mr Fraser machen würde, wenn er ihren Betrug entdeckte.

Achtzehn Monate später ging ich zur Armee und sah Jenny fünf Jahre lang nicht wieder. Mittlerweile war ich in Schande heimgekehrt, wegen Fehlverhaltens unehrenhaft entlassen und vorbestraft. Ich fing wieder an, Rasen zu mähen und Gelegenheitsjobs zu erledigen. Ich schaltete eine Anzeige im *Yulara Advocate*, in der ich mich als Handwerker bezeichnete. Devlin Fraser meldete sich und sagte, er habe ein paar Jobs, die erledigt werden müssten. Ich traf ihn in seinem Autosalon, und er überreichte mir eine Liste.

»Meine Frau weiß, dass du kommst, aber rede nicht mit ihr.«

»Ja, Sir.«

»Mach deine Arbeit und verschwinde wieder. Keine Pausen. Kein Geplänkel.«

»Ja, Sir.«

Ich kam mit meiner Werkzeugkiste bei dem Haus an. Jenny öffnete vorsichtig die Tür und enthüllte einen Schwangerschaftsbauch, der ihr buntes Baumwollkleid wölbte.

»Wann ist es so weit?«, fragte ich.

»In zehn Wochen.«

»Ein Junge oder ein Mädchen?«

»Oh, das ist kein Baby. Es ist eine Wassermelone«, sagte sie lachend. »Ich hänge Wäsche auf. Du kannst mir helfen.«

Sie stand mit Wäscheklammern im Mund und gestreckten Armen unter der Wäscheleine. Ich reichte ihr die Wäschestücke an, damit sie sich nicht bücken musste.

»Ich hätte nicht gedacht, dass ich noch eins bekomme«, sagte sie. »Ich habe versucht, es zu verhindern, doch Devlin hatte einen anderen Plan. Mein Körper, seine Entscheidung.«

»Du siehst gut aus.«

»Ich sehe aus wie ein Wal.«

»Überhaupt nicht. Schwangersein steht dir.«

»Nun, sei vorsichtig, wenn du mit deiner neuen Freundin die Scheiben des Autos beschlagen lässt.«

»Woher weißt du, dass ich eine Freundin habe?«

»Du bist mit Helen Churcher zusammen.«

»Wer hat dir das erzählt?«

»Sie.«

Ich muss überrascht ausgesehen haben.

»Doc McCabe wird meine Wassermelone zur Welt bringen«, sagte Jenny. »Ich sehe Helen bei meinen regelmäßigen Kontrolluntersuchungen. Sie ist reizend.«

»Ja, das ist sie.«

»Aber tu mir einen Gefallen, Arlo. Binde dich nicht zu früh. Es gibt jede Menge Frauen, die dich ihr jederzeit wegschnappen würden. Die Armee hat dich noch attraktiver gemacht.«

Wir hängten das letzte Stück an die Leine, ich trug den Wäschekorb zurück in die Waschküche und begann, meine Pflichten abzuarbeiten. Ich musste Stecker neu verkabeln, eine defekte Steckdose austauschen, Türgriffe festschrauben und ein Regal aufhängen. Ein Job führte mich auch in den Bunker aus Formbetonsteinen hinter dem Haus. Als ich noch Rasen gemäht hatte, war er tabu gewesen, doch jetzt hatte ich Anweisung, ein »Rotlicht« zu wechseln. Ich wusste nicht, was das bedeutete, aber Devlin hatte mir eine Glühbirne mitgegeben.

»Das ist ein großes Privileg«, sagte Jenny. »Ich durfte den Schuppen noch nie betreten.«

»Was ist darin?«

»Eine Dunkelkammer. Devlin hält sich für einen Fotografen.«

Ich hatte im Haus Schwarz-Weiß-Fotos hängen sehen, vor allem Landschaften in den Snowy Mountains und Aufnahmen des Murrumbidgee, aber auch Porträts von Jenny und den Kindern.

Ich nahm mein Werkzeug mit zum Schuppen und löste das Vorhängeschloss und die Kette an der Tür. Der Schuppen bestand aus zwei Räumen. Einer war als eine Art Studio eingerichtet, mit Lampen, Spiegeln, verschiedenen Stoffbahnen und Vorhängen als austauschbarem Hintergrund. Es gab Kameras auf Stativen, verstellbare Ständer und Scheinwerfer, die auf die Mitte des Studios gerichtet waren, wo ein Sofa, ein Stuhl und ein Schaukelpferd standen. Zwei große, mit Vorhängeschlössern gesicherte Metalltruhen waren an die Wand geschoben.

Der zweite Raum war kleiner, mit einem Verdunklungsvorhang vor der inneren Tür. Es gab Arbeitsbänke und ein Waschbecken, und es roch stark nach Chemikalien. Auf den Bänken reihten sich Plastikschalen, quer durch den Raum war eine Wäscheleine mit kleinen Holzklammern gespannt. An der Leine hingen keine Fotos oder Negative, und nirgendwo lagen weggeworfene Abzüge oder Filmschnipsel herum.

Die Dunkelkammerleuchte hatte eine rote Birne und eine rote Abdeckung. Ich nahm sie ab und tauschte die Birne aus, doch die Lampe funktionierte nach wie vor nicht. Schließlich fand ich einen Fehler an dem Stecker, den ich behob, bevor ich zum Haus zurückkehrte.

Jenny hatte mir eine Tasse Tee gemacht. Sie atmete scharf ein und legte eine Hand auf ihren Schwangerschaftsbauch.

»Alles in Ordnung?«

»Gib mir deine Hand.«

Ich rührte mich nicht.

»Ich beiße nicht«, sagte sie.

Ich ließ sie meine Hand nehmen und vorsichtig auf die warme Wölbung ihres Bauches legen. Ich spürte die dünne Baumwolle ihres Kleides zwischen den Fingern. In ihrem Bauch unter dem Stoff trat das Baby.

»Hast du das gespürt?«, fragte sie.

»Bis in die Schulter«, rief ich.

»Tolle Wassermelone, was?« Sie hielt immer noch meine Hand.

Ich wollte sie wegziehen, weil ich fürchtete, einen Fleck zu hinterlassen, doch sie drückte sie fest auf ihren Bauch, bevor sie sie langsam höher schob und auf ihre Brüste presste.

»Ich habe dich vermisst, Arlo«, sagte sie mit belegter Stimme. Ich hielt es für Leidenschaft, bis eine Träne auf mein Handgelenk tropfte, und ich sah, dass sie weinte. Schluchzend und bebend klammerte sie sich an mich. Ich hielt sie fest und versuchte, ihre Traurigkeit aufzusaugen, bevor sie davon überwältigt wurde, doch Jenny war auf eine Weise unglücklich, die ich niemals würde in Ordnung bringen können.

Ich hörte einen Schrei. Ein Mädchen in Schuluniform stand in der Tür hinter uns. Sie stürzte sich auf mich und boxte mit ihren kleinen Fäusten gegen meinen Rücken.

Jenny versuchte dazwischenzugehen. »Lily. Lily. Es ist der Handwerker. Arlo. Erinnerst du dich nicht mehr? Er hat früher unseren Rasen gemäht.«

Lily war gewachsen. Sie war jetzt schätzungsweise zwölf oder dreizehn. Jenny umarmte ihre Tochter und hielt deren Arme fest.

»Er hat dir wehgetan«, sagte Lily.

»Nein.«

»Du hast geweint.«

»Ich war bloß aufgewühlt. Was machst du zu Hause? Du solltest in der Schule sein.«

»Ich habe meine Dings bekommen. Ich hatte kein …« Sie zögerte und zeigte auf einen kleinen dunklen Fleck auf der Rückseite ihres Rocks.

»Oh, du Ärmste«, sagte Jenny. »Das machen wir weg.«

Ich schlich mich durch den Flur, die Haustür und den Weg vor dem Haus davon. Manchmal sah ich Lily im Schwimmbad oder auf der Straße. Ich machte jedes Mal kehrt oder wechselte die Straßenseite, um ihr aus dem Weg zu gehen. Das Gleiche tat ich, als Devlin Fraser anrief und einen Kostenvoranschlag für die Reparatur des Daches in seinem Autosalon haben wollte.

Ich begegnete Lily noch einmal nach Lukes Verhaftung. Sie und ihr Bruder waren unter der Menschenmenge, die sich vor dem Gerichtsgebäude versammelt hatte, als er offiziell angeklagt wurde. Einige Leute brüllten Beschimpfungen und drängten gegen die Kette der Polizisten, die sie zurückhielten. Lily fiel mir auf, weil sie stehen blieb und die Hände auf mich richtete. Einen Moment lang dachte ich, sie würde winken, bis ich den ausgestreckten Mittelfinger und den Hass in ihrem Gesicht sah.

# 24

Ich habe den ganzen Tag in Eltham Court verbracht, einen morschen Zaunpfahl ersetzt und den Rasen gemäht. Am Nachmittag mache ich mit Mum einen Spaziergang durch den Garten. Sie ist auf einer Seite halb gelähmt, und ihr linker Arm schwingt nicht mit, wenn sie geht. Dadurch kommt sie immer wieder vom Weg ab, und man muss gegensteuern wie bei einem Einkaufswagen mit blockiertem Rad.

Sie fragt nach dem Haus, und ich erzähle ihr, dass sie es nicht wiedererkennen wird.

»Deswegen mache ich mir ja Sorgen«, sagt sie. »Dieser Tage fällt es mir schwer, mich an Dinge zu erinnern.«

Es ist ein Moment der Klarheit, der sich in meinem Herzen festhakt. Mum betrachtet ihre Hände. »Ich schaue in den Spiegel, und eine alte Frau starrt zurück.«

»Du bist nicht alt. Du kommst wieder in Mode«, sage ich.

»Mach dich nicht über mich lustig.«

»Tut mir leid.«

»Man denkt immer, dass es allmählich passiert, weißt du, aber dann wacht man eines Morgens auf und fragt sich, wo all die Jahre geblieben sind.«

»Das ist doch bestimmt besser als die Alternative.«

»Nicht, wenn der Verstand sich verabschiedet.«

In ihrem Zimmer legt sie sich aufs Bett, und ich breite eine Decke über ihre Beine. Das Zimmer ist klein und ordentlich, es gibt ein Fenster, einen Fernseher und eine Kommode mit Fotos von mir und Luke, aber keine aktuellen. Wie auch?

Eins der Bilder zeigt Bessie, unseren schwarzen Labrador, die sich an verbrannten Brötchen und weggeworfenem Teig aus der Bäckerei fett gefressen hatte. Einmal hatte sie die Nase so tief in eine Marmeladendose gesteckt, dass wir die Dose mit einer Blechschere aufschneiden mussten.

»Was ist mit Bessie passiert, Mum?«, frage ich, um sie zu testen.

»Ich habe Bessie gestillt«, sagt sie mit verklärtem Blick.

»Nein, nein, Mum, Bessie war ein Labrador. Du hast Luke und mich gestillt. Bessie war ein Hund.«

Plötzlich verpasst sie mir, erstaunlich schnell für eine alte Dame, einen Klaps hinter die Ohren. »Du hättest Bessie nie in den Karton sperren dürfen.«

»Am Ende ist sie ja zurückgekommen«, sage ich und reibe mir den Kopf.

»Nach drei Tagen.«

Mum spricht davon, wie ich Bessie einmal in einen Pappkarton mit Holzflügeln gesteckt und die Hintertreppe der Bäckerei hinuntergestoßen habe, die steil, wackelig und voller Splitter war. Ich hatte unterschätzt, wie viel Fahrt der Karton mit dem Hund auf dem Weg nach unten aufnehmen würde. Bessie schoss über den ersten Treppenabsatz und wurde mit jeder weiteren Stufe schneller. Auf halber Strecke steckte sie den Kopf aus dem Karton und sah aus wie ein irrer Jagdflieger aus dem Ersten Weltkrieg. Ihre Ohren flatterten wie die Klappen einer Fliegermütze.

Luke sollte sie auffangen, doch der Karton prallte frontal gegen seine Brust. Junge und Hund wurden rückwärts auf einen Haufen leerer Mehlsäcke geschleudert. Luke saugte atemlos Mehlwolken ein und sah sich vergeblich nach Bessie um, deren Winseln leiser wurde, während sie über den Weg hinter dem Haus davonpreschte.

Doc McCabes Sprechstundenhilfe Cindy Smith, eine Stabschrecke von einem Mädchen mit einer unnatürlichen Furcht vor sämtlichen Krankheiten, sah Bessie vor dem Fenster vorbeilaufen und kreischte.

Doc McCabe rannte herbei. »Was in Gottes Namen …?«

»Es war ein Panda«, sagte Cindy.

»Was?«

»Ein Panda. Wir sollten die Polizei rufen.«

Der Doc ignorierte sie und sagte, sie solle früher nach Hause gehen, eine Bex Powders nehmen und sich hinlegen. Cindy erzählte ihre Geschichte noch Jahre später, überzeugt von dem, was sie gesehen hatte.

Mums Diamantring liegt auf der Kommode. Inzwischen trägt sie ihn nur noch selten, und ich mache mir Sorgen, dass er gestohlen werden könnte.

»Soll ich für dich darauf aufpassen?«, frage ich.

Sie reißt mir den Ring aus der Hand, ballt die Faust und sieht mich argwöhnisch an.

»Diesen Ring hat dein Vater mir geschenkt«, sagt sie sanfter.

»Angus?«

»Nein. Dein Vater.«

Ich reiße die Augen auf und starre sie ungläubig an. Meine Mutter hat nie irgendeine Information über den Mann geteilt, den sie 1962 im Zug nach Sydney kennengelernt hat. Ich weiß weder seinen Namen noch sein Alter noch, womit er seinen Lebensunterhalt verdient hat. Das sind die fehlenden Seiten in meiner Geschichte – herausgerissen noch vor meiner Geburt.

Mums Blick hat sich verschleiert.

»Sehe ich ihm ähnlich?«, frage ich beiläufig.

»Ein wenig. Dein Haar und deine Augen.«

»Lebt er noch in Yulara?«

»Er hat lange dort gelebt.«

»War er verheiratet?«

»Nein.«

»Warum hast du ihn nicht geheiratet?«

»Wir konnten nicht.«

Ich wäge diese Information ab, als wäre es ein Rätsel oder ein Gesellschaftsspiel. Ein unverheirateter Mann schwängert eine Frau, kann sie jedoch nicht heiraten. Was könnte der Grund gewesen sein? Er war schon verlobt. Er war Ausländer. Er stammte aus der falschen gesellschaftlichen Schicht. Er hatte eine andere Religion. Er war krank oder verkrüppelt.

»War er ein Ausländer?«

»Er hat eine Zeit lang in Italien gelebt.«

Der Bäcker, Mr Bertoli, stammte aus Italien, doch er war erst nach meiner Geburt in die Stadt gekommen. Ich hatte ihn manchmal mit Pater Martell Italienisch sprechen hören, der in einem Priesterseminar in Rom studiert hatte.

Und dann geht es mir auf – ich habe meinen Heureka-Moment, die Erleuchtung, den Augenblick der Erkenntnis. Ich will den Gedanken verwerfen, doch dafür ist er zu plausibel. Meine Mutter hat im Zug nach Sydney einen Mann kennengelernt – einen Priester, der eine Zeit lang in Rom studiert hatte. Pater Martell muss damals Anfang vierzig gewesen sein. Mum war vierunddreißig. Eine gute Katholikin. Keusch. Fromm. Unverheiratet. Sie redeten. Sie spürten eine Nähe. Sie begingen eine Sünde. Das Ergebnis bin ich. Deswegen konnte sie ihn nicht heiraten; und deswegen sind sie einander in den folgenden Jahren so nahe geblieben. Sie kümmerte sich um das Pfarrhaus. Sie kochte ihm das Essen, wusch seine Kleidung und war verantwortlich für die Blumen in St. Patrick's.

Ich will den Namen des Priesters laut aussprechen. Ich will, dass Mum die Wahrheit bestätigt. Aber als ich zu ihr blicke, weint sie. Tränen kullern über ihre Wangen auf ein Taschentuch, das sie in ihren geballten Fäusten hält.

Ich schweige und lasse tausend Gedanken in meinem Kopf um Aufmerksamkeit ringen. Ich denke an all die Male, die ich den halb blinden Priester durch die Gemeinde kutschiert habe. An die Sünden, die ich ihm gebeichtet habe. Die Messen, die ich besucht habe. Er war bei meiner Taufe, meiner Erstkommunion und meiner Firmung zugegen. Jedes Mal, wenn er mich gesehen hat, hat er mir das Haar zerzaust, meine Wange gefasst und mir mit dem Daumen ein unsichtbares Kreuz auf die Stirn gemalt. Ersetzt ein Segen einen Vater?

Vielleicht sollte ich mich verletzt und verlassen fühlen, doch stattdessen empfinde ich ein seltsames Hochgefühl. Ich habe den alten Priester geliebt, und ich liebe meine Mutter, und ich habe Angus geliebt, mit all seinen Fehlern.

Um sechs bringe ich Mum in den Speiseraum und lasse sie mit drei anderen Mitbewohnerinnen sitzen, die alle so tun, als würden sie mich kennen. Vielleicht tun sie das ja wirklich. Ich entferne mich und beobachte meine Mum noch eine Weile. Eine weitere ältere Dame nimmt neben ihr Platz.

»Es ist bestimmt reizend, Besuch von seinem Sohn zu bekommen«, sagt sie.

Mum wirkt überrascht. »Das war mein Sohn?«

Seit Helen zum Essen bei mir war, habe ich nicht mehr mit ihr gesprochen. Seitdem habe ich versucht, zu verstehen, was passiert ist. Wir haben getanzt und uns geküsst. Wir hatten eine Meinungsverschiedenheit und haben uns gestritten. Gute und schlechte Erinnerungen. Ich möchte ihr näherkommen, doch ich habe auch die Freude daran entdeckt, mir ihren Körper vorzustellen, ohne ihn zu besitzen. Ich kann die Augen schließen und mir die glatten Kerben in ihren Schlüsselbeinen ausmalen, meine Hände auf ihrer Taille spüren, die Bewegungen ihrer Hüften und ihren weichen Atem.

Sie ist nicht in ihrem Büro in Eltham Court. Ich hinterlasse eine weitere Nachricht, in der ich sie bitte, mich anzurufen.

Auf dem Weg in die Stadt fällt mir in Höhe der Tankstelle ein rot-schwarzer VW-Käfer auf, der vor mir vom Highway abfährt. Helens Wagen. Wir sind in derselben Richtung unterwegs, und ich folge ihr, bis sie rechts abbiegt. Normalerweise würde ich geradeaus weiterfahren, doch ich bleibe hinter ihr, in der Hoffnung, kurz mit ihr zu sprechen.

Wir nähern uns der Yulara High School. Kurz vor Unterrichtsschluss. Ich bremse wegen der verkehrsberuhigten Zone vor der Schule. Am Tor stehen Mütter und warten, dass es schellt. Sie plaudern im Schatten der Ghost-Gum-Bäume, die den Eingang flankieren, während einige wenige Väter allein in ihrem Auto sitzen und, den Ellbogen auf das offene Fenster gestützt, rauchen oder Radio hören.

Helen parkt den Wagen, geht zu den anderen Müttern am Tor, begrüßt lächelnd ein paar Bekannte und plaudert. Ich bleibe ein Stück entfernt mit laufendem Motor stehen und beobachte sie.

Als Teenagerin hat Helen vor diesem Tor oft auf mich gewartet und ist mir nach Hause gefolgt wie eine adoptierte Streunerin. Wenn ich allein war, ging sie neben mir. Wenn ich in Begleitung von Freunden war, hielt sie Abstand. Meine Kumpel machten sich deshalb über mich lustig, doch ich erlaubte ihnen nicht, dass sie gemein zu ihr waren. Das hatte sie genauso wenig verdient wie Luke. Sie waren beide Außenseiter und gleichermaßen unschuldig.

Es klingelt. Flure füllen sich. Schüler strömen aus der Schule und begrüßen ihre Eltern mit einer Umarmung oder

High Five. Schultaschen werden in Autos geworfen, Sicherheitsgurte angelegt. Die Menge ist ausgedünnt, und Helen wartet immer noch. Jetzt sind nur noch einige Nachzügler übrig. Sie reckt den Hals und blickt zum Eingang. Schließlich kommt ein Junge heraus. Er trägt eine überdimensionierte Uniform, in die er noch hineinwachsen muss, hat schulterlanges Haar, feine Gesichtszüge und eine mürrische Miene.

Ich erkenne ihn von der Kirche wieder. Der tanzende Messdiener, Clem. Er lässt seine Schultasche fallen und geht direkt an Helen vorbei. Er behandelt sie wie eine Sherpani. Sie hebt die Tasche auf, folgt ihm, knufft ihn von Schulter zu Schulter, und er lehnt sich an sie. Ich wünschte, ich könnte hören, was sie reden.

Helen hat Eddie Whitely geheiratet, aber Kinder hat sie nie erwähnt. Andererseits habe ich auch nicht danach gefragt. Jetzt will ich den beiden nach Hause folgen, sehen, wo sie wohnen, und mehr erfahren.

Als sie losfahren, blicke ich in den Rückspiegel und sehe die flackernden Lichter eines Streifenwagens. Die Fahrertür wird geöffnet, und Detective Gavin Aimes kommt auf mich zu, die rechte Hand auf seinem Pistolenhalfter.

»Aussteigen.«

Ich gehorche.

»Hände auf das Fahrzeug.«

Er klopft meinen Körper ab.

»Habe ich etwas Verbotenes getan?«

»Du lungerst als verurteilter Sexualverbrecher vor einer Schule rum und beobachtest Kinder.«

»Ich bin kein Sexualverbrecher, und ich habe kein Interesse an Kindern.«

»Warum bist du hier?«

»Ich habe angehalten, um zu telefonieren.«

Ich zeige ihm mein Handy. Er nimmt es mir ab und versucht, den Bildschirm zu entsperren.

»Ich glaube, dafür braucht man einen Durchsuchungsbeschluss.«

Grunzend wirft er das Handy zurück in den Wagen.

Ich setze mich wieder hinters Steuer, lege den Sicherheitsgurt an und schaue in den Spiegel. Gavin steht immer noch neben dem Fenster. Ich lasse den Motor an, doch er erklärt mir, ich solle warten. Er geht zum Heck des Wagens, holt mit dem Stiefel aus und zertrümmert mein Rücklicht. Ich murmele einen Fluch und will mich beschweren, doch ich halte mich zurück. Das ist noch etwas, was ich im Gefängnis gelernt habe. Nichts sagen. Nichts sehen. Nichts hören. Ich war die drei weisen Affen in einem, und ich habe überlebt.

Gavin stellt einen Mängelbericht aus. Ich habe einundzwanzig Tage Zeit, den Schaden zu beheben und eine Strafe von vierzig Dollar zu zahlen, bei Unterlassung kann mir der Führerschein entzogen und der Wagen für fahruntüchtig erklärt werden.

»Einen schönen Tag noch«, sagt er und tippt an seinen nicht vorhandenen Hut.

# 25

Ein Kälteeinbruch. Bodenfrost. Holzrauch in der Luft. Jeder Atem eine Sprechblase.

Seit Saxon begonnen hatte, in der Messe Klavier zu spielen, war die Kirche voll, und die Leute kamen zum Teil sogar früher, um garantiert einen Sitzplatz zu ergattern. Andere wurden eher zufällig von St. Patrick's angezogen, weil sie sie üben hörten. Wenn sie ein Stück beendete, war ihr Publikum häufig unsicher, wie es reagieren sollte, bis sie sich umdrehte und sagte: »Was ist los mit euch? Das war genial«, und sie applaudierten.

Jede Messe war anders, weil Saxon mit eigenen Interpretationen bekannter Choräle aufwartete und sie aufpeppte, indem sie Akkordfolgen aus Popsongs wie »Faith« von George Michael oder »Never Gonna Give You Up« von Rick Astley einstreute. Pater Corday blickte zwar bisweilen missbilligend vom Altar hinüber, doch hinterher nahm er gerne das Lob der Gemeindemitglieder entgegen, die sich bei ihm dafür bedankten, dass er »ein so seltenes Talent entdeckt« hatte.

Das Leben ging im Tempo des Murrumbidgee weiter – träge, gewunden und uralt. Ein Betrunkener stürzte mit dem Wagen von der Sheehan Bridge. Die Yulara Eagles erreichten die Semifinals der Rugby League, schafften jedoch den Finaleinzug nicht. Im August war die Dürre endgültig überwunden, und die Stauseen waren gut gefüllt. Drei Fischer ertranken am Burrinjuck-Staudamm. In dem Buschland entlang der Hogarth's Road wurde eine Marihuana-Pflanzung entdeckt. Nach der Renovierung wurde das Yulara Theatre wiedereröffnet, und wir sahen *Stirb langsam*. Saxon befand, der Film sei »ein Haufen Scheiße«, wollte ihn aber unbedingt noch mal sehen.

Sie ging zur Schule, machte ihre Hausaufgaben und verabredete sich hin und wieder mit ihrer Mutter, jedoch immer auf neutralem Boden wie im Windmill Café oder in der Kirche.

An Wochenenden arbeitete sie weiter in dem Autosalon, wo sie Telefonanrufe beantwortete und den Kunden Erfrischungen servierte. Sie beschwerte sich, dass Devlin Fraser sie »auf den Strich« schicken würde, weil er sie aufforderte, kurze Röcke zu tragen und mit potenziellen Käufern zu flirten. Nur mit den Männern natürlich. Wenn sie in Begleitung ihrer Frauen kamen, war Saxon angewiesen, über »Mädchen-Themen« zu reden.

»Über Kleider, meinst du«, sagt Luke.

»Wie kommst du darauf?«, fragt Saxon.

Luke zeigte auf mich.

»Verlass dich in Sachen Frauen *niemals* auf den Rat von Arlo, hast du mich verstanden? Frag lieber mich.«

Im Gegensatz zu anderen Mädchen in ihrem Alter ging Saxon nicht auf Partys, traf sich nicht mit Freundinnen und hatte auch keine Dates, obwohl sie auf das Thema Sex und die Frage fixiert zu sein schien, welche Mädchen in ihrer Klasse »es machten« und welche logen.

»Woher weißt du, dass sie lügen?«, fragte ich sie.

»Die, die sagen, sie tun es, tun es nicht und umgekehrt.«

»Und der Grund dafür ist?«

»Das Patriarchat.«

Ich wartete auf mehr.

»Das ist die Last des Schicksals einer Frau. Männer wollen eine Lady auf der Straße und eine Wilde im Bett.«

»Wie kommst du auf so was?«

»Es ist wahr.«

Ich hatte keine Ahnung, ob Saxon sexuell aktiv war, doch sie konnte überzeugend darüber reden, während sie Sex gleichzeitig als »überbewertet« abtat, um anzudeuten, dass sie das längst ausprobiert, abgecheckt und abgehakt hatte. Ihre Haltung gegenüber Männern war ähnlich nebulös. Häufig kritisierte sie sie als faul, oberflächlich und sexistisch, dann wieder zeigte sie auf einen Typen im Fernsehen und sagte: »Den würd ich auch nicht von der Bettkante stoßen.«

Sie entwickelte eine perverse Faszination für mein Sexleben und fragte mich darüber aus, ob Helen und ich »Werke der Finsternis« begingen oder »das Tier mit den zwei Rücken machen« würden.

»Was für ein Tier?«

»Das ist von Shakespeare«, sagte sie. »Es bedeutet Sex haben.«

»Das hatte ich mir schon gedacht.«

Helen zeigte ihre Schönheit nicht offen, stellte, was sie zu bieten hatte, nicht ins Schaufenster wie Saxon. Sie schlüpfte leise in ein Zimmer, schloss die Tür hinter sich und hoffte, unbemerkt zu bleiben, während Saxon die Welt wie eine Bühne betrachtete und jeden Raum betrat und verließ, als würde sie Ovationen und Zugabe-Rufe erwarten.

Helen wohnte immer noch zu Hause bei ihrem Vater, der seinen Job bei der Stadt verloren hatte und sich mit einer Flasche Wodka nach der anderen zu Tode trank. Sie wollte nicht, dass ich sie bei sich zu Hause abholte, vielleicht aus Verlegenheit wegen ihrer Armut und ihrer Herkunft.

Bei unserem vierten Date lud ich sie ins Autokino in Wagga Wagga ein, wo wir *Dirty Dancing* schauten. Auf der Fahrt über rollende Hügel und durch violett blühende Felder von

Natternkopf fragte Helen mich, warum Saxon immer noch bei uns wohnte.

»Weil sie nicht nach Hause kann.«

»Warum nicht?«

»Sie hatte einen Streit mit ihrem Stiefvater.«

»Hat er sie geschlagen?«

»Ja.«

Nach dem Film fuhren wir zurück nach Yulara, und ich parkte bei dem Aussichtspunkt auf dem Mount Auspicious. Wir tanzten im Scheinwerferlicht des Sandman. Ich war ein hoffnungsloser Fall. Sie kicherte.

»Wirst du mich küssen?«

»Ich möchte schon.«

»Du musst nicht um Erlaubnis fragen.«

Ich küsste sie und hörte wieder auf.

»Was ist los?«, fragte sie.

»Es fühlt sich seltsam an.«

Sie hielt sich die Hand vor den Mund und ihre frisch gerichteten Zähne. »Hab ich irgendwas falsch gemacht?«

»Ich seh dich bloß immer noch als das Mädchen, das nicht untergehen wollte.«

»Ich bin kein Kind mehr.«

»Ich weiß.«

Wir tranken abwechselnd aus einer Flasche Wein, saßen auf einer Decke und betrachteten die Lichter der Stadt, die heller waren als die Sterne, aber nicht so hell wie der Mond.

»Warum hast du die Armee verlassen?«, fragte sie.

»Angus ist gestorben.«

»Das war früher. Du bist zu seiner Beerdigung zurückgekommen und dann wieder weggegangen.«

Ich überlegte, wie viel ich ihr erzählen sollte. Ich schämte mich nicht. Na ja, ein bisschen vielleicht.

»Ich bin von einem Militärgericht verurteilt worden«, sagte ich.

»Was hast du getan?«

»Ich habe einen halben Ziegelstein in eine Socke gesteckt und damit zwei schlafende Soldaten angegriffen.«

Selbst im Mondlicht sah ich den Schock in Helens Gesicht.

»Hattest du einen guten Grund?«

»Die Armee war anderer Ansicht.«

Sie wartete. »Du kannst mir nicht nur ein Drittel der Geschichte erzählen.«

»Woher weißt du, dass es ein Drittel ist?«

»Jede Geschichte hat einen Anfang, eine Mitte und ein Ende. Du hast mir nur das Ende der Geschichte erzählt.«

»Es gab eine junge Soldatin, die gerade ihren Abschluss an der Militärakademie gemacht hatte.«

»War sie deine Freundin?«

»Nein. Sie hieß Adeline, und sie stammte aus einer Militärfamilie, in der alle in der Armee gedient hatten, seit das erste Truppenschiff nach Gallipoli aufgebrochen war. Ich habe nie einen Menschen gekannt, der so stolz darauf war, die Uniform zu tragen wie sie. Es war ihr Traum. Wir waren in der Robertson-Kaserne in Darwin stationiert. Ich war verantwortlich für die Neuankömmlinge. Einige der Lieutenants und Unteroffiziere weigerten sich, Adeline ernst zu nehmen, und starteten einen Wettbewerb. Sie setzten Geld in einen Pott, der an den Mann gehen sollte, der es schaffte, sie ins Bett zu kriegen, doch dafür musste er einen Beweis präsentieren.«

Ich machte eine Pause und wollte nicht fortfahren, doch Helens Augen leuchteten im Mondlicht.

»Sie haben sie betrunken gemacht und halb nackt auf einem Bett fotografiert. Die Bilder wurden in der gesamten First Brigade herumgezeigt.«

»Das ist furchtbar.«

»Es wird noch schlimmer. Adeline beschwerte sich. Angeblich verfolgt die Armee eine Null-Toleranz-Politik gegenüber Mobbing und sexualisierter Gewalt, doch das sind nur Lippenbekenntnisse für die Politiker und die Medien. Die hohen Tiere wollten keine Ermittlung. Stattdessen beschuldigten sie Adeline, sich betrunken und gegen den Verhaltenskodex verstoßen zu haben. Wenn sie einen Tadel akzeptierte, würde sie nicht degradiert werden.«

»Hat sie akzeptiert?«

»Ja.«

»Was ist mit den Männern?«

»Sie wurden nie angeklagt oder disziplinarisch belangt.«

»Ich verstehe immer noch nicht, wie du in die Sache verwickelt wurdest.«

»Wie gesagt, ich mochte Adeline. Sie wollte ihrem Land dienen, doch das spielte keine Rolle, denn diese Fotos würden sie während ihrer gesamten Laufbahn überallhin verfolgen.«

»Du hast die Männer, die dafür verantwortlich waren, verprügelt.«

»Ich wollte sie töten, doch dann habe ich mich mit weniger zufriedengegeben.«

»Und du wurdest von einem Militärgericht verurteilt.«

»Ich war nie ein guter Soldat.«

Sie nahm einen Schluck aus der Weinflasche und wischte sich den Mund ab. »Küsst du mich noch mal?«

»Willst du das?«

»Ich will, dass du mich küsst, seit ich dreizehn war.«

Ich fasste ihr Gesicht mit beiden Händen und streifte mit meinen Lippen über ihre. Sie schloss die Augen, öffnete den Mund und ließ mich mit der Zunge ihre Zähne ertasten. Ich zog den Kopf zurück.

»Du darfst atmen.«

»Was?«

»Du hast die Luft angehalten.«

»Oh, richtig.«

Helen atmete aus, und wir küssten uns noch einmal, erkundeten den Mund des anderen, drückten sanfter und härter.

Sie kletterte auf meinen Schoß. »Du kannst mich haben, wenn du willst.«

»Vielleicht sollten wir es langsam angehen lassen.«

»Wann hast du das je getan?«

»Es ist bloß ...«

»Ich bin keine Jungfrau mehr, falls du dir deshalb Sorgen machst. Ich habe drei Jahre lang in Sydney gelebt, zusammen mit einer Truppe angehender Krankenschwestern. Sexuelle Enthaltsamkeit war nicht Teil der Ausbildung.«

»Verstehe.«

»Wir könnten es hier machen. Niemand wird uns sehen.«

»Lass uns noch warten.«

Helen hielt die Hand vor ihre perfekten Zähne. »Du findest mich immer noch hässlich.«

»Du warst nie hässlich.«

»Ach komm schon. Du hast mich damals nicht zweimal angesehen. Ich bin dir jahrelang hinterhergelaufen wie ein liebeskrankes Hündchen. Ich hätte alles für dich getan, aber du hattest jede Menge Freundinnen.«

»Wohl kaum *jede Menge.*«

»Ich kann dir ihre Namen nennen, wenn du möchtest.«

»Nein danke.«

»Wer war deine Erste?«

»Penny Henneys Schwester.«

»Die jüngere.«

»Nein, die ältere.«

»Judy! Aber sie war doch mindestens …«

»Einundzwanzig.«

Helen legte den Kopf an meine Brust und spielte mit meinen Hemdknöpfen.

»Wirst du mit mir schlafen?«

»Ich möchte, dass du dir sicher bist.«

»Ich war mir noch nie so sicher über irgendetwas. Ich habe angefangen, die Pille zu nehmen, aber für ein paar Wochen sollten wir noch Kondome benutzen. Ich habe ein paar aus Doc McCabes Vorratsraum gestohlen.«

Sie küsste mich noch einmal, und ich schmeckte Wein und spürte, wie ihre Hand auf der Vorderseite meiner Jeans nach unten wanderte. Sie hatte den Ort und die Zeit gewählt, und es war jetzt.

# 26

»Im Lagerraum habe ich diesen Karton gefunden«, sagt Camille und stellt ihn auf den Tisch. »Otto war schrecklich schludrig mit der Beschriftung von Sachen.«

Sie klappt den Karton auf, greift hinein und zieht ein Blatt heraus, auf dem der Inhalt aufgelistet ist.

»Wir haben eine Liste von Beweisstücken, aber keine Beweisstücke, eine Liste von Aussagen, aber keine Aussagen. Fotos vom Tatort. Einen Obduktionsbericht. Und eine Chronologie der Ereignisse, die wahrscheinlich Otto erstellt hat.«

»Wo ist der Rest?«

»Ich suche weiter.«

Ganz unten in dem Karton fällt mir ein Farbtupfer ins Auge. Ich ziehe ein Notizbuch mit gepolstertem Umschlag heraus. Ich erkenne den Einband – eine Collage von aus Zeitschriften ausgeschnittenen Fotos. Boybands. Kätzchen. Pferde. Ein Wasserfall. Ein Peace-Zeichen. Der Eiffelturm.

»Was ist das?«, fragt Camille.

»Saxons Tagebuch.«

»Das hätte an ihre Familie zurückgegeben werden müssen.«

Ich klappe es auf und lese eine handgeschriebene Warnung: *Jeder, der dieses Tagebuch ohne Erlaubnis liest, wird mit Genitalherpes, Lepra und ohrenbetäubenden Fürzen geschlagen werden.* In einer anderen Farbe hatte Saxon hinzugefügt: *Damit bist du gemeint, Callum.*

»Ziemlich drastisch«, sagt Camille, die über meine Schulter mitliest.

»Ich werde es riskieren.«

Ich blättere weiter und lese den ersten Eintrag, der das Datum 11. Mai 1987 trägt.

*Liebe Seele,*
*ich weiß nicht, ob das eine gute Idee ist – meine beschissenen Gedanken aufzuschreiben. Könnte sein, dass es ist, als würde man Glühwürmchen in ein Glas sperren. Vielleicht leuchten sie eine Weile, aber irgendwann hat man nur noch tote Insekten.*

*Meine Mutter ist endgültig verrückt geworden. Sie will Farmer Frank heiraten und uns nach Woop Woop (am Arsch der Welt) verpflanzen. Ich darf auf der Schule bleiben, doch ich werde eine Internatsschülerin zusammen mit all den Landeiern und Cowgirls. Lisa Dembicki sagt, sie sind alle lesbisch, Alyssa Marwood sagt, sie sind nymphoman, und Georgia Dobbs sagt, sie haben seltsame Initiationsriten, bei denen einem die Augenbrauen wegrasiert werden. Oder man muss rohe Eier trinken.*

*Das klingt immer noch besser, als mit Farmer Frank und seinem gruseligen Sohn Callum zu leben, der Mundgeruch hat und ein Serienwichser ist.*

Ich mache einen Sprung zum 27. September 1987, ein Jahr vor Saxons Tod.

*Liebe Seele,*
*es ist vollbracht. Farmer Frank hat eine Frau gefunden. Auf der Hochzeit waren mehr Schafe als Gäste, doch von beiden gab es reichlich. Es war heißer als im Hades, und es gab ein förmliches Dinner an langen Tischen unter Sonnensegeln in Booralong Station.*

*Lämmer wurden am Spieß gegrillt, was eigenartig war, weil die Mamaschafe von den Weiden aus zugesehen haben. Wie grausam ist das bitte? Ich bin jetzt offiziell Vegetarierin.*

*Mein Brautjungfernkleid war aus irgendeiner grässlichen Viskose-Seide-Mischung, die Schweiß aufsaugt, und ich hatte eklige Flecken unter den Achselhöhlen. Die Typen durften zum Essen natürlich ihr Jackett ausziehen, doch die Frauen mussten weiter schwitzen.*

*Ich musste mit meinem Stiefbruder tanzen, als die Braut und der Bräutigam ihren Hochzeitswalzer getanzt haben. Callum kriegte einen Steifen und presste sich die ganze Zeit an mich. Als Frank abklatschen wollte, habe ich ihm erklärt, mir wäre übel, und habe Würgegeräusche gemacht.*

Wieder springe ich vorwärts und lese einen Eintrag von Mitte Januar 1988.

*Liebe Seele,*
*zunächst will ich das Offensichtliche feststellen.*
** Ich hasse meine Mutter.*
** Ich hasse meinen Stiefbruder.*
** Aber am meisten hasse ich meinen Stiefvater.*

*Ich sollte mich schlecht fühlen, weil ich meine Mutter hasse, doch sie hat es verdient. Ich werfe ihr nicht vor, dass sie sich von meinem Dad hat scheiden lassen, aber musste es gleich so ein komplettes Arschloch sein, als sie wieder geheiratet hat?*

*Ich habe ihr erzählt, dass Callum meine Unterwäsche gestohlen hat und abends draußen vor meinem Fenster herumschleicht, doch sie hat mich beschuldigt, mir Geschichten auszudenken.*

*Das ist ein weiterer Grund, weshalb ich aufs Internat geschickt werde – aus den Augen, aus dem Sinn.*

*Ziele für den Rest des Sommers:*

*– mehr Salat essen*

*– Yoga machen*

*– einen Wochenendjob finden*

*– meine Jungfräulichkeit verlieren (diesmal richtig)*

Das letzte Ziel sollte mich überraschen, weil Saxon so viel über Sex geredet und so kühne Behauptungen aufgestellt hat, doch ich hatte immer den Verdacht, dass sie eine große Klappe hatte, mit nicht viel dahinter.

Ich überfliege weitere Seiten und entdecke einen Eintrag aus der Zeit, nachdem Saxon bei uns eingezogen war.

*Liebe Seele,*

*Freedom is just another word for nothing left to lose. (Wie Janis Joplin gesungen hat, als sie mit Bobby McGee nach New Orleans getrampt ist.)*

*Ich bin auch weggelaufen, doch ich habe mich weder dem Zirkus angeschlossen, noch spiele ich den Blues. Ich bin zu Hause ausgezogen, weil ich nicht Farmer Franks Sklavin, Dienerin oder Konkubine sein will. (Ich weiß nicht genau, was das Letzte ist, und sollte es wahrscheinlich besser nachschlagen.)*

*Jetzt lebe ich bei guten Menschen. Einer Familie. Mrs Hackett erinnert mich an Alice, die Haushälterin in* Drei Mädchen und drei Jungen, *und Luke ist groß und knuddelig wie Pu der Bär.*

*Ich glaube, ich bin in Arlo verliebt, doch er behandelt mich wie ein Kind. Es hilft auch nicht, dass ich einen Pickel auf der Stirn habe, der aussieht wie ein drittes Auge. Er sagt, ich kann so lange bleiben, wie ich will, doch ich habe Angst, dass Farmer Frank einen Weg finden wird, sie zu bestrafen.*

Das Tagebuch ist wie eine Zeitkapsel mit zwischen den Seiten aufbewahrten Erinnerungen – Kinokarten, Zeichnungen, Briefe. Eine Mitschülerin aus dem Internat hat ihr auf parfümiertem Papier geschrieben. Und eine Brieffreundin aus Amerika hat eine Postkarte von der Golden Gate Bridge geschickt. Zwischen zwei Stücken Seidenpapier ist ein vierblättriges Kleeblatt gepresst.

*Sonntag, 3. April 1988*

*Liebe Seele,*
*heute ist Ostersonntag, und ich bin vollgestopft mit Schokolade und Lammbraten und Wein-Trifle. (Mrs H hat so viel Alkohol in den Trifle getan, dass ich glaube, ich könnte beschwipst sein.)*

*Ich habe an den meisten Ostertagen in der Messe Klavier gespielt. Am Karfreitag ging es in allen Chorälen um Leiden, das Kreuz und das Opfer. Aber heute handelten sie von Christus, der gen Himmel gefahren ist und alle erlöst hat.*

*Es ist eine gute Übung für mich, vor Publikum zu spielen, aber während der Predigten wach zu bleiben, ist nervig, und die Priester müssen mir ein Zeichen geben, wann ich weiterspielen soll.*

*Am Dienstag fange ich in der Schule an. Ich bin nervös. Ich kenne niemanden auf der Yulara High. Sie werden ihre Cliquen und Freundeskreise haben, und ich bin die Neue. Ich werde mich wirklich anstrengen, freundlich zu sein, weniger sarkastisch. Ich kann eine verbesserte Version meiner selbst werden.*

*12. Juni 1988*

*Liebe Seele,*

*warum ziehe ich so viel Hass von anderen Menschen auf mich? Betsy Nagel ist meine Nemesis geworden. Das Problem begann in meiner ersten Woche auf der Yulara High, als ich den Fehler begangen habe, einer ihrer dummen Aussagen zu widersprechen. Ich hätte den Mund halten sollen, doch sie hat sich über Jodie Peterson lustig gemacht, weil die keinen Freund hat, und sie eine Lesbe genannt. Ich habe gesagt, dass nichts verkehrt daran ist, lesbisch zu sein, und dass sexuelle Orientierung biologisch begründet und keine Willensentscheidung ist. Und dass Leute, die sich über Schwule und Lesben beschweren, häufig einen inneren Konflikt austragen würden, weil sie sich insgeheim auch zum selben Geschlecht hingezogen fühlten.*

*»Willst du damit sagen, ich bin eine Lesbe?«, fragte Betsy.*

*»Du scheinst jedenfalls ziemlich fixiert auf das Thema.«*

*Betsy hätte mich geschlagen, wenn in diesem Moment nicht Mr Stephens ins Klassenzimmer zurückgekommen wäre.*

*Seitdem hat sie es zu ihrer Mission gemacht, die Leute gegen mich aufzuwiegeln. Sie hat das Gerücht verbreitet, ich wäre vom Internat geflogen, weil ich mit einem Lehrer geschlafen hätte. Wenn solche Geschichten erst einmal in der Welt sind, ist es zwecklos, sie abzustreiten. Stattdessen bediene ich mein berüchtigtes Image noch. Einmal ein Flittchen, immer ein Flittchen.*

*5. Juli 1988*

*Liebe Seele,*
*heute habe ich Chopins Fantaisie-Impromptu ohne einen einzigen Fehler geschafft. Mit der linken und der rechten Hand gleichzeitig jeweils einen anderen Rhythmus zu spielen, ist verdammt schwer, und ich habe so lange geübt, dass mir die Schultern wehtun und meine Finger taub sind.*

*Betsy war total gemein zu mir, seit ich auf die Schule gekommen bin, aber jetzt ist sie auf einmal nett. Sollte ich mir Sorgen machen? Sie hat mich zu der Party zu ihrem achtzehnten Geburtstag eingeladen, der erst im Oktober ist. Ich glaube, sie hat Angst, dass zu viele Jungen kommen und nicht genug Mädchen. Manche Eltern machen sich Sorgen, weil kein Erwachsener Aufsicht führt.*

*Ich habe noch nicht entschieden, ob ich hingehe, doch ich habe Angst, etwas zu verpassen. Wenn man so alt ist wie ich, ist diese Stadt echt langweilig, weil vieles von dem, was hier als Unterhaltung durchgeht, etwas mit dem Konsum von Alkohol zu tun hat. Ein paar Freundinnen haben gefälschte Ausweise oder lassen sich von ihren älteren Geschwistern Alkohol besorgen, aber ich schätze, ich kann noch bis Dezember warten. Wenn ich erst mal achtzehn bin, hält mich nichts mehr auf.*

Camille hat weiter in dem Karton gekramt. Jetzt unterbricht sie meine Lektüre. »Ich habe eine Liste von forensischen Proben gefunden, die ins Labor geschickt wurden.«

Ich überfliege die einzelne Seite, auf der Saxons Kleid, ihr Slip und Decken aus den Ställen sowie Körperflüssigkeiten erwähnt werden.

Camille scheint meine Gedanken zu lesen. »Auf DNA wird man es nicht getestet haben. Die Technologie stand damals noch nicht zur Verfügung. Das Beste, worauf man hoffen konnte, war eine Blutgruppe und Enzymmarker, aber das reicht nicht, um eine einzelne Person zu identifizieren.«

»Könnte man die Proben noch einmal analysieren?«

»Sie wurden wahrscheinlich zerstört.«

»Wieso?«

»Luke hat gestanden und ist vor Prozessbeginn gestorben. Es gab keinen Grund, die Beweisstücke aufzubewahren.«

Ich nehme den Obduktionsbericht.

29. Oktober 1988
Durchgeführt im Wagga Wagga Base Hospital
Leitender Gerichtsmediziner: Dr. R. Boyle
Name der Verstorbenen: Saxon Evelyn Winacott (vormals Tully)
Geburtsdatum: 14. Dezember 1970

Die vorläufige Leichenschau wurde durchgeführt am 29. Oktober 1988 um circa 16 Uhr im Schiff der katholischen St. Patrick's Church in Yulara.

Ich habe die Leiche einer normal entwickelten Person weiblichen Geschlechts untersucht, Größe 1,68 Meter, Gewicht 51 Kilogramm, mit ihrem bekannten Alter gemäß entwickelten Körpermerkmalen.

Ausgeprägte Totenflecke in den distalen Extremitäten. Augen offen. Iris graugrün. Hornhauttrübung. Mund leicht geöffnet, getrocknetes Blut auf der Unterlippe, ein abgebrochener Schneidezahn.

Das Opfer trug ein Korsettkleid aus grünem Seidentaft mit Faltenrock. An Schmuck trug sie zwei silberne Creolen von etwa zwei Zentimetern Durchmesser und ein silbernes Armband mit fünf Anhängern.

Unter den Fingernägeln und in der Mundhöhle wurden

Haut- und Speichelproben gesichert, an ihrem Haar und ihrer Kleidung Samenspuren. In ihren Ohren wurden Spuren von Flussschlamm und -schlick gefunden.

Die offizielle Obduktion fand am 30. Oktober um 11 Uhr im Wagga Wagga Base Hospital statt. Anwesend waren der Gerichtsmediziner Richard Boyle, assistiert von Dr. Peter Gibson.

Untersucht wurde eine gesund wirkende weiße Frau, die zahlreiche Abschürfungen und Blutergüsse an Wangen, Lippen, Nase, Hals, Armen und Knien aufwies. Sechzehn dieser Verletzungen wurden ante mortem zugefügt, darunter die Blutergüsse an Stirn, Nasenrücken, Wange, rechter Schläfe, rechter Kinnlade, linkem Handgelenk, Brüsten, linkem unteren Bein und rechtem Knie sowie die Abschürfungen an Kopfhaut, Vagina und dem unteren Oberschenkel.

Es gab Indizien für eine gewaltsame Penetration ihrer Genitalien. Ihr Hymen war eingerissen, und im Endozervikalkanal sowie auf dem Slip des Opfers fanden sich Spuren von Sperma.

Camille hat über meine Schulter mitgelesen. »Sie war Jungfrau.«

»Sie klingen überrascht.«

»Die Leute haben immer gesagt, sie sei …«

»Promiskuitiv? Saxon hat die Leute gern geschockt, doch ich hatte immer das Gefühl, sie würde übertreiben.«

Ich blättere zur letzten Seite und lese die Zusammenfassung.

Die subkonjunktivalen Einblutungen sowie die Petechien im Gesicht, die kleinen stecknadelkopfgroßen Blutansammlungen auf den Augenlidern, im Gesicht und am Hals sind alle Kennzeichen für einen Tod durch Ersticken. In Verbindung mit der bläulichen Verfärbung der Lippen des Opfers, den Verletzungen an den Nasenlöchern und der Quetschung am Hals komme ich zu dem Schluss, dass der Tod eintrat, als jemand von hinten einen Arm um ihren Hals gelegt und ihr mit der anderen Hand Mund und Nase zugehalten hat, wodurch sie erstickt ist.

Todesursache: Asphyxie

Todesart: Mord

Der Inhalt des Kartons ist jetzt auf Camilles Schreibtisch ausgebreitet, darunter ein Umschlag mit Polaroidfotos aller Zeugen, allerdings ohne die dazugehörigen Aussagen. Saxon war am Abend ihres Todes bei einer Party auf dem Yulara Showground. Sechzig Personen nahmen teil, überwiegend Mitschülerinnen und Mitschüler von Betsy und Jason Nagel.

Ich lege die Fotos nebeneinander auf den Boden. Viele der Teenager kenne ich mit Namen. Wenn ich ihre Aussagen finde, könnte ich Saxons letzte Stunden rekonstruieren. Ich weiß nicht, wozu das gut sein soll, aber vielleicht hilft es mir, zu verstehen, was passiert ist.

»Schauen Sie sich das mal an«, sagt Camille und hält ein Sparbuch der Commonwealth Bank hoch. Auf der ersten Seite steht Saxons Name, und es gibt Einträge über die Einzahlungen und Abhebungen. Der Saldo beträgt etwas mehr als neuntausend Dollar.

»Woher hatte sie so viel Geld?«, fragt Camille. »Hatte sie einen Job?«

»Teilzeit. Samstags. Aber da hat sie fünf Dollar die Stunde verdient.«

Bei den meisten Einzahlungen handelt es sich um kleinere Beträge – zehn oder zwanzig Dollar –, aber ab Juli 1988 gab es höhere Einzahlungen, manchmal Hunderte von Dollar auf einen Schlag. Besonders eine Einzahlung stellt alle anderen in den Schatten. Am 18. Oktober, zehn Tage vor Saxons Tod, wurden sechstausend Dollar eingezahlt.

»Vielleicht hat ihr Vater ihr das Geld gegeben«, sagt Camille.

»Er hatte ihr den Geldhahn zugedreht.«

»Was ist mit ihrer Mutter?«

»Saxon hätte es nicht angenommen.«

»Warten Sie«, sagt Camille. Sie öffnet die Schublade eines Aktenschrankes und fängt an, die Hängeakten durchzugehen. »Ich bin auf eine handschriftliche Notiz von Otto gestoßen. Jemand ist zu ihm gekommen und hat gesagt, er habe Saxon Geld geliehen und wolle es zurückhaben. Otto hat ihm erklärt, dass der gesamte Nachlass von Saxon an ihre nächsten Verwandten gehen würde.«

»An ihre Mutter?«

»Ja.«

Camille zieht einen Ordner heraus. Auf dem Etikett steht *St. Patrick's Church*.

»Otto hat sich um die juristischen Angelegenheiten der Gemeinde gekümmert«, erklärt sie. »Erbschaften, Mietsachen, Hypotheken auf Kirchenland.« Sie hält ein Blatt mit handschriftlichen Notizen hoch. »Pater Corday hat gesagt, er habe Saxon Geld geliehen. Er hat Otto gefragt, ob er es zurückbekommen könne.«

»Warum hat ein Priester ihr Geld geliehen?«

»Er hat gesagt, dass sie Probleme hatte, wollte jedoch keine Details nennen, weil er das Beichtgeheimnis nicht verletzen wollte.«

»Saxon hat etwas gebeichtet.«

»Das kann ich nur vermuten.«

»Otto hat nach irgendeinem Beleg für das Darlehen gefragt – einem Vertrag oder einem Schuldschein. Pater Corday hat gesagt, die Vereinbarung wäre per Handschlag geschlossen worden.«

Camille blickt auf. Ich bin schon an der Tür. »Wohin wollen Sie?«

»Ich gehe ihn fragen.«

# 27

Pater Corday sitzt im Schatten eines großen Walnussbaums im Garten des Pfarrhauses, seine Brille auf der Nasenspitze, einen Bleistiftstummel hinter ein Ohr geklemmt, die Galoppsportzeitung aufgeschlagen auf einem schmiedeeisernen Tisch neben einer Tasse Tee und zwei Keksen auf einem Teller. Schokokekse. Einer ist angebissen.

»Arlo, sind wir verabredet?«, fragt er und streicht Krümel von seinem Schoß.

Die Sonne steht in meinem Rücken. Er hebt eine Hand, um seine Augen abzuschirmen.

»Nein, Pater.«

Ich nehme ihm gegenüber Platz und blicke zu dem prachtvollen Pfarrhaus, das vor mehr als einem Jahrhundert erbaut wurde. Meine Mutter war fast dreißig Jahre lang die Haushälterin. Selbst in der Zeit, als sie als Hebamme gearbeitet hat, kam sie hierher und kochte für die Priester. Ich kenne die Räume gut – die hohen Decken, verzierten Kamine und hallenden Flure. Als ich klein war, habe ich mit Pater Martell Verstecken gespielt, obwohl der immer Ewigkeiten brauchte, um mich zu finden, und häufig in seinem Sessel sitzen blieb, die Zeitung las und versuchte, mein Versteck zu erraten. Er rief verschiedene Möglichkeiten und wartete auf meine Antwort. Schweigen bedeutete, dass er noch einmal raten musste.

Erinnerungen wie diese haben eine andere Färbung angenommen, seit ich von seiner Vaterschaft weiß. Jede Geste, jedes freundliche Wort und jeder Rat des Priesters bekommen zusätzliche Bedeutung. Was hätte ich getan, wenn ich es früher gewusst hätte? Was hätte sich geändert? Höchstwahrscheinlich gar nichts. Ich hätte Pater Martells Geheimnis bewahrt, doch ich hätte mehr Zeit mit ihm verbracht, genauer zugehört und mich an mehr erinnert. Er ist vor vier Jahren friedlich im Schlaf gestorben. Mom hat mir geschrieben und von seiner Beerdigung berichtet. Die St. Patrick's Church war bis auf den letzten Platz gefüllt, und der Erzbischof von Sydney leitete den Gottesdienst und weihte ein Grab auf dem Grundstück der Kirche.

Jetzt ist Pater Corday verantwortlich für die Gemeinde und lebt allein. Mal abgesehen vom Zölibat hat ein Priester wahrscheinlich ein gutes Leben. Regelmäßiges Einkommen. Lebensunterhalts- und Transportkosten gedeckt. Jahresurlaub. Exerzitien. Der Respekt und die Bewunderung der Gemeinschaft.

»Warum haben Sie Saxon Winacott Geld gegeben?«, frage ich.

Pater Corday gibt sich Mühe, keine Reaktion zu zeigen, doch ich bemerke ein Zittern seiner rechten Hand. Die Körpersprache von anderen zu lesen, ist eine Fähigkeit, die ich im Gefängnis erworben habe, weil sie meine Sicherheit garantierte. Es gab eine Hackordnung, und ich war der Niedrigste der Niedrigen – ein Sexualverbrecher, weil niemand kapierte, was Beihilfe *nach* der Tat bedeutet. Deshalb barg jede Essensschlange, jede Dusche und jeder unbegleitete Moment Gefahr.

Der Priester stellt seine Tasse ab und richtet sie mittig auf der Untertasse aus, spielt auf Zeit.

»Ich verstehe nicht«, sagt er und runzelt theatralisch die Stirn.

»Sie haben Geld auf ihr Sparbuch eingezahlt.«

»Wie kommst du darauf, dass ich ihr Geld gegeben habe?«

»Sie haben es zurückverlangt. Sie haben Otto erzählt, Saxon habe versprochen, es zurückzuzahlen.«

Pater Corday schürzt die Lippen und legt die Fingerspitzen zusammen, als wollte er ein Urteil fällen.

»Selbst wenn das, was du sagst, wahr ist, kann ich nicht über das Privatleben von Gemeindemitgliedern sprechen.«

»Saxon ist tot. Es gibt keinen Grund mehr, ihr Geheimnis zu wahren.«

»Ich darf keine Informationen preisgeben, die mir während der Beichte anvertraut wurden – nicht mal nach dem Tod der Beichtenden. Die Verletzung des Beichtgeheimnisses ist einer der gravierendsten Verstöße innerhalb der Kirche. Ich würde automatisch exkommuniziert werden.«

»Hat sie Sie erpresst?«

»Das ist eine hässliche Anschuldigung.«

»Haben Sie sie angefasst?«

Er seufzt. »Warum denken die Leute immer, dass jeder Priester pädophil ist?«

»Kirchliches Versagen. Zölibat. Vertuschungen. Schmiergelder. Suchen Sie sich was aus. Sie haben ihr Geld gegeben. Ich möchte wissen, warum.«

»Ich denke, du solltest gehen, Arlo.«

»Sie haben ihr eine Woche vor ihrem Tod sechstausend Dollar gegeben.«

Pater Corday wirkt ehrlich schockiert. »Das ist lächerlich! Woher sollte ich so viel Geld haben?«

Der Priester hat sich erhoben. Ich folge seinem Beispiel. Er ist fünf Zentimeter größer als ich, aber leicht gebeugt, sodass wir uns Auge in Auge gegenüberstehen.

»Ich werde herausfinden, was geschehen ist«, sage ich.

»Du weißt, was geschehen ist. Dein Bruder hat sie getötet. Er hat gestanden.«

»Nicht alles, was Menschen gestehen, ist die Wahrheit«, sage ich.

Der Priester verzieht das Gesicht, als hätte ich einen Nerv getroffen. Seine Stimme wird sanfter. »Lass es gut sein, Arlo. Das Mädchen hat genug Ärger gemacht.«

»Sie war das Opfer.«

»Und sie hat zahlreiche weitere geschaffen.«

Wütend fahre ich weg, ohne ein Ziel, der Geheimnisse, Codes und heiligen Pflichten überdrüssig. Seit wann ist Verlogenheit zur Schutzheiligen der Priesterschaft geworden? Ich gehe meinen Disput mit Pater Corday im Kopf noch einmal durch und streite am Ende mit Gott, dem ultimativen Manipulator.

# 28

»Erzähl mir was, was wahr ist«, sagte Saxon.

Wir fuhren im Sandman nach Canberra, die Fenster offen, ihr Haar windgepeitscht. Saxon hatte mich überredet, sie zu einem Klavierkonzert zu chauffieren: Anthony Matteucci spielte in der Australian National University School of Music.

»Er ist ein musikalisches Genie«, sagte sie und sah mich mit ihrem Welpenblick an. »Können wir bitte, bitte hinfahren? Ich zahl auch das Benzin. Wir können abwechselnd fahren.«

Natürlich sagte ich Ja, weil ich ohnehin leicht zu überreden bin und gern Zeit mit Saxon verbrachte.

»Erzähl mir was, was wahr ist«, rief sie noch einmal.

»Luke ist verliebt in dich.«

»Ja, aber bist du es auch?«

»Nein.«

»Bist du sicher?«

»Ich habe eine Freundin.«

»Eine verhuschte Sprechstundenhilfe in einer Arztpraxis.«

»Helen ist Krankenschwester, und sie ist nicht verhuscht.«

»Vögelst du sie?«

»Das werde ich nicht beantworten.«

»Ist sie deine Muse? Inspiriert sie dich? Befeuert sie dein Blut? Kriegst du einen Steifen, wenn du an sie denkst?«

»Darüber rede ich nicht mit dir.«

»Du könntest mich haben.«

»Du bist zu jung.«

»Ich werde im Dezember achtzehn.«

»Trotzdem zu jung. Es muss doch jede Menge Jungs geben, die du daten könntest.«

»Das ist ja das Problem – sie sind Jungs.«

»Irgendwann werden sie erwachsen.«

»Und Männer. Bah!«

»Ich bin ein Mann.«

»Ja, aber du hast schon ein bisschen was von einem Softie. Das ist nicht beleidigend gemeint. Es ist etwas Gutes.«

Sie legte ihre nackten Füße auf das Armaturenbrett. Ihre Fußnägel waren knallrot lackiert. Ihr Kleid war bis zu den Oberschenkeln hochgerutscht. Ich wollte den Saum wieder herunterziehen, doch dann hätte sie gewusst, dass es mir aufgefallen war.

»Ich möchte, dass mich alle lieben«, sagte sie.

»Ich weiß nicht, ob das möglich ist.«

»Wieso nicht?«

»Man kann es nicht immer allen recht machen.«

»Ich kann es versuchen. Ich werde eine berühmte Pianistin, die in Konzertsälen und Opernhäusern auf der ganzen Welt auftritt. Die Menschen werden mir stehende Ovationen und riesige Blumensträuße darbieten, Prinzen und reiche Männer werden um mich werben, und ich werde ihnen das Herz brechen.«

»Das klingt grausam.«

»Nicht mit Absicht. Ich kann nichts dafür, wenn die Menschen mich lieben.«

Ich lachte. Das tat ich oft in Saxons Gesellschaft. Einige der Sachen, die sie sagte, sollten mich schockieren, andere waren so fröhlich naiv, dass ich unwillkürlich lächeln musste.

Das Konzert erwies sich als Offenbarung. Ich wusste nichts über klassische Musik und hatte noch nie von Anthony Matteucci gehört, doch an jenem Nachmittag entdeckte ich, wie Raum und Zeit sich auflösen und einen in einer Welt zurücklassen können, die nur aus Klang besteht. Wie konnte Musik, die vor Hunderten von Jahren komponiert worden war, solche Gefühle hervorrufen? Wie konnte eine Melodie Leidenschaft und Sehnsucht entfachen und einen zu Tränen rühren? Als ich den Blick von der Bühne abwandte, sah ich, dass Saxon die Augen geschlossen hatte, die Finger bewegte und die Töne im Kopf mitspielte.

Hinterher gingen wir in ein Restaurant, und ich erlaubte ihr, ein Glas Wein zu trinken, aber nur das eine.

»Verstehst du es jetzt?«, fragte sie.

»Ich bin voller Ehrfurcht. Was muss man tun, um so zu spielen?«

»Üben, studieren und einen Platz an der School of Music ergattern.«

»Ist die teuer?«

»Es gibt Stipendien. Eins davon deckt sämtliche Kosten ab – Studiengebühren, Unterkunft, Verpflegung ...«

»Bist du so gut?«

»Ja.«

Auf dem Weg zum Auto kamen wir an einem Eissalon vorbei. Saxon brauchte Ewigkeiten, um sich für eine Sorte zu entscheiden, und wollte vorher alle probieren. Dann erwog sie die Vorzüge von Chocolate-Chip-Eiscreme gegenüber cremigem Schokoeis und ob Pfefferminzeis eine Abscheulichkeit oder eine legitime Konkurrenz war.

Wir fuhren im Dunkeln nach Hause. Nur ein Scheinwerfer funktionierte, weshalb mir ein Bußgeld drohte, falls die Polizei uns anhalten würde. Saxon hatte ein Mixtape mit klassischer Musik aufgenommen. Sie machte mich mit verschiedenen Komponisten bekannt und half mir, die einzelnen

Instrumente herauszuhören. Wer hätte gedacht, dass so viele TV- und Radio-Jingles eigentlich von Chopin, Mozart oder Beethoven waren?

Irgendwann hörte sie auf zu reden, und wir lauschten. Sie sagte etwas, das ich nicht verstand.

»Was hast du gesagt?«

»Wann hast du es zum ersten Mal gemacht?«, wiederholte sie lauter.

»Was?«

»Sex gehabt.«

»Auf der Geburtstagsparty einer Freundin.«

»Wie alt warst du?«

»Sechzehn.«

»Wie alt war sie?«

»Älter.«

»Wie alt?«

»Einundzwanzig.«

»Also, das ist gruselig. Hat sie dich verführt?«

»Ich würde lieber nicht darüber sprechen.«

»Eine schlechte Erfahrung?«

»Nein.«

»Hattest du eine Fehlzündung?«

»Was?«

»Hast du die Mayonnaise abgeschossen, abgespritzt, bist zu früh gekommen.«

»Herrgott! Nein! Und es geht dich nichts an.«

»Ach komm schon, ich will Einzelheiten hören. Ich erzähl dir auch von meinem ersten Mal.«

Die Vorstellung, dass Saxon es mit irgendjemandem gemacht hatte, war mir zuwider, doch ehe ich sie bremsen konnte, erzählte sie mir, wie sie auf einer Pyjamaparty mit ihren Freundinnen Wahrheit oder Pflicht gespielt hatte und drei Minuten knutschend mit ihrer Freundin Angelica in einem Schrank verbringen musste.

»Ich war schon in Mädchen und in Jungen verknallt«, sagte sie. »Ich glaube, ich bin pansexuell.«

»Pan was?«

»Ich fühle mich zu Menschen hingezogen, nicht zu ihrem Geschlecht.«

»Du meinst bisexuell?«

»Bisexualität bedeutet, sich für zwei oder mehr Geschlechter zu interessieren. Pansexualität bedeutet, sich zu einer Person hingezogen zu fühlen, unabhängig von ihrem Geschlecht.«

»Und das ist etwas anderes?«

»Unbedingt.«

Ich sah sie von der Seite an, unsicher, ob sie mich verarschen wollte oder ob sie es ernst meinte.

»Wer *bist* du?«, fragte ich, überwältigt von ihrem Selbstbewusstsein und ihrer Unverfrorenheit.

»Nur ein Mädchen.«

»Wo kommst du her?«

»Vielleicht hast du mich geträumt.«

# 29

Luke hatte Saxon weiter Blumen gekauft und sie zum Ausgehen eingeladen. Sie wies ihn immer sehr nett ab, behauptete, sie müsse ein Referat vorbereiten oder Klavier üben oder hätte andere Pläne. Anscheinend wollte Saxon mit niemandem zusammen sein, obwohl jede Menge Jungen interessiert waren. Einige blieben nach der Messe, sammelten Gesangbücher ein oder lungerten am Eingang herum in der Hoffnung, ihre Aufmerksamkeit auf sich zu ziehen. Andere brachten sie von der Schule nach Hause oder klopften an unsere Haustür und luden sie ins Kino oder zum Tanzen oder zu einem Grillfest ein.

Saxon wies sie alle ab.

»Das ist ein gutes Zeichen«, sagte Luke.

»Wie kommst du darauf?«, fragte ich.

»Ich bin der Erste in der Reihe.«

Vielleicht hätte Saxon es deutlicher machen können, doch ich glaube nicht, dass sie Luke etwas vorgemacht oder bei ihm falsche Hoffnungen geweckt hat. Sie behandelte ihn eher wie einen jüngeren Bruder und lehrte ihn, wie man sich in Gesellschaft von Frauen entspannte. Sie brachte ihm Tanzen bei – zumindest versuchte sie es –, beginnend mit dem Nutbush, einem Line Dance, den man zu Tina Turners »Nutbush City Limits« tanzte. Ich lachte Tränen, weil Luke kein Gefühl für Rhythmus und Timing hatte und immer einen Schritt hinterher war. Aber anstatt sich davon frustrieren zu lassen, strahlte er vor Freude und verbeugte sich hinterher vor ihr.

Als Nächstes versuchten sie einen Walzer. Saxon nahm seine rechte Hand und legte sie auf ihre Hüfte. Luke sah ängstlich aus.

»Entspann dich. Nimm meine Hand«, sagte sie. »Jetzt kommst du mit dem linken Fuß nach vorne, während ich rückwärtsgehe. Nicht nach unten gucken. Schau mich an. Kopf hoch. Rückwärts ... seitlich, vorwärts ...«

Er trat gegen ihr Schienbein und auf ihre Zehen. Saxon fing an zu lachen. Luke wurde nervös.

»Du kannst mich enger halten«, sagte sie und versuchte, ihn zu führen. »Aber nicht so fest. Du zerquetschst meine Hand.«

Luke wirkte verwirrt. Er machte einen Schritt zurück, ließ sie jedoch nicht los, sodass er ihr Handgelenk verdrehte. Saxon schrie vor Schmerz auf.

Luke war entsetzt. »Tut mir leid. Tut mir leid.«

»Schon okay. Es ist nicht deine Schuld«, sagte sie und rieb sich die Hand.

Luke rannte bestürzt aus dem Zimmer. Später ging ich zu ihm.

»Du warst zu grob«, erklärte ich. »Du musst eine Frau halten, als wäre sie aus Glas.«

»Gläser zerbreche ich«, sagte Luke in Erinnerung an das Gurkenglas.

»Okay, du musst eine Frau halten, als wäre sie eine Blume.«

»Wie eine Blume«, sagte er und wiederholte die Worte mehrmals.

Sosehr Luke unbedingt eine Freundin haben wollte, so wenig bemerkte er es, wenn Frauen sich für ihn interessierten. Hin und wieder warteten Mädchen nach der Messe auf ihn, normalerweise in Gruppen, neckten ihn, flirteten und zerzausten ihm das Haar. Wenn Saxon dachte, dass sie sich über Luke lustig machten, konnte sie sehr beschützend werden. Sie hakte sich bei ihm unter, wie um ihren Claim abzustecken, und machte den anderen wortlos klar, dass sie verschwinden sollten.

Eines Tages begegneten Luke und ich auf dem Heimweg einer Teenagerin, die ins Schwimmbad wollte. Sie trug abgeschnittene Jeans und ein offenes, über ihrem Bikinioberteil zusammengeknotetes Hemd.

Sie rief Lukes Namen und winkte. Er winkte verlegen zurück. Sie setzte ihren Sonnenhut und ihre Sonnenbrille ab.

»Kommst du mit schwimmen?«, fragte sie und straffte ihre Schultern.

»Nein«, sagte Luke.

»Es ist heiß heute.«

»Ich habe meine Badehose nicht dabei.«

»Aber du besitzt bestimmt eine. Ich warte auf dich.«

Luke wusste nicht, was er sagen sollte, und das Mädchen lachte, drehte sich um und ging mit schwingenden Hüften den Hügel hinunter.

»Wer war das?«, fragte ich.

»Ein Mädchen.«

»Das habe ich gesehen.«

»Sarah Bailey. Wir waren zusammen auf der Schule.«

»Sie hat mit dir geflirtet.«

»Woher weißt du das?«

»Das konnte man sehen. Du hättest mitgehen sollen.«

»Ich will nicht schwimmen gehen.«

»Ihr hättet zusammen abhängen können. Es wäre wie ein Date gewesen.«

»Ich hab schon ein Date.«

»Wer ist denn das glückliche Mädchen?«

»Saxon.«

»Sie hat gesagt, sie wäre zu beschäftigt.«

»Aber sie wird ja nicht *immer* beschäftigt sein.«

An dem Abend saß ich nach dem Essen mit Saxon auf der Verandaschaukel.

»Was wird aus Luke werden?«, fragte sie.

»Wie meinst du das?«

»Glaubst du, er wird jemals heiraten?«

»Ich weiß nicht. Vielleicht trifft er jemanden, der so ist wie er.«

»Wir müssen sie sorgfältig prüfen, okay? Sie darf nicht grausam sein. Ich werde nicht zulassen, dass ihm das Herz gebrochen wird.«

*Außer von dir*, wollte ich sagen, doch ich wusste, was sie meinte. Eines Tages würde Mum nicht mehr da sein, und wir wären nur noch zu zweit. Luke würde sich noch mehr auf mich verlassen, wenn er nicht eine Frau fand, mit der er sein Leben teilen konnte. Er würde ein treuer, ehrlicher, dankbarer und hart arbeitender Mann sein, denn so war er erzogen worden.

»Wirst du jemals heiraten?«, fragte Saxon.

»Vermutlich schon.«

»Aber nicht Helen.«

»Ich finde sie nett.«

Sie verzog das Gesicht. »Nett ist langweilig. Und ich glaube, es ist dumm, dass sich Menschen für ihr gesamtes Leben an eine Person binden. Wir sollten unsere Partner wechseln können, findest du nicht auch?«

»Wie Autos«, sagte ich. »Die Leute könnten Angebote in den Kleinanzeigen inserieren. Tausche alte Klapperkiste mit holperiger Federung und abgefahrenen Reifen gegen ein sportlicheres europäisches Modell mit Acht-Zylinder-Motor und Ledersitzen.«

»Ich meine es ernst.«

»Ich auch.«

Niemand konnte so vielsagend mit den Augen rollen wie Saxon.

Saxon hatte die ärgerliche Angewohnheit, jedes Mal ins Bad zu kommen, wenn ich vor einem Date mit Helen duschte. Häufig hörte ich nicht, wie die Tür geöffnet wurde, spürte jedoch den kühlen Luftzug.

Ich spähte durch die Falten des Duschvorhangs aus Plastik. »Verzeihung, aber würdest du bitte …«

»Was?«

»Mir ein wenig Privatsphäre gönnen.«

»Ich kann nichts sehen.«

»Du kannst nicht einfach so ins Badezimmer platzen. Was, wenn ich das bei dir machen würde?«

»Dann wärst du ein Perverser.«

Saxon setzte sich auf die Toilette, riss ein Blatt Klopapier ab und faltete es in immer kleinere Vierecke.

»Was willst du?«

»Wie viel sollte ich für ein Geschenk zum achtzehnten Geburtstag ausgeben? Ich meine, das Mädchen ist nett, aber ich kenne sie kaum. Sie ist in meinem Englischkurs. Sie ist eins von diesen Pferdemädchen, die an Wochenenden immer reiten gehen. Und sie feiert zusammen mit ihrem Bruder Jason, der ein echtes Arschloch ist. Muss ich ihm auch was schenken?«

»Was machen denn die anderen?«

»Ich weiß nicht.«

»Schenk ihnen beiden ein Album.«

»Das sind zwanzig Dollar. Ich bin kein Dukatenesel.«

»Wie wär's mit Büchern?«

»Das ist voll lahm.«

Die gesamte Unterhaltung wurde bei weiterlaufender Dusche geführt.

»Das ist nicht mein Problem, Saxon. Raus aus dem Bad.«

»Sei nicht so mürrisch.«

Mein Wasser wurde plötzlich kalt. Saxon hatte das warme Wasser am Waschbecken aufgedreht und laufen lassen.

»Sehr witzig«, rief ich.

»Ich liebe dich auch.«

Ich zog meine besten Jeans und ein Leinenhemd an, weil ich mit Helen ins Kino wollte. Als ich in die Küche kam, blickte Luke in den Kühlschrank.

»Was für eine Käsesorte mögen Mäuse?«

»Willst du Fallen stellen?«

»Nein.«

»Wieso fütterst du Mäuse?«

»Ich habe eine Familie entdeckt, die in einem Heuballen bei den Ställen lebt. Die Babys sind nur so groß.« Er zeigte auf seine Daumenspitze.

»Ich glaube nicht, dass Mr Pope möchte, dass du Mäuse fütterst.«

»Ich werde es ihm nicht erzählen – außer er fragt mich.«

»Mäuse sind schmutzig, verbreiten Krankheiten und beißen Kabel durch.«

»Aber es sind doch nur Babys.«

»Warte, bis die Babys kriegen.«

Doch er war entschlossen und hielt ein Stück Käse hoch.

»Herrgott – aber gib ihnen keine Namen.«

»Zu spät.«

Luke gab Sachen gerne Namen. Nicht nur Tieren. Auch seinen Murmeln, Schnürsenkeln, Steinen und Eidechsen im Garten. Wenn man ihn sich selbst überließ, fand er auch immer etwas zum Zählen – Streichhölzer, trockene Bohnen oder Münzen in dem Fluchglas. Als Angus noch lebte, war es immer voll gewesen, jetzt machte Saxon einen großen Teil der Ausfälle wett. Die Einnahmen wanderten jede Woche in die Kollekte bei der Messe.

»Damit kaufst du dir einen Weg in den Himmel«, erklärte Mum ihr.

»Warum sollte ich das tun? Alle coolen Leute sind hier unten.«

Ich traf mit einem Strauß Tulpen, den ich an der Tankstelle in der Elizabeth Street gekauft hatte, beim Haus der Churchers ein. Helen öffnete die Tür. Sie trug Ripped-Jeans und eine Bluse mit Rüschenkragen. Sie bat mich nicht hinein, doch ihr Vater tauchte hinter ihr auf.

»Wer ist denn da?«, lallte er.

»Hallo, Mr Churcher.«

»Bist du das, Arlo?«

»Ja, Sir.«

»Sie hat sich eine Stunde lang schön gemacht für dich.«

»Dad!«, schimpfte Helen.

»Du siehst wirklich hübsch aus«, erklärte ich ihr.

»Komm rein, komm rein«, sagte Mr Churcher.

»Wir müssen los. Sonst verpassen wir die Trailer«, sagte Helen.

Ich betrat das Haus und folgte ihm in ein Wohnzimmer, das vollgestellt war mit klobigen Möbeln und nach Zigaretten und Fürzen roch. Im Fernsehen lief *Sale of the Century*. Mit einem aufgemalten Lächeln stellte Tony Barber die Kandidaten vor.

»Willst du einen Drink?«, fragte Mr Churcher.

»Nein, Sir.«

»*Was für Tiere sind Wachteln?*«, fragte Tony Barber.

»Vögel«, antwortete Mr Churcher. »Bist du zu fein, um mit mir zu trinken, Junge?«

»Nein, Sir.«

»*Havanna ist die Hauptstadt von ...?*«

»Kuba«, sagte Mr Churcher.

Er goss Schnaps in ein Glas. Ich trank. Es brannte.

»*Wer hat die Oper* Der fliegende Holländer *geschrieben?*«

»Wagner.«

Er wollte mir nachgießen. Ich hielt mein Glas zu. Er bestand darauf. Ich zog meine Hand weg. Er goss mir noch einen Shot ein.

»*Wer war der zweite Präsident der USA?*«

»John Adams?«

Helen stand mit entsetzter Miene in der Tür. »Wir verpassen den Anfang des Films.«

»Was wollt ihr euch denn ansehen?«, fragte ihr Vater.

»Der Film heißt *Big*. Es geht um einen kleinen Jungen, der durch Magie zum Erwachsenen wird«, sagte ich.

»Daran ist überhaupt nichts Magisches. Alle Jungen werden erwachsen, und dann können sie ihren Schwanz nicht in der Hose lassen. Wirst du deinen Schwanz in der Hose lassen, Arlo?«

»Ja, Sir.«

Helen war den Tränen nahe. »Bitte, Daddy.«

Er sah sie einen Moment lang an und zuckte dann mit den Schultern.

»*Ist das Seeschwein ein Fisch oder ein Säugetier?*«

»Ein beschissenes Säugetier«, knurrte er.

Da waren wir schon aus der Tür und auf dem Weg zum Sandman. Wir fuhren nicht ins Kino. Helen weinte im Auto, ihr Make-up verschmierte, und sie wollte so nicht in der Öffentlichkeit gesehen werden. Wir kauften eine Pizza und ein Sixpack Bier und breiteten unter der Eisenbahnbrücke am Fluss die Picknickdecke aus.

Später küssten wir uns, legten unsere Kleider ab, und Helen spreizte die Beine.

»Es ist jetzt sicher«, sagte sie. »Du musst kein Kondom mehr benutzen.«

Ich wusste, dass sie mich liebte, und ich dachte, dass ich sie vielleicht auf dieselbe Art liebte, doch ich war mir nicht sicher. Die Leute sagen immer, man weiß, wenn es passiert, aber sich zu verlieben, geschieht so unbewusst. Und verliebt zu sein, ist etwas anderes, als einen Menschen zu lieben.

Hinterher lag sie in meinen Armen und fragte: »Bist du jetzt mein Freund?«

»Glaub schon.«

»Darf ich es anderen Leuten erzählen?«

»Natürlich.«

Und im Mondlicht sah ich das winzige Lächeln, das ihre Lippen umspielte, bevor sie mich wieder küsste.

# 30

Ich habe Saxons Tagebuch unter ein Kissen in ihrem alten Zimmer geschoben. Ich möchte es vor neugierigen Blicken verbergen und an einem Ort aufbewahren, den sie selbst ausgesucht haben könnte. Ich habe keine weiteren Einträge gelesen, weil es sich anfühlt, als würde ich ihr Vertrauen missbrauchen.

Das Tagebuch war ein Teil von ihr. Es ist, als würden jeder Rechtschreibfehler, jedes durchgestrichene Wort, jede gequälte Metapher und jede hochtrabende Yoda-artige Weisheit ihre Stimme einfangen und sie näherbringen. So sehr, dass ich versucht bin, die Nase zwischen die Seiten zu stecken, um ihren Duft einzuatmen, was jedoch eher eine Form von Masochismus als eine Suche nach der Wahrheit wäre.

Ich nehme das Tagebuch, klappe es wieder auf, wohl wissend, dass jeder Eintrag mich näher zu dem letzten bringt.

*30. Juni 1988*

*Liebe Seele,*
*mein Fluchtfonds wächst. Ich habe jetzt 1428 Dollar. Das wird nicht reichen, nicht ohne ein Stipendium. Arlo sagt, ich sollte noch ein Jahr warten, doch er weiß nicht, wie es ist. Diese Stadt erstickt mich, und Farmer Frank wartet nur darauf, dass ich nach Hause zurückgekrochen komme.*

*Ich suche nach neuen Möglichkeiten, Geld zu verdienen. Ich könnte Mr Fraser nach mehr Schichten in dem Auto-*

*salon fragen, doch ich hasse die vulgären Witze und den Sexismus, den ich dort ertragen muss. Heute hat mich einer der Verkäufer gefragt, warum es keine schwangere Barbie gibt? Ich hab ihn ausdruckslos angesehen, und er hat gesagt: »Weil Ken in einer anderen Dose kommt.«*

*Ich wusste nicht, dass Dose ein Slangwort für Vagina ist, und darüber lachte er noch mehr.*

*Mr Fraser ist beinahe genauso schlimm. Er sagt, ich soll kürzere Röcke tragen und mehr Zeit mit den Kunden verbringen.*

*Er sagt Sachen wie »Der Kunde hat immer recht«, findet jedoch trotzdem immer Wege, die Leute abzuzocken. Wenn jemand in den Salon kommt und wissen möchte, für wie viel sein alter Wagen beim Kauf eines neuen in Zahlung genommen wird, erklärt er, dass das Auto alle möglichen Mängel habe, aber ein paar Tage später steht dasselbe Fahrzeug gewachst und poliert auf dem Hof und verkauft sich zu einem Spitzenpreis.*

*1. Juli 1988*

*Liebe Seele,*
*neuer Monat, neues Glück. Und ich habe eine neue Wunschliste.*

1. *Ich kriege keine Monatsblutung mehr.*
2. *Ich besitze mehr Kleider.*
3. *Ich kriege keine Pickel.*
4. *Andrew Ridgley ist mein Nachbar.*
5. *Die Menschen verurteilen mich nicht.*
6. *Yulara hat ein Nachtleben.*
7. *Alles, was ich anziehe, sieht gut aus.*
8. *Wham! kommen wieder zusammen und touren durch Australien.*

*9. An meinen Beinen und Unterarmen wachsen keine Haare.*
*10. Ich bekomme ein Musik-Stipendium. (P.S. Das sollte Punkt eins sein.)*

*5. Juli 1988*

*Liebe Seele,*
*heute hat Mr Fraser mich in sein Büro gebeten, weil er wollte, dass ich den Kühlschrank mit Wasser und anderen nichtalkoholischen Getränken auffülle. Er hat mir eine Menge Fragen darüber gestellt, ob ich einen Freund habe, und gesagt, ich sei hübsch genug, um ein Model zu sein.*

*Was ist das bloß mit verheirateten Männern? Er hat eine Frau und zwei Kinder, doch das hält ihn nicht davon ab, herumzustreunen. Jede Woche kommt eine Frau in den Salon und möchte eine Probefahrt mit einem der Wagen machen. Mr Fraser besteht jedes Mal darauf, sie persönlich zu begleiten, und sie sind eine Stunde weg. Hinterher wird der Wagen jedes Mal gereinigt, bevor er wieder auf den Hof gestellt wird.*

*12. Juli 1988*

*Liebe Seele,*
*Mr Fraser hat heute im Haus angerufen und mich gefragt, ob ich am Freitag für ihn babysitten könnte. Er hat einen Sohn und eine Tochter und wohnt nicht weit entfernt.*

*Ich habe irgendwo gelesen, dass 30 Prozent der Kinder superfeine Geschmacksnerven haben und deswegen bei Speisen extrem pingelig sind. Das erklärt aber nicht, warum sie sich in der Nase bohren. Ich werde diesen Fakt an Arlo testen, wenn ich ihm das nächste Mal etwas erzählen soll, was wahr ist.*

*16. Juli 1988*

*Liebe Seele,*
*gestern Abend war ich bei den Frasers babysitten. Sie sind zu einem Galadinner gegangen, wo Mr Fraser einen Preis für das Verkaufen von Autos und das Abzocken von Kunden bekommen hat. Seine Kinder sind alt genug, um auf sich selbst aufzupassen, fünfzehn und dreizehn. Das Mädchen sieht aus wie ihre Mum und der Junge wie sein Dad. Ich weiß, wer den besseren Deal gemacht hat.*

*Mrs Fraser bekommt noch ein Baby und ist kurz davor, zu werfen, doch sie sah fantastisch aus in ihrem Schwangerschaftsabendkleid. Ich musste ein Foto von den beiden machen, bevor sie gefahren sind. Mr Fraser kniff seine Frau in den Arm, als sie nicht in die Kamera lächelte. Sie sah mich mit einem dieser Pan-Am-Lächeln an, bei dem sich die Lippen bewegen, während die Augen ausdruckslos sind.*

*Mr Fraser meinte, ich solle über Nacht bleiben, weil sie erst spät nach Hause kommen würden, doch die Vorstellung, in ihrem Haus zu übernachten, war mir unangenehm. Dann bestand er darauf, mich nach Hause zu fahren, weil es schon nach Mitternacht war. Als er vor dem Haus hielt, ließ die Wagentür sich nicht öffnen.*

*»Kindersicherung«, sagte er und schaltete den Motor aus. Ich dachte, er würde versuchen, mich zu küssen, doch er sagte, er hätte einen geschäftlichen Vorschlag für mich. In dem Autosalon soll ein Werbespot gedreht werden, und ich könne »das Gesicht« der Kampagne sein.*

*»Du bekommst natürlich ein Honorar.«*

*»Wie viel?«*

*»Das ist Verhandlungssache, aber die Agentur möchte Testaufnahmen sehen. Fotos von dir.«*

*»Was für Fotos?«*

*»Porträtaufnahmen. Ich könnte sie in meinem Studio machen.«*

*Ich weiß nicht, ob ich ihm traue. Ich werde Betsy Nagel bitten, mich zu begleiten.*

Ich blättere die Seite um und erwarte mehr, doch der Eintrag endet abrupt. Der Buchrücken des Tagebuchs hat einen ausgefransten Rand. Seiten sind herausgerissen worden. Der nächste Tagebucheintrag stammt von Mitte August, und Saxon schreibt über die Schule und ihren Lernplan. Anfang November sollten ihre Abschlussprüfungen beginnen.

Vier Wochen fehlen. Wie viele Einträge? Saxon hat nicht täglich in ihr Tagebuch geschrieben, aber normalerweise drei- bis viermal die Woche. Ich versuche, mich zu erinnern, was in der Zeit passiert ist. Ich weiß noch, dass sie als Babysitterin für die Frasers gearbeitet hat, doch den Werbespot oder ein Fotoshooting hat sie nicht erwähnt. In der Zeit hat sie auch ihren Job in dem Autosalon aufgegeben. Ich war überrascht, denn ich wusste, dass sie Geld sparte. Als ich sie nach dem Grund fragte, sagte sie, sie wolle mehr Zeit zum Lernen und Klavierüben haben.

In meiner Tasche vibriert es. Ich finde das Handy, drücke auf Annehmen.

Helens Stimme: »Ich bin vor der Tür. Wir müssen los.«

»Wohin?«

»Man hat eine öffentliche Versammlung über dich einberufen.«

»Wer?«

»Die Stadt. Du solltest dort sein, um dich zu verteidigen.«

Sie klopft an die Tür. Ich mache auf, das Telefon noch in der Hand. Helen kommt gar nicht erst rein. »Los.«

»Ich glaube nicht, dass ich dort hingehen sollte.«

»Sie wollen dich zwingen, die Stadt zu verlassen.«

»Das können sie nicht machen.«

»Devlin Fraser ist der Bürgermeister. Er kann den Rat dazu bringen, das Haus zu beschlagnahmen oder eine Zwangsversteigerung anzuordnen.«

»Dann klage ich dagegen.«

»Du hast kein Geld.«

»Wenn ich bei der Versammlung auftauche, mache ich es nur noch schlimmer.«

»Das weißt du nicht. Du könntest dich erklären. Du könntest sagen, dass es dir leidtut, und um eine zweite Chance bitten.«

»Diese Leute sind wütend und verängstigt. Daran kann ich nichts ändern.«

»Nicht, wenn du es nicht versuchst.«

»Sie werden mir nicht zuhören.«

»Dafür sorge ich schon.«

# 31

Alle Parkplätze um die St. John's Church Hall sind besetzt, und die Tore sind geöffnet worden, damit Autofahrer auch auf dem taufeuchten Rasen parken können. Die Halle ist hell erleuchtet, sodass sich vor den Fenstern ein Schattenspiel darbietet.

Die Leute stehen an den Wänden und im Rückraum der Halle, weil alle Plätze belegt sind. Am Eingang zögere ich und bleibe zurück, während Helen weitergeht und einen Sitzplatz sucht. Schließlich schlüpfe auch ich in die Halle, stelle mich an die Rückwand und ziehe meine Baseballkappe tief ins Gesicht.

Devlin Fraser beherrscht die Bühne. Er läuft auf und ab, älter und schwerer, als ich ihn in Erinnerung habe. Sein Kinn hat einen Zwilling bekommen, und seine Augenbrauen wiegen sich hin und her wie Backgroundsängerinnen.

»Ich habe Sie heute hierhergebeten, weil ich die Stimme dieser Gemeinde hören will«, sagt er. »Als Bewohner haben Sie alle ein Mitspracherecht darüber, wer in Yulara lebt. Viele von Ihnen werden sich an die Ermordung von Saxon Winacott erinnern – eine Tragödie, die ihrer liebenden Familie eine Tochter genommen und dieser Stadt die Unschuld geraubt hat.«

Ich erkenne den Fotografen, der Bilder von dem Bürgermeister knipst, und die junge Reporterin, die in der ersten Reihe sitzt und sich Notizen macht. Rose Tapper vom *Yulara Advocate*.

Devlin tritt an den Bühnenrand, sein Ton ist aufrichtig, nie scharf oder schneidend. »Als Ihr Bürgermeister ist es meine Verantwortung, für das Wohlbefinden und die Sicherheit der Steuerzahler und Bewohner dieser Stadt zu sorgen, vor allem für die Sicherheit unserer Kinder. Deshalb bin ich auch so besorgt darüber, dass es einem verurteilten Sexualverbrecher erlaubt wurde, nach Yulara zurückzukehren, ohne Vorwarnung und ohne Beschränkungen. Ich bin kein rachsüchtiger Mensch, und ich verstehe, dass es einem Straftäter nach Verbüßung seiner Strafe möglich sein sollte, sich wieder in die Gesellschaft zu integrieren. Aber nicht jeder hat eine zweite Chance verdient. Australien ist ein großes Land. Es gibt Tausende von Orten, die Arlo Hackett wählen könnte, um ein neues Leben anzufangen. Es muss nicht in Yulara sein.«

»Hört! Hört!«, sagt eine Stimme in der Menge, was Jubel auslöst.

Der Bürgermeister saugt den Beifall auf und fährt fort: »Saxon Winacotts Familie sollte das nicht ertragen müssen. Sie sollte einkaufen, Freunde treffen, zur Arbeit und zur Kirche gehen können, ohne dem Mann zu begegnen, der geholfen hat, ihnen ihre Tochter zu nehmen.«

»Jagt ihn fort«, ruft jemand.

»Brennt sein Haus nieder«, sagt ein anderer.

»Niemand wird irgendetwas niederbrennen«, sagt Fraser, hebt die Hände und bittet um Ruhe. »Ich habe genug geredet. Hören wir den Mann, der den Schmerz dieser Ungerechtigkeit persönlich erfahren hat – unser lokaler Parlamentsabgeordneter, der ehrenwerte Frank Winacott.«

Die Leute applaudieren, verstummen jedoch rasch. Franks Cowboystiefel auf den Stufen an der Seite der Bühne hallen im Raum wider. Er nimmt den obligatorischen Akubra ab und fährt sich mit der Hand durch einen Schopf grauen Haars.

»Die meisten von euch kennen mich als einen vernünftigen

Mann. Einen Pragmatiker. Einen Problemlöser. Ich bin kein alttestamentarischer Auge-um-Auge-Typ. Ich kann die meisten Sünden vergeben, wenn der Sünder sich ehrlich bemüht, Buße zu tun und Reue zu zeigen. Aber ein Kind zu verlieren …« Er stockt mit belegter Stimme. »Es gibt keinen größeren Verlust. Ich bin heute nicht mit Zorn im Herzen hierhergekommen. Ich bin hergekommen, um diese Gemeinde zu beschützen, vor allem die Verwundbarsten unter uns. Die Sicherheit unserer Kinder muss Vorrang haben vor den Rechten eines verurteilten Verbrechers. Soweit ich weiß, hat die Polizei die Aktivitäten von Arlo Hackett im Blick, doch das bereitet mir keinen Seelenfrieden. Er ist ein gewalttätiger Mann, ein Jäger. Unsere Kinder sollten sicher zur Schule gehen, Fahrrad fahren und im Park spielen können, ohne sich umzublicken, sich zu fragen … sich zu sorgen …«

»Jagt ihn aus der Stadt«, ruft jemand.

»Wir wollen hier keine Perversen«, sagt ein anderer.

Eine einsame Stimme erhebt sich über den Chor. »Arlo hat nichts von all diesen Dingen getan.«

Ich richte mich gerader auf und blicke über Schultern, obwohl ich weiß, wem die Stimme gehört. Helen drängt sich durch den Mittelgang nach vorn.

»Er ist kein Sexualverbrecher und kein Perverser. Er war gar nicht hier, als Saxon ermordet wurde. Sein einziger Fehler war, dass er denselben Nachnamen hatte.«

»Er hat ihm zur Flucht verholfen!«

»Luke Hackett ist gestorben. Er ist nicht geflohen.«

»Setz dich«, ruft eine Stimme.

Helen fährt herum und zeigt mit dem Finger auf einen Mann. »Ich werde mich nicht hinsetzen, Kenny Spalding. Wenn Sie jemanden gebraucht haben, der den Schulbus fährt, wen haben Sie gefragt? Arlo Hackett.«

»Fang nicht damit an«, sagt eine Frau.

Helen findet ein neues Ziel. »Feine Worte aus Ihrem Mund, Maxine Hooper. Wenn Sie Possums im Dach hatten, die Ihnen die Kabel durchgeknabbert haben, wen haben Sie angerufen? Und wer hat Ihre Katze beerdigt, Elise Horner?«

Helen hat die Bühne erreicht und zeigt immer noch auf verschiedene Menschen in der Menge. »Arlo hat eure Dächer repariert, eure Heizkessel geflickt, eure Steckdosen neu verkabelt, euren Rasen gemäht, eure Regenrinnen gereinigt und eure Einkäufe abgeholt. Er hat euch ins Krankenhaus, zu Arztterminen und zu Bingo-Abenden chauffiert, und die meisten von euch haben ihm dafür nicht das bezahlt, was er verdient hatte. Und jetzt denkt ihr, er ist ein perverser Vergewaltiger. Nun, so war es nicht, und das wisst ihr auch. Arlo hat niemandem etwas getan.«

Die Menge hat sich beruhigt, und einen Moment lang denke ich, Helen könnte die Debatte gewinnen, bis jemand in meiner Nähe ruft: »Er ist hier!«

Die Kappe wird mir vom Kopf gerissen.

»Er belauscht uns«, ruft eine andere Stimme.

Überraschung schlägt in Wut um. Menschen wollen mich packen. Ich schüttele sie ab. Ich höre Helens Stimme. »Ich habe ihn gebeten, zu kommen. Gebt ihm die Chance, zu sprechen.«

Ich werde nach vorn gezerrt, doch es fühlt sich nicht an wie eine Anhörung, eher wie ein Lynchmob. Ich werde auf die Bühne gehoben, dann lassen die Hände mich los. Ich bin in die Enge getrieben. Umzingelt. Devlin Fraser verlangt Ruhe.

»Sie haben Eier wie Pampelmusen, heute Abend hier aufzutauchen«, sagt er. »Also gebe ich Ihnen die Möglichkeit, zu sprechen. Vielleicht möchten Sie um Vergebung bitten. Vielleicht möchten Sie Ausflüchte machen. Sie haben zwei Minuten.«

Ich stecke mein Hemd in die Hose, das bei dem Gerangel herausgerissen wurde. Mein Mund fühlt sich an, als wäre er mit Sand zugeschüttet worden. Ich sammle Speichel. Spreche.

»Ich war nicht da, als Saxon gestorben ist, doch ich weiß, dass sie gelitten hat, und ich wünschte, ich könnte das ändern. Mein Bruder wurde für die Tat verantwortlich gemacht, doch er starb, bevor es zum Prozess kam. Auch das ist etwas, was mich verfolgt, denn ihn wollte ich ebenfalls retten.«

»Du hast ihm zur Flucht verholfen«, ruft eine Stimme.

»Ich weiß, was ich getan habe.«

»Sie sollten noch im Gefängnis sein.«

»Ich bin nicht hierher zurückgekommen, um Ärger zu machen. Meine Mum hatte einen Schlaganfall und ist in einem Pflegeheim. Ich renoviere das Haus, um ihre Rechnungen zu bezahlen. Danach bin ich hier weg, versprochen.«

»Du solltest nicht weggehen müssen«, sagt Helen. »Dies ist dein Zuhause.«

Ich ignoriere sie. »Ich bitte nicht um Vergebung. Ich erwarte keine zweite Chance. Ich brauche bloß Zeit. Drei oder vier Monate.«

Ich halte inne und weiß nicht, was ich noch sagen kann. In der nachfolgenden Stille fange ich an zu glauben, dass ich eine Gnadenfrist gewonnen habe. Dann höre ich hinter mir Schritte. Cowboystiefel. Ich drehe mich um, um mich Frank Winacott zu stellen. Er geht weiter, bis wir uns Brust an Brust, Auge in Auge gegenüberstehen.

»Sie haben meine Tochter vielleicht nicht umgebracht, doch Sie haben sie umworben und überredet, ihr Zuhause zu verlassen. Wenn Sie nicht wären … würde sie noch leben.«

Er spuckt mich an, der Klumpen landet auf meinem linken Augenlid und fließt über meine Wange. Ich zucke nicht mit der Wimper. Ich wische ihn nicht weg. In der Halle bricht

Lärm aus, die Menge ergreift Partei. Nicht meine. Männer klettern auf die Bühne. Sie wollen, dass ich verschwinde. Vielleicht wollen sie mich tot sehen.

Ich wappne mich für das, was kommt, als eine kleine Gestalt vor mich tritt. Constable Gloria Wakeham trägt eine Uniform und steht breitbeinig vor mir, eine Hand auf ihrem Pistolenhalfter.

»Gehen Sie aus dem Weg«, sagt einer der Männer. Ich erkenne Callum Winacott, Franks Sohn. Er hat mich vor dem Sir George Hotel angegriffen und will die Sache jetzt zu Ende bringen.

»Treten Sie zurück, Callum«, sagt die Constable.

»Sie können uns nicht alle verhaften.«

»Nein, aber ich kann *Sie* erschießen.«

Sie öffnet den Halfter.

Callum zögert. Die Männer um ihn herum halten sich zurück.

»Die Versammlung ist beendet«, sagt sie. »Gehen Sie nach Hause.«

»Warum beschützen Sie ihn?«, fragt einer von ihnen.

»Weil er nichts Ungesetzliches getan hat.«

»Er sollte nicht hier sein.«

»Da haben Sie recht. Er hätte zu Hause bleiben sollen. Zu seinem Glück ist Dummheit kein Verbrechen.«

Sie packt meinen Arm, führt mich von der Bühne, durch eine Seitentür und ein paar Stufen hinunter zu einem wartenden Polizeiwagen. Sie entriegelt die Tür, und ich steige ein.

Die Menge verlässt die Halle. Sie treten zur Seite und sehen uns nach. Der erste Spuckeklumpen landet auf der Windschutzscheibe. Weitere folgen. Wakeham starrt stur geradeaus, die Augen zusammengekniffen, beide Hände am Steuer.

Wir biegen in die Spencer Street, beschleunigen und lassen die Halle hinter uns.

»Haben Sie Todessehnsucht?«, fragt sie.

»Es war ein Fehler.«

»Seien Sie beim nächsten Mal vorsichtiger.«

»Es wird nicht noch mal vorkommen.«

# 32

Zu Hause schließe ich die Haustür ab, ziehe die Vorhänge zu und lausche auf das Geräusch von Autos. Hund winselt. Ich lasse sie in den Garten und rufe sie zurück, nachdem sie ihr Revier markiert und an den Mülltonnen geschnuppert hat.

Als ich durch das frisch gestrichene Zimmer gehe, werden meine Schritte von den Abdeckplanen gedämpft. Am Fenster lehnt eine Trittleiter neben zwei halb vollen Farbdosen, Pinseln, Rollen und Schalen.

Im Gefängnis war mein Leben wertlos, und seit meiner Entlassung hat sich nichts geändert. Ich bin ein Feigling, ein Aussätziger, ein Gezeichneter. Früher oder später werden sie kommen. Wenn nicht heute Abend, dann morgen oder übermorgen, und es wird keine Farbe sein, die sie an die Wände spritzen. Sie werden Flaschen mit Benzin, Pistolen, Macheten oder Stricke mitbringen. Und was werde ich tun? Mich im Haus verkriechen. Kraftlos versuchen, die Flammen zu löschen. Hoffen, dass Gloria Wakeham zu meiner Rettung eilt.

Von einer plötzlichen überwältigenden Wut verzehrt nehme ich eine Farbdose, schwinge sie um meinen Kopf und schleudere sie gegen die Wand. Sie verbiegt sich, platzt auf und verspritzt Farbe auf den Boden und die Vorhänge. Die nächste Dose schlägt eine Delle in die frisch verputzte Decke und schliddert durch eine Lache von Farbe. Ich stoße die Leiter um, reiße die Abdeckplanen vom Boden, zertrümmere die Lampenfassung und trete gegen die Pinsel und Flaschen mit Terpentin.

Ich höre mich schreien, weiß jedoch nicht, ob das Geräusch

nur in meinem Kopf ist oder laut in die Dunkelheit gellt. Diese Stadt behandelt mich wie ein Monster, und genau das hat sie verdient. Ich sollte ihre Gebäude einreißen und ihre Träume niederwalzen wie Godzilla oder King Kong. Ich sollte ihren Hass mit Hass erwidern.

Nachdem nichts mehr zum Umschmeißen, Werfen oder Zerbrechen übrig ist, sinke ich auf die Knie, vergrabe mein Gesicht in den Händen und schüttele frustriert den Kopf.

Hund winselt in der Küche, verängstigt von dem Tumult. Ich gehe zu ihr, kraule sie hinter den Ohren und sage ihr, dass es nicht wieder vorkommen wird.

»Hast du Hunger?«, frage ich.

Sie wedelt mit dem Schwanz – ihre Antwort auf jede Frage. Ich wünschte, ich könnte genauso leicht durchs Leben kommen.

Ich mache uns beiden etwas zu essen und mir hinterher eine Tasse Tee, die ich durchs Haus bis in Saxons Zimmer trage. Ich sollte Helen anrufen und mich vergewissern, dass sie gut nach Hause gekommen ist, doch ich bin wütend auf sie. Ich wusste, was passieren würde, wenn ich zu der Versammlung gehe.

Unrealistische Erwartungen waren schon immer Helens Schwäche. Sie möchte, dass ihr Leben wie ein Coming-of-Age-Film oder eine romantische Komödie ist, und ich soll ihr Patrick Swayze, Matthew Broderick oder Rob Lowe sein. Sie sucht nach dem männlichen Hauptdarsteller, doch ich bin zu passiv, um ein Held zu sein. Ich bin ein Statist, ein Stuntman oder jemand aus dem Chor.

Eine Saxon sollte es in unserer Geschichte nicht geben. Alles andere war so gelaufen, wie Helen es geplant hatte, bis plötzlich eine Person Gast in unserem Haus war, die jung, attraktiv und talentiert war.

»Sie flirtet mit dir«, sagte Helen, wenn ich sie nach der Samstagabendmesse heimbrachte.

»Sie flirtet mit jedem.«

»Du siehst nicht, wie sie dich anguckt.«

»Das liegt daran, dass ich nur Augen für dich habe.«

Helen schnaubte skeptisch.

»Wenn du sie besser kennen würdest«, sagte ich. »Wenn du dich bemühen würdest …«

»Hast du Saxon auch gebeten, sich zu bemühen?«

Als ich nicht antwortete, schüttelte Helen den Kopf. »Das dachte ich mir.«

Ich bemühte mich, zu einem besseren Verhältnis der beiden beizutragen. Ich lud Helen zum Abendessen ein und hoffte, dass sie und Saxon sich anfreunden würden. Helen kam früh und begann, Mum bei der Vorbereitung des Essens zu helfen. Es fühlte sich an wie früher, sie an dem Küchentisch sitzen zu sehen, an dem sie einst ihre Hausaufgaben gemacht, gebutterte Crumpets gegessen und Tee getrunken hatte.

Saxon rauschte herein. Sie hatte in der Bibliothek gelernt und trug noch ihre Schuluniform. Sie ließ ihre Tasche fallen, gab meiner Mutter einen Kuss auf die Wange und stibitzte ein paar grüne Bohnen, die fürs Abendessen bereitlagen.

»Wie war Ihr Tag, Mrs H?«, fragte sie, bevor sie Helen entdeckte und theatralisch ein zweites Mal hinguckte. »Wir haben Gesellschaft«, sagte sie und klang angenehm überrascht.

Ich war im Nebenzimmer und legte Musik auf. Als ich die gezwungenen Höflichkeiten und die gestelzte Unterhaltung hörte, ging ich in die Küche, um Helen zu retten.

»Arlo, du bist zu Hause!« Saxon warf ihre Arme um meinen Hals und küsste mich auf die Wange. »Hast du mich vermisst?«

Ich löste sie von mir und hielt sie eine Armlänge auf Abstand, wohl wissend, dass Helen uns beobachtete.

»Lass das«, murmelte ich.

»Ach, jetzt sei nicht so ein Muffel. Es ist nur eine Umarmung. Helen hat bestimmt nichts dagegen, oder?«

»Ehrlich gesagt, doch«, sagte Helen, und ihr stahlharter Unterton überraschte uns alle.

Saxon lachte, aber auf eine freundliche Art, als wäre Helen in ihrer Achtung gestiegen. »Verständlich«, sagte sie. »Ich würde ihn auch nicht teilen.«

Dann wandte sie sich an Mum. »Wann gibt's Abendessen?«

»Um halb sieben.«

»Gut. Bis dahin bin ich im Bad.«

Mit derselben Energie und Ausgelassenheit, mit der sie gekommen war, rauschte sie wieder aus der Küche, passierte im Flur Luke und bedankte sich für einen weiteren Blumenstrauß.

Saxons Tagebuch liegt offen auf dem Bett. Ich betrachte den ausgefransten Rücken und versuche zu schätzen, wie viele Seiten herausgerissen wurden. Hat sie die Einträge vernichtet oder irgendwo versteckt?

Ich fange an zu suchen. Die meisten ihrer persönlichen Sachen sind verschwunden, wahrscheinlich zurückgeschickt an ihre Mutter. In dem Zimmer stehen ein Einzelbett, ein Schrank, ein Bücherregal und eine Kommode. Ich ziehe die oberste Schublade auf und entdecke eine Ansammlung von Kleinkram – Stifte, Haftnotizen, Lippenpflegestift, Büroklammern und eine zerknüllte Packung Kaugummi. In der zweiten Schublade sind einige von Saxons alten Schulbüchern, ein Stundenplan für ihre Prüfungen und ein kleines Schminktäschchen mit Lippenstift, Kajal und Mascara.

Die unterste Schublade ist leer bis auf einen Walkman und Kopfhörer, die auf einem Bogen teuren Papiers liegen, der sich an den Rändern wellt. Ich drehe das Blatt um und entdecke eine Bleistiftskizze von Saxon im Profil. Der Künstler hat die Kontur ihres Kinns, ihre Himmelfahrtsnase, den Amorbogen ihrer Oberlippe und sogar die Sommersprosse neben ihrer linken Augenbraue mit reduziertem Strich eingefangen. Die Zeichnung wurde offensichtlich von einem Bewunderer angefertigt.

Mum hat das Zimmer nach Saxons Tod weiter geputzt, doch sie ist nicht kräftig genug, um das Bett zu verschieben, und nicht groß genug, um auf dem Kleiderschrank nachzusehen. Auf Knien hebe ich die Matratze an und finde eine einzelne Socke und ein paar Schokoladenverpackungen. Als Nächstes nehme ich mir den Schrank vor, in dem nur ein einziges Kleidungsstück hängt – eine Jeansjacke, die einmal Luke gehört hatte, jedoch zu klein für ihn geworden war. Saxon fing an, sie zu tragen, mit über die Handgelenke gekrempelten Ärmeln. Die Jacke ist offensichtlich zurückgeblieben, als Saxons Mutter die Kleider abgeholt hat – übersehen oder aussortiert, weil sie nichts mitnehmen wollte, was einmal Lukes Haut berührt hatte.

Ich trete vor das Regal, ziehe einzelne Bücher heraus, blättere sie durch und schüttele sie aus. Die meisten sind alte Taschenbücher mit vergilbten Seiten. Nancy-Drew-Detektivromane, Agatha-Christie-Rätselkrimis. Kurzgeschichten von Ray Bradbury. Gruselschocker von Stephen King.

Ein gebundenes Buch ist hinter das Regal gerutscht, ein altes Exemplar des *Guinness Buch der Rekorde*, aus dem Saxon wahrscheinlich ein paar der sonderbaren Fakten hatte, die sie als ihre Wahrheiten verkündete. Der lauteste Rülpser einer Frau, der längste Schnurrbart, die schwerste Karotte.

Ich klappe das Buch auf und entdecke ein an den Buchrücken geklemmtes Foto. Als ich es umdrehe, stockt mir der Atem. Das Bild zeigt ein Mädchen im Teenager-Alter mit nacktem Oberkörper. Sie hat ein weißes Laken um den Unterleib gewickelt und streckt der Kamera ein nacktes Bein entgegen. Den Kopf zur Seite gelegt, blickt sie über eine Schulter, bemüht, kokett oder verführerisch zu wirken, doch im Ergebnis ist sie keins von beiden.

Das Model ist Betsy Nagel, Saxons Freundin. Noch nicht ganz 18-jährig hockt sie auf der Kante einer Chaiselongue, die Beine übereinandergeschlagen, den Rücken durchgedrückt. Sie ist zu stark geschminkt. Sie sieht nicht aus wie eine Verführerin oder ein Playmate des Monats. Sie wirkt ungeschützt, verletzlich und so, als würde sie sich verzweifelt wünschen, irgendwo anders zu sein.

Ich erkenne den Raum. Es ist Devlin Frasers Fotostudio. Dies ist sein Blick. Seine Vision von Weiblichkeit. Er hat auf den Auslöser gedrückt. Er hat den Film belichtet. Er hat das Negativ entwickelt. Er hat den Abzug gemacht.

Ich möchte das Foto zurück zwischen die Seiten schieben und das Buch wieder verstecken, doch ich weiß, dass es wichtig ist. Devlin Fraser wollte, dass Saxon ihm Modell steht. Hat sie auch für solche Aufnahmen posiert?

Ich gehe weiter die Regale durch und ziehe eine Taschenbuchausgabe von George Orwells *1984* heraus. Saxon hat den Roman im Englischunterricht gelesen. Ich blättere das Buch durch, den Daumen auf die obere Ecke gelegt. Eine Lücke tut sich auf. Darin klemmen gefaltete Blätter mit abgerissenem Rand. Tagebucheinträge. Saxons Handschrift.

*24. August 1988*

*Liebe Seele,*
*in der Pause habe ich Betsy kotzend in der Mädchentoilette gefunden, auf Knien über die Schüssel gebeugt. Ich habe ihr Haar nach hinten gehalten und ein feuchtes Papierhandtuch in ihren Nacken gelegt.*

*Sie hat mich gebeten, es niemandem zu erzählen.*

*»Was soll ich nicht erzählen?«*

*»Ich bin zu spät.«*

*Ich brauchte einen Moment, bis ich kapierte, was sie meinte. Ich fragte sie, wer der Vater ist, doch sie wollte es nicht verraten. Elend lehnte sie an der Wand der Kabine.*

*»Wer immer es ist, du musst es ihm sagen.«*

*»Ich kann nicht.«*

*Sie weinte, und ich konnte nichts tun, um sie zu trösten.*

*»Hast du schon einen Schwangerschaftstest gemacht?«*

*»Nein.«*

*Ich besorge ihr einen. Wenn sie es sicher weiß, kann sie entscheiden, was sie machen will.*

*26. August 1988*

*Liebe Seele,*
*ich war heute beim Arzt und habe nach einem Schwangerschaftstest gefragt. Doc McCabe hat angenommen, er wäre für mich, und ich habe ihm das Versprechen abgenommen, es Mum und Frank nicht zu erzählen. Er hat gesagt, wenn der Test positiv ist, soll ich wiederkommen.*

*Betsy musste in einen Becher pinkeln und mit einer Pipette Urin auf einen Teststreifen träufeln. Wir haben uns in der Schule in eine Toilettenkabine gezwängt und 20 Minuten gewartet, ob der Streifen sich verfärbte.*

*Miss Painter kam in die Mädchentoilette und guckte*

*unter die Tür. Ich stand auf der Kloschüssel, sodass sie nur ein Paar Beine gesehen hat. Betsy erklärte ihr, sie habe Krämpfe, und Miss Painter meinte, sie solle sich gründlich die Hände waschen, wenn sie fertig ist.*

*»Hast du Saxon gesehen?«*

*»Nein, Miss.«*

*Der Streifen verfärbte sich rosa. Betsy war untröstlich. Ich mache mir Sorgen, dass sie etwas Dummes vorhat. Sie will nicht mit ihren Eltern reden, sie will nicht zum Arzt gehen, und sie will mir nicht sagen, wer der Vater ist. Er muss älter sein oder verheiratet oder beides.*

*»Ich war noch Jungfrau«, sagte Betsy. »Meinst du, ich sollte mit Jack schlafen? Ich könnte ihm erzählen, dass er der Vater ist.« (Jack Luff ist ihr Freund.)*

*»Das ist echt beschissen.«*

*»Ich bin ein beschissener Mensch.«*

*»Nein, bist du nicht.«*

Ich blicke noch einmal auf das Datum. Das Schuljahr endete in der letzten Septemberwoche, und die Schule ging erst in der zweiten Oktoberwoche wieder los.

Es gibt zwei Arten von Geheimnissen. Die, die man für sich behalten will, und die, bei denen man es wagt, sie herauszulassen. Betsy Nagel war schwanger, und Saxon hat versprochen, ihr zu helfen.

Ich weiß, was als Nächstes geschah.

# 33

»Kann ich deinen Wagen ausleihen?«, fragte Saxon.

»Du hast noch keinen Führerschein.«

Sie saß auf einem Hocker im Schuppen und sah zu, wie ich am Motor des Sandman herumschraubte.

»Ich bin eine gute Fahrerin. Ich bin den ganzen Weg von Sydney bis hierher allein gefahren.«

»In einem gestohlenen Auto.«

»Ich habe es geliehen.«

»Ohne Einverständnis.«

Sie schmollte. »Eine Fahrt. Du kriegst nicht mal mit, dass ich weg bin.«

»Wohin?«

»Nach Canberra.«

»Das ist hundertsechzig Kilometer entfernt.«

»Ich habe mich für ein Musikstipendium beworben. Sie halten ein Vorspiel ab.«

»Ich fahre dich.«

»Ich will alleine fahren.«

»Das geht nicht.«

»Und wenn jemand anderes fahren würde?«

»Wer?«

»Betsy Nagel. Sie hat die Prüfung bestanden. Sie hat schon die P-Schilder für Fahranfänger.«

»Nein.«

»Wir sind nur einen Tag weg. Hin und zurück. Ich verspreche es.«

Sie sah mich mit großen Kulleraugen an und faltete die Hände. »Bitte, bitte.«

»Nein.«

»Sei nicht so ein Pimmel.«

»Also, das wird dir auch nicht helfen.«

»Vielleicht ist es ein Kompliment. Du bist ein *großer* Pimmel. Die meisten Männer wollen so einen. Und ich habe deinen Pimmel gesehen.«

»Nein, hast du nicht.«

»In der Dusche.«

»Und wer ist jetzt pervers?«

Sie wurde so still, dass ich dachte, sie hätte den Schuppen womöglich verlassen, doch sie saß immer noch auf dem Hocker und knibbelte an ihren Fingernägeln.

»Okay, du kannst uns fahren«, sagte sie.

»Wieso kommt Betsy mit?«

»Sie muss ein paar Sachen für ihre Geburtstagsparty besorgen.«

»Wann ist das Vorspiel?«

»Donnerstag.«

»Das ist übermorgen.«

»Dein Pech. Du hast es versprochen.«

Sie hüpfte von dem Hocker und wollte mich umarmen, doch dann sah sie die Schmiere an meinen Händen und warf mir stattdessen einen Kuss zu.

Nachdem sie gegangen war, dachte ich über die Planung nach. Ich hatte Helen versprochen, mit ihr am Donnerstag eine Band im Royal Hotel zu sehen. Sie würde nicht erfreut darüber sein, versetzt zu werden, vor allem, wenn Saxon etwas damit zu tun hatte.

Ich überbrachte ihr die Nachricht am Nachmittag, als ich sie von der Arbeit abholte. Sie trug noch ihren blauen Schwesternkittel, hatte jedoch ihr Haar gelöst, sodass es ihr auf die Schultern fiel. Sie hatte einen Teller in der Hand, darauf ein schiefes Stück Biskuitkuchen mit Schichten von Sahne und Erdbeermarmelade und den Worten »Thank You« in pinkem und weißem Zuckerguss.

Doc McCabe hielt es in seiner Praxis so ähnlich wie ich mit meinen Handwerksarbeiten. Wenn Patienten sich die Zuzahlungen oder bestimmte Medikamente nicht leisten konnten, akzeptierte er auch Sachspenden, was zu einem nicht endenden Strom von Backwaren, Gartenfrüchten und Gläsern mit selbst gemachter Marmelade und Chutneys führte.

»Der Doc meint, er wird fett«, sagte Helen und reichte mir den Teller mit dem Kuchen. Sie hakte sich bei mir unter, und wir gingen die Elizabeth Street hinunter.

Ich sagte ihr, dass ich nicht mit ihr zu dem Konzert gehen könne, weil ich Saxon nach Canberra fahren müsse.

»Natürlich musst du das. Wenn das Mädchen sagt ›Spring‹, fragst du: ›Wie hoch?‹«

»Sie bewirbt sich um ein Stipendium.«

»Bezahlt sie das Benzin? Bezahlt sie für Unterkunft und Verpflegung? Für Kleidung? Vielleicht bezahlt sie dich ja auf eine andere Art.«

»Was soll das heißen?«

»Schläfst du mit ihr?«

»Sei nicht albern.«

»Das sagen die Leute nämlich.«

»Welche Leute? Und seit wann gibst du etwas auf den lokalen Klatsch?«

»Wo Rauch ist …«

»Verbrennt in der Regel jemand den Toast.«

»Das ist kein Witz, Arlo. Es gibt Sachen über Saxon, die du nicht weißt.«

»Was für Sachen?«

Sie verstummte.

»Es ist eine Fahrt nach Canberra. Ich weiß nicht, warum du dich deshalb so aufregst.«

Helen löste ihren Arm aus meinem und fuhr herum, um mich direkt anzusehen. »Weil du ein Mann bist und dumm, und weil ich gesehen habe, wie sie dich anguckt.«

Ich streckte die Hand aus. Helen schlug sie weg. Der Teller neigte sich zur Seite, und der Kuchen landete mit einem leisen Platschen verkehrt herum auf dem Bürgersteig, wo er einen See aus Schlagsahne und Marmelade um eine matschige Insel aus Biskuit bildete.

Helen marschierte davon.

»Wohin gehst du?«, fragte ich.

»Nach Hause.«

»Ich dachte, wir wollten zusammen ...«

»Nein.«

# 34

An jenem Donnerstag fuhren wir in Yulara los, bevor die Sonne über den Mount Auspicious gestiegen war. Saxon und Betsy saßen auf der Rückbank, tuschelten miteinander und nahmen mich nur gelegentlich zur Kenntnis.

Betsy war ein sportliches Mädchen, das im Sommer Tennis und im Winter Hockey spielte und als Reiterin an Geschicklichkeitsturnieren teilnahm. Ich kannte sie nicht gut, doch ich hatte gesehen, wie sie von einem dünnen Kind mit Zahnspange zu einem Teenager mit blonden Strähnchen herangewachsen war. Als Kind war sie immer laut und bestimmend gewesen, doch jetzt wirkte sie ruhiger und trauriger.

Ich fuhr bis Yass in nördlicher Richtung und duellierte mich mit Sattelschleppern und Lkws, die über den Hume Highway bretterten, als wäre das Ganze ein Videospiel. Schließlich nahm ich die Abfahrt nach Canberra – und bemerkte, dass die Mädchen auf dem hübschesten Teil der Strecke eingeschlafen waren.

Als ich später in den Rückspiegel blickte, war Betsy wach.

»Freust du dich darauf, achtzehn zu werden?«, fragte ich.

»Ja, schon«, antwortete sie, ohne meinen Blick zu erwidern.

»Als ich achtzehn geworden bin, hat mein Dad mich auf einen Drink in den Pub eingeladen.«

»Ich war schon mal im Pub.«

»Ja, aber dann kannst du legal Alkohol trinken.«

Betsy hielt sich den Mund zu und atmete flach.

»Alles in Ordnung?«

»Mir ist schlecht.«

»Ich halte an.«

»Nein. Nein. Ist gleich wieder gut.«

»Mach das Fenster auf, dann wird es bestimmt besser.«

Ich erzählte ihr, wie Luke als Kind auf der Fahrt nach Canberra im Auto schlecht geworden war. Er hatte all seine Kleider vollgekotzt und trug deshalb eine Badehose, als wir das Parlament und das nationale Kriegerdenkmal besichtigten. Betsy lächelte matt und hielt das Gesicht in den Fahrtwind.

In den Vororten wich die offene Landschaft nach und nach urbaner Bebauung, doch die Bäume waren so hoch und die Boulevards so breit, dass es sich anfühlte wie eine Stadt, die sich unter einem Dach aus Baumkronen verstecken wollte.

»Du kannst uns irgendwo absetzen«, sagte Saxon, als wir die City erreichten.

»Was ist mit deinem Vorspiel?«

»Das ist erst um vier. Ich helfe Betsy beim Shoppen.«

»Ich kann euch fahren.«

»Nein.«

»Und was soll ich machen?«

»Kauf dir ein paar vernünftige Klamotten. Du kleidest dich wie ein Dorftrampel.«

Ich hielt in der Nähe des Einkaufsviertels, in dem überall Kräne und Bauzäune sowie Plakatwände standen, die zeigten, wie das Canberra Centre nach seiner Fertigstellung aussehen sollte. Saxon sagte, ich solle sie später an der Universität treffen. Betsy schien es besser zu gehen, seit wir gehalten hatten. Beim Wegfahren warf ich im Rückspiegel einen Blick auf die beiden. Saxon fasste Betsys Hand und führte sie über die Straße wie ein Kind.

Um vier Uhr wartete ich im Foyer des Auditoriums der ANU School of Music. Der Konzertsaal füllte sich allmählich – Verwandte und Freunde, die gekommen waren, um die Auftretenden zu unterstützen, nahmen ihre Plätze ein. Saxon und Betsy waren noch nicht da. Oder sie waren durch einen anderen Eingang gekommen und hielten sich womöglich schon hinter der Bühne auf.

Das Saallicht war gedimmt, auf der Bühne stand ein von Scheinwerfern beleuchteter Flügel. Die Kandidatinnen und Kandidaten wurden nacheinander aufgerufen und betraten die Bühne. Sie stellten sich vor und sagten ein paar Worte zu ihrem Hintergrund. Manchmal stellten die Preisrichter, die an einem langen Tisch vor der Bühne saßen, Fragen, die die Kandidaten beantworteten.

Einige waren mit eigenen Instrumenten erschienen, Geigen, Cellos, Flöten und Klarinetten, doch die meisten spielten Klavier. Nachdem sie ihre Noten auf dem Ständer arrangiert hatten, nahmen sie sich kurz Zeit, um durchzuatmen und sich zu konzentrieren. Schließlich setzten sie an, und die Musik begann, manchmal eine leise Einleitung aus sanften Tönen, die nach und nach eine Melodie ergaben, manchmal aber auch Akkordkaskaden, die im ganzen Saal widerhallten.

Ab und zu klang die Musik vertraut, doch ich konnte weder das Werk noch den Komponisten nennen. Die meisten Kandidaten und Kandidatinnen sahen älter aus als Saxon. Ein asiatischer Junge weinte nach seinem Klaviervorspiel, als wäre er verzweifelt über seinen Auftritt. Ich hätte nicht sagen können, warum. Für mich hatte es sich perfekt angehört.

Mit jedem neuen Kandidaten, der die Bühne betrat, wuchs meine Nervosität. Wie sich Saxon wohl fühlte? Bestimmt war es besser, als eine der Ersten vorspielen zu können, als warten und den anderen zuhören zu müssen.

Ein junger Mann mit wirrer Lockenpracht schlug die Tasten an, als wolle er sie zertrümmern. Seine Haare flogen in alle Richtungen, als er den Kopf hin und her warf, und von seiner Nasenspitze tropfte Schweiß. Als er fertig war, brach das Publikum in gewaltige Ovationen aus und feierte die schiere Körperlichkeit seines Vortrags zusammen mit seiner unbestrittenen Virtuosität.

Eine Frau mittleren Alters betrat die Bühne und setzte eine Lesebrille auf.

»Damit ist das heutige Vorspiel beendet«, verkündete sie.

»Nein«, sagte ich, ohne mir bewusst zu sein, dass ich laut gesprochen hatte. Köpfe wandten sich in meine Richtung. »Eine Kandidatin kommt noch. Saxon Winacott.«

Die Frau blickte auf ihr Klemmbrett. »Miss Winacott hat sich zwar angemeldet, sich jedoch heute nicht eingetragen.« Sie blickte zu mir auf. »Ist sie hier?«

»Ich habe sie hergefahren«, sagte ich. »Sie wird jeden Augenblick hier sein.«

»Nun, ich fürchte, sie hat ihre Chance verpasst. Die Regeln sind ziemlich klar.«

»Bitte geben Sie ihr noch einen Moment.«

Einer der Juroren, ein älterer Herr mit grauem Haar, stand auf und drehte sich um. »Dies ist ein renommiertes Stipendium. Einige dieser Musikerinnen und Musiker sind weit gereist, um heute hier zu erscheinen. Sie haben Rückflüge, die sie erreichen müssen.«

In diesem Moment tauchte Saxon auf der Bühne auf und verkündete atemlos ihre Ankunft. Ihre Bluse war auf einer Seite aus dem Rock gerutscht, und ihre Strumpfhose hatte eine Laufmasche. Sie stolperte, und die Notenblätter glitten ihr aus der Hand und fielen zu Boden wie Laub. Sie ging in die Hocke, sammelte sie ein und presste sie an ihre Brust.

»Entschuldigen Sie meine Verspätung«, stotterte sie. »Es war ein Notfall.«

Der ältere Preisrichter starrte sie an, als hätte man in dem Konzertsaal ein wildes Tier freigelassen.

»Was für ein Notfall?«, fragte er, nachdem er seine Fassung wiedergewonnen hatte.

»Ein persönlicher«, sagte Saxon.

»Und Sie erwarten, dass wir Ihnen das glauben?«

»Nein. Ich möchte einfach nur spielen.«

»Sie sind zu spät.«

Saxon wies auf den Flügel. »Aber es dauert nicht …«

»Bitte verlassen Sie die Bühne.«

Saxon sah aus, als würde sie in Tränen ausbrechen, doch stattdessen verbeugte sie sich höflich und zog sich, ihre Noten in der Hand, in die Seitenbühne zurück. Verschiedene Stimmen im Publikum forderten die Preisrichter auf, ihren Beschluss zu überdenken, doch die Entscheidung war getroffen.

Ich verließ meinen Platz und machte mich auf die Suche nach Saxon. Sie war weder in der Seitenbühne noch in den Garderoben. Ich fand Betsy, die auf einer Treppe bei einer Feuerschutztür saß. Sie war blass, und ihre Augen sahen verquollen aus.

»Hast du sie gesehen?«, fragte ich.

Sie schüttelte den Kopf.

»Warum seid ihr so spät gekommen?«

Keine Antwort. Ein hilfloser Blick.

Ich hörte Beifall aus dem Konzertsaal. Die Gewinner der Stipendien wurden verkündet. Ich fand Saxon in einer Nische in der Nähe des Lichtpults. Sie saß auf dem Boden, die Arme um die Knie geschlungen, das Gesicht von Haaren bedeckt.

»Was ist passiert?«, fragte ich.

»Betsy hat zu lange gebraucht.«

»Ihr wart doch nur shoppen?«

Saxon sagte nichts.

»Wir reden mit ihnen. Entschuldigen uns. Erklären, was passiert ist.«

»Es ist zu spät.«

»Du kannst nicht einfach aufgeben.«

Saxon schien in abgerissenen Schluchzern zu zerfließen, ihre Schultern bebten. Sie war untröstlich, unfähig, etwas zu sagen, und ich hatte ihr nichts zu geben. Keine Worte. Kein Taschentuch. Keine Hoffnung.

Nach einer Weile verstummte sie. Ich zog sie hoch. »Gehen wir und sprechen mit jemandem.«

Der Konzertsaal hatte sich geleert, und zwei Putzfrauen gingen durch die ansteigenden Sitzreihen und sammelten Abfall ein. Der Flügel war nicht mehr von Scheinwerfern erleuchtet und wirkte in der Mitte der Bühne beinahe verloren. Ich machte mich auf die Suche nach einem Mitglied des Lehrpersonals oder einem der Preisrichter, doch anscheinend waren alle nach Hause gegangen. Als ich zurückkam, saß Saxon an dem Flügel, starrte auf die Tasten und dachte vielleicht daran, was hätte sein können.

Mit größtem Feingefühl streckte sie die Finger aus und begann zu spielen. Sie hatte die Augen geschlossen und den Kopf leicht vorgebeugt und wiegte sich sanft zu der Musik, die den Konzertsaal erfüllte. Ich wusste, dass es Chopin war, doch ich hätte den Titel des Stückes nicht nennen können. Und dann geschah etwas Magisches, eine eigenartige Synergie, ein Ineinanderfließen, ein Einswerden von Musikerin und Instrument. Finger, Arme, Schultern, Tasten, Hammerköpfe, Saiten. Dies war weit mehr als ein Vorspiel. Es überstieg jede Empfindung. Die anderen Musikerinnen und Musiker waren talentiert, dynamisch und leidenschaftlich gewesen, doch sie hatten die aufgeführten Werke nur interpretiert, hatten die Hieroglyphen lange verstorbener Männer gelesen, während Saxon sich in Chopins innerste Seele zu versetzen schien.

Ich weiß nicht, wie lange sie spielte, doch als der letzte Ton in der Weite des Konzertsaals verklang, fühlte sich die Stille an wie ein schmerzlicher Verlust. Irgendwo in der Dunkelheit begann jemand langsam zu klatschen, und eine Stimme rief: »Bravo! Zugabe! Zugabe!«

Das Klatschen kam näher. Es stammte von einem jungen Mann mit dunklem lockigem Haar in Jeans und einem weißen Baumwollhemd mit bauschigen Ärmeln. Saxon erkannte ihn sofort. Anthony Matteucci. Der Pianist, den wir vor fünf Monaten in diesem Konzertsaal hatten spielen sehen.

Er stieg die Stufen an der Seite der Bühne hinauf. Saxon erhob sich und wich von dem Flügel zurück.

»Entschuldigen Sie. Ich weiß, ich hätte ihn nicht anfassen sollen.«

»Sie haben ihn nicht angefasst«, sagte er. »Sie haben ihn in Besitz genommen.«

Er machte einen weiteren Schritt auf sie zu. Sie wich weiter zurück.

»Wie heißen Sie?«

»Saxon Winacott.«

»Wer ist Ihr Lehrer?«

»Mrs Corrigan.«

»Ich glaube, ich habe noch nicht von ihr gehört.«

»Sie ist Musiklehrerin an der Yulara High School.«

»Sie sind auf der Highschool?«

»Ja.«

»Und diese Mrs Corrigan spielt Klavier?«

»Mehr oder weniger.«

Matteucci lachte. Er war nicht so jung, wie ich zunächst

gedacht hatte – eher Mitte vierzig –, mit dichtem krausem Haarwuchs, der sich von seinem Kopf bis auf seine Brust und seine Unterarme auszubreiten schien.

»Warum haben Sie nicht an dem Vorspiel eben teilgenommen?«

»Ich bin zu spät gekommen.«

»Das ist ein Hohn«, sagte er. »Sind Sie allein hier?«

»Nein.«

Sie zeigte auf mich.

Matteucci kam an den Rand der Bühne und ging in die Hocke, um mir die Hand zu schütteln. »Sind Sie ihr Bruder?«

»Ein Freund.«

»Sie müssen sehr stolz auf sie sein.«

»Ich bewundere sie.«

Er lächelte und kehrte zu Saxon zurück. »Wann sind Sie mit der Schule fertig?«

»Im November.«

»Sie müssen nächstes Jahr wiederkommen – ich kann Ihnen helfen, einen Studienplatz zu erlangen.«

»Das kann ich mir nicht leisten – nicht ohne ein Stipendium.«

»Bewerben Sie sich noch einmal.«

»So lange kann ich nicht warten.«

»Sie haben gerade ein Stück gespielt, das vor einhundertfünfzig Jahren komponiert wurde. Ich denke, da können Sie zwölf Monate warten.«

Matteucci kehrte zurück an den Bühnenrand und winkte mich näher.

»Wissen Sie, wie selten man ein Talent wie ihres findet?«

»Ich habe nie ein Instrument gespielt.«

»Aber Sie haben Ohren.«

»Ja.«

»Ich habe die anderen gehört. Sie haben alle wunderschön gespielt, aber für sie war es ein Vortrag. Saxon hat die Musik neu imaginiert. Sie hat sie zu ihrer eigenen gemacht. Sie müssen einen Weg finden, dass sie auf diese Hochschule kommt.«

Er zog eine Visitenkarte aus der Tasche und drückte sie mir in die Hand, als er sie zum Abschied schüttelte.

Dann drehte er sich um und verbeugte sich leicht vor Saxon. »Ich hoffe, ich werde Sie wieder spielen hören.«

# 35

Ich wache abrupt auf und schnappe nach Luft. Mein Laken ist nass, und Wasser fließt auf mein Gesicht. Einen Moment lang denke ich, dass ich vielleicht träume zu ertrinken. Regen prasselt auf das Blechdach und läuft gurgelnd durch die Regenrinnen vor dem Fenster. Ich betrachte die Decke und bemerke, wie sie sich unter dem Gewicht des aufgelaufenen Wassers durchbiegt.

Ich wälze mich aus dem Bett, ziehe den Metallrahmen über den Boden, weg von dem Wasserstrom, und denke schon über die Reparatur nach. Ich brauche Wellblech und Schrauben, möglicherweise Planen.

Ich stecke das Bettzeug in die Waschmaschine, bevor ich mich anziehe, mir einen Kaffee mache und auf die Veranda gehe, um dem Regen zuzusehen. Jetzt verstehe ich die Fahrt nach Canberra. Und ich verstehe, weshalb Helen so überzeugt davon war, dass ich mit Saxon geschlafen hatte. Sie musste mitbekommen haben, wie Saxon Doc McCabe nach einem Schwangerschaftstest gefragt hatte.

Ich denke an das Foto der nackten Betsy in Devlin Frasers Studio. Bestimmt hat er an dem Tag sehr viel mehr Fotos von ihr gemacht. Er hat sie umgarnt und verführt. Welche anderen Mädchen wurden noch gefragt, für ihn »Modell zu sitzen«?

Ein weiterer Zwischenfall beschäftigt mich. Etwa um die Zeit, als ich mit Saxon und Betsy in Canberra war, ist Devlin Frasers Bunker abgebrannt. Ich kann mich nicht an das genaue Datum erinnern, aber ich könnte es problemlos herausfinden, wenn ich mich an die Feuerwehr von Yulara wenden oder einen weiteren Besuch in der Bibliothek riskieren würde.

Ich kann mich an den Brand erinnern, weil ich geholfen habe, ihn zu löschen. Der Anruf ging nach Mitternacht ein, ausgelöst durch das Freiwilligen-Alarmierungs-System. Ich zog meine Uniform an und lief zu der Feuerwache in der Otway Street. Denis Lonigan war schon da. Er reagierte immer als Erster auf einen Alarm, und wir machten Witze darüber, dass Denis heimlich ein Feldbett in der Wache hatte, auf dem er seine Nächte verbrachte. Irgendjemand hatte auch ein Foto an die Pinnwand geheftet, auf dem Denis neben einer großen Öllache kniete, darüber die Überschrift: *So viel Öl, und ich hab keine Streichhölzer dabei.*

»Wo ist es?«, fragte ich.

»Hopewell Avenue. Man kann die Flammen bis hierher sehen.« Er zeigte über ein Dach, und ich bemerkte einen orangefarbenen Schimmer hinter den Bäumen.

»Wer hat es gemeldet?«

»Devlin Fraser.«

Binnen Minuten war die komplette Mannschaft versammelt, auch wenn einige eher halb bekleidet aussahen oder ihre Uniform über ihre Pyjamas gestreift hatten. Denis wollte die Sirene einschalten, was jedoch unsinnig war, weil um diese Nachtzeit kein Verkehr herrschte und es nur die Leute aufgeweckt hätte.

Wir fuhren durch die Straßen bis zur Hopewell Avenue. Jenny Fraser stand am Rand des Rasens, noch hochschwangerer, als ich sie in Erinnerung hatte. Ihr Sohn und ihre Tochter standen in Bademänteln neben ihr. Ich mied das Mädchen, obwohl ich bezweifelte, dass sie mich in der Uniform erkannt hätte.

Devlin Fraser brüllte Befehle, als hätte er das Kommando.

Sein Studio brannte schon lichterloh, das Dach leuchtete wie eine Römerkerze, während Negative und unbelichtete Filme zusammen mit Flaschen von Entwicklerflüssigkeit und Fixierern die Flammen weiter nährten.

Wir entrollten die Schläuche, schlossen sie an der Pumpe an und richteten sie auf das Haus, nicht auf den Bunker. Fraser warf uns Inkompetenz vor, weil er nicht begriff, dass sein Studio bereits verloren war. Unser Job war es, das Haus zu schützen.

Um zwei Uhr morgens war das Feuer gelöscht. Das Dach des Studios war eingebrochen und hatte alles darin zerstört. Ich stapfte durch die Trümmer und löschte die glühenden Reste ab. Die äußere, zur Straße führende Tür hing an nur einer Angel. Die Kette und das Vorhängeschloss lagen auf dem Boden, bedeckt von Ruß und Asche.

Ich nahm die Kette und untersuchte die Glieder. Ich zog die Handschuhe aus, leckte meinen Daumen an, rieb den Ruß ab und erkannte die Stelle, wo ein Glied mit einem Bolzenschneider durchtrennt worden war.

»Was ist das hier?«, fragte Denis, der mir gefolgt war.

»Ein Fotostudio.«

»Woran erkennst du das?«

»Ich war schon mal hier.«

Wir betraten die Ruine. Das Sofa und der Sessel waren nur noch skelettartige Skulpturen aus verkohltem Holz und Draht; die Stative und Ständer für die Scheinwerfer waren von der Hitze verbogen. Ich suchte nach dem Brandherd, konnte jedoch keinen entdecken, was auf mehrere Entzündungsorte hindeutete.

Dann entdeckte ich ein gebogenes und verkohltes Stück Plastik – den Griff eines größeren Behältnisses.

»Könnte ein Kanister gewesen sein«, sagte Denis.

Ich wusste, was er dachte. Versicherungsbetrug.

»Wir sollten die Polizei rufen«, sagte er.

»Die kommt eh.«

Die Metalltruhen waren offen. Ihr Inhalt war zu Asche und verkohlten Fragmenten von Fotopapier reduziert. Ich roch einen Hauch von Brandbeschleuniger.

Draußen rollte die Mannschaft die Schläuche ein und verstaute die Ausrüstung. Devlin Fraser stellte sich mir in den Weg. »Wann darf ich rein?«

»Gar nicht. Es ist zu gefährlich.«

»Aber meine Ausrüstung …«

»Alles dahin.«

»Hast du in die Truhen geguckt?«

»Es wurde alles zerstört.«

Als ich an dem Morgen nach Hause kam, war Luke schon zur Arbeit aufgebrochen. Mum war in der Küche und machte Saxon eine Lunchbox für die Schule fertig. Ich wusch mir das Gesicht und die Hände und goss mir einen Kaffee ein. Saxon tauchte um sieben auf. Sie hatte eine Freundin bei sich. Betsy Nagel.

»Sie hat hier übernachtet«, sagte Mum. »Ich habe sie bis spät reden hören.«

Saxon trug ein Bündel schmutziger Wäsche in die Waschküche. Mum bot an, sie später zu waschen, doch Saxon klappte den Deckel der Maschine zu und startete das Waschprogramm.

Sie sah meine Uniform. »Wo warst du?«

»Bei Devlin Fraser hat es gebrannt.«

»Ist jemand verletzt worden?«

»Nein. Sein Fotostudio ist abgebrannt.«

Saxon nahm einen Apfel aus der Schüssel, rieb ihn an ihrem

Rock sauber und biss hinein. Sie bot Betsy auch einen an, die offenbar außerstande war zu sprechen. Ich erwartete weitere Fragen, aber Mum schaltete sich ein.

»Was wollt ihr zum Frühstück?«

»Wir haben keinen Hunger«, sagte Saxon.

»Ihr müsst doch was essen.«

»Wir holen uns einen Zuckergussfinger von Bertoli's. Komm, Betsy.«

»Die Schule fängt erst in zwei Stunden an«, sagte Mum.

»Wir lernen noch in der Bibliothek.«

Saxon küsste sie auf die Wange und kräuselte die Nase in meine Richtung.

»Was hatte das denn zu bedeuten?«, fragte ich, nachdem sie weg waren.

»Hormone«, sagte Mum, ihre Antwort auf fast jede Frage mit Bezug auf Saxon.

Ein paar Tage später lud ich den Mäher in den Sandman und suchte meinen Benzinkanister. Normalerweise bewahrte ich ihn unter der Werkbank auf, ein Stück entfernt von allen Maschinen, die Funken erzeugen könnten. Außerdem wusste ich, dass ich erst in der vergangenen Woche extra zur Tankstelle gefahren war, um ihn zu füllen.

Als ich Luke danach fragte, sah er mich ausdruckslos an und sagte, Pferde bräuchten kein Benzin. Mum hätte den Schuppen nie betreten, und auf den Gedanken, Saxon zu fragen, kam ich nicht, weil, nun ja, mir der Gedanke nicht kam. Ich schloss den Schuppen fast nie ab, sodass jeder von der Straße hereinkommen und den Kanister hätte stehlen können, aber warum dann nicht auch den Mäher, den Rasentrimmer oder die Werkzeuge?

Vielleicht hätte ich nach dem Bolzenschneider suchen und die Backen auf frische Kratzer und Macken im Metall untersuchen sollen, doch ich hatte keinen Grund, einen Verdacht gegen Saxon oder sonst jemanden zu hegen. Nun haben ein einzelnes Foto und aus einem Tagebuch herausgerissene Seiten alles verändert. Saxon hat den Bolzenschneider und den Kanister aus dem Schuppen genommen. Sie ist in das Studio eingedrungen, hat die Truhen aufgebrochen, hat alles mit Benzin übergossen und die Fotos samt Negativen zerstört. Sie hat es für Betsy und die anderen Mädchen getan und vielleicht auch für sich selbst.

Einen Monat, bevor Saxon gestorben ist, und eine Woche, nachdem sie ihre Chance auf ein Musikstipendium verpasst hatte, zahlte jemand sechstausend Dollar auf ihr Sparbuch ein. Ein kleines Vermögen. Stand das in irgendeiner Verbindung mit dem Brand? Egal ob das Geld gestohlen oder erpresst worden war – es gehörte jemand anderem.

Nachdem es aufgehört hat zu regnen, schaffe ich es, das Dach mit Sperrholz und einer Plane zu flicken. Wellblech ist im Baumarkt frühestens nächste Woche erhältlich. Im Hof stehen zwar Paletten mit neuem Wellblech, doch die sind schon verkauft, wie der Geschäftsführer mir mit einem entschuldigenden Lächeln erklärt; seine Feindseligkeit verbirgt er hinter einer Fassade von Jovialität.

Ich habe Mum versprochen, sie heute aus dem Pflegeheim abzuholen, auf einen Nachmittagstee. Ich dusche und ziehe mein bestes Hemd an, bevor ich nach Eltham Court fahre. Helen habe ich seit der öffentlichen Versammlung nicht mehr gesehen. Sie hat nicht auf meine Nachrichten geantwortet und auch meine Anrufe nicht erwidert. Allmählich erkenne ich ein Muster in ihrem Verhalten – sie zieht mich näher heran und stößt mich dann wieder zurück. Vielleicht hat sie Angst, noch einmal zurückgewiesen oder verlassen zu werden, was ich verstehe. Ich kann ihr keine Zukunft versprechen.

Ihr Schreibtisch wird von einem vertraut aussehenden Jungen besetzt, der mit einem kleinen eierförmigen Schlüsselanhänger aus Plastik spielt.

»Haben sie dich erwischt, Clem?«, frage ich.

»Woher kennen Sie meinen Namen?«

»Ich habe dich in der Kirche gesehen. Man hat dich gesucht.«

Er erinnert sich und grinst. »Ich habe Hausarrest.«

»Solltest du nicht in der Schule sein?«

»Ich bin suspendiert.«

»Was hast du getan?«

»Die Schule geschwänzt. Seltsame Logik, oder? Ich schwänze Schule, also werde ich suspendiert. So oder so verpasse ich den Unterricht.«

»Du lernst nicht gern?«

»Ich werde nicht gern verprügelt.«

»Verständlich.«

Clems Pupillen haben dunkelbraune Flecken, und seine Augen funkeln amüsiert. Ich blicke auf das Teil in seiner Hand. »Ist das ein Spiel?«

»Ein Tamagotchi.«

»Was ist das?«

»Ein digitales Haustier. Ich muss es füttern, Gassi mit ihm gehen und seine Kacke wegmachen, sonst könnte es sterben.«

»Und wenn es stirbt?«

Er zuckt mit den Schultern. »Dann kommt es zurück.«

»Hättest du nicht lieber ein echtes Haustier?«

»Mum erlaubt mir nicht, einen Hund zu haben.«

»Ist deine Mum da?«

»Nein. Ich bin zuständig. Wie kann ich Ihnen helfen?«

»Ich hatte gehofft, meine Mum zu einem Nachmittagsausflug abzuholen.«

»Ist sie eine der Scheintoten?«

»Eine Heimbewohnerin, ja.«

Clem gibt mir ein Blatt. »Füllen Sie dieses Formular aus. Und ich brauche einen Identitätsnachweis.«

»Ich habe keinen.«

»Woher weiß ich, dass Sie kein Großmutter-Mörder sind?«

»Gibt es hier viele Großmutter-Mörder?«

»Sie wären überrascht.«

»Deine Mum kann für mich bürgen.«

»Mag sein, aber sie ist nicht hier.«

Mir fällt mein vorläufiger Führerschein ein, und ich hole ihn aus dem Handschuhfach des Wagens. Clem schreibt meinen Namen in ein Buch und stempelt mit großer Geste mein Formular ab.

»Bringen Sie sie bis fünf zurück, sonst verpasst sie das Abendessen.«

Mum trägt noch ihren Bademantel und Pantoffeln. Sie beklagt sich, dass sie sich umziehen muss, aber dann nestelt sie an ihrem Haar, setzt ihren Hut auf, zieht ihre guten Schuhe an und streift ihren Diamantring über. Nachdem sie den Sicherheitsgurt angelegt hat, stellt sie ihre Handtasche auf den Schoß und wartet darauf, dass ich mich ans Steuer setze.

»Um wie viel Uhr ist die Messe?«, fragt sie.

»Wir fahren zum Nachmittagstee.«

»Oh.«

Ich fahre von Eltham Court in die Stadt. Mum sieht sich um wie auf einer Besichtigungstour. Ich weise auf Geschäfte und Orientierungspunkte hin, und sie erzählt mir die Geschichte jedes Ortes. Ihr Langzeitgedächtnis ist scharf wie eh und je; sie kann die Namen von Babys nennen, die sie vor einer Generation zur Welt gebracht hat, doch sie hat Mühe, sich an gestern oder heute Vormittag zu erinnern oder an das, was vor zehn Minuten geschah.

Früher ist die Welt zu Mum gekommen. An den meisten Nachmittagen saß sie auf der Veranda und strickte Mützen und Babysocken, während Nachbarn und Besucherinnen zum Tee und zum Tratschen vorbeischauten. Hinterher konnte Mum durchaus abfällig lästern und Leute als »verrückte alte Schachteln«, »eingebildete Gockel« oder »fett wie ein Nilpferd« bezeichnen. »Du hättest Abby Reinholds neues Baby sehen sollen. Das arme Ding ist aus dem Hässlich-Baum gefallen und beim Sturz auf jeden Ast geprallt.«

Ich parke gegenüber dem alten Kino, und wir gehen die Elizabeth Street hinunter, betrachten die Schaufensterpuppen, Küchengeräte und Plakate in den Fenstern, die für Reisen nach Europa und Kreuzfahrten im Südpazifik werben. Mum ist noch nie geflogen. Ich wünschte, ich hätte ihr das Great Barrier Reef oder den Uluru zeigen können, doch jetzt ist es zu spät.

Ohne Vorwarnung klammert sie sich an meinen Arm und blickt nervös von einer Seite zur anderen. Das Vertraute ist verschwunden, sie erkennt die Straßen und Läden nicht mehr. Ich rede sanft auf sie ein, halte sie und rieche einen zarten Hauch von Pears-Seife und Babypuder – diesen wundervollen Duft, der mich als Kind erstickt hat.

Wir setzen uns in eine Nische im Windmill Café und bestellen Tee und Scones mit Marmelade und Clotted Cream. Mum gießt Tee ein und fängt an, eine Cole-Porter-Melodie zu summen. Ich glaube, sie stammt aus *Die oberen Zehntausend*, doch sie kann sich nicht erinnern. Sie gibt zu viel Milch und zwei Würfel Zucker in meine Tasse.

Als ich mich beschwere, rügt sie mich. »Letzte Woche hast du auch Zucker in den Tee genommen.«

Das war vor zwanzig Jahren, aber ich verbessere sie nicht.

»Du warst schon immer so kleinlich. Und nie zufrieden«, sagt sie und wirkt auf einmal nicht mehr gebrechlich und zart. »Luke war nie so. Er war ein süßer Junge. Er hat mich nicht gezwungen, in einer Irrenanstalt zu leben.«

»Es ist ein Altersheim.«

»Es ist voller Verrückter, oder nicht?«

»Sie sind alt, nicht verrückt.«

»Unsinn!«

Mandy Flynn bringt uns frisches heißes Wasser für die Teekanne.

»Du tauchst immer wieder auf«, sagt Mum zu ihr.

»Unkraut vergeht nicht.«

Ich stelle ihr Mum vor. »Du erinnerst dich an Mandy, oder?«

Mums Augen blitzen. »Ich habe dich zur Welt gebracht.«

»Ja, das haben Sie«, sagt Mandy.

»Und ich kann mich an deine Hochzeit erinnern. Du hattest ein hinreißendes Kleid an.«

»Sie haben den Blumenschmuck in der Kirche gemacht. Er war wunderschön.«

»Rosen, Pfingstrosen und Wicken.«

Ich frage mich, wie sie sich an solche Details erinnern und trotzdem so viel vergessen kann. Ihre Erinnerungen sind wie Wellen, die an eine fremde Küste branden und sich wieder zurückziehen.

Ich gehe zur Kasse. Mandy addiert die Rechnung.

»Erinnerst du dich an die Party zu Betsy Nagels achtzehntem Geburtstag?«, frage ich.

Mandys Blick trübt sich. »Natürlich.«

»Warst du überrascht, dass Betsy Saxon eingeladen hat?«

»Nein. Sie waren Freundinnen.«

»Nicht immer.«

»Am Anfang haben sie sich gehasst, aber das hat sich geändert.«

»Warum?«

»Ich weiß nicht. Vielleicht hat Jason Betsy Druck gemacht.«

»Warum hätte er das tun sollen?«

»Er hatte so ein Ding mit Saxon. War total verschossen in sie, aber sie war nicht interessiert.«

Ich erinnere mich an Jason. Er war der Grund, weshalb Saxon einen Monat vor ihren Abschlussprüfungen beinahe suspendiert worden wäre. Sie brachte einen Brief mit nach Hause, den sie zwischen den Salz- und den Pfefferstreuer auf dem Küchentisch klemmte wie eine Geburtstagskarte oder eine Einladung. Er war an mich adressiert. Mr Crawley verlangte dringend ein Treffen.

»Was hast du getan?«, fragte ich Saxon, die im Schneidersitz auf ihrem Bett saß.

»Nichts.«

»Irgendwas muss es gewesen sein.«

»Möglicherweise habe ich jemandem beiläufig gedroht, ihm den Kopf abzuschneiden und in seinen Arsch zu schieben.«

»Wem?«

»Jason Nagel.«

»Warum?«

»Er hat eine Umfrage unter den Jungen durchgeführt. Ich wurde zum fickbarsten Mädchen der Schule gewählt.«

»Und das konntest du nicht als Kompliment auffassen?«

»Es ist frauenverachtend und erniedrigend.«

Ich zeigte ihr den Brief. »Warum ist er an mich adressiert?«

»Es muss ein Elternteil oder ein Vormund sein.«

»Ich bin weder noch.«

»Ich habe Mr Crawley erzählt, dass du mein Verlobter bist.«

»Das ist nicht witzig.«

»Ich finde es ziemlich komisch.«

Ich machte einen Termin und fuhr am folgenden Nachmittag zur Schule. Saxon und ich warteten auf den orangefarbenen Plastikstühlen vor dem Büro des Direktors. Für mich fühlte es sich an wie alte Zeiten.

Die Tür ging auf, und wir wurden hereingebeten. Creepy trug einen seiner typischen selbst gestrickten Pullover, in dem er aussah wie eine übergewichtige Hummel.

»Er sollte nichts Gestreiftes tragen«, flüsterte Saxon.

»Pssst!«

Wir nahmen Platz. Creepy klappte eine verdächtig dicke Aktenmappe auf, und ich fragte mich, wie viele Beschwerden es schon über Saxon gegeben hatte.

»Ein Schüler aus Saxons Jahrgang hat einen körperlichen Angriff gemeldet. Saxon hat mit einem Messer gefuchtelt und gedroht, ihm den Kopf abzuschneiden.«

Saxon schnaubte verächtlich. »Es war ein Plastikmesser aus der Schulmensa.«

»Du hast gedroht, seinen toten Körper zu schänden.«

»Ich habe gesagt, ich würde ihm den Kopf in den Arsch schieben.«

»Dann gibst du es also zu?«

»Unbedingt, aber ich hätte ein schärferes Messer gebraucht, und ich bin mir nicht sicher, ob Jasons Kopf in seinen Arsch gepasst hätte. Er ist zu groß. Andererseits glaube ich, dass er sich eine Menge Sachen dort reinschiebt.«

»Du nimmst das nicht ernst.«

Ich legte eine Hand auf Saxons Arm. »Sei still, bitte.«

Sie schüttelte meine Hand ab.

»Dies ist nicht die erste Beschwerde über dich«, sagte

Mr Crawley. »Ich habe hier eine Liste von Beleidigungen, mit denen du Mitglieder des Lehrkörpers belegt hast. Mr Cameron, deinen Mathematiklehrer, hast du …« Er zögerte. »Nun, ich denke, ich muss die Worte nicht wiederholen.«

»Ich habe ihn einen Oberwichser genannt«, sagte Saxon.

»An dieser Schule billigen wir eine solche Ausdrucksweise nicht.«

»Nun, dann sollte er aufhören, ein Wichser zu sein.«

»Bitte hör auf zu fluchen«, sagte ich, doch ich war fasziniert. »Was hat er gemacht?«

»Ich glaube, darum geht es hier nicht«, sagte Creepy.

Saxon erklärte: »Suzie Collins hat Mr Cameron gebeten, zur Toilette gehen zu dürfen, und Mr Cameron hat ihr befohlen, bis zur Pausenglocke zu warten. Suzie hat erklärt, sie müsse sich übergeben, doch er hat sie trotzdem warten lassen, sodass Suzie auf den Fußboden gekotzt hat. Dann hat er sie gezwungen, einen Eimer und einen Mopp zu holen und die Sauerei wegzumachen, obwohl sie sich eigentlich im Krankenzimmer hätte melden sollen.«

»Ich denke, das ist übertrieben«, sagte Creepy, klang aber nicht mehr so selbstsicher.

»Außerdem hat er Malcolm Knox gesagt, seine Eltern hätten sich scheiden lassen, weil er so dumm ist.«

»Das steht hier nicht zur Debatte«, sagte Creepy. »Du hast deiner Musiklehrerin Mrs Corrigan erklärt, sie hätte eine Monobraue.«

»Ich habe angeboten, ihre Brauen zu zupfen. Das war *nett.*«

Der Direktor wollte das Geplänkel beenden. »Jasons Eltern verlangen, dass ich Maßnahmen ergreife.«

»Wie wäre es, wenn Saxon sich entschuldigt?«, schlug ich vor.

»Vergiss es!«

Ich starrte sie wütend an.

Sie zog einen Schmollmund. »Ich entschuldige mich, wenn er sich auch entschuldigt.«

»Ich bin nicht sicher, dass das reicht«, sagte Creepy.

»Vielleicht sollte es reichen«, sagte ich. »Ich weiß, dass Sie Saxon nicht auf dieser Schule haben wollten; sie jedoch nur wenige Wochen vor ihren Abschlussprüfungen zu verweisen, wäre eine unangemessene Bestrafung. Das würde selbst ihr Stiefvater so sehen. Ich könnte Frank anrufen und ihn fragen.«

Creepy ruderte unverzüglich zurück. »Die Prüfungen beginnen nächsten Monat. Bis dahin bleibt Saxon zu Hause und bereitet sich vor. Wie klingt das?«

Saxon nieste in ihren Ellbogen und machte ein Geräusch, das verdächtig so klang wie »Bullshit«.

Ich sprang zu ihrer Deckung ein, erklärte, dies sei »die perfekte Lösung«, und pries Mr Crawley für seine »Erfahrung und Weisheit«.

Er warf mir einen schrägen Seitenblick zu, unsicher, ob ich es sarkastisch meinte. Ich führte Saxon zur Tür hinaus, bevor sie weiteren Schaden anrichten konnte.

»Du musst aufhören, dir selbst das Leben schwer zu machen«, sagte ich, als wir zum Tor gingen. Sie trat gegen eine leere Getränkedose, die klappernd im Rinnstein landete. »Du hast mir nie erzählt, was an dem Tag in Canberra passiert ist – als du das Vorspiel verpasst hast.«

»Es spielt keine Rolle.«

»Wirst du dich noch einmal um ein Stipendium bewerben?«

»Es ist zu spät.«

»Nächstes Jahr?«

»Ich besorge das Geld.«

»Wie?«

»Vielleicht verkaufe ich meinen Körper.«

»Ich meine es ernst.«

»Wie kommst du darauf, dass ich es nicht ernst meine?«

Ich sagte nichts weiter, weil sie eindeutig schlecht gelaunt war. Seit unserer Rückkehr aus Canberra wirkte Saxon irgendwie reduziert. Sie übte kaum noch in der Kirche, und wenn sie in der Messe spielte, fehlten der Musik die frühere Kraft, das Herz und die eigenwilligen Ausschmückungen. Ich machte mir Sorgen, dass sie dabei war, ihren Traum aufzugeben, und wollte sie umstimmen.

»Was ist eigentlich aus Betsy Nagel geworden?«, frage ich Mandy, als ich ein paar Münzen in das Trinkgeldglas neben der Kasse werfe.

»Sie lebt immer noch hier. Sie und Jason arbeiten für ihren alten Herrn. First Avenue Estate. Betsy macht die Verkäufe in der Stadt, Jason kümmert sich um die Farmen und die Verpachtung von Weideland.«

Als wir das Café verlassen, überlege ich, ob ich mit Mum kurz zu Hause vorbeifahren soll, doch ich habe Angst, dass es sie zu sehr aufwühlt und sie vielleicht dorthin zurückkehren will. Stattdessen bringe ich sie zurück nach Eltham Court und auf ihr Zimmer.

Das Büro ist leer, aber Helen hat mir für morgen eine Liste mit zu erledigenden Aufgaben dagelassen. Ein lockerer Pflasterstein. Eine gebrochene Türangel. Ein verstopfter Abfluss. So kommunizieren wir gerade – per handschriftlichen Notizen ohne eine Spur von Zuneigung oder Vertrautheit. Im Gefängnis habe ich entschieden, ihre Briefe nicht zu lesen. Jetzt suche ich zwischen jeder ihrer Zeilen eine Botschaft.

# 36

Im Schaufenster von First Avenue Estate werden Immobilien zum Verkauf und zur Miete angeboten. Neben einigen der Angebote prangt Betsy Nagels Foto. Sie trägt ein zweiteiliges Kostüm; ihr Haar ist zu einem geschäftsmäßigen Bob geschnitten. Es gibt auch Fotos von ihrem Bruder, der dünner aussieht, mit schütterem Haar und einem breiten Lächeln.

Über meinem Kopf läutet eine Glocke. Eine junge Frau blickt vom Empfangsschreibtisch auf. Sie trinkt von einem Milchshake, den sie unter ihrem Schreibtisch verbirgt. Auf ihren Zähnen ist Lippenstift verschmiert.

»Kann ich Ihnen helfen?«

»Arbeitet Betsy heute?«

»Sie telefoniert, aber wenn Sie warten möchten?«

Ich setze mich auf ein Sofa vor einem Couchtisch mit abgegriffenen, nicht mehr aktuellen Exemplaren diverser Zeitschriften. Angeln. Mode. Reisen.

Die Empfangssekretärin kommt auf mich zu. »Darf ich nach Ihrem Namen fragen?«

»Arlo Hackett.«

Sie reißt die Augen auf, klopft dann an Betsys Tür und betritt ihr Büro. Nach ein paar Minuten kommt sie zurück.

»Darf ich fragen, worum es geht?«

»Ich verkaufe das Haus meiner Mutter. Ich möchte seinen Wert schätzen lassen.«

Wieder verschwindet die Sekretärin in dem inneren Büro. Kurz darauf geht die Tür auf, und Betsy kommt heraus. Sie hat das Lächeln einer Gameshow-Moderatorin, viel Zähne und Zahnfleisch, während die Augen verschwinden.

»Mr Hackett. Kommen Sie in mein Büro. Nehmen Sie Platz.«

»Du kannst mich Arlo nennen«, sage ich. »Schön, dich wiederzusehen. Wie geht es dir?«

»Mir? Gut. Ging mir nie besser.«

Und dir?, hätte sie beinahe hinzugefügt, verkneift es sich jedoch.

Sie setzt sich. Die Tür lässt sie offen. Die Empfangssekretärin bleibt in ihrem Blickfeld.

»Du willst das Haus deiner Familie verkaufen?«, sagt sie. Ich weiß nicht genau, ob es eine Frage ist. »Da bist du hier richtig.«

Ihre Kostümjacke hängt über ihrem Stuhl, und sie trägt blauen Lidschatten, der zu ihrer Augenfarbe passt. An der Wand hängen ein gerahmtes Diplom und Fotos von ihrem Vater, der Sportlern und Politikern die Hand schüttelt. Eins zeigt ihn mit Devlin Fraser, der seine Bürgermeisterrobe und eine Kette trägt.

»Es geht um das Haus in der All Saints Road?«, fragt Betsy.

»Genau das. Du warst schon mal dort.«

»Ich erinnere mich nicht.«

»Sicher. Du hast öfter dort übernachtet.«

Betsy rutscht verlegen auf ihrem Stuhl hin und her und fängt an, sich Notizen zu machen. »Der Markt ist wegen der hohen Zinsen zurzeit ziemlich flau.«

»Die Zinsen sind hoch?«

Sie lacht und sagt: »Wo bist du gewesen?« Dann begreift sie ihren Fehler. »Entschuldigung. Ich wollte nicht …« Sie setzt neu an. »Ich bin sicher, wir können einen Käufer finden. Hast du eine Preisvorstellung?«

»Nein.«

»Die meisten Verkäufer haben zumindest eine Hausnummer im Sinn.«

»Ich nicht. Ich war weg.«

»Nun, ich könnte dir eine auf jüngeren Verkäufen beruhende Schätzung anbieten.«

»Willst du dir das Haus nicht ansehen? Ich renoviere es. Ich kann dir die Arbeiten zeigen.«

Betsy schluckt. »Mein Bruder hat mehr Erfahrung, aber der macht gerade eine Kreuzfahrt. Wenn du warten könntest ...«

»Ich könnte einen anderen Makler suchen.«

»Nein! Ich kann dein Haus verkaufen.«

»Super. Dann fahren wir.«

Ich warte, während Betsy außer Hörweite eine ernste Unterhaltung mit ihrer Empfangssekretärin führt. Beide werfen verstohlene Blicke in meine Richtung.

»Hast du einen Wagen?«, fragt Betsy schließlich.

»Ich bin in die Stadt gelaufen.«

»Dann nehmen wir meinen«, sagt sie widerwillig. Sie hat ihre Handtasche zwischen den Schenkeln, als sie einen ziemlich neu aussehenden Toyota Camry rückwärts von dem Parkplatz hinter dem Büro fährt. Auf dem Heckfenster klebt ein Aufkleber von Devlin Frasers Autosalon.

»Du bist verheiratet«, sage ich, als mir ihr Ehering auffällt.

»Ja.«

»Wer ist der Glückliche?«

»Niemand, den du kennen würdest.«

»Jack Luff?«

Sie reißt die Augen auf. »Woher weißt du das?«

»Er war in der Schule dein Freund. Ich dachte, ihr seid vielleicht zusammengeblieben. Kleinstädte. Sandkastenlieben.«

Sie lächelt gezwungen.

Im Haus führe ich Betsy herum, beginnend mit der Veranda und den nach vorne heraus liegenden Zimmern, die frisch gestrichen und tapeziert sind. Sie entspannt sich allmählich, macht sich Notizen, nimmt Maß und spricht davon, das Haus zu entrümpeln, damit es »gemütlicher« wirkt.

»Ich lasse von einem Fotografen ein paar Werbeaufnahmen machen.«

»Ich habe kein Geld.«

»Es kostet nicht viel.«

Ich frage sie, wie viel das Haus wert ist. Sie antwortet ausweichend und spricht von »angespannter Marktlage« und »unrealistischen Erwartungen«.

»Einige Käufer könnten von Ereignissen in der Vergangenheit abgeschreckt werden.«

»Ereignisse?«

Sie schluckt ihre Antwort hinunter und verzieht das Gesicht.

»Saxon ist nicht hier gestorben«, sage ich.

»Ja, aber die Leute wissen, dass sie hier gewohnt hat, genau wie …«

Sie beendet den Satz nicht, also tue ich es für sie. »Mein Bruder?«

Betsy wendet den Blick ab und bemerkt Saxons Tagebuch, das auf einem Stuhl liegt. Die Farbe weicht aus ihrem Gesicht. »Woher hast du das?«

»Es war bei Saxons Sachen.«

»Du solltest es nicht lesen.«

»Warum nicht?«

»Es ist privat.«

»Hast du es gelesen?«

»Nein, ich meine …« Betsy blickt über ihre Schulter in den Flur Richtung Haustür.

Als ich nach dem Tagebuch greife, weicht sie zurück und schiebt ihre Hand in ihre Handtasche. Sie zieht ein Taschenmesser heraus, will hektisch die Klinge aufklappen, erwischt jedoch stattdessen den Flaschenöffner. Fluchend versucht sie es erneut, bis ich ihr das Messer aus der Hand nehme und auf den Tisch lege.

Ich klappe das Tagebuch auf und nehme das Foto heraus. Ich hatte nicht vor, es Betsy zu zeigen. Ich wollte sie nicht verlegen machen oder an ihre jugendlichen Unbesonnenheiten erinnern.

Sie öffnet den Mund zu einem stummen Stöhnen.

»Wer hat das gemacht?«, frage ich.

Sie schließt die Augen. »Bitte nicht.«

»Gibt es weitere?«

Sie nickt.

»Hat Devlin Fraser dich zum Sex erpresst?«

Die Frage trifft sie wie eine Ohrfeige. Sie macht einen Schritt zurück.

»Ich weiß, dass du schwanger warst, Betsy. Deswegen bist du nach Canberra gefahren. Saxon hat dir geholfen.«

Sie wiegt den Kopf hin und her. »Du darfst es niemandem erzählen. Ich habe einen Mann ... Kinder.«

»Hat Saxon auch für Devlin Fraser Modell gestanden?«

»Nein.«

»Aus ihrem Tagebuch waren Seiten herausgerissen. Warst du das?«

Betsy schüttelt den Kopf.

»Was ist auf deiner Geburtstagsparty passiert?«

»Ich habe eine Aussage bei der Polizei gemacht.«

»Hast du Saxon mit irgendjemandem gesehen?«

»Ja. Klar. Es waren jede Menge Leute da. Saxon hat getanzt. Sich amüsiert.«

»Mit irgendjemand Bestimmtem?«

»Welche Rolle spielt das? Dein Bruder hat sie getötet.«

»Das glaube ich nicht.«

»Er hat gestanden.«

»Die Polizei hat es aus ihm herausgeprügelt.«

Betsy wird still.

»Was ist mit deinem Bruder, Jason?«

»Saxon spielte in einer komplett anderen Liga.«

»Er wollte mit ihr schlafen.«

»Jason hätte mit einem Baum geschlafen, wenn ihn ein Astloch angezwinkert hätte.«

»Jemand hatte es an dem Abend auf Saxon abgesehen. Sie war deine Freundin.«

Betsy seufzt. »Ich erzähle dir, was ich der Polizei erzählt habe. Saxon hat getanzt. Sie hat mit der Band Klavier gespielt. Sie hat zu viel getrunken. Sie hat sich draußen auf dem Rasen übergeben. Ich habe sie in eine der Umkleidekabinen gebracht, wo sie sich hingelegt hat. Ich habe nach ihr gesehen, als die Busse abgefahren sind, doch sie war verschwunden.«

»Wohin?«

»Nach Hause. Die Party war vorbei. Ich dachte, sie wäre bei irgendjemandem mitgefahren.«

»Bei wem?«

»Ich weiß es nicht. Ich habe sie nicht gesehen.«

Ich halte noch einmal das Foto hoch. »Devlin Frasers Fotostudio ist abgebrannt. Wart ihr das, du und Saxon?«

Sie klingt jetzt verzweifelt. »Ich muss in dieser Stadt leben. Ich mache hier Geschäfte. Unsere Büros gehören Devlin Fraser.«

»Was er getan hat, war verkehrt.«

»Ich war jung und dumm.«

»Es war nicht deine Schuld.«

Betsy betrachtet das Foto. »Du zeigst es doch keinem, oder? Das Bild ...«

Ich halte ihr das Foto hin. Sie nimmt es mir aus der Hand und zerreißt es in immer kleinere Fetzen, die sie in der geballten Faust zusammendrückt.

»Willst du das Haus immer noch verkaufen?«

»Ja.«

»Darf ich das Angebot machen?«

»Wenn es fertig ist.«

# 37

Der Himmel ist blau und mit weißen Wolken gesprenkelt, die aussehen wie Samenbomben, bereit, sich bei der ersten Windböe zu zerstreuen. Ich wende mich von der Tür ab und gehe zurück in die Küche.

Jemand klopft. Kurz und heftig. Einen Moment lang denke ich, dass Betsy zurückgekommen ist, doch auf der Schwelle steht Helen. Sie wirkt blasser und kleiner, als würde sie Stück für Stück verschwinden wie eine Sandburg, die der Flut nicht standhalten kann.

»Was hat Betsy Nagel hier gemacht?«, fragt sie und drängt sich an mir vorbei, sodass mir nichts anderes übrig bleibt, als ihr in die Küche zu folgen.

»Ich wollte eine Einschätzung zum Wert des Hauses.«

»Du willst immer noch weggehen.«

»Ja.«

»Warum?«

»Ich bin hier nicht willkommen.«

»Dies ist deine Heimat.«

»Nicht mehr.«

»Du bist ein Feigling.«

»Ich bin ein Realist.«

Ihre Augen schimmern. »Was ist mit mir?«

»Du bist das Beste an dieser Stadt.«

»Aber ich bin nicht genug.«

»Du könntest mit mir kommen.«

Sie boxt fest gegen meine Brust. »Du kommst nach zwölf

Jahren zurück und erwartest, dass ich für dich alles stehen und liegen lasse. Tja, ich bin keine treue Ehefrau, die darauf gewartet hat, dass du nach Hause kommst. Ich bin nicht deine Geliebte oder dein Groupie oder eine dieser Frauen, die es anmacht, Brieffreundin eines Häftlings zu sein. Ich bin nicht mal deine gute Freundin.«

Sie boxt mich noch einmal, doch es tut ihr mehr weh als mir. Sie stützt sich mit den Händen auf dem Tisch ab und setzt sich schwer atmend.

»Warum hast du mir nicht von Clem erzählt?«, frage ich.

»Warum hast du meine Briefe nicht gelesen?«

Sie hat recht. Mein Fehler. Nicht ihrer.

»Wie alt war er, als Eddie gestorben ist?«

»Fünf. Er erinnert sich kaum an ihn.«

»Muss schwierig gewesen sein – als alleinerziehende Mutter.«

»Ich will dein Mitleid nicht.«

»Ich wollte nicht … Es ist nicht …« Ich setze neu an. »Clem hat enorm viel Charakter.«

Helen sieht mich von der Seite an, auf der Suche nach einer unterschwelligen Kritik. Dann verändert sich etwas, und sie entspannt sich.

»Er ist brillant«, sagt sie. »Anders. Besonders. Er trägt sein Herz auf der Zunge, und es ist riesig. Er mag keinen Sport, sondern lieber Musik und Theater. Ich mache mir Sorgen, dass er gemobbt wird und nicht viele Freunde hat.«

»Luke war auch so.«

»Sie sind *nicht* gleich.«

»Ich weiß.«

»Jeder Mann in Clems Leben ist entweder gestorben oder hat mich verlassen. Du wirst ein weiterer sein.«

Ich lache. »Mich braucht er bestimmt nicht als Vorbild.«

»Ich meine es ernst.«

»Ich auch. Mein Leben ist ein Chaos.«

Ich schalte den Wasserkocher ein, stelle Tassen bereit und nehme Milch aus dem Kühlschrank. Saxons Tagebuch liegt immer noch auf dem Tisch. Ich nehme es und packe es weg.

Helen beugt sich vor und blickt an mir vorbei. »Was war das?«

»Es hat Saxon gehört.«

»Woher hast du das?«

»Camille Gutterson hat es zwischen Ottos Akten gefunden.«

»Und du hast beschlossen, es zu lesen – um dich selbst zu bestrafen?«

»Um die Ereignisse zu verstehen.«

»Ich helfe dir. Ein Mädchen wurde ermordet. Dein Bruder hat gestanden und sich dann das Leben genommen. Ende der Geschichte.«

»Was, wenn Luke unschuldig war?«

Helens nächste Bemerkung bleibt ihr im Hals stecken. Sie setzt noch einmal an. »Du hast deine Zeit abgesessen, Arlo. Du schuldest Luke rein gar nichts.«

»Es geht nicht um Schuld. Ich hätte ihn beschützen müssen.«

»Du bist nicht deines Bruders Hüter.«

»Da irrst du dich. Ich *war* sein Hüter. Ich hätte sie beide retten müssen.«

»Saxon war nicht deine Verantwortung. Und sie war keine Heilige. Die Leute sprechen von ihr wie von irgendeinem unschuldigen Kind im Wald, aber sie war nicht ohne Schuld, und sie war nicht makellos. Sie hat mit Jungen geschlafen. Das weiß ich sicher.«

»Saxon war Jungfrau.«

Helen lacht. »Jetzt bist du naiv.«

Ich gehe ins Gästezimmer und kehre mit der Akte zurück, die Camille in Ottos Lager gefunden hat. Ich nehme den Obduktionsbericht heraus und zeige Helen die Stelle, wo Saxons infolge einer Vergewaltigung gerissenes Hymen erwähnt wird.

Helen starrt mich ungläubig blinzelnd an. »Aber sie war schwanger. Doc McCabe hat ihr einen Schwangerschaftstest gegeben.«

»Er war für jemand anderen.«

»Saxon hat mich nach einem Abbruch gefragt. Ich habe ihr die Adresse einer Klinik in Canberra aufgeschrieben.«

»Auch für jemand anderen.«

»Für wen?«

»Das ist nicht wichtig.«

Helen schüttelt den Kopf und will mir nicht glauben. Diese eine Information hat die Ereignisse in ihrem Kopf komplett umgeschrieben. Es ist, als hätte sie die ganze Zeit eine optische Täuschung oder Luftspiegelung betrachtet und könne nun ein anderes Bild erkennen.

Noch vor meiner Zeit im Gefängnis habe ich einmal einen Werbespot gesehen, in dem ein bedrohlich aussehender Skinhead über eine städtische Straße auf einen Mann mittleren Alters zurannte, der seinen Aktenkoffer hochhielt, um den Angriff abzuwehren. Dann wurde dieselbe Szene aus einer anderen Perspektive gezeigt. Man sah einen Kran, der Gebäudeschutt über den Köpfen der beiden hob. Das Lastengeschirr riss, und eine Sekunde, nachdem der Skinhead den Mann in Sicherheit gestoßen hatte, krachte der Schutt auf den Bürgersteig. An den Rest kann ich mich nicht mehr erinnern, aber die Botschaft war klar – solange man nicht das ganze Bild sieht, kennt man nur einen Teil der Geschichte.

Helen wirkt völlig erschüttert, doch sie hält dagegen. »Du

hast in jener Nacht nicht alles verloren, Arlo. Ich bin noch hier.«

»Es geht nicht um dich.«

»Offensichtlich nicht.«

Sie drängt an mir vorbei. »Ich will dich nicht wiedersehen. Wenn du zur Arbeit kommst, halte dich vom Büro fern und hör auf, mich anzurufen. Sprich weder mit mir noch mit meinem Sohn.«

»Bitte tu das nicht.«

»Ich habe einmal auf dich gewartet, Arlo. Ich warte nicht noch mal.«

»Ich habe dich nicht gebeten zu warten«, sage ich und will ihre Hand greifen. Helen schlägt meine Hand weg.

»Fass mich nie wieder an.«

Ich sehe ihr nach, als sie über den Weg vor dem Haus geht, in ihren Wagen steigt, sich hinters Steuer setzt und das Gesicht in den Händen vergräbt.

# 38

Saxons Leben war wie eine der Seifenopern, die sie in ihren Lernpausen schaute. Alles war ein Melodrama, bei dem sie Schauspielerin, Regisseurin und Star in einem war und von einer Szene in die nächste rauschte, große Auftritte hatte und überzogene Dialogzeilen vortrug.

»Ich sollte einfach sterben«, sagte sie, ließ sich auf ihr Bett fallen und schirmte mit dem Unterarm ihre Augen ab. Ihre gesamte Garderobe war auf dem Boden ihres Zimmers verstreut. Es war keine große Auswahl. Sie hatte die Sachen, die ich aus ihrem Haus mitgenommen hatte, und ein paar Kleider, die Mum umgeändert oder aus dem Secondhandladen mitgenommen hatte.

Ich ging an ihrem Zimmer vorbei und biss auf den Köder an. »Was?«

»Ich habe nichts zum Anziehen für Betsys Party.«

»Du hättest in Canberra etwas kaufen sollen.«

»Ich hatte keine Zeit. Ich habe Betsy geholfen.«

»Geht es ihr besser? Sie sah nicht gut aus.«

Saxon tat die Frage mit einem Achselzucken ab. Seit unserem Termin bei Mr Crawley war sie zu Hause und bereitete sich auf ihre Abschlussprüfungen vor. Sie hatte sich einen Lernplan an die Wand ihres Zimmers geheftet und die verschiedenen Fächer in Zeitblöcke unterteilt. Außerdem hatte sie Karteikarten mit Fakten, Zitaten und Daten beschrieben. Luke fragte sie jeden Abend ab, wenn er von den Ställen nach Hause kam.

»Du könntest Mum bitten, dir etwas zu nähen«, sagte ich.

»Ich will kein Alte-Damen-Kleid.«

»Sie kann alles machen, was du willst.«

Saxon sah mich skeptisch an und machte sich auf die Suche nach Mum, die auf ihrem Stuhl auf der vorderen Veranda saß. Saxon erklärte ihr, was sie wollte – etwas Elegantes und Hübsches und nichts, »was eine Nonne tragen würde«.

»Du möchtest, dass die Jungen dich anschauen«, sagte Mum ohne Vorwurf.

»Ja.«

»Ohne deine Dingsda zu zeigen.«

»Wenn Sie darauf bestehen.«

»Komm mit.«

Sie führte Saxon in ihr Schlafzimmer und öffnete die Truhe am Fuß ihres Bettes. »Hast du je von einer Aussteuertruhe gehört? Manche Menschen nennen sie auch Hochzeitstruhe. Darin sammeln junge Frauen Sachen wie Wäsche, Decken, Stoff und Haushaltswaren, die ihnen später als Ehefrau nützlich sein können.«

»Wie vorausschauend und fortschrittlich«, sagte Saxon.

Mum ignorierte ihren Sarkasmus, zog einen in Seidenpapier eingeschlagenen Packen heraus und entfaltete ihn behutsam.

Saxon stockte der Atem. »Ist das Seide?«

»Seidentaft.«

»Es ist wunderschön.«

»Ich kann dir ein Partykleid nähen. Etwas Klassisches und Hübsches.«

Saxon zögerte. »Ich möchte nicht, dass Sie es an mich verschwenden.«

»Unsinn. Darauf habe ich dreißig Jahre gewartet.«

Die Tür schloss sich, und die beiden Frauen kamen eine Stunde lang nicht wieder heraus. Mum ließ mich die Nähmaschine auf die Veranda tragen, weil sie dort mehr Licht hatte. Die nächsten drei Tage maß, nähte und säumte sie, rief hin und wieder Saxon zu einer Anprobe herein, alles hinter der geschlossenen Schlafzimmertür.

»Was machen sie die ganze Zeit da drinnen?«, fragte Luke.

»Reden.«

»Worüber?«

»Mädchensachen.«

»Ich weiß nicht, was das ist«, sagte er.

»Weil Frauen geheimnisvoll sind.«

# 39

Ich hatte den Tag außerhalb der Stadt verbracht und auf einem der Grundstücke am Fluss einen Heizkessel repariert. Die Schersaison hatte begonnen, und es gab sechzehn Männer, die eine heiße Dusche brauchten, nachdem sie den ganzen Tag lang mit Schafen gerungen hatten.

Einer von ihnen, der alte Jake, schor schon seit sechzig Jahren Schafe und verbrachte jedes Jahr neun Monate auf der Straße, zog von Farm zu Farm, lebte in den Quartieren der Scherer und schlief auf Pritschen. Jake trug eine Rückenstütze, hatte O-Beine und sah halb verkrüppelt aus, doch er konnte immer noch hundert Schafe am Tag scheren. Er erzählte mir Geschichten von dem Schafscherer-Streik 1956, als Schuppen brannten, Streikbrecher angeheuert wurden und an Streikpostenketten Schlägereien ausbrachen. Jahre später wurde ein Film darüber gedreht, *Männer ohne Sonntag*. Jake war einer der Statisten, die dafür sorgten, dass »die Schauspieler gut aussahen«.

Saxon wartete zu Hause auf mich. Sie ließ mich erst den Abwasch machen und forderte mich dann auf, in einem Sessel Platz zu nehmen.

»Mach die Augen zu. Und nicht gucken.«

Ich wartete. Sie und Mum tuschelten im Schlafzimmer.

»Warum dauert es so lange?«

Saxon kam an die Tür. »Okay, jetzt darfst du gucken.«

Sie hüpfte in ihrem neuen Kleid barfuß durchs Wohnzimmer und drehte sich um die eigene Achse, sodass der Rock hochwirbelte und wieder auf ihre Schenkel fiel. Das Kleid war ärmellos, glänzte schillernd, schmiegte sich an ihren Oberkörper und fiel in Falten über ihre Hüften wie herabstürzendes Wasser.

»Es ist zu kurz«, sagte Mum, die ihr gefolgt war.

»Ich finde, es ist perfekt«, sagte Saxon.

»Du siehst wunderschön aus«, sagte ich.

»Wirklich?«

»Ja.«

Sie drehte sich noch einmal im Kreis. »Ja, stimmt.«

Dann blieb sie unvermittelt stehen, und ihre Miene trübte sich. »Ich habe keine Schuhe.«

»Oh, das hätte ich fast vergessen«, sagte Mum. »Warte hier.«

Sie verschwand in ihrem Schlafzimmer und fing an, in ihrer Hochzeitstruhe zu kramen. Sie kehrte mit einem vergilbten Schuhkarton zurück, nahm den Deckel ab, wickelte eine Lage Seidenpapier aus und präsentierte ein Paar weiße Riemchensandalen mit Absatz.

Saxons Augen leuchteten auf.

»Die hat mir jemand geschenkt«, erklärte Mum. »Er war Besitzer eines Schuhladens, und ich habe das Kind seiner Frau zur Welt gebracht. Ich habe sie nie getragen. Ich kann nicht auf Absätzen laufen.«

Saxon setzte sich aufs Sofa und fädelte die Riemchen durch die Schnallen. Dann stellte sie sich wieder vor den Spiegel und betrachtete die Sandalen von allen Seiten. Ihr Lächeln sagte alles.

Draußen hupte ein Auto. Ich ging zur Tür. Ein glänzender neuer Land Cruiser hatte an der Graskante gehalten. Am Steuer saß Devlin Fraser.

»Was will er?«, fragte ich.

»Mich«, sagte Saxon, drängte an mir vorbei und schwebte in ihrem neuen Kleid den Weg vor dem Haus hinunter.

Mr Fraser kurbelte das Fenster herunter, stieg jedoch nicht aus. Es gab einen Wortwechsel. Fraser war offensichtlich wütend, doch die beiden waren außer Hörweite. Ich versuchte, seine Lippen zu lesen. Er schlug mit der Faust aufs Lenkrad, sagte »Miststück« und starrte Saxon mit gefletschten Zähnen an. Ich trat von der Veranda, doch der Wagen fuhr an und beschleunigte mit schlingerndem Heck über den Schotter, bis die Reifen auf dem Asphalt Halt fanden.

»Was hatte denn das zu bedeuten?«, fragte ich.

Saxon zuckte die Achseln. »Er will, dass ich wieder im Autosalon arbeite.«

Ich wusste, dass sie log. »Warum hast du aufgehört?«

»Weil er ein Schmierlappen ist.«

»Hat er irgendwas versucht?«

»Das würde er nicht wagen. Ich habe ihm erklärt, dass du ihn umbringst, wenn er mich anrührt. Das würdest du doch machen, oder? Das hat man dir in der Armee doch beigebracht – wie man Menschen tötet.«

»Ich habe gelernt, dass Kämpfen nicht die Lösung für alles ist.«

»Aber für mich würdest du es tun?«

Sie küsste mich auf die Wange und rannte zurück ins Haus.

# 40

Luke hatte die Nächte in den Ställen verbracht, weil eine der Stuten fohlen sollte. Er schlief in einem kleinen Raum mit einer Pritsche, einem Tisch und zwei Stühlen. Es gab einen Wasserkocher und ein kleines Waschbecken.

Miss Diskin, ein Schimmel, hatte in ihrem Leben ein paar große Rennen gewonnen und war eine von Lukes Lieblingen, weil sie ihm auch ohne Halfter und Zaumzeug überallhin folgte. Außerdem hatte er sie mit so viel Lakritz gefüttert, dass Monte Pope meinte, sie würde wahrscheinlich einen Dalmatiner gebären.

Dies war nicht Miss Diskins erstes Fohlen. Sie hatte schon drei geworfen, zwei Hengst- und ein Stutenfohlen, die als Einjährige beim Verkauf gute Preise erzielt hatten. Luke wachte in der Nacht über die Stute und beobachtete, ob sie unruhig wurde, Schweißausbrüche hatte oder sich hinlegen wollte. Solange es keine Komplikationen gab, sollte er der Natur ihren Lauf lassen und den Tierarzt nur rufen, wenn das Fohlen falsch lag oder die Wehen zu lange dauerten.

Am nächsten Morgen kam Luke leise herein und ging direkt in die Waschküche, wo er seine Kleider auszog. Dort fand ich ihn, nur in Boxershorts bekleidet, während er versuchte, mit Bimsstein und Sunlight-Seife das Blut von seinem Hemd zu schrubben.

»Was ist passiert?«, fragte ich.

Er schüttelte den Kopf, unfähig zu antworten.

»Sag mir, was los ist.«

»Sie sind tot.«

»Wer?«

»Miss Diskin und ihr Fohlen.«

Mit flacher, emotionsloser Stimme erklärte er, dass Miss Diskin während der Geburt heftig geblutet hatte. Es war zu spät gewesen, um einen Tierarzt zu holen. Ihr Fohlen wurde geboren, doch die Stute konnte Luke nicht retten.

Er trocknete das Fohlen ab und legte es neben Miss Diskins Leichnam, bevor er zu Monte Popes Haus radelte.

»Er war wütend«, berichtete Luke. »Er hat gesagt, ich hätte den Tierarzt rufen sollen, aber Miss Diskin hat einen vollkommen normalen Eindruck gemacht. Sie hat alles richtig gemacht. Mr Pope kam zu den Ställen und hat sich das Fohlen angesehen. Er hat gesagt, es hätte lahme Beine und würde nie richtig laufen. Er hat mir befohlen, es loszuwerden.«

»Das Fohlen?«

Luke nickte, und eine Blase Schnodder platzte aus seiner Nase. »Ich habe gesagt, das kann ich nicht, und er hat mich vor die Wahl gestellt. Entweder ich tue, was er sagt, oder ich brauche nicht wiederzukommen.«

Das Wasser in dem Waschbecken war rosa vor Blut.

»Ich wollte nicht … Sie war noch so klein …«

Ich stellte keine weiteren Fragen, weil ich nicht im Detail wissen wollte, was er getan hatte. Stattdessen zog ich ihn an mich und umarmte ihn. Normalerweise hasste er es, berührt zu werden, doch diesmal schlang er seine Arme fest um mich.

»Nicht so doll. Du tust mir weh«, sagte ich.

Er hörte mich nicht.

»Lass los, Luke. Ich krieg keine Luft.«

Ich drückte gegen seine Brust, damit er seinen Griff lockerte, und trommelte mit den Fäusten auf seine Schultern, was ihn jedoch nur noch heftiger zudrücken ließ.

»Luke, Luke, lass los!«

Ich spürte, wie meine Rippen knackten, und hatte das Gefühl, dass der Raum dunkler wurde. Erst als ich ihm eine schallende Ohrfeige verpasste, war der Bann gebrochen. Er ließ mich los und berührte seine Wange, als hätte er gerade zum ersten Mal einen Schmerz gespürt.

Ich saugte Luft ein und tastete meine Rippen ab.

»Tut mir leid. Tut mir leid. Tut mir leid«, sagte Luke.

»Du darfst nicht vergessen, wie stark du bist.«

»Tut mir leid. Tut mir leid.«

»Schon gut. Entspann dich. Komm, ich helf dir, dich sauber zu machen.«

»Tut mir leid. Tut mir leid.«

# 41

Mein Handy zwitschert, und das Display leuchtet auf. Camille hat mir eine SMS geschickt: *Kommen Sie ins Gericht. Ich habe Infos.* Ich bin gerade dabei, die Sockelleisten und die Rosette an der Decke von Lukes altem Zimmer zu streichen. Nachdem ich die Pinsel gereinigt und ein frisches Hemd angezogen habe, gehe ich in die Stadt.

Das Gerichtsgebäude von Yulara ist ein Sandsteinbau, der direkt nach der großen Flut errichtet wurde. Heute ist ein Richter in der Stadt. Er kommt einmal pro Woche, um kleinere Fälle und Kautionsanträge anzuhören, die meisten wegen Alkohol am Steuer, häuslicher Gewalt und Störung der öffentlichen Ordnung. »Die üblichen Verdächtigen«, meint Camille, als wir uns im Foyer treffen. Sie trägt ihre Gerichtskleidung – schwarzer Rock, taillierte weiße Bluse und praktische schwarze Pumps. Ihr Haar ist nach hinten gesteckt.

Sie gibt mir einen Schlüsselbund. »Ich habe einen Karton mit Aussagen zu Lukes Fall gefunden. Er steht in meinem Büro. Sie können sie lesen, aber nehmen Sie nichts mit nach Hause.«

Als ich nach dem Grund frage, sagt sie: »Es ist sicherer so.«

Leute starren uns an und tuscheln finster. Ich spüre eine Luftblase in meiner Lunge aufsteigen, als ich mich unvermittelt in eine andere Zeit an derselben Stelle zurückversetzt fühle. Menschen, die mich anrempeln. Hasserfüllte Gesichter. Luke im Polizeigewahrsam. Saxon tot.

Camille berührt meinen Unterarm. »Alles in Ordnung?«

»Schlechte Erinnerungen«, sage ich. »Ich brauche frische Luft.«

Draußen lehne ich mich an eine der dorischen Säulen und warte, dass mein Herzschlag sich beruhigt.

Auf der Treppe zum Gerichtsgebäude begegne ich DS Gavin Aimes, der mir den Weg versperrt. Er ist in Begleitung von Polizeistaatsanwalt Henry Sabatini, der älter und grauer aussieht, als ich ihn in Erinnerung habe, vergilbt wie eine Sepiafotografie in einem silbernen Rahmen.

Ich versuche, um Aimes herumzugehen, doch er bewegt sich mit mir. Tanzende Krebse. Ich bleibe stehen. Er grinst.

»Ein kleines Vögelchen hat mir geflüstert, dass jemand nach Beweisstücken im Fall deines Bruders fragt. Warst du das?«

»Nein.«

»Dann jemand in deinem Auftrag?«

Ich antworte nicht.

»Nun, du kannst ihm sagen, dass alles zerstört wurde. Dafür habe ich gesorgt.«

»Warum das?«

»Der Fall wurde nie vor Gericht verhandelt. Warum sollte ich die Beweisstücke aufbewahren?«

»Für den Fall, dass ihr einen Fehler gemacht habt.«

»Es gab keinen Fehler.«

Ich täusche auf einer Seite an und gehe dann auf der anderen an ihm vorbei.

»Ich habe von der öffentlichen Versammlung gehört«, ruft Aimes mir hinterher. »Ich habe dich davor gewarnt, hier weiter rumzuhängen.«

Der Karton ist mit einem frischen Streifen Klebeband zugeklebt. Ich schneide ihn durch und klappe den Deckel auf. Der

Karton enthält einen Stapel Akten und Ordner mit Zeugenaussagen, kriminaltechnischen Berichten und einer Chronologie der Ereignisse. Auf einer Karte der Rennbahn und des Ausstellungsgeländes sind zahlreiche Details der Geburtstagsparty notiert, die Lage der Bar, des Grills und der Bühne.

Der größte Ordner trägt die Aufschrift: *Tatortfotos*. Die Bilder sind in Plastikhüllen sortiert, zwei pro Seite, alle nummeriert und codiert. Zunächst wird der Rahmen gesetzt: Fotos von der Zufahrtsstraße zu dem Ausstellungsgelände sowie von der Tribüne, dem überdachten Pavillon, den Koppeln und Ställen.

Man sieht Spuren der Party. Überquellende Mülleimer. Weggeworfenes Leergut. Pappteller. Plastikbecher. Servietten. Ein Berg schmelzendes Eis. Über der Bühne hängt ein Banner mit dem Aufdruck: *Alles Gute zum 18. Geburtstag.*

Viele der Fotos sind wegen Tropfen auf der Linse verschwommen. Andere zeigen Pfützen auf den Straßen und vollgelaufene Gräben. Mit jeder Seite, die ich umblättere, nähere ich mich den Ställen, und ich merke, dass ich die Luft anhalte aus Angst vor dem, was kommt. Ich versuche bewusst, mich zu entspannen. Atme ein. Atme aus.

Über den verwitterten Holztoren der Ställe ist ein weißes Zelt errichtet worden. Die Kamera bewegt sich ins Innere des Gebäudes, wo Scheinwerfer die Schatten verscheuchen und noch die dunkelste Ecke ausleuchten. Zu beiden Seiten des Ganges erstrecken sich die Boxen mit den Pferden, getrennt durch dickes, dunkles Holz, das mit den Jahren blank gerieben wurde. Einige Tiere strecken die Köpfe über die halbhohen Türen und betrachten die Mitarbeiter der Spurensicherung mit Neugier oder Gleichgültigkeit.

Ich blättere eine Seite weiter, Säure steigt in meinem Magen auf und brennt in der Speiseröhre. Die Bilder zeigen einen

Raum im hinteren Teil der Ställe mit einem Tisch, zwei Stühlen, einer Pritsche und einem Waschbecken. Decken hängen über die Kante, und ich sehe Spuren im Staub, wo der Metallrahmen des Bettes von der Wand gezogen wurde.

Auf dem Betonboden liegt eine einzelne weiße Sandale. Ich erkenne sie wieder. Die Schuhe waren Mums Geschenk für Saxon. Das Bild erinnert mich an Zeitungsfotos von Naturkatastrophen. Nach einem Buschbrand oder einem Tsunami findet die Kamera zwischen den Trümmern anscheinend jedes Mal einen Teddybär, ein Dreirad oder einen Kinderschuh – ein Versuch, der Tragödie ein menschliches Gesicht zu geben und Mitgefühl zu wecken.

Lukes Öljacke hängt an einem Haken neben der Tür. Sein Baumwollbeutel liegt auf dem Stuhl. Darin befinden sich garantiert eine Thermosflasche mit Milo-Kakao und ein Butterbrot mit Marmelade. Neben dem Bett steht eine Sporttasche. Sie gehört mir. Luke muss sie ausgeliehen haben, ohne dass ich ihr Fehlen bemerkt habe.

Das nächste Foto zeigt einen Beweismittelaufsteller auf der Wolldecke. Ein Blutfleck. Ein Haar. Ein Indiz für irgendwas.

Abgesehen von der Sandale gibt es kein Anzeichen dafür, dass Saxon sich in diesem Raum aufgehalten hat, aber dort ist sie angeblich gestorben. Woher weiß man das? Hat Luke es ihnen erzählt? Oder von wem könnte die Information sonst stammen?

Der Ordner hat ein Trennblatt, das die Bilder des ersten und die des zweiten Tatorts unterteilt. Eine weitere Folge von Fotos zeigt die St. Patrick's Church von außen, ehe die Kamera sich ins Innere der Kirche bewegt, vom Licht in den Schatten, den äußeren Gang hinunter, vorbei an den Kreuzwegstationen, dem Taufbecken und dem Tabernakel.

Saxons Leiche liegt auf der obersten Altarstufe. Ihre Hände

sind über ihrem Herzen gefaltet, die Finger verschränkt, die Haare um ihren Kopf ausgebreitet. Sie liegt gebettet wie eine Märchenprinzessin, die eingeschlafen ist und darauf wartet, dass ihr Prinz sie weckt.

Die Kamera kommt ihr noch näher, und ich sehe sie nicht mehr ganz, sondern in Fragmenten. Lackierte Zehennägel. Ein schlammiges Knie. Ein eingerissener Saum. Ein abgebrochener Fingernagel. Blutergüsse am Hals. Ihre Wange. Ihr Kinn. Die Zungenspitze, die zwischen ihren weißen Zähnen hervorlugt.

Ich blinzle gegen die Tränen an und schlucke hart, während ich mich zwinge weiterzublättern. Es gibt Hunderte von Fotos, aufgenommen aus jedem denkbaren Winkel, von oben und unten und auf Augenhöhe mit Saxon. Ihre Augen sind offen und sehen aus, als würde sie zu dem bunten Glasfenster über dem Tabernakel aufschauen, wo Johannes der Täufer in der rechten Hand seinen Stab hält und mit der linken auf Saxon zeigt. Er scheint den Blick abzuwenden, als wollte er sagen: *Ich kann dich nicht einmal ansehen.*

Ich klappe den Ordner zu, ziehe ein Taschentuch aus der Schachtel auf Camilles Schreibtisch und wische mir die Augen. Ich werde mir die Fotos nicht noch einmal ansehen, doch von jetzt an werde ich sie mit mir tragen, eingebrannt in mein Gedächtnis wie eine Grabinschrift.

# 42

Am Tag der Party kleidete Saxon sich früh an und schminkte sich auf der Veranda. Luke hielt den Spiegel, weil sie beide Hände brauchte. Dann lackierte sie mit einem winzigen Pinsel ihre Finger- und Fußnägel, so sorgfältig, als würde sie die Flügel eines Schmetterlings verzieren.

»Du wirst bestimmt eine volle Tanzkarte haben«, sagte Mum und musste erklären, was das war.

»Die Leute haben im Voraus Tänze gebucht?«, fragte Saxon ungläubig.

»Zu Jane Austens Zeiten haben Frauen kleine Büchlein bei sich getragen, in denen sie die Namen der Männer notierten, die mit ihnen tanzen wollten.«

»Warum?«

»Damit sie nicht zweimal mit demselben Mann tanzten.«

»Aber was, wenn sie ihn gut fand?«

»Dann durften die beiden sich nur unter Aufsicht treffen.«

»Das ist einfach bloß sonderbar.«

Mum wirkte gekränkt. »Ich finde, es klingt romantisch.«

Luke spähte über den Rand des Spiegels und warf verstohlene Blicke auf Saxon.

»Du siehst aus wie ein Filmstar«, sagte er.

»Welcher?«, fragte sie.

Luke überlegte, doch ihm wollte kein Name einfallen.

»Wie Audrey Hepburn«, sagte Mum.

»War sie schön?«, fragte Saxon.

»Absolut.«

Um sieben Uhr fuhr ich Saxon zum Ausstellungsgelände. Ich legte eine Decke auf den Vordersitz, damit sie sich ihr neues Kleid nicht schmutzig machte.

»Tut mir leid, dass es keine Limousine ist.«

»In denen fahr ich noch oft genug«, erwiderte sie.

»Hast du noch mal über die School of Music nachgedacht?«

»Ich werde dort anfangen.«

»Aber du hast kein Stipendium bekommen.«

»Ich habe das Geld.«

»Hast du deine Mutter gefragt?«

»Nein.«

»Wie?«

»Ich habe gespart.«

Ich wusste, dass das nicht reichen konnte, doch ich bohrte nicht nach, weil eine Party anstand und sie wieder wie die alte Saxon wirkte, bereit, es mit der ganzen Welt aufzunehmen.

Vor dem Ausstellungsgelände stieg sie aus, rückte die Träger des Kleids zurecht und überprüfte im Seitenspiegel ihre Frisur.

»Wie kommst du nach Hause?«, fragte ich.

»Für Mitternacht sind Minibusse bestellt.«

»Ich könnte dich abholen.«

»Nein.«

»Viel Spaß«, sagte ich, aber sie war schon weg, umringt von Mädchen, die sich für den Abend aufgebrezelt hatten. Sie sahen gleichzeitig so erwachsen und so jung aus, als würden sie mit der Garderobe ihrer Mütter Verkleiden spielen.

An dem Abend saß ich auf der Veranda, nippte an einem Bier und lauschte dem Wummern eines Bassbeats, der über das Gemeindeland, die Sportplätze und die Dächer herüberwehte. Es sollte das letzte Mal sein, dass ich mich wirklich glücklich fühlte.

# 43

**Beweisunterlagen:**

Die Staatsanwaltschaft wirft dem Beschuldigten Luke Angus Hackett vor, am Samstag, dem 29. Oktober 1988, zwischen 0 und 10 Uhr Saxon Evelyn Winacott (früher Saxon Tully) in einem Stall neben dem Yulara Racecourse vergewaltigt und erstickt zu haben.

Das sind die Fakten:

Am Freitag, dem 28. Oktober, nahm Saxon Winacott, 17, an einer Party zu einem gemeinsamen 18. Geburtstag teil, die auf dem Yulara Showground gefeiert wurde. Anwesend waren etwa 60 Personen, die meisten von ihnen Klassenkameraden und -kameradinnen an der örtlichen Highschool. Im Laufe des Abends fühlte das Opfer sich unwohl, möglicherweise infolge von Alkoholgenuss. Eine Freundin brachte sie in eine Umkleidekabine unter der Tribüne, wo Saxon sich hinlegte. Zuletzt gesehen wurde sie um 23 Uhr, als besagte Freundin noch einmal nach ihr sah und Saxon schlafend vorfand. Als die Freundin um Mitternacht erneut nachsah, war Saxon verschwunden.

Am frühen Samstagmorgen, dem 29. Oktober, fuhr der Beschuldigte Luke Hackett mit seinem Fahrrad zu den Ställen, die am südlichen Ende der Rennbahn neben dem Ausstellungsgelände liegen. Mr Hackett, 20, ist als Stallknecht bei dem lokalen Pferdetrainer Monte Pope angestellt, der auf der Rennbahn trainiert.

Die Staatsanwaltschaft wird vorbringen, dass Luke Hackett

zwanghaft auf Saxon Winacott fixiert war, seit sie im Haus seiner Familie in der All Saints Road in Yulara eingezogen war. Diese Schwärmerei führte zu unerwünschten Annäherungsversuchen von Hackett, die das Opfer zurückwies.

Wir werden darlegen, dass der Beschuldigte Miss Winacott im Morgengrauen in die Ställe lockte, wo er sie vergewaltigt und dann erwürgt hat. Anschließend trug er die Leiche des Opfers von den Ställen zur St. Patrick's Catholic Church in der Elizabeth Street, eine Strecke von 3,2 Kilometern. In der Kirche legte er Miss Winacott auf den Altarstufen ab.

Die kriminaltechnische Untersuchung konnte sowohl auf der Kleidung des Opfers als auch an beiden Tatorten Spuren sichern, die dem Beschuldigten zuzuordnen sind. Bei seiner Vernehmung durch Detectives wurde Luke Hackett wütend und verstrickte sich in Widersprüche, als er aufgefordert wurde, seine Aktivitäten am Samstagmorgen zu schildern. Er gestand, Saxon Winacott angefasst zu haben, und erklärte, dass er sie wohl zu fest gedrückt habe. Nach diesem Geständnis weigerte er sich, die Aussage oder ein Vernehmungsprotokoll zu unterschreiben.

Ich suche nach Lukes Aussage, kann sie jedoch nicht finden. Dafür haben zahlreiche andere Leute mit der Polizei gesprochen. Ich erkenne die Namen. Einige sind Bekannte, jüngere Geschwister alter Schulfreunde oder Kids, die ich habe groß werden sehen. Andere wie Doc McCabe und Pater Corday kannten Luke sein Leben lang. Ich beginne zu lesen.

**Aussage Nr. 004**

Polizei-Fallnummer: E67964

Name der Zeugin: Elizabeth Louise Nagel

Datum der Aussage: 30. Oktober 1988

Ich, Elizabeth »Betsy« Nagel, erkläre:

Ich bin 18 Jahre alt und wohne in der 42 Montgomery Street, Yulara.

1. Am Freitag, dem 28. Oktober 1988, habe ich in der Agricultural Hall auf dem Yulara Showground gemeinsam mit meinem Zwillingsbruder Jason eine Geburtstagsparty zu unserem 18. Geburtstag gefeiert. Eingeladen waren etwa 60 Personen, die meisten Freundinnen und Freunde aus der Schule und dem Pony-Club, außerdem meine Cousins aus Wagga.
2. Die Party begann um 19 Uhr und endete um Mitternacht. Bestellte Minibusse fuhren die Leute zurück in die Stadt.
3. Alkohol und Speisen wurden von meinen Eltern Tony und Janine Nagel gestellt, die bis etwa 21 Uhr anwesend waren. Mein Cousin Paul Messenger blieb als Aufsichtsperson zurück und bat zwei seiner Football-Kumpel, ihm hinter der Bar und bei der Security zu helfen, falls nicht eingeladene Fremde auftauchen sollten.
4. Unter den Gästen war auch Saxon Winacott, die in meinem Jahrgang auf der Yulara High School ist. Am frühen Abend habe ich mit Saxon getanzt, später haben wir am Büfett kurz miteinander gesprochen. Sie war ziemlich betrunken und brauchte dringend etwas zu essen.
5. Später habe ich Saxon wiedergesehen, als sie auf die Bühne stieg und mit der Band spielte. Sie hat bei drei Songs Keyboard gespielt, und die Leute haben eine Zugabe verlangt, aber darauf ließ sie sich nicht ein.
6. Als ich gegen 22:30 Uhr nach draußen ging, um eine Zigarette zu rauchen, sah ich Saxon auf dem Rasen sitzen. Sie wirkte ziemlich betrunken und hatte sich auf ihr Kleid übergeben. Mein Bruder Jason und sein Kumpel Bernie Churcher versuchten, ihr zu helfen.
7. Ich fragte Saxon, ob alles okay sei, und sie sagte, dass sie

sich eine Weile hinlegen wolle. Ich habe sie in die Umkleidekabine unter der Tribüne geführt, wo ich sie auf einer gepolsterten Bank zurückgelassen habe.

8. Als ich eine halbe Stunde später gegen 23 Uhr noch einmal nach ihr gesehen habe, schien sie zu schlafen.
9. Um Mitternacht kamen die Minibusse. Ich wollte Saxon holen, doch sie war schon gegangen. Ich nahm an, dass sie bereits mit einem der anderen Gäste gefahren war.
10. Ich habe Saxon nicht wiedergesehen und erst von ihrem Tod erfahren, als meine Eltern mich am Samstagmittag geweckt haben.

Ich habe diese Aussage nach bestem Wissen und Gewissen gemacht. Sie entspricht der Wahrheit.

Unterzeichnet: Betsy Nagel

Alles an der Aussage bestätigt, was Betsy mir über die Party erzählt hat, doch es passt nicht zusammen mit den Aussagen, die im *Yulara Advocate* abgedruckt waren. Freddy Hewson hat der Zeitung erzählt, dass ein paar Kids zum Fluss hinuntergegangen waren, nachdem die Band aufgehört hatte zu spielen. Sie hatten ein Lagerfeuer gemacht und getrunken, wollten sich den Sonnenaufgang ansehen.

Freddys Name taucht nicht in der Liste der Zeugen auf, die eine Aussage bei der Polizei gemacht haben, doch ich erinnere mich, dass Mandy Flynn erzählt hat, sie habe ihn geheiratet und er würde für eine Bank im Ort arbeiten.

Aussage Nr. 005

Polizei-Fallnummer: E67964

Name des Zeugen: Jason Paul Nagel

Datum der Aussage: 30. Oktober 1988

Ich, Jason Nagel, erkläre:

Ich bin 18 Jahre alt und wohne in der 42 Montgomery Street, Yulara.

1. Am Freitag, dem 28. Oktober 1988, habe ich in der Agricultural Hall auf dem Yulara Showground gemeinsam mit meiner Zwillingsschwester Betsy eine Geburtstagsparty zu unserem 18. Geburtstag gefeiert. Wir haben unsere Freunde, Cousins und Leute eingeladen, die wir aus der Schule und aus Sportvereinen kennen.
2. Die Party begann um 19 Uhr und endete um Mitternacht. Meine Eltern sind um 21 Uhr gegangen und haben meinem Cousin Paul Messenger die Aufsicht überlassen, zusammen mit zwei seiner Football-Kumpel, Bernie Churcher und Eric Sandine.
3. Ich wusste, dass Saxon Winacott unter den Gästen war, weil wir auf der Schule im selben Jahrgang waren, doch ich habe sie an dem Abend kaum gesehen. Ich glaube, sie hat in der Nähe der Band rumgehangen und mit ihren Freundinnen getanzt. Gegen 22 Uhr habe ich sie ganz alleine gesehen. Die Band spielte »Addicted to Love« von Robert Palmer, und sie hatte die Augen geschlossen und wiegte sich zu der Musik hin und her.
4. Später sagte jemand, sie hätte in der Nähe des Denkmals auf den Rasen gekotzt. Betsy hat sie in eine der Umkleidekabinen geführt und mir gesagt, ich solle Saxon nicht vergessen, wenn um Mitternacht die Busse kommen würden.
5. Ich habe nachgesehen, aber der Raum war leer. Ich dachte, dass Saxon wohl schon nach Hause gefahren war. Einige der Gäste waren von ihren Eltern früher abgeholt worden.
6. Erst als die Polizei am nächsten Tag bei uns klingelte, habe ich erfahren, was geschehen ist.

Ich habe diese Aussage nach bestem Wissen und Gewissen gemacht. Sie entspricht der Wahrheit.

Unterzeichnet: Jason Nagel

Das ist das erste Mal, dass Eric Sandines Name in einer Zeugenaussage oder einem Zeitungsbericht auftaucht. Er war älter als die meisten Gäste und war gebeten worden, für die Security zu sorgen. Das ist nicht weiter verwunderlich. Sandine hat immer gerne den starken Mann markiert. Ich erinnere mich, dass er mit Frank Winacott zu unserem Haus gekommen ist, als Saxon bei uns eingezogen war. Und es ist noch nicht so lange her, dass er mich mit seinen Kumpeln auf Motorrädern durch die Straßen von Yulara gejagt hat.

Ich lese Jason Nagels Aussage noch einmal und bemerke die Widersprüche. Seine Schwester hat gesagt, dass Saxon sich vor der Halle übergeben hatte und Jason und Bernie ihr geholfen hatten. Das erwähnt Jason nicht. Er scheint sich eher distanzieren zu wollen. Er hat nichts gesehen. Er hat nichts getan.

Ich suche die Aussage von Bernie Churcher.

Ich, Bernard William Churcher, erkläre:
Ich bin 21 Jahre alt und wohne in der 17 Ferry Lane, Yulara.

1. Am Freitag, dem 28. Oktober 1988, war ich auf einer Party zum 18. Geburtstag von Jason und Betsy Nagel im Hauptpavillon des Yulara Showground. Ihr Cousin Paul Messenger hatte mich und Eric Sandine eingeladen und gebeten, ihm mit der Bar und bei der Security zu helfen.
2. Einige der Jugendlichen waren noch nicht alt genug, um legal Alkohol zu trinken, aber es war eine Privatparty, und die meisten der Gäste waren achtzehn oder fast achtzehn, deshalb hielt ich es nicht für meine Aufgabe, die Gäste nach ihrem Ausweis zu fragen.

3. Saxon Winacott habe ich nicht gesehen, und ich wusste auch nicht, dass sie auf der Party war. Sie war noch ziemlich neu in der Stadt, und ich glaube nicht, dass wir je miteinander gesprochen haben.
4. Zur Sperrstunde der örtlichen Pubs gegen 23 Uhr tauchten ein paar Fahrzeuge mit nicht eingeladenen Gästen auf. Eric Sandine hat einer Truppe ein Sixpack Bier gegeben und sie überredet, wieder zu fahren.
5. Nach Mitternacht bin ich noch geblieben und habe beim Aufräumen geholfen. Um 1 Uhr waren alle Gäste nach Hause gegangen, doch ich habe noch eine kurze Kontrollrunde um die Tribüne und den Pavillon gemacht, um mich zu vergewissern.
6. Ich habe noch ein Bier mit Eric Sandine getrunken und bin dann gegen 2 Uhr nach Hause gefahren. Was Saxon zugestoßen ist, habe ich erst erfahren, als Paul Messenger mich am nächsten Tag zu Hause anrief und sagte, dass sie tot war.

Weitere Widersprüche. Bernie hat gesagt, er habe Saxon kaum gekannt, was überraschend ist, weil er jeden Sonntag zur Messe ging und sie dort bestimmt Klavier spielen gehört hatte. Genauso sicher bin ich, dass jeder in der Gemeinde wusste, dass sie Frank Winacotts Tochter war.

Die Aussagen von Augenzeugen sind notorisch unverlässlich, aber Bernie scheint genau wie Jason bemüht, seine Beteiligung herunterzuspielen und sich aus der Geschichte herauszuschreiben.

Ich denke an den Lkw-Fahrer, der in der Nachbarzelle war, als Luke vernommen wurde. Er hat Bernie später an einem Highway vor Yass mitgenommen, als Bernie von Sydney nach Hause trampte. Er prahlte, jede Menge seiner Kumpel hätten mit Saxon geschlafen, was offensichtlich eine Lüge war, weil sie bis zu jenem Abend Jungfrau war. Wollte er von seiner sexuellen Orientierung ablenken oder hat er enthüllt, was wirklich geschehen ist?

Ich, Callum Francis Winacott, erkläre:
Ich bin 17 Jahre alt und wohne in Booralong Station an der Nangus Road, Yulara.

1. Meine Stiefschwester ist Saxon Winacott. Sie ist bei uns eingezogen, als mein Dad vor einem Jahr ihre Mutter geheiratet hat, doch wir haben nicht viel Zeit miteinander verbracht, weil Saxon auf ein Internat ging und später dann unser Zuhause verlassen hat.
2. Am Freitag, dem 28. Oktober 1988, war ich auf einer Party zum 18. Geburtstag von Betsy und Jason Nagel im Pavillon auf dem Yulara Showground. Betsy und ich sind zusammen zur Grundschule gegangen und Freunde geblieben, als ich aufs Internat gewechselt bin.
3. Meine Stiefmutter hat mich um 19 Uhr abgesetzt. Sie ist noch eine Stunde geblieben und hat Betsys Mum mit dem Barbecue geholfen, bevor sie gefahren ist.
4. Ich habe Saxon auf der Party tanzen sehen und wusste, dass sie betrunken war, weil sie beinahe von der Bühne gefallen wäre, als sie zu der Band hochgestiegen ist und Keyboard gespielt hat. Ich habe ihr gesagt, sie soll aufhören, sich zum Affen zu machen. Sie hat geantwortet, ich soll mich verpissen, und mir ein paar Schimpfwörter an den Kopf geworfen, die ich nicht wiederholen möchte.
5. Später hat mir jemand erzählt, dass Saxon einen Jungen vollgekotzt hat, der versucht hat, sie zu küssen. Geschieht ihm recht. Ich weiß, die Leute fanden Saxon hübsch, und es tut mir leid, dass sie tot ist, aber die meiste Zeit hat sie

sich aufgeführt wie eine verwöhnte Großstadtprinzessin, deren Scheiße nicht stinkt.

6. Um Mitternacht war die Party zu Ende, und mein Dad Frank Winacott hat mich abgeholt. Ich habe ihm erzählt, dass Saxon sich übergeben hatte, und er ist sie suchen gegangen. Ich bin im Auto eingeschlafen und erst wieder aufgewacht, als er zurückkam. Ich weiß nicht, wie spät es war.
7. Wir sind zurück nach Booralong gefahren, und ich habe erst erfahren, was passiert war, als die Polizei zu uns gekommen ist und gesagt hat, dass Saxon tot ist.

Ich habe diese Aussage nach bestem Wissen und Gewissen gemacht. Sie entspricht der Wahrheit.

Unterzeichnet: Callum Francis Winacott

Noch mehr neue Informationen. Ich hatte keine Ahnung, dass Callum auf der Party war und dass Frank Winacott ihn abgeholt hat. Ich suche seine Aussage.

Ich, Hon. Francis Buckley Winacott, erkläre:
Ich bin 57 Jahre alt und wohne in Booralong Station an der Nangus Road, Yulara.

1. Ich bin der Parlamentsabgeordnete für den Wahlkreis Billawarra, zu dem auch die Stadt Yulara gehört, eine Gemeinde, zu der meine Familie historisch gewachsene Verbindungen hat.
2. Meine erste Frau starb 1985 an Krebs, und ich habe im September 1987 wieder geheiratet. Saxon Tully wurde meine Stieftochter und lebte bei uns in Booralong Station, wenn sie nicht das Internat in Sydney besuchte.
3. Im Februar 1988 rannte sie vom Internat weg und kam zu-

rück nach Booralong Station. Einen Monat später verließ sie ihr Zuhause und lebte bei einer Familie in Yulara, die sie ermutigte, jeden Kontakt zu ihrer Mutter und mir abzubrechen, eine Situation, die meiner Frau das Herz gebrochen hat.

4. Alle Versuche einer Aussöhnung wurden mit Schweigen seitens meiner Stieftochter sowie mit Gewaltandrohungen durch Luke Hackett und seinen Bruder Arlo erwidert, die uns abgeschreckt haben, Saxon zu besuchen.
5. Am Freitag, dem 28. Oktober, war mein Sohn auf einer Geburtstagsparty auf dem Yulara Showground eingeladen. Wir hatten verabredet, dass ich ihn um Mitternacht vor dem Eingangstor abhole. Er berichtete, dass Saxon sich unwohl gefühlt habe, und ich trug ihm auf, im Wagen zu warten, während ich mich auf die Suche nach ihr machte.
6. Junge Leute verließen die Party. Ich sprach mit einem Mädchen, das Saxon zuletzt in Richtung Fluss hatte gehen sehen. Dort konnte ich auch ein Lagerfeuer ausmachen, doch der Weg war unbeleuchtet und unvertraut. Ich hatte keine Taschenlampe dabei und fürchtete, in einen Stacheldrahtzaun zu laufen oder in einen Graben zu fallen.
7. Auf dem Weg begegnete mir Eric Sandine, der mir berichtete, dass Saxon die Party schon früher verlassen hatte. Eric arbeitet als Cowboy für mich in Booralong Station. Ich ging zurück zum Wagen und fuhr nach Hause.
8. Am Samstag, dem 29. Oktober, suchten uns zwei Polizeibeamte auf und informierten uns darüber, dass man Saxons Leiche in der St. Patrick's Church gefunden hatte.

Ein weiterer Widerspruch. Freddy Hewson hat gesagt, er hätte Saxon am Fluss trinken sehen, aber Eric Sandine hat Frank Winacott erklärt, sie sei früher nach Hause gegangen.

Nur eins von beiden kann stimmen. Die Polizei hat Saxons Aktivitäten an dem Abend doch sicherlich lückenlos rekonstruiert und bestätigt, bevor jemand des Mordes beschuldigt wurde.

Plötzlich geht die Bürotür auf. Mein erster Impuls ist es, mich über den Schreibtisch zu werfen, wie um die Indizien für ein Verbrechen zu verbergen.

»Ich bin's nur«, sagt Camille, zieht ihr Jackett aus und streift ihre Schuhe ab. »Haben Sie was gefunden?«

Ich atme weiter.

»Niemand scheint genau zu wissen, was mit Saxon nach elf Uhr am Abend der Party passiert ist. Betsy Nagel hat sie schlafend in einer Umkleidekabine zurückgelassen. Als sie um Mitternacht noch einmal nach ihr geschaut hat, war Saxon verschwunden.«

»Hat jemand sie nach elf gesehen?«

»Freddy Hewson hat Reportern erzählt, Saxon wäre bei einer Gruppe von Jugendlichen gewesen, die zum Fluss hinuntergelaufen sind, nachdem die Band aufgehört hatte zu spielen, doch er hat damals keine Aussage bei der Polizei gemacht. Und da ist noch etwas – Frank Winacott war dort.«

»Auf der Party?«

»Er hat seinen Sohn abgeholt, und er hat Saxon gesucht.«

»Hat er sie gefunden?«

»Laut seiner Aussage nicht.«

Camille überlegt einen Moment. »Wir sollten unsere eigene Timeline erstellen.«

Sie dreht eine Pinwand aus Kork mit Memos und Telefonnummern um. Die Rückseite ist ein Whiteboard.

»Wann hat die Party angefangen?«

»Um sieben Uhr.«

Gemeinsam verzeichnen wir die Ereignisse und alle Personen, die in den folgenden Stunden in irgendeiner Form mit Saxon zu tun hatten.

»Um wie viel Uhr ist Luke bei den Ställen angekommen?«, fragt Camille.

»Vor Anbruch der Dämmerung. Gegen halb sechs.«

»Und er hat sie um kurz nach zehn in die Kirche getragen.«

Camille macht einen Schritt vom Whiteboard zurück, und gemeinsam betrachten wir den zeitlichen Ablauf von Saxons Abend. Abgesehen von der angeblichen Sichtung am Fluss fehlen elf Stunden.

Es gibt weitere Aussagen zu lesen, die meisten von den ermittelnden Polizisten und Zeugen bei der Kirche.

**Aussage Nr. 001**
Polizei-Fallnummer: E67964
New South Wales Police Force
Aussage von Sergeant Warwick Peter Aimes
Dienstnummer: 289 334
Dienststelle: Polizeistation Yulara District
Datum: 30. Oktober 1988

Ich, Sergeant Warwick Peter Aimes, erkläre wie folgt:

1. Am Samstag, dem 29. Oktober, wurde ich gegen zehn Uhr vormittags per Funk über eine vermutete Belagerung oder Geiselnahme in der St. Patrick's Catholic Church in Yulara informiert. Zeugen hatten gesehen, wie ein Mann den Körper einer Frau über die Elizabeth Street getragen und mit ihr die Kirche betreten hatte.
2. Ich traf gegen 10:20 Uhr am Ort des Geschehens ein und befahl meinen Leuten, die Umgebung der Kirche abzusichern. Als ich das Kirchenschiff durch das Hauptportal be-

trat, sah ich die Leiche eines Mädchens im Teenageralter auf den Stufen vor dem Altar liegen.

3. Ich erkannte die Verstorbene als Saxon Winacott, die Stieftochter des örtlichen Parlamentsabgeordneten Frank Winacott. Ich bemerkte sichtbare Verletzungen an ihrem Hals und in ihrem Gesicht sowie Kratzer und Abschürfungen an Armen und Beinen. Lebenszeichen waren nicht vorhanden.
4. Ebenfalls anwesend waren der Gemeindepfarrer Pater Corday sowie Dr. Adam McCabe, ein lokaler Allgemeinmediziner, der den Tod des Opfers feststellte.
5. In der Kirche kam es zur Festnahme von Luke Hackett, einem ortsansässigen Mann, den die Beamten, die als Erste am Tatort eintrafen, neben Saxon Winacotts Leiche kniend vorgefunden hatten. Seine Kleidung war feucht, schlammverschmiert und allem Anschein nach blutbefleckt. Die Beamten forderten ihn auf, sich von dem Opfer zu entfernen. Er weigerte sich. Nach zwei weiteren Warnungen wurde er mit vorgehaltener Waffe überwältigt. Man verlas ihm seine Rechte und brachte ihn in die Polizeistation von Yulara.
6. Saxon Winacott hatte sich seit dem März dieses Jahres von ihrer Familie entfremdet und lebte an einer lokalen Adresse in der All Saints Road. Ich habe die Örtlichkeit in den vergangenen sechs Monaten mindestens drei Mal inspiziert, um mich zu vergewissern, dass es ihr gut ging, sie vernünftig versorgt war und nicht zu etwas gezwungen oder gegen ihren Willen festgehalten wurde von zwei Männern, die unter dieser Adresse wohnhaft sind, namentlich Luke Hackett und sein Bruder Arlo.
7. Meine Beamten befragten Zeugen und klingelten bei Anwohnern und Geschäften in der Umgebung, um die

Ereignisse zu rekonstruieren, die zu der Tragödie geführt hatten.

8. Gegen 16 Uhr trafen Kriminaltechniker aus Wagga Wagga ein, die begannen, an zwei Tatorten – beim Yulara Showground und in der St. Patrick's Church – Spuren zu sichern und Fotos zu machen.
9. Gegen 18:30 Uhr trafen Detectives vom State Crime Command in Yulara ein, und Detective Chief Inspector Ambrose Pike übernahm die Leitung der Ermittlungen. Ich habe ihm meine Beobachtungen und Notizen zur Verfügung gestellt.

Ich, Pater Peter Corday, erkläre wie folgt:

1. Ich bin seit elf Jahren Gemeindepfarrer in St. Patrick's, gemeinsam mit meinem Kollegen Pater Brendan Martell, der offiziell im Ruhestand ist und nur noch eingeschränkt Pflichten erfüllt.
2. Am Samstagmorgen, dem 29. Oktober 1988, klopfte um kurz nach zehn Uhr Margaret Gibson, ein Gemeindemitglied, an die Tür des Pfarrhauses und sagte, jemand habe eine Leiche auf dem Altar der Kirche abgelegt. Ich dachte, einer der Bestatter hätte sich mit dem Termin für eine Beerdigung vertan und wäre irrtümlich mit einem Verstorbenen eingetroffen.
3. Ich ging den Hügel zur St. Patrick's Church hinunter, wo sich bereits eine Menge versammelt hatte. Ich betrat die Kirche und sah Luke Hackett vor dem Altar knien und beten. Er ist einer meiner Ministranten und Messdiener.
4. Erst als ich mich dem Altar näherte, bemerkte ich den Körper einer Frau in einem hellgrünen Kleid, der auf den Stufen lag. Ich tastete vergeblich nach einem Puls und erkannte das Mädchen dabei als Saxon Winacott, die

regelmäßig in der Kirche Klavier spielt und bei den Wochenendmessen und zu Feiertagen unseren Chor begleitet.

5. Ich sprach ein Gebet für die Verstorbene und bat um die Aufnahme ihrer Seele durch Gott im Himmel, auf dass sie bei der Jungfrau Maria, der Mutter Gottes, bei Josef und all den Engeln und Heiligen Heimat finden möge.
6. Luke Hackett war sichtlich verzweifelt. Ich fragte ihn, was passiert war, und er sagte, er habe sie nicht retten können. Ich kenne Luke und seine Familie, seit ich nach Yulara gekommen bin. Seine Mutter Mary ist unsere Haushälterin im Pfarrhaus und macht den Blumenschmuck in St. Patrick's.

**Aussage Nr. 002**
Polizei-Fallnummer: E67964
New South Wales Police Force
Aussage von Detective Chief Inspector Ambrose Pike
Dienstnummer: 422 259
Dienststelle: State Crime Command, Police Headquarters, Sydney
Datum: 2. November 1988
Ort: Polizeistation Yulara District

1. Am frühen Samstagnachmittag, dem 29. Oktober, fuhr ich von Sydney nach Yulara, um die Ermittlung im Mordfall Saxon Winacott zu übernehmen, deren Leiche in einer örtlichen katholischen Kirche gefunden worden war.
2. Nach meiner Ankunft in Yulara wurde ich von Sergeant Warwick Aimes, dem Leiter der örtlichen Ermittlungen, unterrichtet. Er erklärte mir, dass ein Verdächtiger in Gewahrsam genommen worden war.
3. Wegen des heftigen Regens und der Flut des Murrumbidgee River war es mir unmöglich, einen der beiden Tatorte,

den die lokale Polizei ermittelt hatte, in Augenschein zu nehmen. Die Zufahrt zum Yulara Racecourse war durch das Hochwasser abgeschnitten, und die Ställe waren überflutet, was eine weitere Untersuchung unmöglich machte.

4. Man zeigte mir Fotos von beiden Tatorten, und ich habe kurz mit dem Gerichtsmediziner Richard Boyle gesprochen, dessen vorläufige Untersuchung darauf hindeutete, dass Saxon Winacott höchstwahrscheinlich vergewaltigt und erstickt worden war.
5. Am 30. Oktober um circa 11 Uhr führte ich eine erste formelle Befragung von Luke Angus Hackett durch. Dem Verdächtigen wurden seine Rechte verlesen, und er verzichtete auf die Anwesenheit eines Anwalts. Die Vernehmung wurde aufgezeichnet, und ich habe Beobachtungen in meinem Notizbuch der NSW Police Force festgehalten.
6. In den folgenden sechsunddreißig Stunden wurde Luke Hackett sieben weitere Male befragt. Über seine Beziehung zu dem Opfer und über seine Aktivitäten am 28. und am 29. Oktober. Er wirkte bisweilen verwirrt, aufgewühlt, wütend und aggressiv. Er verlangte, seine Mutter und seinen Bruder zu sehen. Außerdem wollte er wissen, ob Saxon lebte.
7. Zusammenfassend gab er an, dass Saxon Winacott in den vergangenen sieben Monaten an seiner Adresse gewohnt hatte. Er nannte sie abwechselnd eine gute Freundin, seine Freundin und jemanden, auf den er »aufpassen sollte«.
8. Am 28. Oktober ging Saxon Winacott zu einer Geburtstagsparty auf dem Yulara Showground, die gegen Mitternacht beendet war. Irgendwann im Laufe des Abends wurde ihr schlecht; sie wurde gesehen, wie sie sich auf dem Rasen vor dem Pavillon übergeben musste, möglicherweise infolge von Alkoholkonsum. Die Gastgeberin

der Party, Betsy Nagel, brachte Saxon in die Umkleidekabine unter der Tribüne, wo Saxon sich auf eine Bank legte.

9. Um 23 Uhr sah Betsy Nagel noch einmal nach ihr und fand sie schlafend vor. Als die Party um Mitternacht endete, ging Betsy erneut in die Kabine und stellte fest, dass Saxon verschwunden war.
10. Der Verdächtige Luke Hackett arbeitet als Stallknecht für einen Pferdetrainer in Yulara. Sein Arbeitstag beginnt vor Morgengrauen in den Ställen, die an das Ausstellungsgelände grenzen.
11. Der Verdächtige hat ausgesagt, er habe Saxon schlafend auf einer Pritsche in den Ställen vorgefunden, als er am Morgen des 29. Oktober zur Arbeit kam. Sie habe mitgenommen gewirkt und geblutet, doch er wisse nicht, warum.
12. Er verließ die Ställe und fuhr mit dem Fahrrad zurück nach Hause in die All Saints Road, wo er saubere Kleidung für sie holte. Als er zurückkam, schlief Saxon immer noch, und er »versuchte, sie wachzurütteln«, wie er es selbst ausdrückte.
13. Auf die Frage, ob er sie sexuell belästigt habe, sagte er, dass er sie nur einmal geküsst hatte.
14. Während seiner achten Vernehmung am 30. Oktober um circa 8 Uhr gab Luke Hackett zu, dass er Saxon Winacott getötet hatte, indem er sie »zu heftig gedrückt« hatte. Er war sehr aufgewühlt, und die Befragung wurde unterbrochen.
15. Am 30. Oktober um 9:15 Uhr wurde er formell der Vergewaltigung und des Mordes beschuldigt. Dem Beschuldigten wurde eine Abschrift der Vernehmung vorgelegt, doch er weigerte sich, sie zu unterzeichnen.

Ich habe diese Aussage nach bestem Wissen und Gewissen gemacht. Sie entspricht der Wahrheit.

Detective Chief Inspector Ambrose Pike

Seine Unterschrift ist fließend und verschnörkelt wie auf einer Grußkarte, doch im Grunde hatte er damit Lukes Todesurteil unterzeichnet.

Im Laufe von sechsunddreißig Stunden war Luke acht Mal vernommen worden, ohne dass ein Anwalt oder irgendjemand anwesend war, der seine Interessen hätte schützen, ihm die Fragen erklären und die Polizei hätte hindern können, ihm Worte in den Mund zu legen.

»Das ist einfach verkehrt«, sage ich an Camille gewandt.

Sie sieht mich hilflos an.

»Ich muss mit Otto sprechen.«

»Lungenkrebs, Stadium vier, schon vergessen?«

»Die Befragungen wurden aufgezeichnet.«

Sie runzelt die Stirn. »Das war damals noch nicht vorgeschrieben.«

Ich zeige ihr die Beweismittelliste. »Vielleicht weiß Otto, was mit den Bändern passiert ist.«

»Er stirbt.«

»Dann läuft uns die Zeit davon.«

Camille blickt auf ihr Handy, dann aus dem Fenster und wieder zu mir.

»Ich werde sehen, was ich machen kann.«

# 44

Ich stelle den Rasenmäher in den Schuppen, schließe ab und bleibe stehen, um einen Schwarm Rosakakadus zu beobachten, der geräuschvoll über den Bäumen kreist. Ich weiß nicht, ob sie zanken oder nur diskutieren, wo sie landen sollen.

Mein Kopf pocht und hämmert. Ich habe mich gestern Abend betrunken. Mein erster Kater in diesem Jahrhundert. Ich könnte gut weitere hundert Jahre bis zum nächsten warten. Ich weiß nicht, was mich bewogen hat, auf leeren Magen eine Flasche Whisky zu trinken.

Doch, ich weiß es. Nachdem ich die polizeilichen Aussagen gelesen und mich noch einmal an Lukes Festnahme erinnert habe, ist mir klar geworden, welche Fehler ich gemacht habe. Falsche oder fehlgeleitete Vermutungen; Momente, in denen ich hätte eingreifen und den Lauf der Dinge verändern können.

Das Gefängnis ist voller Menschen, die andere Leute für ihre Probleme verantwortlich machen. Jeder Knacki hat eine Rührstory zu erzählen, von wegen sein Anwalt hätte ihn reingelegt, die Bullen hätten ihm was angehängt oder er hätte schlicht und einfach Pech gehabt. Keiner gibt jemals zu, dass er dumm, gierig, eifersüchtig oder rachsüchtig war.

Ich war anders. Ich zweifelte nicht an Lukes Schuld. Ich plädierte auf schuldig und saß meine Strafe klaglos ab, weil ich das, was mir geschah, verdient hatte. Ich war schuld.

Es heißt, die Geschichte wird von den Siegern geschrieben, was bedeutet, dass die Geschichte gegen mich ist, doch ich bin es leid, dass Menschen ihre verschlammten Stiefel auf meinem Rücken abstreifen. Helen hat recht. Ich bin ein Feigling.

Ich gebe den Schlüssel für den Schuppen wieder im Büro von Eltham Court ab.

»Ist Helen da?«, frage ich.

»Sie ist krankgeschrieben«, sagt Samantha, die stellvertretende Leiterin.

»Geht es ihr gut?«

»Offensichtlich nicht.«

Sie kräuselt verächtlich die Oberlippe. Ich arbeite jetzt seit drei Monaten in Eltham Court, und Samantha hat mich noch nie angelächelt, nie zurückgewinkt und nie irgendeine Spur von Freundlichkeit gezeigt. Sie ist eine Frau mit einem grimmigen Gesicht, dessen Züge so betoniert aussehen wie ihre Dauerwelle.

Ich stehe mit meiner Kappe in der Hand vor ihrem Schreibtisch, verlegen wegen meiner schmutzigen Kleidung und dem Grasschnitt an meinen Schuhen.

»Wo wohnt Helen?«

»Ich gebe Ihnen die Adresse nicht.«

»Ich wollte ihr Blumen und Besserungswünsche schicken.«

»Ich werde dafür sorgen, dass sie sie bekommt.«

Das Telefon klingelt. Sie gebietet mir mit erhobener Hand zu schweigen, nimmt ab, spricht höflich, legt auf. Sie wirkt überrascht, dass ich noch da bin.

»War sonst noch was?«

»Meine Bezahlung. Darum kümmert sich Helen sonst immer.«

»Wie viele Stunden?«

»Zwölf. Ich habe das Arbeitszeit-Formular ausgefüllt.«

Samantha zieht ein Kassenbuch aus einer Schreibtischschublade und nimmt eine Metallkassette aus der Schublade darunter. Sie konsultiert das Kassenbuch und gibt mir die einhundertzwanzig Dollar, als würde ich sie mit vorgehaltener Waffe dazu zwingen. Ich unterschreibe eine Quittung.

Als ich in den Sandman steige, überlege ich, nach Hause zu fahren, doch ich möchte mit Helen reden. Ich weiß, dass sie gesagt hat, ich solle mich fernhalten, doch ich spüre, dass irgendetwas Größeres nicht in Ordnung ist. Ich mache einen Umweg und fahre bei der Yulara High School vorbei. Ich habe nicht vergessen, was beim letzten Mal passiert ist, trotzdem parke ich vor der Schule und warte. Um drei Uhr klingelt es, und Schüler strömen durch das Tor. Einige werden von ihren Eltern abgeholt, andere stellen sich für Busse an, wieder andere radeln oder laufen nach Hause.

Clem ist bei den Nachzüglern. Er schiebt ein altmodisches Fahrrad mit einem geschwungenen Lenker, breitem Sattel und Gepäckträger. Er steckt seine Haare unter den Helm und klickt den Verschluss unter seinem Kinn zu. Er stellt einen Fuß auf das Pedal, stößt sich ab, schwingt das andere Bein über den Sattel und radelt über den Bürgersteig davon. Ich folge ihm langsam, auch wenn mir das Risiko und die moralische Fragwürdigkeit meiner Entscheidung durchaus bewusst sind.

Drei ältere Jungen fegen ohne Helm in den Pedalen stehend auf neueren BMX-Rädern an mir vorbei und nehmen die Verfolgung auf. Clem erkennt die Gefahr, beschleunigt, doch die Jungen sind schneller und schließen zu ihm auf. An der nächsten Querstraße stoppt Clem nicht, er bremst nicht einmal. Ohne zu gucken, schießt er über die Kreuzung und prallt dabei beinahe mit einem Wagen zusammen, der scharf bremsen und ihm schlingernd ausweichen muss. Der Fahrer drückt in einer Art verzögerter Reaktion auf die Hupe, doch Clem ist schon weg.

Ich kann den Jungen nur mühsam folgen, weil sie Abkürzungen durch Gärten und über Garagenhöfe nehmen. Dann verlässt Clem plötzlich den Bürgersteig und brettert eine steile Böschung mit losem Schiefer hinunter. Seine Verfolger bremsen, nicht so mutig oder so dumm, den Hang hinunterzufahren.

Ich halte und parke den Wagen. Als ich auf dem Hosenboden die Böschung hinunterrutsche, löse ich eine Lawine von kleineren Steinchen aus, die mit mir den Hang hinunterkullern. Am Fuß des Hangs folge ich einem unbefestigten Weg an einem Bach entlang, der von Eukalyptusbäumen gesäumt ist, die Inseln von Schatten auf das Wasser werfen.

Die Jungen sind vor mir. Clem hat sein Fahrrad abgelegt und den Bach von Fels zu Fels springend überquert. Er will am anderen Ufer entlang bis zu einer Brücke laufen, doch einer seiner Verfolger ist vorgeradelt und schneidet ihm den Fluchtweg ab. Sie sind jetzt auf derselben Seite, Clem sitzt in der Falle. Er streift seinen Rucksack ab und hält ihn in einer Hand.

»Was willst du, Tommy Sandine?«

Wieder dieser Name. Der Junge muss Eric Sandines Sohn sein. Ich erkenne die Familienähnlichkeit – das runde Gesicht, ausdruckslos wie eine Schale Haferschleim, und die vorstehende Unterlippe. Ich erinnere mich an einen Skandal, der passiert ist, während ich bei der Armee war. Sandine hatte ein Mädchen geschwängert, das noch zur Highschool ging, und sie geheiratet, als sie achtzehn wurde. Ich glaube nicht, dass die Ehe gehalten hat. Das müsste vor etwa vierzehn Jahren gewesen sein. Das Alter passt.

»Ich will dich, Goldlöckchen«, sagt Tommy.

»Ich will mich nicht mit dir prügeln.«

»Oh, es wird keine Prügelei geben.« Tommy hält eine

Schere hoch und klappt sie auf und zu. »Zeit für eine neue Frisur. Ein schicker Topfschnitt.«

Er wirkt enttäuscht, dass seine Kumpel nicht lachen. Sie sind typische Mitläufer. Kleiner. Weniger intelligent. Selbstbewusst nur in Überzahl.

Clem blickt auf der Suche nach einem Ausweg den Bach hinauf und hinunter. Anstatt sich zu ergeben, schwingt er den Rucksack über seinem Kopf und schleudert ihn in Richtung der Jungen. Sie ducken sich, und der Rucksack landet im Wasser und beginnt zu sinken, über Wasser gehalten nur von einer Blase eingeschlossener Luft.

Zwei der Jungen springen vor und ringen Clem zu Boden. Er wehrt sich, doch sie fixieren seine Arme und lösen den Helm. Tommy weist sie an, Clems Kopf festzuhalten, nimmt die Schere und hält sie grinsend an Clems Wange.

»Hallo, Jungs«, sage ich und trete hinter einem Baum hervor, in der Hand eine Weidenrute, die zischt, als ich sie wie einen Stock durch die Luft schwinge. »Was macht ihr denn da?«

»Wer sind Sie, verdammt noch mal?«, fragt Tommy.

»Ich bin ein Freund von Clem.«

»Er hat keine Freunde.«

»Klar hat er Freunde.«

Clem braucht einen Moment, ehe er mich erkennt. Er entwindet sich Tommys Griff und stößt die anderen weg.

»Deine Mum wollte, dass ich dich von der Schule abhole«, sage ich. »Entschuldige die Verspätung.«

Die anderen Jungen wirken nicht mehr so selbstsicher, doch Tommy will nicht klein beigeben.

»Waren das eure Räder, die ich da hinten am Weg gesehen habe?«, frage ich.

Niemand antwortet.

»Irgendein Mistkerl hat sie in den Bach geworfen. Ich konnte ihn nicht abhalten.«

»Verdammte Scheiße!«, sagt Tommy. »Das ist ein neues Fahrrad.«

»Ihr könnt sie wahrscheinlich noch retten, wenn ihr euch beeilt.«

Der Kleinste rennt los, zurück den Pfad hinunter. Die beiden anderen folgen. Ich ziehe Schuhe und Socken aus und wate ins Wasser, um Clems Schultasche zu bergen, die ein Stück flussabwärts in ein tieferes Becken getrieben und beinahe ganz untergegangen ist.

Wieder am Ufer beobachte ich, wie er den Reißverschluss der Tasche aufzieht und den Inhalt herausnimmt, durchgeweichte Schulbücher, Ordner mit zusammenklebenden Seiten und verschmierte Notizen, die aussehen wie Rorschach-Tests. Er gießt Wasser aus einer Lunchbox aus Plastik aus, die einen Apfel und eine zusammengeknüllte Frischhaltefolie enthält.

»Die Schule wird mich dafür zahlen lassen«, sagt er und zeigt auf die Bücher.

»Sag ihnen, es war ein Unfall.«

»All meine Aufzeichnungen sind ruiniert.«

»Du kannst sie bei irgendjemandem abschreiben.«

Er breitet die Bücher in der Sonne aus und hofft, dass sie ein wenig trocknen. Ich krempele die Beine meiner Jeans herunter und hoffe das Gleiche. Wir sitzen im Gras. Er reibt den Apfel an seiner Shorts. »Haben Sie deren Fahrräder wirklich in den Bach geworfen?«

»Ich gebe gar nichts zu.«

Er bietet mir den Apfel an. Ich beiße das erste Stück ab und kaue langsam.

»Was haben Sie hier gemacht?«, fragt er.

»Du kannst mich übrigens gern duzen. Ich bin dir gefolgt.«

»Wenn das nicht unheimlich ist.«

»Deine Mum war nicht bei der Arbeit. Ich habe mir Sorgen gemacht.«

»Bist du ihr Freund?«

»Ich bin ein Freund. Wir waren auf derselben Schule. Ich habe ihr Schwimmen beigebracht. Wir waren eine Zeit lang zusammen.«

»Und warum erfahre ich das alles erst jetzt?«

»Ich war weg.«

»Wo?«

»In Sydney.«

Er reißt die Augen auf. »Du bist *dieser* Typ! Du warst im Gefängnis. Du hast ein Mädchen umgebracht.«

»Nein.«

»Nachdem du sie vergewaltigt hast.«

»Noch einmal, nein.«

»Irgendwas musst du doch gemacht haben.«

»Ich habe Beihilfe nach der Tat geleistet.«

»Was bedeutet das?«

»Ich habe nicht verhindert, dass etwas passiert.«

»Kann man schuldig sein, wenn man nicht verhindert, dass etwas passiert?«

»Ja.«

Er wirft das Apfelgehäuse in den Bach, wo es untergeht und wieder auftaucht.

»Komm, ich bring dich nach Hause.«

»Ich hab mein Fahrrad dabei.«

»Das können wir in den Sandman legen.«

»Was ist ein Sandman?«

»Mein Auto.«

Clem zögert. »Vielleicht willst du mich in einen Keller sperren und mästen, um mir die Haut abzuziehen, wie Buffalo Bill.«

»Buffalo wer?«

»Hast du *Das Schweigen der Lämmer* nicht gesehen?«

»Nein.«

»Es ist ein Film über einen Psychopathen, der Frauen tötet und häutet, um sich einen ›Frauenanzug‹ zu nähen.«

»Wieso?«

»Damit er eine Frau sein kann.«

»Und das hast du dir *angesehen*?«

»Ja, ich habe auch das Buch gelesen. Ich musste es aus der Bibliothek klauen, weil die Bibliothekarin meinte, es sei nicht altersgerecht. Ich habe es zurückgegeben«, fügt er hastig hinzu. »Ich bin kein Verbrecher.«

Clem schiebt sein Rad neben mir her. Ich trage es die Böschung hoch, und wir gehen über die Straße zu meinem Wagen. Ich öffne die Hecktüren und schiebe das Fahrrad hinein. Clem setzt sich auf den Beifahrersitz und schnallt sich an.

»Kennst du das Windmill Café?«, fragt er.

»Ja.«

»Die machen die besten Milkshakes.«

»Was, wenn ich Buffalo Bill bin?«

»Dann krieg ich zumindest einen Milkshake.«

# 45

Das Café riecht nach geschäumter Milch, gezuckerten Teilchen und Frittierfett. Wir sitzen in einer verspiegelten Nische an der Wand. Clem studiert die eingeschweißte Speisekarte, obwohl er sie garantiert auswendig kennt.

Mandy Flynn bedient an den Tischen. »Hallo, Clem, ich hätte nicht gedacht, dass du dich hier noch mal blicken lässt.«

Clem fängt an, Entschuldigungen zu murmeln.

»Beim letzten Mal ist er abgehauen, ohne zu bezahlen«, erklärt Mandy.

»Das war ein Missverständnis«, sagt er wenig überzeugend.

»Heute zahle ich«, sage ich. »Und ich begleiche auch mögliche Zahlungsrückstände.«

»Zahlungsrückstände«, wiederholt sie spöttisch. »Was kann ich euch bringen?«

Clem bestellt einen Schoko-Milkshake mit extra Malz, ich nehme einen Cappuccino, was nach der braunen Plörre, die hinter Gittern ausgeschenkt wurde, immer noch eine Novität für mich ist.

Mandy geht in die Küche; Clem spielt mit den Zuckertütchen und dem Süßstoff und arrangiert sie wie Dominosteine. Es sind auch andere Jugendliche in dem Café, doch er meidet ihre Blicke und ignoriert sie, so gut er kann.

»Wie war es im Gefängnis?«, fragt er.

»Es war das längste verregnete Wochenende, das man sich vorstellen kann.«

»War es gefährlich?«

»Manchmal.«

»Bist du mit einem Shiv attackiert worden?«

»Wo hast du denn das Wort aufgeschnappt?«

»Ich habe diesen Film gesehen, *Die Verurteilten*. Sogar zweimal. Musstest du dich gegen die Schwestern wehren?«

»Welche Schwestern?«

»Die Gang, die Andy Dufresne in der Gefängniswäscherei vergewaltigt hat.«

Ich sehe ihn ausdruckslos an.

»Zeigen sie im Gefängnis keine Filme?«

»Nicht solche.«

»Hast du versucht zu fliehen?«

»Nein.«

»Hast du dich mit jemandem angefreundet?«

»Nicht wirklich.«

»Wie war das Essen?«

»Beschissen.«

»Was hast du am meisten vermisst?«

»Meinen Bruder.«

»Den, der gestorben ist.«

»Ja.«

Mandy kommt mit unserer Bestellung. Clems Milkshake wird in einem altmodischen Zinnbecher serviert, an dem Kondenstropfen herunterperlen. Außerdem hat Mandy uns einen Banana-Split mit zwei Kugeln Eiscreme und zwei Zierkirschen mitgebracht.

»Geht aufs Haus«, sagt sie.

Ich blicke zur Küche. »Ist Leon nicht da?«

Sie lächelt. »Ich hab das Sagen.«

Clem zeigt auf die Kirschen und bemerkt, dass sie aussehen wie Nippel. Er isst sie beide sowie die Eiscreme, lässt die Banane jedoch unangerührt. »Mein Tagesbedarf an Obst ist für heute schon gedeckt.«

Ich entschuldige mich und suche Mandy. Als ich durch die Doppelschwingtür in die Küche komme, wendet der Koch gerade Hamburger auf dem Grill. Ich spreche stumm Mandys Namen, und er zeigt auf die Hintertür. Mandy trägt mehrere Plastiksäcke die Treppe hinunter zu den Mülltonnen. Als ich plötzlich hinter ihr auftauche, zuckt sie zusammen und lässt einen der Säcke fallen.

»Ich wollte dich nicht erschrecken«, sage ich, hebe den Sack auf und werfe ihn in die Tonne.

Mandy hat einen Schritt zurück gemacht und beäugt mich argwöhnisch. Ich lasse kurz den Blick schweifen, über das Gemeindeland, die grasenden Kühe und den Fluss, der silbern zwischen den Bäumen glitzert.

»Wann ist der errechnete Geburtstermin?«, frage ich.

Sie streicht über ihren Babybauch. »Dies ist meine letzte Schicht.«

»Wer kümmert sich um deine anderen Kinder?«

»Mum holt sie von der Schule und der Vorschule ab. Und Freddy hilft, wenn er Feierabend hat in der Bank.«

»Habt ihr beide, du und Freddy, nach Saxons Tod eigentlich eine Aussage bei der Polizei gemacht?«

»Wir wurden befragt«, sagt sie defensiv und pustet sich eine Haarsträhne aus den Augen.

»Ich habe einen Artikel im *Advocate* gelesen, in dem Freddy zitiert wurde. Er hat gesagt, ein paar Jugendliche seien nach der Party noch zum Fluss runtergelaufen und hätten weiter getrunken.«

»Wir wollten den Sonnenaufgang sehen.«

»Du warst dabei?«

»Nicht die ganze Nacht. Als es anfing zu blitzen und zu

donnern, hab ich Angst gekriegt, und Freddy hat mich nach Hause gebracht.«

»War Saxon auch dort?«

»Ja.«

»Mit wem war sie dort?«

»Mit niemandem. Wir haben bloß abgehangen.«

»War noch irgendjemand ... Hast du gesehen ...?«

Mandy erkennt, worauf ich hinauswill. »Eric Sandine hat sein Trinkspiel gespielt. Und dafür gesorgt, dass Saxon immer verliert.«

»War sie betrunken?«

»Sehr.«

»Hast du sie gehen sehen?«

Mandy schüttelt den Kopf und sieht mich ängstlich an. »Sag Eric nicht, dass ich dir das erzählt habe.«

»Hast du Angst vor ihm?«

»Jeder hat Angst vor ihm.«

## 46

Als wir bei Clem ankommen, holt er einen Schlüssel unter einem bemalten Stein hervor, der vor dem Erkerfenster liegt. Das holzverkleidete Häuschen hat einen hübsch angelegten Garten mit einem Lattenzaun, der von Buchsbaumhecken und Rosenbüschen eingefasst ist, die kurz vor der Blüte stehen.

»Ich bin zu Hause«, ruft Clem und lässt seine Tasche im Flur neben einem Tisch auf den Boden fallen. Ich bleibe auf der Schwelle stehen und warte, hereingebeten zu werden.

»Mum?«, ruft Clem noch lauter.

Eine leise Stimme antwortet irgendwo im Haus. Ich warte weiter auf der Schwelle, von wo ich ihre Unterhaltung hören kann. Helen sagt, dass sie die Zeit vergessen hat, und fragt Clem nach seinem Tag.

»Genau wie gestern«, sagt er. »Warum bist du im Bett?«

»Ich hatte Kopfschmerzen.«

»Ich hab jemanden mitgebracht.«

»Du hast einen Freund gefunden.«

»Nein. Na ja. Vielleicht.«

»Also, im Kühlschrank ist Limonade, und ihr könnt eine Packung Kekse aufmachen, aber iss nicht zu viele, sonst hast du zum Abendessen keinen Hunger mehr.«

»Stehst du auf?«

»Später vielleicht.«

»Aber er will dich sehen.«

»Wer?«

»Mein Freund.«

Ich höre das Bett quietschen und schlurfende Geräusche. Sie ist an der Tür, im Flur, rückt ihr Kopftuch zurecht. Sie scheint in ihren Kleidern geschrumpft zu sein.

Ein harsches Flüstern. »Ich hab dir gesagt, du sollst dich von mir fernhalten.«

Clem hört mit. Sie sagt, er soll in sein Zimmer gehen.

»Ist irgendwas nicht in Ordnung?«, fragt er.

»Du solltest nicht mit fremden Männern reden.«

»Aber du kennst ihn.«

»Darüber sprechen wir später.«

Der Junge verzieht sich widerwillig, und Helen wendet sich wieder mir zu. »Wie kannst du es wagen, meinen Sohn anzusprechen. Wie kannst du es wagen, hierherzukommen. Ich habe dir gesagt, du sollst uns in Ruhe lassen.«

»Du blutest.«

Sie hebt die Hand und berührt ihr Gesicht. Blut tropft aus ihrer Nase auf ihre Oberlippe. Sie betrachtet entsetzt ihre Finger, zieht ein Taschentuch aus einer Schachtel und drückt es unter ihre Nase.

»Bist du krank?«, frage ich.

»Nein. Raus.«

»Ich gehe erst, wenn du mir sagst, was los ist.«

»Ich rufe die Polizei.«

»Okay.« Ich lehne mich mit verschränkten Armen an die Wand.

Helen blickt den Flur hinunter zu Clems Zimmer. Die Tür ist geschlossen. Sie will streiten, doch ihr Widerstand ist erschöpft, und sie braucht ihre ganze Kraft, um weiter so zu tun, als wäre alles in Ordnung.

Wortlos geht sie ins Wohnzimmer und zieht die Vorhänge auf. Licht flutet über ein Sofa, einen Sessel, ein Bücherregal, eine Stereoanlage und eine Sammlung von Schallplatten. Staubkörnchen schweben in der Luft.

»Du brauchst dich nicht zu setzen – du bleibst nicht lange«, sagt sie.

Ich stehe beim Kaminsims. Etwas Schlimmes erwartet mich. Das erkenne ich an ihrer blassen Haut und dem durchscheinenden Netz von Adern, das sich deutlich darunter abzeichnet.

»Angefangen hat es hier«, sagt sie und zeigt auf einen Punkt an ihrem Hals, unterhalb ihres Kopftuchs. »Sie haben es herausgeschnitten, doch es war zu spät. Da hatte es schon in die Lymphknoten gestreut, dann in die Leber, die Lungen, die Knochen. Jetzt ist es in meinem Hirn.«

»Ich verstehe nicht.«

»Ein Melanom.«

Sie wickelt das Tuch von ihrem Kopf und faltet es in ihren Händen. Ihr Schädel ist kahl bis auf ein paar vereinzelte Büschel von Haaren, die in seltsamen Winkeln abstehen. Ich sollte schockiert sein, doch stattdessen empfinde ich eine sonderbare Erleichterung, weil jetzt alles einen Sinn ergibt – ihre Krankentage, ihr Gewichtsverlust, ihre Fahrten nach Canberra und Wagga, das Kopftuch … Sie hat eine Perücke getragen, um ihren Haarausfall zu verbergen.

Meine Kehle schnürt sich zu. »Aber du wirst wieder gesund?«

»Nein.«

»Aber die Behandlung?«

»Ich hatte Chemotherapie, Bestrahlungen, Blutinfusionen und Operationen, doch der Krebs hat schon zu breit gestreut. Mein Blutbild ist zu schlecht. Mein Immunsystem ist zu stark angegriffen.«

»Aber es muss doch irgendetwas geben, das man …«

»Wage es nicht!«, fährt sie mich unvermittelt heftig an. »Du hast keine Ahnung, was ich durchgemacht habe. Meine guten Tage sind hundertmal schlimmer als deine schlechten Tage, ob im Gefängnis oder draußen. Ich scheiße Blut, ich blute aus der Nase, und ich habe Angst, dass ich nicht wieder aufstehen kann, wenn ich hinfalle. Dieser Krebs frisst mein Hirn, und es wird der Tag kommen, an dem ich die Menschen nicht mehr erkenne. Ich werde meinen geliebten Jungen nicht erkennen. Du hast das Beste von mir gesehen, Arlo. Meistens bin ich wütend, und meine Wut ist beängstigend. Trotzdem stehe ich jeden Tag auf, gehe zur Arbeit, versuche, normal auszusehen, die Leute fragen mich: ›Wie geht's?‹ Und ich will antworten: *Beschissen bis leidlich*. Aber ich mache weiter und tue so, als ob alles okay wäre.«

Ihr Ärger hat sich erschöpft und eine traurige Melancholie zurückgelassen, die ihre Augen überquellen lässt. »Ich habe ständig Angst. Ich habe Angst, Clem allein zu lassen, nicht für ihn da zu sein, wenn er mich braucht.«

»Weiß er es?«, frage ich.

»Nicht alles.«

»Wann willst du es ihm erzählen?«

»Bald.«

Ich mache einen Schritt auf sie zu. Sie weicht einen Schritt zurück. Ich gehe weiter und strecke die Arme aus. Sie wehrt sich kurz, ergibt sich dann. Und ich spüre das gewichtslose Mädchen, das ich einst im Schwimmbad gehalten habe, während sie mit den Beinen gestrampelt, den Armen gerudert und nach Luft geschnappt hat, überzeugt, sie würde untergehen. Jetzt geht sie unter, und ich kann sie nicht retten.

# 47

Am Morgen nach der Party wachte ich auf, als es noch dunkel war, und traf Luke in der Küche, wo er sich ein Butterbrot machte und eine Thermoskanne mit heißem Kakao füllte.

»Warum bist du so früh auf?«, fragte er.

»Ich fahre Mum nach Canberra. Sie möchte ein paar Weihnachtseinkäufe erledigen.«

»Wann ist Weihnachten?«

»Erst im Dezember.«

»Ist das noch lange hin?«

Ich rechnete. »Noch sieben Wochen.«

Die Tür von Saxons Zimmer war geschlossen. Ich hatte sie nicht nach Hause kommen hören, doch es musste spät gewesen sein. In den frühen Morgenstunden hatte es angefangen zu regnen, und der Wetterbericht sagte weiteren Regen voraus. Luke trug eine Öljacke, die ihm bis zu den Knien reichte.

Mum hatte den Einkaufstrip kurzfristig geplant. Die meisten Leute in Yulara fuhren für größere Einkäufe nach Canberra oder Wagga Wagga, weil es in Yulara keine Kaufhäuser und Fachgeschäfte gab. Ich hatte nichts dagegen, sie zu fahren, weil ich mich bei der School of Music nach Stipendien und Finanzierungsplänen erkundigen und vergewissern wollte, dass Saxon sich beworben hatte.

»Was glaubst du, wie viel sie braucht?«, fragte Mum, als wir über den Highway fuhren, der mit jedem Wischer der Blätter über die Windschutzscheibe kurz auftauchte und wieder verschwand.

»Achtzig Dollar pro Woche, wenn sie sich ein Zimmer teilt. Das würde Unterkunft und Verpflegung abdecken; was Bücher und die anderen Kosten angeht, keine Ahnung.«

»Wir können ihr helfen.«

»Wir haben selbst kaum genug.«

»Ich könnte meinen Schmuck verkaufen.«

»Welchen Schmuck?«

»Meinen Ring.«

Der Verlobungsring aus Weißgold mit einem eingefassten einkarätigen Diamanten war das Teuerste, was Mum besaß.

»Das ist ein Familienerbstück«, sagte ich.

Mum schnaubte verächtlich. »Wer hat dir das erzählt?«

»Das habe ich bloß angenommen.«

Ich zögerte und trommelte mit den Fingern auf das Lenkrad. »Hat mein Vater ihn dir geschenkt?«

Sie antwortete nicht.

»Wirst du mir je seinen Namen verraten?«

»Du brauchst seinen Namen nicht zu wissen.«

»Bin ich wie er?«

»Ja.«

»Hat er ...«

»Bitte frag nicht.«

Mum schob eine Kassette in die Stereoanlage. Die Musik spielte los. Beethovens *Pastorale*. Sie zog eine Braue hoch. »Klassische Musik?«

»Das ist Saxons Schuld.«

»Dieses Mädchen ist ein Geschenk Gottes.«

Die Musik rauschte mit der ganzen Frische und Heiterkeit der Landschaft über uns hinweg.

Ich setzte Mum vor dem Einkaufszentrum ab. Es war noch früh, die Läden machten gerade erst auf. Gruppen älterer

Menschen in Trainingsanzügen hatten die Bürgersteige erobert und trippelten in weißen Turnschuhen und mit pumpenden Armen voran, dem Sensenmann immer einen Schritt voraus.

Ich fuhr zur Musikhochschule und parkte vor der Llewellyn Hall, wo ich das Vorspiel für die Stipendien verfolgt hatte. Heute wollte ich zum Zulassungsbüro. Ich rannte durch den strömenden Regen, stieß eine schwere Glastür auf und trat vor einen Empfangstresen.

Eine Empfangsdame blickte auf das Wasser, das von meinem Regenschirm tropfte, und seufzte. »Warum haben Sie so lange gebraucht?«

»Verzeihung?«

»Ich habe vor einer Stunde angerufen.«

Bevor ich etwas erwidern konnte, hatte sie den Telefonhörer abgenommen und sprach mit jemandem. »Ja, er ist am Empfang. Okay, ich schicke ihn hoch.«

Sie legte auf. »Gehen Sie durch die Tür da, den Flur hinunter und die Treppe hinauf. Mr Bryant erwartet Sie im zweiten Stock.«

»Sie verstehen nicht«, sagte ich. »Ich bin nicht ...«

»Können Sie ein Leck reparieren oder nicht?«

»Möglicherweise, aber ich bin nicht ...«

»Ausreden können warten. Einer unserer Musikräume steht unter Wasser.«

Ich folgte ihren Anweisungen und traf Mr Bryant, einen schlaksigen Akademiker, der aussah, als würde er aus Pfeifenreinigern und Tweed bestehen. Er führte mich in einen Musikraum, wo Wasser durch die Decke sickerte und unter den Stühlen und Notenständern einen kleinen See gebildet hatte. Instrumentenkästen waren auf Pulte gestapelt worden, damit sie nicht nass wurden.

»Wo ist das Hauptabsperrventil?«, fragte ich.

Der Professor sah mich ausdruckslos an.

»Es ist wahrscheinlich dort, wo auch die anderen Leitungen ankommen, Strom und Gas. Wo befinden sich die Zähler?«

»Das müsste im Keller sein«, sagte Mr Bryant und führte mich über eine Innentreppe, deren Stufen erst aus glattem Stein und weiter unten aus rohem Beton waren. Wir kamen in einer Tiefgarage raus, wo ich das Hauptabsperrventil fand und auch den Strom abstellte, bevor ich in den Musikraum zurückkehrte.

Auf dem Weg entdeckte ich eine Leiter, die ich unter die beschädigte Decke stellte. Durchgeweichte Rigipsplatten zerbröselten in meinen Händen, als ich das Loch vergrößerte. Ursache des Lecks war ein defektes Ventil der Sprinkleranlage. Ich klemmte die Taschenlampe zwischen die Zähne und wickelte wasserdichtes Klebeband um die Bruchstelle. Mittlerweile waren zwei Hausmeister in identischen Overalls gekommen, die danebenstanden und mir Tipps gaben. Sie erinnerten mich an Bill und Ben, die Flower Pot Men – TV-Trickfilmpuppen aus meiner Kindheit. Einer von ihnen ging in den Versorgungsraum und drehte den Haupthahn wieder auf. Die Versiegelung hielt.

»Das wird fürs Erste reichen«, sagte ich, »aber Sie müssen einen richtigen Klempner rufen.«

»Sind Sie kein Klempner?«, fragte Mr Bryant.

»Nein.«

In diesem Moment kam die Frau vom Empfang herein, gefolgt von zwei Handwerkern mit Werkzeugkasten.

»Wer sind Sie?«, fragte sie mich vorwurfsvoll.

»Ich bin Arlo Hackett.«

»Sie sind kein Klempner.«

»Nein.«

»Warum haben Sie mich angelogen?«

»Ich habe nicht gelogen. Sie haben es einfach angenommen.«

»Ich könnte Sie wegen unbefugten Eindringens belangen lassen«, sagte sie, nervös wegen ihres Fehlers.

»Er hat uns aus einer Klemme geholfen«, schaltete Mr Bryant sich ein.

»Er hätte es noch schlimmer machen können«, sagte die Frau.

»Er hat nur gemacht, was wir auch gemacht hätten«, sagte der eine Klempner.

Daran schien die Empfangsdame Anstoß zu nehmen – als hätten die Männer im Raum sich gegen sie verbündet.

»Er kann sich hier nicht einfach unter falschem Vorwand Zutritt verschaffen. Er könnte ein Dieb sein oder ein ...« Ihr fiel nichts ein, was ich sonst noch sein könnte.

»Ich bin gekommen, um den Leiter der Musikhochschule zu sprechen ... denjenigen, der die Entscheidung trifft.«

»Welche Entscheidung?«

»Wer hier studieren darf.«

Ich erklärte, dass Saxon ein Stipendium verpasst hatte. Aber dann habe Mr Matteucci sie spielen hören und ermutigt, sich zu bewerben. Ich zog seine Visitenkarte aus der Tasche, die in meiner Tasche feucht geworden war.

»Es ist nicht an Mr Matteucci, zu entscheiden, wer hier studiert«, sagte Mr Bryant.

»Ist er hier? Kann ich mit ihm sprechen?«

Die Empfangsdame schnaubte. »Mr Matteucci ist mit dem Sydney Symphony Orchestra auf Tournee und gastiert zurzeit im Lincoln Center in New York.«

»Ich wollte mich nur vergewissern, dass Saxon sich beworben hat.«

Nach weiterem Hin und Her brachte mich die Empfangsdame zum Zulassungsbüro. Sie stampfte durch die Flure wie ein Ausbildungsoffizier der Armee und übergab mich einer anderen Frau mit der Warnung: »Behalte ihn gut im Auge, Peggy.«

Die Sekretärin hatte ein strahlendes Lächeln und Perlen im Haar, die klackerten, wenn sie den Kopf wandte. Sie redete und tippte gleichzeitig in ihren Computer, fragte nach Saxons Namen, ihrem Alter und ihrer Adresse.

»Sie ist bereits im System.«

»Heißt das, sie wurde angenommen?«

»Wenn sie ihren Schulabschluss schafft, ja, aber es gibt eine Notiz zu ihrer finanziellen Situation.«

»Wie viel würde das Studium kosten?«

»Ich kann Ihnen eine Aufstellung über die Studiengebühren mitgeben. Die Unterkunft würde noch hinzukommen.«

Ich verließ das Büro mit gemischten Gefühlen. Ich freute mich für Saxon, machte mir jedoch Sorgen, wie sie das Geld auftreiben wollte. Sie hatte mir erzählt, sie hätte genug, doch ich konnte mir nicht vorstellen, wie und woher.

»Wäre es so furchtbar, wenn sie noch ein Jahr warten muss?«, fragte Mum auf der Heimfahrt. »Als ich in ihrem Alter war, haben wir auf Sachen gewartet. Wir haben gespart. Es gab keine Kreditkarten oder Ratenzahlungspläne.«

*Als du in ihrem Alter warst, wurdest du gezwungen, die Schule zu verlassen und Lernkrankenschwester zu werden*, wollte ich sagen, doch ich hielt den Mund.

Um 16 Uhr trafen wir im strömenden Regen in Yulara ein. Streifenwagen standen vor der Kirche, die von innen erleuchtet war, sodass man die Heiligen auf den Buntglasfenstern erkennen konnte.

»Oje, ich hoffe, es ist nicht Pater Martell«, sagte Mum und bekreuzigte sich.

Wir fuhren die All Saints Road hinauf. Vor dem Haus parkten weitere Polizeiwagen mit flackernden Lichtern. Zwei Gestalten in weißen Overalls mit Kapuze und Handschuhen kamen aus der Haustür.

»Luke«, flüsterte Mum im selben Moment, in dem ich sagte: »Saxon.«

Ein Constable in einem Regenumhang aus Plastik hob die Hand und befahl mir, anzuhalten. Einer seiner Kollegen erkannte mich, und binnen Sekunden war der Wagen von Polizisten umzingelt. Einer legte seine Hand an die Tür und hinderte mich am Aussteigen.

»Heißen Sie Arlo Hackett?«

»Ja.«

»Warten Sie hier.«

»Wo ist Luke?«, fragte Mum. »Ist jemand verletzt?«

Ihre Fragen wurden ignoriert. Sergeant Warwick Aimes kam aus dem Haus und hielt einen Regenschirm hoch. Weil er das Tor nicht entriegeln konnte, stieg er darüber, ein fetter Mann mit dem breitbeinigen Gang eines Piraten.

Als er den Wagen erreicht hatte, presste er ein Stück Papier auf die nasse Windschutzscheibe.

»Sind Sie Mary Hackett?«

»Sie wissen, wer ich bin«, sagte Mum.

»Nach Abschnitt siebenundvierzig des Law Enforcement Act wurde ein Durchsuchungsbeschluss erlassen, der es der Polizei erlaubt, dieses Grundstück zu betreten und nach Beweisen im Zusammenhang mit einem schweren Verbrechen zu suchen.«

Mum wollte dazwischengehen, doch er fuhr fort: »Der Beschluss wurde von einem Justizbeamten unterschrieben, der aufgrund der vorgelegten Beweise zu der Überzeugung gekommen ist, dass es berechtigten Grund für die Annahme gibt, im Haus könnten sich Gegenstände befinden, die einen Bezug zu der Straftat haben. Haben Sie verstanden?«

Mum wandte sich an mich, damit ich für sie übersetzte.

»Was für eine Straftat?«, fragte ich.

»Ein Mord.«

Nach kurzem Schweigen fragte Mum: »Wo ist Saxon?«

Aimes antwortete nicht. Mum schlug sich die Hand vor den Mund, um nicht laut loszuschreien. Sie machte Anstalten, die Wagentür zu öffnen. Er hielt sie zu.

»Wo ist mein Bruder?«, fragte ich.

»Er wurde festgenommen«, sagte Aimes.

»Ich möchte ihn sehen.«

»Besucher sind verboten.«

»Sie haben einen Fehler gemacht.«

»Wo warst du letzte Nacht?«, fragte Aimes mich.

»Hier. Genau wie Luke.«

»Wann habt ihr das Haus verlassen?«

»Heute am frühen Morgen. Wir sind nach Canberra gefahren.«

»Wo ist Saxon?«, fragte Mum. »Was hat Luke getan?«

Aimes ignorierte sie.

»Sie haben die Wahl. Entweder Sie warten im Wagen, bis wir fertig sind, oder Sie fahren zur Wache und machen beide eine Aussage. Luke Hackett können Sie nicht sehen.«

# 48

»Sie dürfen ihn nicht bedrängen. Er ist ein kranker Mann«, sagt Camille, die einen ramponierten Land Rover mit dreieckigen Seitenfenstern und einer Heizung fährt, die direkt an den Auspuff angeschlossen zu sein scheint. Wenn wir nicht an einer Kohlenmonoxidvergiftung sterben, werden wir in einer der uneinsehbaren Kurven ums Leben kommen, die sie mit beängstigender Geschwindigkeit nimmt.

Doch wir überleben und erreichen die Blakeney Lodge, eine Palliativpflegeeinrichtung am Nordrand von Tumut. Das Hospiz steht auf einem Gelände der katholischen Kirche, auf dem es auch eine Kirche und eine Grundschule gibt, die beide Ende des 19. Jahrhunderts erbaut wurden. Das Hospiz ist neuer und liegt zwischen Pappeln, die ihre welken Blätter auf die Rasenflächen abwerfen wie in einem Fächertanz. Ein Gärtner harkt sie zu einem glimmenden Haufen zusammen, während zwei gelangweilt aussehende Krankenschwestern sich auf einer Bank ein Sandwich teilen.

Nachdem wir uns am Empfangstresen eingetragen haben, folge ich Camille durch Flure und einen Anbau in einen kleinen geschlossenen Garten.

»Er wird Sie um eine Zigarette bitten. Geben Sie ihm keine«, flüstert Camille.

»Ich rauche nicht.«

»Kluge Wahl.«

Ein alter Mann sitzt in einem Rollstuhl und hält das Gesicht in die Sonne wie eine Sonnenblume. Otto Gutterson hat flaumiges weißes Haar, eingefallene Wangen und eine eingesunkene Brust, die sich unter seinem Pyjamaoberteil kaum bewegt.

Camille lächelt. »Hallo, Onkel Otto.«

Er schlägt die Augen auf, blassblau, beinahe durchscheinend, saugt Luft ein und keucht eine Begrüßung. »Meine Lieblingsnichte.«

»Deine einzige Nichte.«

Otto ist nur noch halb der Mann, den ich in Erinnerung habe. Er kann kaum neunzig Pfund wiegen und wird nur von Schleim und Knorpel zusammengehalten. Teerfarbener Schorf bedeckt seine Hände, und zwei Sauerstoffschläuche schlängeln sich von seinen Nasenlöchern zu einem Kanister, der neben ihm steht wie ein Dackel an der Leine.

»Ich habe dir einen Besucher mitgebracht«, sagt Camille.

Ottos Blick flackert auf, als er mich wiedererkennt. »Arlo? Wie?«

»Ich wurde auf Bewährung entlassen.«

Er greift nach seinem Sauerstofftank und regelt die Zufuhr. »Entschuldigen Sie meinen gegenwärtigen Zustand. Ich habe anscheinend meine Würde verloren.«

»Nicht Ihre Schuld.«

»Oh, doch, doch. Laut Albert Camus ist das Leben die Summe unserer Entscheidungen. Meine waren Zigaretten, Whisky und verruchte Frauen.«

»Letzteres ist eine Übertreibung«, sagt Camille und küsst ihn auf die Wange.

»Wunschdenken«, entgegnet er.

»Ich hole uns einen Tee«, sagt sie und macht sich auf den Weg in die Teeküche.

Ich bin mit dem alten Anwalt allein. Ich setze mich auf einen Stuhl, damit er den Kopf nicht heben muss, um mich anzusehen. Sein Gesicht ist blass, beinahe gelb, ein Zeichen für beginnendes Organversagen.

»Waren Sie je auf Bali?«, fragt er. Sauerstoff zischt durch die Schläuche. »Dort sollte ich jetzt sein. Ich wollte im Ruhestand in Indonesien leben, hoch in den Bergen, wo es kühl ist, in einer Stadt namens Ubud, doch eines Tages bin ich losgegangen, um eine Schachtel Zigaretten zu holen, und als ich wieder nach Hause kam, waren vierzig Jahre verschwunden.«

»Wie Sand durch die Sanduhr.«

»Ich zitiere Camus, Sie zitieren *Zeit der Sehnsucht.*«

Wir lachen, doch die Anstrengung erschöpft ihn.

»Das Urteil gegen Sie war ungerecht. Sie hätten mich Revision beantragen lassen sollen.«

»Sie haben das getan, worum ich Sie gebeten habe.«

»Ich hatte Mitleid mit Ihrer Mutter – zwei Söhne zu verlieren. Wie geht es ihr?«

»Sie hatte einen Schlaganfall.«

»Das tut mir leid.«

Otto hält inne, um zu Atem zu kommen oder um über die Frau nachzudenken, die meine Mutter früher war.

Ich fülle die Stille. »Ich habe mir die Akten zu Lukes Fall angesehen. Ich kann seine Aussage nicht finden.«

»Er hat keine unterschrieben«, sagt Otto.

»Die Polizei hat gesagt, Luke hätte ein Geständnis gemacht.«

»Das hat er auch.«

»Aber wenn er nichts unterschrieben hat …«

»Ist es trotzdem zulässig.«

»Was ist mit Tonaufzeichnungen?«

Otto scheint direkt durch mich hindurchzublicken. »Was wird das, Arlo? Warum sind Sie hier?«

»Luke wurde nie vor Gericht gestellt. Ich möchte wissen, was er bei der Polizei gesagt hat.«

»Manche Fragen bleiben besser unbeantwortet.«

»Sie waren bei den polizeilichen Vernehmungen anwesend.«

»Nein. Luke hat auf sein Recht verzichtet, einen Anwalt hinzuzuziehen.«

»Aber Sie haben mit ihm gesprochen.«

»Kurz, vor seinem Auftritt vor Gericht. Das wissen Sie alles, Arlo. Sie waren im Gerichtsgebäude.«

Sauerstoff zischt durch die Schläuche.

»Ich habe jemanden getroffen, der in der Nacht, als Luke festgenommen wurde, im Polizeigewahrsam war. Er hat einen Brief an Mum geschrieben und berichtet, dass Luke zwischen den Vernehmungen geschlagen wurde.«

Otto betrachtet seine Hände, als würde er eine Landkarte aus Falten studieren. »Die Polizei hat gesagt, Luke hätte sich selbst verletzt.«

»Was hat er Ihnen gesagt?«

»Er hat gesagt, dass er nach Hause wollte.«

»Was noch?«

»Dass es ihm leidtäte.«

»Was?«

»So viel Ärger zu machen.«

»Hat er gesagt, dass er Saxon getötet hat?«

»Er hat gesagt, es sei ein Unfall gewesen.«

Camille taucht mit einem Tablett mit Teekanne und Bechern auf. Sie stellt es auf einem Tisch ab und schenkt ein. Ottos Hände zittern, als er einen Becher nimmt. Er führt ihn nicht zum Mund.

»Otto hat gesagt, es gibt eine Aufzeichnung von Lukes Geständnis«, sage ich.

Er wölbt den Rücken und widerspricht erregt. »Ich habe nichts dergleichen gesagt.«

Camille fixiert ihn mit dem Blick eines enttäuschten Elternteils.

Otto zögert. »Die Polizei hat sie zurückverlangt.«

»Aber du hast eine Kopie aufbewahrt?«

»Du musst in dieser Stadt leben und arbeiten«, sagt Otto mit pfeifendem Atem. »Du willst dir keine Feinde machen.«

»Wo ist sie?«, fragt Camille.

»Luke hat gestanden.«

»Unter Zwang«, sage ich.

»Jeder Verdächtige steht unter Zwang«, sagt Otto, »vor allem die Schuldigen.« Er atmet zitternd ein. »Die Polizei wird jedes Fehlverhalten bestreiten. Sie werden die Reihen schließen und sich gegenseitig decken.«

»Das ist kein Argument, sondern eine Ausrede«, sagt Camille.

»Die meisten der Beteiligten sind im Ruhestand oder pensioniert.«

»Das erteilt ihnen keine Absolution. Wo ist die Aufnahme?«

Otto schüttelt den Kopf.

»Ich komme nicht wieder hierher«, sagt Camille. »Niemand sonst besucht dich, Otto. Du wirst auch mich verlieren.«

Der alte Anwalt sieht elend aus. Weißer Speichel hat sich in den Mundwinkeln gebildet.

»In South Yulara gibt es Lagerräume, die man mieten kann. Dort liegen meine Unterlagen.«

»Wie bekommen wir Zugang?«

»Neben dem Bett. Oberste Schublade. Darin findest du einen Schlüsselbund. Die Schließfachnummer steht auf dem Anhänger.« Er macht eine Pause, um weitere Luft einzusaugen. »Ich habe mir das Band nie angehört.«

»Wieso nicht?«

»Weil ich weiß, dass das, was sie getan haben, falsch war. Sie hätten Luke niemals ohne Beisein eines Anwalts vernehmen dürfen.«

Camille umarmt ihn von hinten und küsst ihn auf den Kopf.

»Du bist ein guter Mann, Onkel Otto.«

»Ich bin nur noch ein halber Mann«, keucht er mit pfeifendem Atem. »Vielleicht noch weniger.«

# 49

Ottos Lager befindet sich in einem zweistöckigen Fertigbau am Rand eines neuen Industriegebiets südlich des Flusses. In der Nachbarschaft gibt es Reparaturwerkstätten, einen Maschinen- und Werkzeugverleih und ein Gartencenter mit Reihen von Topfpflanzen, die sich um Brunnen und andere Wasserelemente drängen.

Das Büro ist von einem redseligen Mann besetzt, der die über seinen kahlen Schädel gelegten Haarsträhnen einzeln zählen könnte. Er lässt sich über das Wetter und die Benzinpreise aus, während er eine Skizze zeichnet, die uns den Weg zu Ottos Lager weist.

Seiner Beschreibung folgend gehen wir über einen Pfad bis zu einer Doppeltür. Camille dreht sich um und lässt den Blick über den Parkplatz schweifen.

»Was ist?«

»Ich sehe ständig denselben Wagen.«

»Folgt er uns?«

»Ich weiß nicht.«

»Wann ist er Ihnen aufgefallen?«

»Er war hinter uns, als wir Tumut verlassen haben, und ich habe ihn wieder gesehen, als wir in Yulara angekommen sind.«

»Was für ein Fabrikat und Modell war es?«

»Sehe ich aus wie ein Autofreak? Es war ein großer weißer Wagen.«

Wir gehen eine Treppe hinauf und folgen einem Metallsteg

bis zu dem Lagerraum. Camille öffnet das Vorhängeschloss, und ich ziehe das Rolltor hoch. Mit einer Zugschnur lässt sich eine schwache Glühbirne einschalten. Der Lagerraum ist bis auf ein paar Archivboxen an der Rückwand leer.

Camille streift ein paar OP-Handschuhe über und bedeckt Mund und Nase mit einer Maske.

»Allergie«, erklärt sie. »Wonach suchen wir?«

»Eine Kassette oder eine Abschrift – alles, was mit Lukes Fall zu tun hat.«

Wir nehmen uns beide einen Karton vor und fangen an zu suchen. Der erste enthält Kontoauszüge, Quittungen und alte Versicherungen für Ottos Haus und Wagen.

»Er hat eine Lebensversicherung«, sage ich und öffne einen Umschlag. »Und Sie sind die Begünstigte.«

Camille nimmt mir den Brief ab. Ich zeige auf die Versicherungssumme. Eine Million Dollar.

»Sind Sie seine einzige Verwandte?«, frage ich.

»Es gibt noch meinen Vater, aber die beiden haben seit Jahren nicht miteinander gesprochen.«

»Aus einem bestimmten Grund?«

»Ein Liebesdreieck.«

»Klingt aufregend.«

»Verhängnisvoll trifft es eher. Otto war in meine Mum verliebt, doch sie hat sich für meinen Vater entschieden und ihn geheiratet. Das wäre so weit okay gewesen, aber Dad hat Mum betrogen, und das hat Otto ihm nie verziehen. Darin ist er altmodisch. Eines Tages möchte ich einen Mann wie ihn kennenlernen.«

»Gibt es die noch?«

»Ein paar.« Unsere Blicke treffen sich kurz, bevor sie sich abwendet und einen weiteren Karton öffnet. Sie zieht einen roten Plattenkoffer aus Plastik heraus, der zahlreiche Musikkassetten enthält. Sie zieht wahllos ein paar heraus und liest die Beschriftung vor. INXS. Midnight Oil. Cold Chisel.

»Ich hätte nicht gedacht, dass Otto ein Aussie-Rocker ist.«

Sie will den Koffer wieder schließen, doch ich möchte mich selbst vergewissern. Ich nehme jede Kassette einzeln in die Hand. Einige sind Mix-Tapes für lange Autofahrten. Die Playlists hat Otto mit der Hand geschrieben. Eine Kassette hat eine andere Farbe, auf der Hülle steht ein Satz. *Dieser Mensch ist ohne jedes Vertrauen.*

»Was ist das?«, fragt Camille.

»Es ist ein Zitat aus einem alten Film. *Der Unbeugsame.* Paul Newman spielt einen Kriegsveteranen, der in ein Gefängnis im tiefen Süden der USA gesteckt und von den Wärtern brutal drangsaliert wird, sich jedoch weigert, sich zu unterwerfen.«

»Das war vor meiner Zeit«, sagt Camille abschätzig.

»Vor meiner auch.«

Ich kann mich nicht an den Soundtrack erinnern, doch verglichen mit Ottos anderen Kassetten ist es eine merkwürdige Wahl. Ich kratze mit dem Daumen an dem Etikett, bis darunter ein anderes Etikett sichtbar wird – ein Abzeichen der New South Wales Police Force. Manchmal verbergen sich die größten Geheimnisse im Gewöhnlichen.

# 50

Camille sitzt am Steuer und kämpft wieder mit der Lenkung des Land Rover. Wir sind fast in der Stadt, als sie in den Rückspiegel blickt.

»Der Wagen ist wieder da.«

Ich widerstehe dem Impuls, mich umzudrehen.

»Ein weißer Ford Falcon«, sagt sie.

»Wie viele Antennen?«

»Zwei, vielleicht drei.«

»Es ist ein Zivilfahrzeug der Polizei.«

»Was soll ich machen?«

»Fahren Sie weiter.«

Ich ziehe die Kassette aus meiner Tasche und suche nach einem Versteck.

»Geben Sie her«, sagt sie. »Halten Sie das Lenkrad und nicht gucken.«

Sie nimmt die Kassette aus der Hülle, knöpft ihre Jeans auf, hebt die Hüften an und schiebt die Kassette in ihren Slip.

Eine Sirene heult auf. Camille fummelt nervös an den Knöpfen, während sie am Straßenrand hält. Der weiße Falcon rollt langsam an uns vorbei und stellt sich schräg vor unseren Wagen. Auf dem Armaturenbrett flackert ein Blaulicht. Es dauert einen Moment, bis ich den Fahrer erkenne. Warwick Aimes. Gavins alter Herr. Er steigt aus und kommt auf uns zu. Sein breitbeiniger Gang ist mittlerweile noch ausgeprägter, sein Haar ist weiß geworden; es ist länger als früher und reicht bis zu seinen Segelohren.

»Alles in Ordnung, Warwick?«, fragt Camille.

»Ich dachte schon, dass Sie es sind«, sagt er und erwidert ihr Lächeln, jedoch ohne jede Freundlichkeit. Er betrachtet den beschädigten Seitenspiegel. »Das muss repariert werden.«

»Ich habe einen neuen bestellt«, sagt sie. »Ich dachte, Sie wären im Ruhestand. Ich habe auf der Glückwunschkarte unterschrieben.«

»Ich mache nach wie vor ein bisschen bürgernahe Polizeiarbeit.«

»Dürfen Sie Leute anhalten?«

Aimes ignoriert sie, beugt sich zum Fenster hinunter und blickt mir in die Augen. »Steig aus, Arlo.«

»Warum?«, fragt Camille. »Was hat er getan?«

»Er hat gegen seine Bewährungsauflagen verstoßen.«

Ich folge seiner Anweisung und nehme die klassische Haltung ein, Beine gespreizt, Hände auf der Kühlerhaube. Er tastet mich halbherzig ab. Das ist alles nur Show.

»Wie hat er gegen seine Bewährungsauflagen verstoßen?«

»Sachbeschädigung.«

Mir fallen die Fahrräder ein, die ich in den Bach geworfen habe.

»Sie sind kein Polizist mehr«, sagt Camille.

»Ich führe eine Jedermann-Festnahme durch.«

»Das ist Blödsinn! Sie belästigen meinen Mandanten.«

Der alte Sergeant ignoriert sie und zieht Handschellen aus der Gesäßtasche. Camille stellt sich vor ihn. Sie ist einen Kopf kürzer als er, baut sich jedoch zu voller Größe auf.

»Wo war die Polizei, als Mr Hackett vor dem Sir George Hotel angegriffen wurde? Und als er von einer Bande auf Motorrädern durch die Straßen gejagt wurde?«

»Hat er diese Zwischenfälle gemeldet?«

Camille hält inne und sortiert sich neu. »Ich könnte Sie

wegen Amtsanmaßung anzeigen. Dann können Sie das der Law Enforcement Conduct Commission, dem Ombudsmann von New South Wales und einem Richter erklären.«

Aimes kratzt sich an seiner geplätteten Nase, die auf dem Rugby-Feld wieder und wieder gebrochen wurde. »Was haben Sie in dem Lager gemacht?«

»Wir haben die Papiere meines Onkels durchgesehen. Ich bin seine Testamentsvollstreckerin.«

»Ich habe gehört, dass es Otto in letzter Zeit nicht gut ging.«

»Er stirbt«, sagt Camille.

»Das ist wirklich schade. Haben Sie irgendetwas gefunden, was mit Luke Hacketts Prozess zu tun hat?«

»Er wurde nie vor Gericht gestellt.«

»Genau. Und sämtliche Aussagen und Abschriften gehören der Polizei von New South Wales.«

»Die Verteidigung ist nicht verpflichtet, veröffentlichtes Material an die Staatsanwaltschaft zurückzugeben«, sagt Camille.

Aimes zuckt nicht mit der Wimper. »Strafverteidiger sind gesetzlich und moralisch gebunden, das Material nur für die Fälle zu benutzen, für die es gesammelt und veröffentlicht wurde. Die unautorisierte Weitergabe oder Verwendung des Materials für Zwecke außerhalb des Prozesses kann gravierende juristische Folgen nach sich ziehen.«

Er sieht mich an. »Hat man dir Material gezeigt, das etwas mit dem Fall zu tun hatte?«

»Beantworten Sie das nicht«, sagt Camille.

Aimes fängt an, den Land Rover zu durchsuchen, blickt unter die Sitze und in die Seitenfächer, hebt die Fußmatten an und verschiebt den Ersatzreifen. Camille protestiert weiter und zitiert Gesetze und Bestimmungen zum Anwaltsprivileg und zu illegalen Durchsuchungen.

Die leere Kassettenhülle liegt auf dem Boden. Aimes liest das handschriftliche Zitat darauf vor. *Dieser Mensch ist ohne jedes Vertrauen.*

»Eine Motivationskassette«, erklärt Camille. »Otto hört sie sich gern an.«

»Ah ja, so eine hab ich mir auch mal gekauft, damit ich nicht immer alles vor mir herschiebe«, sagt Aimes. »Bin nie dazu gekommen, sie zu hören.« Er lacht über seinen eigenen Witz und wirft die leere Kassettenhülle auf den Fahrersitz. Dabei fällt ihm auf, dass zwei Knöpfe von Camilles Jeans offen sind. Er sieht mich feixend an, hebt einen gekrümmten Finger und schnuppert daran. Camille reagiert nicht. Ich will ihm die Visage polieren.

»Steig in meinen Wagen«, sagt er und zeigt auf mich.

»Nein«, sagt Camille. »Sie haben nicht die Amtsgewalt, jemanden festzunehmen, eine Durchsuchung durchzuführen oder uns auch nur anzuhalten. Wenn Sie ihn haben wollen, holen Sie einen *richtigen* Polizisten hierher.«

Darüber denkt Aimes kurz nach und kommt zu einer Entscheidung. »Lassen Sie den Spiegel reparieren«, sagt er und wendet sich dann an mich. »Du wirst diese Stadt verlassen, auf die eine oder die andere Weise.«

Camille sollte nicht fahren, wenn sie wütend ist, und im Augenblick spuckt sie Beschimpfungen und droht mit Prozessen. Ihre Fingerknöchel am Lenkrad sind weiß.

»Ich schaufel ihn mit so viel Formularkram zu, dass er Papierschnipsel scheißt«, sagt sie, während wir der Elizabeth Street bis zur Kirche folgen und dann rechts abbiegen und den Hügel zur All Saints Road hochfahren.

Sie hält vor dem Haus. »Haben Sie einen Kassettenrekorder?«

»Ich habe Saxons alten Walkman gefunden.«

»Dann los.« Sie greift in ihre Jeans, wackelt mit den Hüften und zieht die Kassette aus ihrem Slip.

»Ich denke, Sie sollten sich das nicht anhören«, sage ich.

»Wieso nicht?«

»Glaubhafte Abstreitbarkeit.«

»Wir verstoßen gegen kein Gesetz.«

»Sie haben ihn gehört. Die Kassette ist Polizeieigentum. Sie könnten Ihre Zulassung verlieren.«

»Das Risiko gehe ich ein.«

»Das werde ich nicht erlauben.«

»Was passiert, wenn Sie etwas herausfinden?«

»Das ist meine Sache, nicht Ihre.«

Wir stehen neben dem Land Rover. Sie beugt sich vor, stellt sich auf die Zehenspitzen, küsst mich auf die Wange und verharrt einen Moment so, als wollte sie nicht, dass es endet.

# 51

Am Abend von Lukes Festnahme warteten wir vor der Polizeiwache und sahen dem Regen und dem Kommen und Gehen der Polizisten zu. Ich parkte den Sandman auf der anderen Straßenseite in der Nähe des alten Gefängnisses unter einer Eiche. Hin und wieder prallten herabfallende Eicheln auf das Dach oder die Kühlerhaube und ließen Mum zusammenzucken.

Menschen versammelten sich, und die Menge wuchs weiter, als die Pubs zumachten, wobei der Regen auch etliche abhielt. Die Palette reichte von Schaulustigen, die unbedingt einmal einen echten Mörder sehen wollten, bis hin zu selbst ernannten Rächern, die verlangten, dass man ihnen Luke auslieferte. *Wie viele Menschen braucht es für einen Mob*, fragte ich mich. *Zehn? Fünfzehn? Zwanzig? Wird eine Gruppe zum Mob, wenn noch einer dazukommt?*

Mum umklammerte ihren Rosenkranz und flüsterte Avemarias und Vaterunser. Ich überquerte stündlich die Straße, betrat die Polizeiwache und verlangte, Sergeant Aimes zu sprechen. Ich wurde jedes Mal abgewiesen. Meine Anwesenheit machte den Mob unruhig. Keiner der Leute hatte irgendeinen Zweifel daran, dass Luke Saxon getötet hatte, und ich war allein durch meine Verbindung zu ihm mitschuldig. Einmal wurde ich auf dem Weg in die Wache von hinten von einer Dose Bier getroffen, die an meiner Schulter abprallte, über die Straße kullerte und Schaum auf den Schotter spritzte.

Mum schlief, als ich sie nach Hause fuhr. Sie war zu erschöpft, um sich über das Chaos zu beschweren, das die Polizisten hinterlassen hatten, das Fingerabdruckpulver, die verschobenen Möbel und ausgekippten Schubladen. Ich kehrte zur Wache zurück und wartete den ganzen Sonntag, während weitere Polizisten kamen und gingen. Detectives von außerhalb aus Goulburn und Wagga Wagga. Teams der Spurensicherung. Streifen, die an jede Tür klopften. Zeugen, die kamen, um eine Aussage zu machen. Pater Corday. Doc McCabe. Betsy Nagel und ihr Bruder Jason.

Frank und Cathy Winacott trafen in der Polizeistation ein und verließen sie kurz darauf in einem Streifenwagen wieder. Ich nahm an, dass sie nach Wagga fuhren, um Saxons Leichnam in der Leichenhalle des Krankenhauses zu identifizieren.

Um drei Uhr nachmittags wurde ich in einen Vernehmungsraum geführt und von Warwick Aimes und dem Leiter der Ermittlung befragt, einem Polizisten aus der Stadt namens DCI Ambrose Pike. Er war ein großer Mann mit von Alkohol geröteten Wangen, sein Haar sah aus wie Stahlwolle. Er trug einen zerknitterten Anzug und Cowboystiefel sowie eine Paisley-Krawatte auf Halbmast. Er fragte mich nach der Einkaufstour in Canberra und wann ich Luke und Saxon zum letzten Mal gesehen hatte. Ich konnte ihm keine genaue Uhrzeit nennen, weil ich nicht gehört hatte, wie Saxon von der Party nach Hause gekommen war, und angenommen hatte, dass sie noch schlief, als wir am Samstagmorgen das Haus verlassen hatten.

»Hatten Sie eine sexuelle Beziehung mit Saxon Winacott?«, fragte Pike.

»Nein.«

»Was ist mit Ihrem Bruder?«

»Seien Sie nicht albern. Was ist ihr zugestoßen?«

»Ich stelle die Fragen«, sagte der Detective, dessen Augen

hervortraten und dann wieder unter seinen Augenbrauen verschwanden. »Warum hat Saxon Winacott bei Ihnen gewohnt?«

»Sie hatte einen Streit mit ihrem Stiefvater. Wir haben ihr eine Unterkunft angeboten.«

»Warum?«

»Sie wollte nicht nach Hause.«

»War das der einzige Grund?«

»Ja.«

Ich überlegte, ihm zu erzählen, dass Saxon geschlagen worden war. Ich könnte ihm die Fotos zeigen, aber ohne Saxon, die bestätigte, was passiert war, könnte die Polizei behaupten, ein anderer habe ihr die Verletzungen zugefügt.

»Ihr Bruder hat bei dem Supermarkt in der Elizabeth Street jede Woche Blumen gekauft. Für wen waren die?«, fragte Pike.

Erst wollte ich lügen, doch ich wusste, dass Luke den Polizisten bestimmt die Wahrheit gesagt hatte.

»Er hat sie für Saxon gekauft.«

»Warum?«

»Er wollte, dass sie seine Freundin wird, aber er hat verstanden, dass sie nicht interessiert war.«

»Woher wissen Sie, dass er das verstanden hat?«

»Ich habe es ihm erklärt. Ich habe ihm gesagt, dass sie wie unsere kleine Schwester ist, auf die wir aufpassen müssen.«

»Trotzdem hat er ihr weiter Blumen gekauft. Jede Woche.«

»Wenn Sie mich mit ihm reden lassen, könnte ich Ihnen helfen, das zu klären. Luke würde nie jemandem wehtun – nicht absichtlich.«

»Was soll das heißen?«, fragte Warwick Aimes, der bis dahin still gewesen war.

»Ich will sagen, dass er sanft ist.«

»Verliert er je die Beherrschung?«

»Nein.«

»Hat er sie je verletzt?«

»Nicht mit Absicht.«

»Schon wieder dieses Wort. Was heißt ›nicht mit Absicht‹?«

»Manchmal ist ihm nicht bewusst, wie groß er ist.«

Aimes blickt auf einen Notizblock. »Frank Winacott hat ausgesagt, dass dein Bruder zwei Männer angegriffen hat, als er euer Haus besucht hat, um sich nach dem Wohlergehen seiner Stieftochter zu erkundigen.«

»So war es nicht. Er hat sie entwaffnet.«

»Er hat es mit zwei Männern aufgenommen. Beeindruckend.«

»Er hat die Situation beruhigt.«

»Dein Bruder arbeitet für Monte Pope.«

»Er kümmert sich um dessen Pferde.«

»Was genau macht er?«

»Er füttert und tränkt sie. Er mistet ihre Boxen aus.«

»Was noch?«

»Er pflegt sie und bereitet sie für Rennen vor.«

»Er muss Pferde mögen.«

»Er liebt Pferde.«

»Wenn dem so ist, warum hat er dann ein neugeborenes Fohlen mit einem Stein erschlagen?«

Ich fing an zu stottern. Aimes fuhr fort. »Er hat ihm den Schädel zertrümmert und den Kadaver verbrannt.«

»Das Fohlen hatte einen Geburtsfehler. Monte Pope hatte seine Gnadentötung befohlen. Es hat Luke das Herz gebrochen. Er hat hinterher geschluchzt.«

»Mit einem Stein«, sagte Aimes kopfschüttelnd.

»Er ist nicht gewalttätig. Er ist sanft.«

Meine Entschuldigungen klangen hohl und verzweifelt.

Die Polizisten wechselten einen Blick, Pike stand auf.

»Danke für Ihre Hilfe, Mr Hackett.«

»Kann ich Luke sehen?«

»Nein.«

»Jemand sollte bei ihm sein.«

»Er ist unter Aufsicht.«

Sie öffneten die Tür. Ich rief Lukes Namen. Mir war, als hätte ich ihn antworten hören, doch ehe ich reagieren konnte, war ich von drei Uniformierten umringt, die mich an die Wand drückten, mir den Arm hinter dem Rücken verdrehten und mich aus der Wache führten. Ich rief weiter, hörte jedoch nichts mehr von Luke.

Ich ging nicht nach Hause. Stattdessen lief ich in die Stadt und schlief, von einer Markise geschützt, auf der Treppe vor Otto Guttersons Kanzlei, während der Regen durch die Fallrohre gurgelte. Otto tauchte am nächsten Morgen um neun auf, einen ramponierten Koffer unterm Arm, eine Zigarette zwischen den Lippen. Asche rieselte auf sein Hemd. Er strich sie ab.

Otto wusste schon von Saxon und Luke. Schlechte Nachrichten verbreiten sich in ländlichen Kleinstädten so schnell wie Langeweile.

»Luke hat nicht nach einem Anwalt gefragt«, sagte er, von dem kurzen Aufstieg keuchend.

»Er würde nicht mal nach einer Pinkelpause fragen«, entgegnete ich.

Otto schloss grunzend die Tür auf und wollte seinen Mantel an einen Haken hängen, verfehlte ihn jedoch. Otto ließ den Mantel auf dem Boden liegen, klappte seinen Aktenkoffer auf und nahm ein in Wachspapier gewickeltes Brötchen mit Ei und Speck heraus, wie sie im Windmill Café verkauft wurden. Er steckte sich eine Papierserviette in den Kragen und fing an zu essen, während er zwischen den Bissen meine Fragen beantwortete.

»Luke muss einen Anwalt verlangen. Man kann ihm erlauben, einen Anruf zu machen, doch das ist nicht verpflichtend. Und es gibt auch keine klare gesetzliche Regelung, wie lange die Polizei ihn maximal festhalten darf, ohne ihn offiziell zu beschuldigen. Es gibt nur das gemeinrechtliche Prinzip, nach dem eine festgenommene Person so schnell wie vernünftigerweise möglich einem Richter vorgeführt werden muss.«

Otto blickte auf den Terminkalender auf seinem Schreibtisch. »Morgen ist der Richter in der Stadt. Bis dahin werden sie ihn festhalten.«

»Das wird Luke nicht verstehen. Jemand muss bei ihm sein.«

Otto wischte sich die Finger ab, nahm den Hörer des Telefons auf seinem Schreibtisch, stellte auf laut und rief das Polizeirevier von Yulara an. Jemand antwortete über eine Freisprecheinrichtung.

»Hier ist Otto Gutterson. Ich will Sergeant Aimes sprechen.«

Es folgte eine Diskussion. Otto wurde lauter. »Machen Sie keine Ausflüchte, Freundchen. Ich bin beschäftigter als ein Hund mit zwei Pimmeln, und mich hören Sie auch nicht klagen. Sagen Sie Warwick, entweder er redet jetzt mit mir oder ich komme mit einer gerichtlichen Verfügung aufs Revier und trete seine Tür ein.«

Wir mussten wieder warten. Schließlich meldete Aimes sich. »Machen Sie es kurz, Otto.«

»Sie haben Luke Hackett in Gewahrsam.«

»Er hat auf einen Rechtsbeistand verzichtet.«

»Seine Familie hat einen verlangt.«

»Das macht keinen Unterschied. Wenn ein Verdächtiger es nicht verlangt, muss ich Sie nicht anrufen.«

»Ich komme vorbei.«

»Er hat bereits gestanden.«

»Was hat er gestanden?«

»Das Mädchen getötet zu haben.«

Ich begann zu protestieren. Otto schnitt mir das Wort ab und befahl mir, still zu sein, bevor er Aimes instruierte.

»Luke Hackett ist jetzt mein Mandant. Niemand redet noch einmal mit ihm, ohne dass ich anwesend bin. Ist das klar?«

»Mit Reden sind wir durch«, sagte Aimes hörbar großspurig. »Er wird morgen Vormittag vor Gericht erscheinen.«

»Ich möchte ihn sehen.«

»Sie können ihn vor seinem Auftritt bei Gericht zwanzig Minuten lang sehen. Und bringen Sie frische Kleidung mit. Der Junge stinkt.«

Aimes beendete den Anruf.

Ich fühlte mich wie taub. »Er hat es nicht getan. Er hat Saxon geliebt.«

»Die Liebe kann einen Mann dazu bringen, verrückte Dinge zu tun.«

»Er ist nicht verrückt. Er ist langsam, aber er ist nicht verrückt.«

»Sie haben den Sergeant gehört – Luke hat gestanden.«

»Ich kenne meinen Bruder. Er rettet Schnecken, steigt über Ameisenhaufen und füttert Mäuse mit Käse. Er würde Saxon nie absichtlich wehtun. Es muss ein Unfall gewesen sein … oder ein Irrtum …«

Otto legte die Hände auf den Schreibtisch und stemmte sich hoch. »Gehen Sie nach Hause, Arlo. Ich sorge dafür, dass man sich um Luke kümmert.«

»Was soll ich meiner Mum erzählen?«

»Sagen Sie ihr, dass Luke einen Anwalt hat.«

# 52

In der untersten Schublade der Kommode neben Saxons Bett liegt der Walkman, der ständig lief, wenn sie lernte. Sie saß verstöpselt am Küchentisch und spielte auf einem imaginären Flügel, ihre Finger bewegten sich mühelos über das verkratzte Holz.

An dem Schaumstoffpolster des Kopfhörers haftet ein einzelnes Haar. Ich löse es, halte es ins Licht und spüre, wie mir entlang altbekannter Risse das Herz bricht. Ich wickele die Strähne zweimal um meinen Zeigefinger und verknote die Enden, um einen gewichtslosen Ring zu basteln.

Ich bestücke den Walkman mit neuen Batterien, schiebe die Kassette hinein und drücke auf Play. Nach zehn Sekunden Stille hört man gedämpfte Geräusche, Stühle, die hin und her geschoben werden, Personen, die Platz nehmen. Dann eine männliche Stimme. Warwick Aimes.

**Schmeckt dir die Eiscreme, Jessica? Welche Sorte ist es?**

*Schokolade.*

**Ist das deine Lieblingssorte?**

*Ich mag alle Sorten.*

**Schlaues Mädchen. Ich checke kurz die Aufnahme. Alles gut.**
**Nun, möchtest du uns deinen Namen sagen, Schätzchen?**

*Jessica Louise Stuart.*

**Nennen die Leute dich Jesse?**

*Sie nennen mich Jessica Louise.*

[Gelächter der Erwachsenen]

**Wie alt bist du, Jessica?**

*Fast zehn.*

**Wo wohnst du?**

*In der Hogbin Street. Nummer achtzehn.*

**Am Samstagmorgen warst du früh auf.**

*Ich war mit Buster Gassi. Das ist eine meiner Pflichten.*

**Buster ist dein Hund, ja? Am Samstag hat es geregnet.**

*Das hat mir nichts ausgemacht. Ich hatte Gummistiefel und meinen Regenmantel.*

**Hast du auf deinem Spaziergang jemanden gesehen?**

*Ich habe gesehen, wie er sie getragen hat.*

**Wen hast du gesehen?**

*Den bösen Mann. Er ging über die Morley Creek Bridge. Buster ist zu ihm gelaufen, aber ich bin stehen geblieben, weil ich gesehen habe, dass der Mann etwas getragen hat.*

**Was hat er getragen?**

*Ein Mädchen.*

**Hat der Mann etwas gesagt?**

*Nein.*

**Hattest du den Mann schon einmal gesehen?**

*Ja. In der Kirche. Er ist Messdiener. Mum sagt, es ist lächerlich, einen als Messdiener verkleideten Erwachsenen zu sehen.*

**Wohin ist er gegangen?**

*Den Hügel hoch.*

**Bist du ihm gefolgt?**

*Nein.*

**Ich werde jetzt sechs Fotos auf den Tisch legen ... so ... Sag mir, ob einer von ihnen der Mann ist, den du gesehen hast.**

*Der da. Nummer zwei. Er ist der böse Mann.*

**Braves Mädchen.**

Ich höre ein Klicken, als die Aufnahme beendet wird. Nach ein paar Sekunden wird sie wieder gestartet.

**[Sergeant Aimes] Danke, dass Sie gekommen sind, Baz. Sehr freundlich, dass Sie sich die Zeit genommen haben.**

*Das Mindeste, was ich tun kann. Dauert es lange? Ich habe der Missus versprochen, die Garage auszumisten. Sie liegt mir deswegen schon seit Wochen in den Ohren wie eine Schallplatte mit einem Sprung.*

**So eine hab ich auch zu Hause.**

[Gelächter]

**Können Sie für die Aufnahme Ihren vollen Namen und Ihre Adresse angeben?**

*Barry James Spofforth. Die Leute nennen mich Baz. Ich wohne in der Vestry Avenue. Nummer elf. Mein Grundstück grenzt an das Gelände der Highschool.*

**Am Samstagmorgen waren Sie gegen zehn Uhr in der Elizabeth Street.**

*Ja. Normalerweise hätte ich Golf gespielt, doch es hat geschüttet wie aus Eimern. Ich bin in die Stadt gefahren, um die Wochenendzeitungen und eine Lammkeule für unseren Sonntagsbraten zu kaufen. Beim Metzger habe ich Terry Moreland getroffen, einen Golf-Kumpel von mir. Als wir zusammen aus dem Laden kamen, haben wir diesen Typen gesehen, der mitten auf der Straße gegangen ist wie bei einer Parade.*

**Wen haben Sie gesehen?**

*Luke Hackett. Er trug ein totes Mädchen.*

**Woher wussten Sie, dass es tot war?**

*Es war nicht die erste Tote, die ich gesehen habe. Ich habe Terry gesagt, er soll die Polizei rufen. Er ist zurück in den Laden, und Bob hinter dem Tresen hat den Notruf gewählt.*

**Haben Sie mit Luke Hackett gesprochen?**

*Ich habe ihn gefragt, was er macht, doch er hat direkt durch mich hindurchgesehen, als wäre ich aus Glas. Terry hat gesagt, er wäre wie ein Zombie. Das kann ich nicht beurteilen. Ich gucke keine Zombie-Filme. Ich habe zu Terry gesagt, dass wir ihn aufhalten sollten, aber Terry hat ein kaputtes Knie. Ist gerade erst operiert worden. Sein Handicap ist in die Höhe geschossen.*

Was ist als Nächstes passiert?

*Hackett hat das tote Mädchen in die Kirche getragen, und dann sind Ihre Leute gekommen.*

Sie meinen die Polizei.

*Ja.*

Ich werde Ihnen mehrere Fotos vorlegen. Ich möchte, dass Sie auf den Mann zeigen, den Sie mit dem Mädchen in den Armen gesehen haben.

*Sie wissen alle, wer er ist.*

Es würde helfen, wenn Sie auf ihn zeigen.

*Das ist Luke Hackett.*

Sind Sie sicher?

*Absolut.*

Für die Aufzeichnung: Er zeigt auf das Foto Nummer zwei.

Wieder wird die Aufnahme angehalten und erneut gestartet. Diesmal hört man mehr Stimmen. Neben Warwick Aimes ist jetzt auch DCI Ambrose Pike anwesend. Die Lautstärke wird ausgepegelt, bevor Pike zu sprechen beginnt.

Dies ist die fünfte aufgezeichnete Vernehmung von Luke Hackett. Es ist Samstag, der 30. Oktober 1988, 18 Uhr 36. Anwesend sind die Polizeibeamten DCI Ambrose Pike und Sergeant Warwick Aimes.

Hallo, Luke. Ich hoffe, Sie haben sich ausgeruht. Bald kommt auch Abendessen. Damit Sie etwas in den Magen bekommen.

*Ich esse zu Hause was.*

Das könnte noch eine Weile dauern.

*Sie haben gesagt, ich dürfte nach Hause gehen.*

Wenn Sie kooperieren. Können Sie noch einmal bestätigen, dass man Sie offiziell über Ihre Rechte belehrt hat?

*Hä?*

Sie sind nicht verpflichtet, etwas zu sagen, wenn Sie das nicht wollen. Aber was Sie sagen, wird aufgezeichnet und kann später vor Gericht als Beweis vorgelegt werden. Verstehen Sie das? ... Nicht einfach nur nicken. Sie müssen es für die Aufnahme laut sagen.

*Hm-hm.*

Können Sie für die Aufnahme ebenfalls bestätigen, dass Sie auf Ihr Recht verzichtet haben, für diese Befragung einen Rechtsbeistand hinzuzuziehen?

*Ich will bloß nach Hause.*

Dafür können wir sorgen, Luke, aber dann müssen Sie auch vollkommen ehrlich zu uns sein. Deshalb stellen wir Ihnen immer wieder dieselben Fragen. Erklären Sie uns noch einmal, woher Sie Saxon Winacott kennen.

*Sie wohnt bei uns.*

In der All Saints Road?

*Ja. Unser Haus hat ein Dach aus Wellblech. Und neben dem Briefkasten ist ein Gartenzwerg.*

Wer wohnt dort?

*Ich und meine Mum und mein Bruder Arlo.*

Wieso hat Saxon bei Ihnen gewohnt?

*Sie hatte Streit mit ihrer Familie.*

Worum ging es bei dem Streit?

*Ich weiß nicht.*

Wie alt sind Sie, Luke?

*Ich werde im Mai einundzwanzig.*

Haben Sie einen Job?

*Ich kümmere mich für Mr Pope um die Pferde.*

Monte Pope?

*Ja.*

Haben Sie am Samstagmorgen gearbeitet?

*Ja.*

An dem Tag stand kein Training auf der Rennbahn an.
Warum sind Sie hingegangen?

*Die Pferde müssen trotzdem gefüttert und getränkt werden.*

Um wie viel Uhr sind Sie angekommen?

*Ich weiß nicht.*

War es noch dunkel?

*Die Sonne ging gerade auf.*

Was haben Sie in den Ställen gemacht?

*Ich habe den Pferden einen guten Morgen gewünscht.*

*Ich habe ihnen Lakritz gegeben. Mr Pope sagt, ich soll sie nicht verwöhnen, aber sie sind meine Freunde.*

**Haben Sie jemanden gesehen oder mit jemandem gesprochen?**

*Nur die Pferde.*

**Was geschah dann?**

*Ich habe die Boxen ausgemistet und frisches Stroh ausgebreitet. Midnight Blue hatte eine leichte Kolik, und Mighty Fine hat Ringelflechte, aber dafür hat der Tierarzt mir eine Salbe gegeben.*

Während ich Luke sprechen höre, sehe ich den fensterlosen Vernehmungsraum vor mir – den Tisch und drei Stühle. Ich wurde von denselben Männern verhört. Ich habe ihren Körpergeruch gerochen und die Blicke gesehen, die sie gewechselt und so wortlos Informationen ausgetauscht haben. Ich kam mir vor wie eine Maus in der Gewalt von zwei Katzen, die mit ihr spielen, sie hin und her schleudern, necken und quälen.

Pike fuhr fort:

**Haben Sie bei den Ställen Saxon Winacott gesehen?**

*Ja.*

**Wo war sie?**

*Sie war in dem kleinen Raum und hat geschlafen.*

**Haben Sie sie geweckt?**

*Sie ist von selbst aufgewacht.*

**Haben Sie sie da vergewaltigt?**

*Hä?*

Haben Sie sie da angefasst?

*Sie hat mich umarmt. Ich mag es nicht, umarmt zu werden.*

Wie hat sie Sie umarmt?

*Mit den Armen um meinen Hals.*

Und das mochten Sie nicht?

*Nein.*

Was haben Sie gemacht?

*Ich habe sie weggestoßen.*

Haben Sie sie geschlagen?

*Nein.*

Warum hat sie geweint?

*Sie hatte Blut auf ihrem hübschen Kleid – dem, das Mum für sie genäht hat –, und sie war ganz nass.*

Wie ist das Blut auf ihr Kleid gekommen?

*Ich weiß nicht.*

Hat sie geblutet, bevor oder nachdem Sie sie vergewaltigt haben?

*Hä?*

Sie haben gesagt, dass sie geweint hat?

*Ja.*

Haben Sie sie erschreckt?

*Nein.*

Irgendwas müssen Sie doch gemacht haben.

*Nein.*

Menschen weinen nicht ohne Grund, Luke. Normalerweise tun sie es, wenn sie verletzt sind oder Angst haben oder traurig sind. Hatte Saxon Angst?

*Ja.*

Wovor hatte sie Angst?

*Ich weiß nicht.*

Ich glaube, Sie haben ihr wehgetan. Ich glaube, Sie haben sich ihr aufgedrängt und sie dann getötet.

*Habe ich das?*

Ja, das haben Sie.

Die Befragung wird von einem Klopfen unterbrochen. Papiertüten werden aufgerissen, Sandwiches ausgepackt, Getränkedosen aufgerissen.

Ist Schinken und Tomate okay?

*Wann darf ich nach Hause gehen?*

Wenn Sie uns die Wahrheit darüber erzählen, was mit Saxon geschehen ist.

*Ich konnte sie nicht aufwecken.*

Sie haben uns gerade erzählt, dass sie Sie umarmt hat. Sie haben gesagt, sie hat geblutet und hatte Angst. Was ist passiert?

*Ich weiß nicht.*

Das Band wird angehalten. Ich weiß nicht, wie viel Zeit vergeht, bevor die Aufnahme fortgesetzt wird. Es ist die sechste Vernehmung, erneut werden die Anwesenden vorgestellt.

Hatten Sie schon mal eine Freundin, Luke?

*Nein.*

Hatten Sie schon mal ein Date?

*Nein.*

Haben Sie Saxon geliebt?

*Ja.*

Haben Sie ihr das gesagt?

*Ich habe sie gefragt, ob sie mit mir ausgehen will.*

Was hat sie gesagt?

*Sie hat gesagt, sie ist sehr beschäftigt.*
*Sie wollte es auf ein anderes Mal verschieben.*

Ein anderes Mal?

[Die Männer glucksen.]

Haben Sie schon einmal ein Mädchen geküsst, Luke?

*Ja.*

Wen haben Sie geküsst?

*Saxon.*

Wann haben Sie sie geküsst?

*Sie hat es mir beigebracht.*

War das am Samstag?

*Nein.*

Sie haben gesagt, Saxon habe Sie umarmt und Sie haben sie weggestoßen. Sie sind ein kräftiger Bursche. Ich wette, Sie könnten sie locker hochheben.

*Kann sein.*

Wollten Sie, dass sie aufhört, Sie zu umarmen?

*Ja.*

Wie haben Sie sie weggestoßen?

*Mit den Händen.*

Haben Sie die Hände um ihren Hals gelegt?

*Nein.*

Haben Sie dafür gesorgt, dass sie aufhört?

*Ja.*

Wie haben Sie dafür gesorgt?

*Einfach so.*

Pike grunzt angewidert und beendet die Befragung, doch das Band läuft weiter. Ich spule vor, bis ich wieder Geräusche höre. Eine weitere Vernehmung. Die siebte. Es ist Montagmorgen, der 31. Oktober, 7:37 Uhr.

Warwick Aimes beginnt.

Kehren wir noch einmal zum Anfang zurück, Luke. Sie haben gesagt, dass Sie Saxon in den Ställen gefunden haben. Sie ist aufgewacht und hat versucht, Sie zu umarmen. Was ist dann geschehen?

*Sie hat gesagt, ich soll Arlo holen.*

**Ihren Bruder?**

*Ja.*

**Haben Sie ihn geholt?**

*Ich konnte ihn nicht finden.*

**Sie haben die Ställe verlassen?**

*Ja.*

**Wo war Saxon?**

*Ich habe ihr eine Pferdedecke geholt, damit sie es warm hat, und sie hat sich auf die Pritsche gelegt.*

**Erzählen Sie uns, wie Sie Ihren Bruder gesucht haben.**

*Ich bin mit dem Fahrrad nach Hause gefahren, aber Arlo war nicht da. Ich bin in Saxons Zimmer gegangen und habe ein paar trockene Sachen für sie geholt.*

**Sie haben uns noch nicht erzählt, wie sie nass geworden ist.**

*Es hat geregnet.*

Bei Luke klingt das so offensichtlich, dass ich Aimes murmeln höre: »Klugscheißer.«

**Was ist dann passiert?**

*Ich habe Mum gesucht. Ich dachte, dass sie vielleicht im Pfarrhaus ist. Sie führt den Haushalt für Pater Corday und Pater Martell.*

**Haben Sie jemanden gesehen oder mit jemandem gesprochen?**

*Mit Pater Corday. Ich habe ihm von Saxon erzählt und dass sie blutet, und er hat gesagt, ich soll Doc McCabe holen.*

Warum haben Sie das nicht getan?

*Ich habe es versucht. Ich bin zu Doc McCabes Praxis gegangen, doch er war nicht da. Helen hat gesagt, er würde ein Baby zur Welt bringen.*

Wer ist Helen?

*Eine Krankenschwester. Sie arbeitet für Doc McCabe, und sie ist Arlos Freundin.*

Sie wollen uns also erzählen, dass Sie von den Ställen zu Ihrem Haus, dann zum Pfarrhaus und dann zu der Arztpraxis geradelt sind?

*Ja.*

Im Regen?

*Ja.*

Und Sie haben mit einem Priester und einer Krankenschwester gesprochen?

*Helen hat gesagt, ich soll einen Krankenwagen oder die Polizei rufen, doch ich hatte kein Geld für das Telefon.*

Notrufe sind kostenlos.

*Das wusste ich nicht.*

Was haben Sie gemacht?

*Ich bin zur Polizeiwache gegangen.*

Sie sind hierhergekommen!

*Ja.*

Mit wem haben Sie gesprochen?

*Seinen Namen weiß ich nicht. Er hat mir gesagt, ich soll weggehen.*

Die Aufnahme endet abrupt. Als das Band weiterläuft, wird Lukes Besuch auf dem Revier nicht weiter erwähnt, doch die Dynamik hat sich irgendwie verändert. Luke schnieft und atmet hörbar mühsam.

Ambrose Pike beginnt.

**Wenn ich es richtig verstehe, haben Sie es sich anders überlegt, Luke, und sind jetzt bereit, umfassend mit uns zu kooperieren und uns genau zu schildern, was passiert ist. Ist es wahr, dass Sie Saxon Winacott verletzt haben?**

*Nicht mit Absicht.*

**Sie haben gesagt, Sie hätten sie geschüttelt.**

*Ich habe versucht, sie zu wecken.*

**Aber sie war doch schon wach, das haben Sie uns erzählt. Sie können Ihre Geschichte nicht ständig ändern. Entweder Sie haben ihr wehgetan oder nicht. Entweder Sie haben uns zuvor angelogen, oder Sie lügen jetzt. Was denn nun?**

*Ich weiß nicht … Ich versuche …*

**Jemand hat das arme Mädchen ermordet. Jemand hat sie erwürgt. Haben Sie die Hände um ihren Hals gelegt?**

*Ich kann nicht …*

**Schütteln Sie nicht den Kopf. Beantworten Sie die Frage.**

*Ich will nach Hause.*

Luke schluchzt, Aimes grunzt angewidert und sagt, jemand solle ihm Taschentücher besorgen. Ich will die Kassette anhalten, die Aufnahme zerstören und das Bild von Luke in diesem Raum ausradieren. Allein. Verängstigt. Weinend.

Das Band läuft immer noch. Aimes fährt fort.

Wissen Sie, was das Wort fantastisch bedeutet, Luke?

*Nein.*

Es bedeutet erfunden. Weit hergeholt. Wie ein Märchen.

*Ich mag Märchen.*

Offensichtlich. Sie haben uns eine fantastische Geschichte darüber erzählt, wie Sie mit Ihrem Fahrrad kreuz und quer durch die Stadt gefahren sind, um Hilfe zu holen.

*Es ist die Wahrheit.*

Wo war Saxon, als Sie zu den Ställen zurückkehrten?

*Sie lag auf dem Boden.*

Was haben Sie gemacht?

*Ich habe versucht, sie zu wecken.*

Wie?

*Ich habe sie geschüttelt.*

Sie haben Ihre Hände an sie gelegt?

*Hm-hm.*

Hat sie gesagt, dass Sie aufhören sollen?

*Sie wollte nicht aufwachen.*

Haben Sie sie zu heftig geschüttelt?

*Ich weiß nicht.*

Sie haben die Hände um ihren Hals gelegt und zugedrückt. Sie konnte nicht atmen.

*Sie wollte nicht aufwachen.*

**Also haben Sie ihr wehgetan.**

*Es tut mir leid.*

**Was tut Ihnen leid?**

*Ich wollte ihr nicht wehtun.*

**Haben Sie sie getötet?**

*Das wollte ich nicht. Ich will nach Hause.*

Luke scheint zu hyperventilieren. Ich kann mir vorstellen, wie er, die Hände unter die Schenkel geklemmt, auf dem Stuhl sitzt und den Oberkörper hin und her wiegt.

**Warum haben Sie sie in die Stadt getragen?**

*Um Hilfe zu holen.*

**Hilfe von wem?**

*Von Gott.*

**Er konnte ihr nicht helfen, Luke. Nicht nach dem, was Sie getan hatten.**

DCI Pike unterbricht die Vernehmung und weist Aimes an, Luke offiziell des Mordes zu beschuldigen. Luke fängt an zu schluchzen.

*Kann ich jetzt nach Hause gehen?*

**Sie gehen nirgendwohin, Freundchen.**

*Aber Sie haben versprochen …*

Aimes setzt an, etwas zu sagen, doch seine Worte werden abgeschnitten, weil die Aufnahme endet.

# 53

Zwölf Jahre später, und der Klang von Lukes Verzweiflung hat mir den Leib aufgeschlitzt und meine Eingeweide auf den Boden quellen lassen. Ich hätte bei ihm sein sollen. Ich hätte verhindern müssen, dass das geschieht.

Luke verstand nicht, was er getan hatte. Er hätte auch an seinem eigenen Namen gezweifelt nach diesem stundenlangen Verhör, nachdem man ihn als Lügner beschuldigt und ihm versprochen hatte, er könne nach Hause gehen, wenn er den Polizisten erzählte, was sie hören wollten.

Als er Saxon in den Ställen fand, hatte sie Blut am Kleid. Sie war durchnässt, fror und weinte. Er fuhr mit dem Fahrrad nach Hause und suchte mich, doch ich war in Canberra. Er fuhr zum Pfarrhaus auf der Suche nach Mum und zu Doc McCabes Praxis. Er sprach mit Pater Corday und Helen. Warum hat keiner der beiden ihm geholfen?

Ich nehme mir noch einmal den Ordner mit den Tatortfotos vor und blättere ihn eilig durch, bis ich zu den Bildern von dem Schlafraum in den Ställen komme. Dort steht meine Reisetasche. Sie wird auch in der Liste der am Tatort gesicherten Gegenstände geführt – ihr Inhalt wird ebenfalls aufgelistet – eine Jeans, eine Bluse, Slips und Schuhe. Luke hat Kleider für Saxon zusammengesucht. Er hat die Wahrheit gesagt. Er wusste gar nicht, wie man lügt.

Für wie lange war er nicht in den Ställen? Vierzig Minuten? Eine Stunde? Er hat ausgesagt, dass Saxon noch lebte, als er sie allein ließ, aber als er zurückkam, konnte er sie nicht aufwecken. In der Zeit hätte ein anderer sie finden können. Vielleicht war ihr Vergewaltiger zurückgekommen, um sie zum Schweigen zu bringen – Eric Sandine, Jason Nagel oder Bernie Churcher. Sie waren an dem Abend alle auf der Party, und einige sind hinterher noch zum Fluss gegangen.

Ich verlasse das Haus und gehe die All Saints Road hinunter, ohne dass mir Nachbarn auffallen, die mich hinter Gardinen und Vorhängen beobachten. Vielleicht haben sie das Interesse an mir verloren, oder mein Verfolgungswahn legt sich allmählich. Hund ist bei mir, ein grauer Schatten, der keuchend neben mir herläuft.

Ich gehe vorbei an der Kirche und der Grundschule und steige die Treppe zum Pfarrhaus hinauf. Als niemand aufmacht, klingele ich erneut. Pater Corday erscheint, ein Handtuch um den Hals, eine Haarfärbebürste in der Hand.

Ich dränge an ihm vorbei in den Flur des Pfarrhauses, das nach Schimmel, Zölibat und Fertigmahlzeiten aus der Mikrowelle riecht. In der Küche ist ein Stuhl vor das Spülbecken geschoben worden, am Rand des Beckens steht eine offene Flasche Haarfärbemittel. Auf der Fensterbank liegt eine Katze, so vollkommen reglos, dass ich denke, sie könnte ausgestopft sein, bis sie sich streckt und rekelt und wieder hinlegt.

»Sie haben Luke gesehen an dem Tag, als Saxon gestorben ist«, sage ich.

»Natürlich, er hat sie in die Kirche getragen«, sagt der Priester.

»Nein. Sie haben ihn davor gesehen. Er ist hierhergekommen. Er hat Ihnen erzählt, dass Saxon blutet.«

»Vielleicht war es Pater Martell, mit dem er gesprochen hat.«

»Nein. Sie waren es.«

Ich blicke mich in der Küche um und bemerke die aufgeschlagene Galoppsportzeitung neben der Almosenbüchse. Er hat die Spenden gezählt, die Münzen nach Wert sortiert und gestapelt. Und plötzlich fällt mir ins Auge, was ich die ganze Zeit übersehen habe. Seine Faszination für Pferderennen. Der Job, den er Luke bei der Rennbahn besorgt hat. Das Geld, das auf Saxons Sparbuch eingezahlt wurde.

»Wie lange wetten Sie schon mit Kirchengeldern?«, frage ich.

Pater Corday erstarrt. Er macht den Mund auf. Kein Laut kommt heraus. Er versucht es noch einmal. Vergeblich.

»Saxon hat es herausgefunden. Sie hat Sie erpresst.«

Der Priester scheint vor meinen Augen zu schrumpfen. Seine Kleider werden größer und weiter. Haarfärbemittel tropft auf seine Wange wie eine dunkle Träne.

»Weiß der Kirchenvorstand davon? Weiß es der Bischof?«

»Es ist eine Krankheit«, flüstert er. »Manche Priester haben ein Alkoholproblem, meine Schwäche ist die Liebe zu Pferden. Wenn Punch dich nicht erwischt, dann kriegt dich Judy.«

»Wie hoch sind Ihre Schulden?«

»Ich zahle alles zurück.«

»Wie hoch?«

»Anfangs waren es nur ein paar Dollar hier und da, doch dann ist es mir über den Kopf gewachsen. Inzwischen schulde ich so einigen Leuten Geld. Buchmachern. Kredithaien.«

»Wie hat Saxon es herausgefunden?«

»Sie war jeden Tag in der Kirche und hat gespielt und geübt. Sie hat ein Telefongespräch mitgehört oder ein Treffen beobachtet.«

»Sie wollte Geld.«

»Sie hat gedroht, mich bloßzustellen.«

»Deswegen haben Sie ihr nicht geholfen. Luke ist zu Ihnen gekommen und hat gesagt, dass Saxon verletzt ist. Sie haben nichts unternommen.«

»Ich habe ihm gesagt, er soll den Arzt holen.«

»Wohin sind Sie gegangen, nachdem Luke wieder gefahren war?«

»Nirgendwohin. Ich war hier.«

»Sie hatten Zeit, zu den Ställen zu fahren.«

Er wirkt geschockt. »Du glaubst doch nicht ernsthaft, dass ich sie getötet habe.«

»Sie hatten ein Motiv ... und die Gelegenheit.«

»Ich bin ein Mann Gottes.«

»Ist das Ihre *beste* Verteidigung?«

»Ich schwöre dir, Arlo, ich habe ihr nichts getan. Das würde ich niemals tun. Das könnte ich nicht. Das Mädchen war Engel und Teufel in einer Gestalt, doch ich habe ihr nie ein Haar gekrümmt.«

»Warum haben Sie Luke in Ihrer Aussage nicht erwähnt?«

Pater Corday breitet flehend die Hände aus. »Die Polizei hat mich nicht gefragt. Du kannst nicht ändern, was geschehen ist, Arlo.«

»Mein Bruder war unschuldig.«

»Das weiß ich.«

Die Worte sind ihm herausgerutscht; Pater Corday versucht sofort, sie einzufangen, und verbessert sich. »Das habe ich immer geglaubt.«

»Sie haben gesagt, Sie *wissen* es.«

Er winkt ab.

»Wissen Sie, wer Saxon getötet hat?«

Er antwortet nicht.

»Hat es jemand gebeichtet?«

»Darüber kann ich nicht sprechen.«

»Wegen des Beichtgeheimnisses. Die Festung der Feiglinge. Die faule Ausrede der Katholiken.«

»Es ist ein heiliges Sakrament.«

»Das es den Leuten erlaubt, mit reiner Weste weiter zu sündigen. Und wieder und wieder und wieder.«

Der Priester sieht erbärmlich aus, mit seinem tropfenden Haarfärbemittel, seiner offenen Almosenbüchse und seiner routinierten Frömmigkeit. Vielleicht passiert das mit jemandem, der die Sünden einer ganzen Stadt tragen muss – egal, welcher Stadt. Ein Abgrund von Betrug, Untreue, Flüchen und Begehren. Sünden gegen Gott, Sünden gegen die Familie, Sünden gegen Nachbarn.

»Wer war es?«, frage ich.

»Das werde ich nicht sagen.«

»Sie können ihn nicht schützen.«

»Ich muss.«

# 54

Alle großen Zeitungen und Fernsehsender schickten Reporter und Nachrichten-Teams, um über Lukes Auftritt vor Gericht zu berichten. Übertragungswagen parkten in der Elizabeth Street, Verlängerungskabel wurden in lokale Geschäfte verlegt und Hotelzimmer als provisorische Dunkelkammern zur Entwicklung von Fotos benutzt.

Reporter und Reporterinnen mit gebleichten Zähnen und teuren Frisuren sprachen ernst in TV-Kameras, zeigten auf das Gerichtsgebäude hinter sich und erklärten den Menschen, dass Luke in wenigen Stunden dort erscheinen würde. Vorher hatten sie vor der Polizeiwache gestanden und den Zuschauern mit dem gleichen Ernst berichtet, dass Luke gestanden hatte und offiziell beschuldigt worden war.

In den Tagen seit Saxons Tod hatten umherstreifende Reporter so ziemlich jeden Einwohner der Stadt befragt und die Leute ermutigt, Aussagen zuzustimmen wie: »Finden Sie es nicht schockierend?« Oder: »Diese Stadt wird nie wieder so sein wie vorher.« Oder: »In einer Stadt wie Yulara passieren keine brutalen Morde.«

Trauertouristen aus den umliegenden Städten kurvten durch die Straßen und betrachteten die Schauplätze und Gebäude, die sie aus der Zeitung und dem Fernsehen kannten. Die Kirche. Das Ausstellungsgelände. Die Polizeistation. Wenn sie wieder wegfuhren, sahen sie meist ein wenig enttäuscht aus, als hätten sie erwartet, dass Yulara dunkler und finsterer ist, wie eine Stadt aus einem Stephen-King-Roman –

ein Ort, wo halbwüchsige Mädchen auf Partys gehen und nicht wieder nach Hause kommen.

Jeder wusste, warum die Öffentlichkeit so fasziniert war, auch wenn es niemand laut aussprach. Saxon war ein Opfer wie aus dem Bilderbuch. Sie war jung und schön, außerdem die Stieftochter eines reichen Landbesitzers, der eine Ikone der National Party war. Landadel.

Ich traf gegen neun beim Gerichtsgebäude ein, schirmte Mum auf der Treppe ab und bahnte uns einen Weg durch die Menge. Reporter und Fotografen drängelten sich, um näher heranzukommen, Kollegen wurden mit dem Ellbogen aus dem Weg gerammt. Die blonde TV-Moderatorin von Channel 7 stellte sich vor alle anderen und ließ ihr berühmtes Lächeln erstrahlen, bis sie von einer Kamera am Hinterkopf getroffen wurde.

Eine Frau baute sich vor Mum auf. Cheryl Akle. Eine ihrer ältesten Freundinnen.

»Du hättest sie beschützen müssen«, sagte sie vorwurfsvoll.

Mum zuckte nicht mit der Wimper.

Vor dem Gerichtsgebäude hielt ein Gefangenentransporter der Polizei. Die Objektive der Kameras wurden neu ausgerichtet. Uniformierte Polizisten umringten den Transporter. Die Hecktüren wurden geöffnet. Luke stieg aus.

»Abschaum!«, rief jemand, und die Beleidigung hallte als Echo in der Menge wider wie in einem Rudel Tiere, das auf ein Bellen reagiert.

Luke hatte den Kopf gesenkt, er trug Handschellen. Seine Schmachtlocke war ungebändigt, und sein Hemd hing auf einer Seite aus seiner Jeans. Auf seinem Gesicht lag ein Ausdruck schmerzhafter Fassungslosigkeit. Die Leute, die ihn anschrien, waren Menschen, die er kannte. Kids, mit denen er zur Schule gegangen war. Gottesdienstbesucher aus der Kirche.

Zwei Polizisten hatten seine Arme gepackt, zwei weitere gingen voran und bahnten ihnen den Weg. Einer hob einen Schlagstock, und Warwick Aimes drohte, jeden zu verhaften, der nicht Platz machte.

Mum stürzte sich in das Gedränge, um Luke zu erreichen. Er musste ihre Stimme gehört haben, denn er hob den Kopf und suchte sie unter den Gesichtern.

»Weitergehen!«, brüllte Aimes, der die Stellung hielt und provozierend in die Menge blickte.

Nachdem Luke das Gerichtsgebäude erreicht hatte, beruhigten die Leute sich ein wenig. Viele hatten stundenlang angestanden, um einen Platz auf der Besuchergalerie zu ergattern. Jetzt hatten sie ihre Position in der Schlange verloren, was zu Vorwürfen und Handgemenge führte.

Otto traf uns an der Tür und führte uns in einen kleinen, für Anwälte reservierten Raum. Mum hatte saubere Kleidung für Luke mitgebracht, seine beste Hose und ein Hemd, frisch gebügelt und gefaltet und in Packpapier eingeschlagen.

»Haben Sie mit ihm gesprochen?«, fragte sie Otto. »Geht es ihm gut?«

Er nahm ihre Hand und erklärte ihr, was geschehen würde. Er würde vor der Anhörung zwanzig Minuten mit Luke sprechen können. Er würde den Richter um Erlaubnis bitten, dass Lukes Familie ihn kurz treffen durfte, bevor man ihn in ein Untersuchungsgefängnis bringen würde.

»Warum kann er nicht nach Hause kommen? Er wird nirgendwohin gehen. Dafür sorge ich.«

»Die Beschuldigungen sind zu gravierend«, sagte Otto.

»Er wird es nicht verstehen. Er muss zu Hause sein.«

»Ich werde tun, was ich kann.«

Otto machte mir ein Zeichen, ihm nach draußen zu folgen. »Wollen Sie wirklich, dass sie hier ist?«, fragte er.

»Ich konnte sie nicht davon abhalten.«

Er nahm mir die Tüte mit den Kleidern ab und klopfte an eine Tür mit der Aufschrift *Nur für Mitarbeiter*. Als sie aufging, sah ich einen Polizisten, der in einem Korridor saß und Zeitung las. Otto sprach mit ihm und ließ ihn die Kleider durchsuchen. Dann fiel die Tür zu, und ich konnte sie nicht mehr sehen.

Eine halbe Stunde verging. Ein Gerichtsdiener begann, Namen und Fallnummern aufzurufen. Meistens ging es um einen Antrag auf Vertagung oder die Festlegung von Terminen für zukünftige Anhörungen – alles Wege, um Dinge auf die lange Bank zu schieben.

Als Lukes Name aufgerufen wurde, sprang Mum auf, weil sie Angst hatte, ihn zu verpassen. Ich nahm ihren Arm und führte sie in den Gerichtssaal. Die Besuchergalerie war voll besetzt, und Reporter hatten nicht nur die Presseplätze, sondern auch Sitze auf der Geschworenenbank belegt. Otto winkte vom Tisch der Verteidigung und wies auf zwei Stühle, die er für uns reserviert hatte.

»Luke wird durch diese Türen kommen«, flüsterte er. »Er wird direkt hinter uns auf der Anklagebank sitzen, aber Sie dürfen nicht mit ihm sprechen.«

»Wie geht es ihm?«

»Er redet ziemlich wirr. Er hat mich gefragt, ob Gott Saxon gerettet hat.«

»Deshalb hat er sie zu der Kirche getragen«, sagte ich. »Er hat auf ein Wunder gehofft.«

»Jetzt braucht er eins.«

Der Richter, Howard Reid, war ein korpulenter Mann mit schütterem Haar und einer runden Brille, deren Gläser seine Augen größer aussehen ließen. Er saß auf einem erhöhten Stuhl unter einem Wappen mit einem goldenen Löwen und einem goldenen Känguru, die ein Schild mit einem roten Kreuz auf blauem Grund trugen.

Eine Seitentür wurde geöffnet, und Luke erschien. Er trug beigefarbene Chinos und ein Hemd mit Kragen, die Ärmel an den Handgelenken zugeknöpft, die mit Handschellen gefesselt waren.

Mum rief seinen Namen. Otto ermahnte sie, still zu sein. Luke blickte auf und machte einen Schritt auf sie zu, doch die Beamten rissen ihn zurück. Ich bemerkte, dass er auch Fußfesseln trug. Auf der Besuchergalerie erhob sich Gemurmel. Der Richter verlangte Ruhe.

Der Gerichtsdiener räusperte sich.

»Luke Angus Hackett, Sie werden beschuldigt, am 29. Oktober 1988 nicht einvernehmlichen Geschlechtsverkehr mit Saxon Winacott gehabt zu haben, was einen Verstoß gegen Sektion 611 des New South Wales Crimes Act von 1900 darstellt. Des Weiteren werden Sie beschuldigt, Saxon Winacott am 29. Oktober 1988 mit dem Vorsatz der schweren Körperverletzung oder des Mordes widerrechtlich getötet zu haben, was einen Verstoß gegen Sektion 18 des New South Wales Crimes Act darstellt.«

Der Richter wandte sich an Luke. »Verstehen Sie die verlesenen Beschuldigungen, Mr Hackett?«

Luke antwortete nicht. Er sah leichenblass aus, und auf seiner Oberlippe standen Schweißtropfen.

Otto erhob sich. »Mein Mandant wird sich heute nicht zu den Beschuldigungen äußern.«

Luke sagte etwas. Niemand hörte ihn.

»Haben Sie etwas zu sagen?«, fragte der Richter.

»Kann ich jetzt nach Hause?«

»Nein.«

»Aber sie haben es gesagt.«

»Ihnen werden sehr schwere Straftaten vorgeworfen.«

Luke wurde erregter, wedelte mit den Händen und trat von einem Fuß auf den anderen.

»Darf ich kurz mit meinem Mandanten sprechen?«, fragte Otto und fügte hinzu: »Euer Ehren.«

Richter Reid nickte. Otto drehte sich auf seinem Stuhl um, rollte damit näher zu Luke und flüsterte leise. Luke wiegte sich weiter hin und her. Ich fragte mich, ob er irgendetwas von dem verstand, was geschah.

Als Otto sich wieder dem Gericht zuwandte, hatte er einen Entschluss gefasst. »Ich möchte über die Festlegung einer Kaution sprechen, Euer Ehren.«

Auf der Besuchergalerie erhob sich ein entsetztes Stöhnen. Der Polizeistaatsanwalt Henry Sabatini sprang sofort auf. »Was für eine lächerliche Idee. Dies ist ein Mordfall. Der Angeklagte hat gestanden.«

»Er hat keine Aussage unterschrieben«, sagte Otto.

»Das spielt keine Rolle.«

Mr Reid hob die Hände und forderte Ruhe.

»Ich denke, Sie strapazieren Ihr Glück, Mr Gutterson, doch ich werde den Antrag anhören. Wenn in meinem Gerichtssaal Ruhe herrscht«, fügte er hinzu.

Auf der Besuchergalerie wurde es still.

Otto kehrte zum Tisch der Verteidigung zurück und studierte Notizen auf einem Block, ehe er sich an den Richter wandte.

»Luke Hackett ist ein junger Mann ohne Vorstrafen. Er lebt bei seiner Mutter und seinem Bruder, die heute beide vor Gericht anwesend sind.« Otto drehte sich um und zeigte auf uns.

»Wie deutlich werden wird, wenn dieser Fall vor Gericht verhandelt wird, ist Luke geistig beeinträchtigt – er ist langsam im Kopf –, doch er ist nie zuvor gewalttätig geworden und hat nie eine Bedrohung für seine Umgebung dargestellt.«

»Erzählen Sie das Saxon Winacott«, sagte Sabatini.

Otto ignorierte ihn. »Luke besitzt weder einen Pass noch einen Führerschein. Er ist noch nie weiter von zu Hause weggekommen als bis nach Canberra. Bei einer Freilassung gegen Kaution würde er bei seiner Mutter wohnen und sämtliche Meldepflichten erfüllen, die Euer Ehren ihm auferlegt.«

»Er hat einen Mord gestanden«, sagte der Ankläger.

»Mein Mandant wurde von der Polizei ohne die Anwesenheit eines Anwalts oder einer passenden Schutzperson verhört.«

»Er hat einen Rechtsbeistand abgelehnt.«

»Es gibt Bestimmungen, die die Interessen von wehrlosen Erwachsenen schützen. Diese wurden von der Polizei ignoriert.«

Sabatini winkte abschätzig. »Wenn der Beschuldigte geistige oder psychische Probleme hat, sollte er in Gewahrsam bleiben. Zu seiner eigenen Sicherheit und zur Sicherheit der Gemeinde.«

»Das Gefängnis ist kein Ort, wo er fachgemäße psychiatrische Versorgung erhalten wird«, sagte Otto.

»Sein Schlafzimmer auch nicht.«

»Er muss begutachtet werden.«

»Er hat eine Schülerin vergewaltigt und ihre Leiche wie eine Trophäe herumgetragen.«

»Angeblich.«

»Er hat ein neugeborenes Fohlen mit einem Stein erschlagen.«

Unter den Zuschauern erhob sich Gemurmel. Der dünne Stoff der Höflichkeit war zerfetzt, die beiden Männer standen sich jetzt offen feindselig gegenüber. Der Richter wies beide an, still zu sein und sich zu setzen. Dann wandte er sich in sanfterem Ton an Luke.

»Mr Hackett, Ihnen werden die schwersten Straftaten vorgeworfen, die unser Gesetz kennt, und bei der Erwägung einer Haftentlassung gegen Kaution bin ich verpflichtet, die Sicherheit der Allgemeinheit und Ihre eigene Sicherheit zu berücksichtigen. Deshalb kann ich Sie nicht freilassen, egal welche Bedingungen für eine Freilassung ich festsetzen würde. Mr Gutterson kann bei einem späteren Termin vor einem Richter erneut einen Antrag stellen. Bis zu Ihrem nächsten Erscheinen vor Gericht werden Sie in ein Untersuchungsgefängnis verlegt.«

»Was ist mit einem psychiatrischen Gutachten?«, fragte Otto.

»Das ist die Entscheidung des Richters, dem der Fall zugewiesen wird.«

Luke blickte verständnislos von dem Richter zu Otto.

»Ich möchte nach Hause«, sagte er und krümmte sich stöhnend.

Mum riss sich von mir los und versuchte, zu ihm zu gelangen. Ein Polizist versperrte ihr den Weg.

Lukes Gesicht war weiß geworden, und sein Atem ging in kurzen Stößen. Plötzlich gaben seine Beine nach, er fiel nach vorn über die Anklagebank, und sein Kopf schlug mit einem widerlichen Geräusch auf dem Parkettboden auf. Blut quoll in Blasen zwischen seinen Lippen hervor, leuchtend und rot. Sauerstoffgesättigt. Direkt aus der Lunge.

»Rufen Sie einen Krankenwagen!«, rief der Richter. »Räumen Sie den Gerichtssaal!«

# 55

Ich lebe mit Geistern. Manche sind Menschen, manche sind Orte und manche Erinnerungen. Sie spuken in Fetzen von Songs, dem Rauschen einer Brise, dem Sonnenlicht, das sich in einem Dach spiegelt, oder dem Geruch von frisch gebackenem Brot. All diese Dinge können mich in einen Tagtraum stupsen, mich von hier nach dort und von heute nach damals versetzen.

Helen hat recht. Ich habe zu lange getrauert. Vielleicht ist das meine Sisyphosaufgabe. Ich bin dazu verurteilt, immer wieder in eine Vergangenheit zurückzukehren, die ich nicht ändern kann. Es ist wie der alte Witz über einen Touristen in Irland, der einen Farmer nach dem Weg nach Dublin fragt und zur Antwort bekommt: »Nun, Sir, an Ihrer Stelle würde ich nicht von hier losfahren.«

Ich ziehe mich an, fahre zu Bertoli's Bakery und kaufe ein paar Teilchen zum Frühstück. Dann parke ich vor Helens Haus und schließe mit dem Ersatzschlüssel die Haustür auf. Ich wecke Clem für die Schule. Er beschwert sich und zieht sich die Decke über den Kopf. Ich gebe ihm weitere fünf Minuten und wecke ihn dann noch einmal.

»Schule.«

»Ich geh heute nicht hin.«

»Doch. Machst du.«

»Du bist nicht mein Boss.«

Sein Stirnrunzeln ist das von Helen, genau wie die herzförmigen, zu einem mürrischen Schmollen verzogenen Lippen.

»Ich habe Frühstück gemacht.«

»Du hast Frühstück *gekauft*«, sagt er sarkastisch. »Das ist nicht dasselbe.«

Widerwillig kommt er in die Gänge, zieht sich an, bindet sich die Schuhe. Isst ein Fruit Scone.

»Wie war ihre Nacht?«

»Ich habe gehört, wie sie sich übergeben hat.«

Seitdem ich vor einem Monat von Helens Krebs erfahren habe, scheint sich ihr Verfall beschleunigt zu haben, oder ich bin aufmerksamer dafür geworden. An manchen Tagen hatte sie Mühe, aufzustehen. Dann habe ich sie zu einem Sessel am Fenster getragen, von dem aus sie in den Garten gucken und zusehen kann, wie der Winter allmählich in den Frühling übergeht. An guten Tagen schafft sie es, ihre Pflichten im Haushalt zu erledigen und Clem etwas zu essen zu machen, doch die Anstrengung erschöpft sie, und sie geht, ohne selbst gegessen zu haben, ins Bett.

Als sie erscheint, räume ich gerade die Küche auf. Sie trägt Ausgehkleidung. Einen leichten Mantel, eine Hose, die sich an den Hüften bauscht. Ich habe zwei zusätzliche Löcher in ihren Gürtel gestanzt.

»Wohin willst du?«

»Nach Wagga.«

Wahrscheinlich hat sie Chemotherapie. »Ich fahre dich.«

»Ich kann den Bus nehmen.«

Sie zieht einen Schirm aus dem Ständer.

»Du solltest etwas essen.«

»Ich habe keinen Hunger.«

»Ich kann dir ein Scone mit Butter bestreichen.«

»Mach dir keine Mühe.«

»Du musst etwas essen.«

»Das ist nicht *deine* Verantwortung.« Ihr Ton wird schärfer. »Wieso bist du überhaupt hier?«

»Ich habe Clem für die Schule geweckt.«

»Er kann auch allein aufstehen.«

Helen begleitet mich zur Tür, und wir verlassen gemeinsam das Haus und gehen nebeneinander den Pfad hinunter.

»Ich fahr dich zur Bushaltestelle«, sage ich.

»Nein.«

»Warum nicht?«

»Du wirst mich kidnappen und bis nach Wagga fahren.«

Genau das war der Plan.

Sie geht zu Fuß in die Stadt. Ich folge ihr im Sandman, in angemessenem Abstand. An jeder Kreuzung schaut sie links und rechts, bevor sie die Straße überquert. Manchmal dreht sie sich um und wirft mir einen wütenden Blick zu.

Der Bus wartet. Helen kauft beim Fahrer ein Ticket, geht ein Stück den Gang hinunter und setzt sich auf einen Fensterplatz. Als der Bus losfährt, fädele ich mich hinter ihm in den Verkehr ein. Ich folge ihm über die Nangus Road, die sich zwischen Farmland und mit violetten Blumen übersäten Weiden an den Hängen der Hügel am Murrumbidgee entlangschlängelt.

Der erste Halt des Busses ist zwanzig Minuten später vor dem Gemischtwarenladen in Nangus. Eine Handvoll Passagiere steigt aus, andere steigen zu. Helen guckt aus dem Fenster und entdeckt mich. Wütend steht sie auf, geht nach vorn und spricht mit dem Fahrer. Einen Moment lang glaube ich, sie rufen die Polizei. Helen verschwindet aus meinem Blickfeld. Sie hat sich wohl auf einen anderen Platz gesetzt. Der Bus fährt los und wirbelt Staub auf. Als ich die Verfolgung wieder aufnehmen will, sehe ich Helen auf der anderen Straßenseite stehen.

Sie steigt in den Sandman. »Du bist ein Idiot.«

Wir fahren schweigend. Sie hat den Schirm und eine kleine

Handtasche auf ihrem Schoß. Nach einer Weile entspannt sie sich, und sie macht mich auf Wegmarken aufmerksam, erzählt mir Geschichten aus ihrer Zeit als Krankenschwester bei Doc McCabe.

Ich frage sie nach der Chemotherapie. Sie erklärt, dass die Medikamente intravenös verabreicht werden, und zeigt auf ihren Arm.

»Tut es weh?«

»Nein.«

»Und dadurch wird der Tumor kleiner?«

»Die Tumore, Plural«, verbessert sie mich. »Sie versuchen in erster Linie, die Symptome in den Griff zu bekommen.«

»Hast du Schmerzen?«

»Nicht immer.«

»Wann wirst du es Clem erzählen?«

Sie wechselt das Thema. »Ich habe ihm Briefe geschrieben. Einen für seinen achtzehnten Geburtstag, einen für den einundzwanzigsten, einen für den fünfundzwanzigsten und einen, falls er jemals heiraten und Kinder haben sollte. Ich habe versucht, ihm meine Gedanken über das Leben mitzuteilen. Ich bin keine große Philosophin, aber ein paar Dinge habe ich gelernt, die vielleicht ganz nützlich sein könnten.«

»Du bist ihm eine großartige Mutter gewesen.«

»Woher willst du das wissen? Du warst nicht da.«

»Ich habe Clem getroffen, und ich kenne dich.«

Wir fahren weiter und hören einen Song im Radio. Ein Mann singt, dass er jetzt klarer sieht, weil sich der Regen verzogen hat.

»Was glaubst du, was passiert, wenn wir sterben?«, fragt sie.

»Du bist diejenige, die an den Himmel glaubt.«

»Du nicht?«

»Nein.«

»Was glaubst du, wo Luke ist?«

»Er liegt unter der Erde.«

»Das jemandem zu sagen, der stirbt, ist ziemlich brutal.«

Ich setze neu an. »Nun, vermutlich hoffe ich, es ist, als würde man ins Nichts gleiten und frei sein.«

»Und dann?«

»Nichts.«

»Möchtest du nicht mit den Menschen zusammen sein, die du liebst?«

»Ich bin jetzt mit ihnen zusammen.«

Helen wendet sich ab.

Der Weg vom Haupteingang des Krankenhauses zur Onkologie ist ihr offensichtlich vertraut. Auf der Station kennen die meisten Schwestern sie mit Namen und umgekehrt. Helen streift einen Baumwollkittel über und zieht ihre Hose aus, während ich noch im Raum bin. Ich gucke verlegen weg. Sie lacht.

»Du hast schon alles gesehen«, sagt sie. »Die Schöne und das Biest.«

»Du bist immer noch schön.«

»Na, erwarte keine sexuellen Gefälligkeiten. Ich würde dich wahrscheinlich vollkotzen.«

Ich beobachte, wie ein junger Arzt den Medikamentencocktail vorbereitet, der in ihren Körper gepumpt wird. Eine Schwester hat Mühe, die Vene zu finden. Helen hilft ihr. Zur Not könnte sie es auch allein bewerkstelligen. Die Medikamente beginnen zu fließen.

Helen klappt die Lehne ihres Stuhls nach hinten und schließt die Augen.

»Möchtest du schlafen?«, frage ich.

»Nein.«

»Ich wollte dich etwas über Luke fragen.«

»Was ist mit ihm?«

»Hast du je eine Aussage bei der Polizei gemacht?«

»Worüber?«

»Du hast ihn an dem Tag getroffen. Er ist in die Praxis gekommen.«

Helen schlägt die Augen auf. In ihnen liegt Trauer. »Er hat Doc McCabe gesucht, doch der war im Krankenhaus und hat ein Baby zur Welt gebracht. Luke hat gesagt, Saxon würde Hilfe brauchen. Ich habe angenommen, sie ist mal wieder bedürftig und manipulativ.«

»Hat er gesagt, dass sie blutet?«

»Das weiß ich nicht mehr. Ich habe ihm gesagt, er soll die Polizei oder einen Krankenwagen rufen.«

»Warum bist du nicht mit ihm gegangen?«

»Ich hatte drei schwangere Frauen im Wartezimmer sitzen. Und es war nicht mein Job, deiner Freundin zu helfen.«

»Sie war nicht meine Freundin. *Du* warst meine Freundin.«

Helen seufzt. »Warum kramst du das jetzt wieder hervor?«

»Saxon hat noch gelebt, als du Luke getroffen hast.«

»Woher weißt du das?«

»Er hat ihr saubere Kleider geholt.«

»Vielleicht war sie tot, und Luke hat es nicht erkannt.«

»Er kannte den Unterschied.«

»Können wir über etwas anderes sprechen?«

»Das ist wichtig.«

»Nein, es ist eine uralte Geschichte. Wie die Schriftrollen vom Toten Meer. Das Grabmal des Tutanchamun. Wie Scherben zerbrochener Tongefäße und alte Knochen, die niemand sammeln will. Alle sind tot.«

»Nicht alle.«

Helen nimmt eine Zeitschrift und macht deutlich, dass die

Unterhaltung beendet ist. In der Stille höre ich das Summen der Klimaanlage und entfernte Stimmen vom Schwesterntresen.

»Er ist wie du«, sage ich.

»Wer?«

»Clem.«

Helen kneift die Augen zusammen, doch ihre Gesichtszüge werden weicher. »Findest du?«

»Er ist schlau. Er ist sanft. Er ist freundlich.«

»Ich wünschte, er wäre härter.«

»Er ist hart genug.«

»Das muss er von dir haben.«

»Von mir?« Ich lache und merke dann, dass sie mich eingehend betrachtet, als wollte sie meine Reaktion abschätzen. Ich beginne im Kopf eine Frage zu formulieren, doch Helen ist mir voraus.

»Er ist dein Sohn, Arlo.«

Mir wird bewusst, dass ich sie mit offenem Mund anstarre und auf die Pointe warte, doch Helen lächelt nicht. Ihre Lippen sind geschürzt. Ihr Blick ist hoffnungsvoll.

»Über so was solltest du keine Witze machen«, sage ich.

»Das tue ich auch nicht.«

»Aber du warst mit Eddie Whitely verheiratet.«

»Ich war schwanger, als ich Eddie geheiratet habe. Ich dachte, du hättest vielleicht eins und eins zusammengezählt und es dir mittlerweile selbst zusammengereimt.«

»Warum hast du es mir nicht erzählt?«

»Du warst im Gefängnis.«

»Die Briefe.«

»Ich habe dir von Clem geschrieben und dir Fotos geschickt. Ich habe nicht ausdrücklich gesagt, dass du der Vater bist, aber ich dachte, vielleicht kapierst du es auch so. Siehst die Ähnlichkeit. Erkennst die Wahrheit. Aber du hast nie zurückgeschrieben.«

Sie lallt ein wenig beim Sprechen, und ich frage mich, ob die Medikamente ihren Verstand benebelt haben. Sie fasst meine Hand. Ihre Finger fühlen sich spröde und trocken an.

»Geh nicht weg«, sagt sie.

»Ich bin hier bei dir.«

»Lass Clem nicht allein. Er braucht jemanden, der nicht verschwindet, nicht abhaut und ihm nicht wegstirbt.«

*Das bin nicht ich*, will ich sagen, doch die Worte zerbröseln in meinem Mund zu Staub.

»Weiß Clem es?«, frage ich.

»Noch nicht.«

»Bitte sag es ihm nicht.«

»Einer von uns beiden muss es tun.«

# 56

Auf dem Heimweg schläft Helen ein. Ich trage sie ins Haus. Sie wacht auf, legt die Arme um meinen Hals, küsst meine unrasierte Wange und murmelt etwas. Ich ziehe ihr die Schuhe aus und bringe sie ins Bett.

»Mir ist so kalt«, sagt sie, und ich breite eine zusätzliche Decke über sie.

Ich höre, wie Clem nach Hause kommt und seine Schultasche auf den Boden fallen lässt. Er war nach der Schule bei einem Nachbarn. Er trägt noch die Uniform, auf den Knien der Hose sind Grasflecken.

»Irgendwelche Probleme heute?«, frage ich.

»Nein.«

»Würdest du es mir erzählen?«

»Vielleicht nicht.«

Ich merke, dass ich ihn anstarre und versuche, Ähnlichkeiten zu erkennen. Er hat Lukes Augen, aber sie sind von einem helleren Braun mit goldenen statt braunen Flecken. Seine Ohren stehen ein wenig ab, wie Helens.

Ich habe einen Sohn. Er ist ein Teil von mir. Ich habe geholfen, ihn zu machen. Ich habe zugegebenermaßen nicht viel getan. Meiner Erinnerung nach war es ein Fummel-und-Kicher-Fest auf einer Picknickdecke mit Blick auf die Lichter von Yulara. Oder vielleicht auch das eine Mal auf der Rückbank des Sandman, als ich mir am Dach den Kopf gestoßen habe und Helens Haare sich an meinen Knöpfen verfangen haben. Es war eine Komödie der Irrungen. Sex durch Missgeschick.

»Warum starrst du mich so an?«, fragt Clem. »Du hast gesagt, du wärst nicht pervers.«

»Bin ich auch nicht.«

Ich wende mich ab, inspiziere den Inhalt des Kühlschranks und biete an, Essen zu kochen. Die Auswahl ist dürftig.

»Ich kann Makkaroni mit Käse machen«, sagt Clem.

»Oder wir könnten uns was vom Chinesen holen.«

»Bist du reich?«

»Nein. Faul.«

Wir studieren die Karte und bestellen genug, dass es auch für Helen reicht, falls sie aufwacht, und für morgen zum Aufwärmen. Schweinefleisch süß-sauer. Gebratener Reis. Zitronenhähnchen. Frühlingsrollen. Garnelen-Toast. Ich hole die Bestellung ab, und wir essen vor dem Fernseher, was laut Clem erlaubt ist, wobei ich den Verdacht habe, dass er lügt.

Er entscheidet, was wir gucken. *Die Simpsons* und *Neighbours*. In einer Werbepause erscheint Devlin Fraser auf dem Bildschirm, tut so, als würde er schwerelos durch seinen Salon gehen, und erklärt, seine Preise würden »der Schwerkraft trotzen« und seine Autos seien »nicht von dieser Welt«.

Dann sagt Clem plötzlich ohne jeden Bezug: »Mum stirbt.«

Mir rutscht das Herz in die Hose. »Wie kommst du darauf?«

»Alle versuchen, es geheim zu halten.«

»Du solltest sie fragen.«

»Das habe ich getan.«

»Sie weiß nicht, wie sie es dir sagen soll.«

»Es sind nur zwei Worte.«

»Die beiden schwersten.«

Er hat den Blick nicht vom Fernseher abgewandt, doch ich sehe, wie sich der Bildschirm in seinen Tränen spiegelt. Er wechselt das Thema. »Möchtest du einen Film gucken?«

Er zeigt auf eine Sammlung von Videokassetten. »Oder wir könnten Monopoly spielen oder Musik hören. Mum hat Schallplatten. Ein paar sind gar nicht so übel.«

Er will nicht, dass ich nach Hause fahre, und ich will nicht gehen, weil ich mir Sorgen um Helen mache.

»Ich habe ein paar Sachen über deinen Bruder gelesen«, sagt Clem. »Mum hat ein Album mit alten Zeitungsartikeln aus dem *Yulara Advocate* und dem *Sydney Morning Herald.*«

Clem geht zu einem Fernsehschrank und zieht die unterste Schublade auf. Ich sehe Fotoalben.

»Kann ich mir die angucken?«

»Das sind nur Baby-Fotos und anderer peinlicher Kram.«

»Lass mich mal sehen.«

Er reicht mir ein stoffgebundenes Album. Die Acht-mal-zehn-Abzüge sind ordentlich aufgereiht und stecken in Fotoecken. Es gibt Bilder von Helens Hochzeit mit Eddie Whitely, der nicht aussieht wie der Bräutigam, sondern eher wie der Vater der Braut. Helen lächelt und küsst ihn auf die Wange, als die beiden mit ihrem Vater, ihrem Bruder Bernie und drei Brautjungfern auf der Treppe vor der Kirche posieren.

Der Großteil des Albums besteht aus Fotos von Clem, am Anfang als Baby, in eine Krankenhausdecke gewickelt und in Helens Armen. Jedes Stadium seines Lebens ist festgehalten. Seine ersten Schritte. Der Verlust seines ersten Zahns. Clem auf einem Fahrrad. Beim Angeln. Beim Entenfüttern. Der erste Schultag. Schwimmunterricht im Yulara Memorial Swimming Pool.

Clem langweilt sich und beginnt ein Spiel auf seinem Gameboy zu spielen. Ich nehme das zerfledderte Album, das von ausgeschnittenen Zeitungsartikeln über den Mord an Saxon überquillt. Ich frage mich, warum Helen sie aufbewahrt hat.

Ich blättere die Seiten durch, bis ich auf ein Foto von Luke auf der Liege eines Krankenwagens stoße, flankiert von zwei Notfallsanitätern. Sein Gesicht wird von einer Sauerstoffmaske bedeckt. Jemand hält einen Infusionsbeutel mit Flüssigkeit über seinem Kopf. Die Schlagzeile lautet: *Mordverdächtiger: Zusammenbruch vor Gericht.*

Ich erinnere mich daran, wie der Krankenwagen vor dem Gerichtsgebäude gehalten und die Polizei für die Rollliege einen Weg durch die Menge gebahnt hat. Ich drängte mich an Lukes Seite und wollte mit ihm ins Krankenhaus fahren, doch die Polizisten beachteten mich gar nicht und schoben mich unsanft beiseite. Als der Krankenwagen die Hauptstraße erreichte, ließ er die Sirene aufheulen, beschleunigte und war verschwunden.

Der Gerichtssaal war geräumt worden. Reporter setzten ihre Artikel ab oder machten »Live«-Schalten zu weit entfernten Fernsehstudios, in denen sie die jüngsten Ereignisse atemlos schilderten. Wieder eine neue Wendung. Weitere Sendezeit. Noch mehr Druckerschwärze.

»Er hat aus dem Mund geblutet«, sagte Mum, als würde die Szene noch einmal vor ihrem inneren Auge ablaufen.

»Was hat er gesagt, als er umgefallen ist?«, fragte ich.

Otto schüttelte den Kopf.

»Sie standen direkt daneben. Er muss doch was gesagt haben.«

»Er hat gesagt, es täte weh.«

»Was?«

»Ich weiß nicht.«

»Ich fahre ins Krankenhaus.«

»Man wird ihn unter Polizeischutz stellen.«

»Das ist es ja, was mich beunruhigt.«

# 57

Luke war schon im OP-Saal, als ich beim Krankenhaus eintraf. Am Haupteingang wurde ich von Polizisten aufgehalten, die mir den Zutritt verweigerten. Ich wusste nicht, ob sie mich draußen oder Luke drinnen halten sollten. Der Krankenwagen parkte noch in der Nähe. Die beiden Rettungssanitäter reinigten den Innenraum, sammelten blutige Verbände, Mull und benutzte Infusionsbeutel ein.

Eine der beiden war eine Frau mit kurzem dunklem Haar und einer weißen Strähne, die aussah wie verschüttete Farbe.

»Ich bin sein Bruder«, sagte ich. »Haben Sie mit ihm gesprochen?«

»Er war bewusstlos.«

»Was hatte er?«

Sie blickte sich zu den Polizisten um, als wollte sie sich vergewissern, dass sie außer Hörweite waren. »Gebrochene Rippen. Ein punktierter Lungenflügel. Innere Blutungen.«

»Wie?«

»Ein Sturz möglicherweise.«

In der Armee hatte ich einen Soldaten gesehen, der von einem Projektil in der Lunge getroffen worden war, das von einer Felswand abgeprallt war. In seiner Brusthöhle sammelte sich Luft, ließ einen Lungenflügel kollabieren und drückte gegen den anderen. Er überlebte. Aber nur ganz knapp.

Warwick Aimes stieg aus einem Streifenwagen. Ich passte ihn am Eingang ab. »Was haben Sie mit ihm gemacht?«

»Geh zur Seite, Arlo.«

»Wieso hat er innere Verletzungen?«

»Kein Kommentar.«

»Er ist mein Bruder.«

»Er steht unter Mordverdacht.«

»Er hat Rechte.«

Aimes senkte die Stimme. »Die Fakten dieses Falles werden ans Licht kommen, Arlo. Vielleicht nicht heute, doch sie werden herauskommen. Und dann wirst du deinen Bruder als das sehen, was er wirklich ist – ein kaltblütiger Mörder.«

Damit war er verschwunden, doch ich konnte immer noch seinen Schweiß und seinen sauren Atem riechen. Vielleicht war es auch mein eigener.

Schon bald wurde jeder Ein- und Ausgang des Krankenhauses von uniformierten Polizisten bewacht. Weitere waren vor dem OP-Saal und der Aufwachstation postiert. Ich weigerte mich zu gehen. Ich blieb die ganze Nacht vor der Tür stehen, auch als es anfing zu regnen. Schließlich hatte eine der Krankenschwestern Mitleid mit mir und brachte mir einen Schirm. Sie erzählte mir, dass Luke nicht mehr im OP-Saal war und möglicherweise ins Wagga Wagga Base Hospital verlegt oder nach Sydney ausgeflogen werden würde.

Am nächsten Tag brachte Helen mir Sandwiches und eine Thermosflasche mit Kaffee. Ich ergatterte einen Parkplatz direkt gegenüber dem Eingang des Krankenhauses, sodass ich im Auto sitzen konnte. Im Laufe der folgenden Tage lernte ich die Schwestern und Pfleger, Ärztinnen und Ärzte kennen, einige mit Namen, andere nur nach dem Muster ihrer Schichten oder dem Wagen, den sie fuhren.

Hin und wieder gesellte Mum sich zu mir. Sie ließ keine Gelegenheit aus, auf die örtliche Polizei zu schimpfen, und verlangte, »ihren Jungen« zu sehen. Dabei hatte sie immer ein freundliches Wort für die Schwestern und Ärzte übrig, mit denen sie als Hebamme zum Teil schon zusammengearbeitet hatte.

Am zweiten Tag hörte ich einen Alarm. Schwestern rannten los. Später erfuhr ich, dass man einen Notfallwagen eingesetzt hatte, um Lukes Herz wieder in Gang zu bringen. Pater Martell wurde ins Krankenhaus gerufen. Mum stellte sich ihm in den Weg, schlug gegen seine Brust und schrie: »Er stirbt nicht! Sie werden hier nicht gebraucht!«

Der Priester legte die Arme um sie, und sie löste sich in Tränen auf, sodass die Vorderseite seines Hemdes ganz nass wurde. Er küsste sie auf den Kopf und streichelte ihren Rücken.

Jeden Morgen um elf informierte die Polizei auf der Treppe vor dem Krankenhaus die Presse. Warwick Aimes erklärte den Reportern, dass Luke zwei gebrochene Rippen, einen punktierten Lungenflügel und Hämatome an Beinen, Schultern und Gesäß hatte. Er deutete an, dass Luke von einem anderen Gefangenen angegriffen worden sei. Später erklärte er, Luke wäre bei einem Fluchtversuch eine Treppe im Gerichtsgebäude hinuntergefallen. Und noch später nannte er die Verletzungen »selbst verschuldet«.

Nachdem die Ärzte die inneren Blutungen gestoppt hatten und der Lungenflügel sich wieder entfaltet hatte, wurde Lukes Zustand als kritisch, aber stabil beschrieben. Dabei blieb es drei Tage lang, bis ich Getuschel über eine Entzündung hörte. Die Ärzte begannen, Luke mit Antibiotika vollzupumpen, um sein Fieber zu senken.

»Ist er wach?«, fragte ich eine Krankenschwester, als sie das Krankenhaus verließ.

»Immer wieder mal.«

»Stirbt er?«

»Er lebt.«

Besucher des Krankenhauses reagierten zunehmend verärgert über die zusätzlichen Sicherheitsmaßnahmen – die Taschendurchsuchungen und Ausweiskontrollen. Einige meinten, Luke wäre besser tot, weil das dem Steuerzahler die Kosten für einen Prozess und die Unterbringung im Gefängnis sparen würde. Andere wiederholten Gerüchte, Luke habe seine Verletzungen nur vorgetäuscht oder er habe einen Selbstmordversuch unternommen.

Mum brachte mir frische Kleidung, und ich duschte in den Personalräumen (eine weitere Freundlichkeit) fernab des Empfangstresens und der Aufwachstation. Helen brachte mir von zu Hause Mahlzeiten vorbei. Spaghetti Bolognese und Shepherd's Pie. Ich erwog, aus Protest in den Hungerstreik zu treten, ein naiver und selbstbezogener Gedanke, denn niemand interessierte sich für mich.

Manchmal setzte Helen sich zu mir. Sie fragte mich nach Saxon und wollte wissen, ob ich sie geliebt hatte. Ich antwortete ehrlich, doch sie weigerte sich, mir zu glauben. Ich erklärte ihr, sie habe kein Recht, eifersüchtig zu sein, doch das machte sie nur noch wütender, denn sie konkurrierte jetzt nicht mehr mit einem anderen Mädchen, sondern mit einem Gespenst. Als sie ging und die Wagentür zuknallte, kam ich mir vor, als wäre ich durch eine Prüfung gefallen, auf die ich mich nie freiwillig eingelassen hatte.

Am sechsten Tag gab die Polizei Saxons Leiche frei, und die Stadt, die sie kaum gekannt hatte, nahm Abschied von ihr. In der St. Patrick's Church gab es nur Stehplätze. Die Leute strömten aus dem Eingang auf den tiefer gelegenen Spielplatz der Schule und vor die Seite der Kirche, die der Elizabeth Street zugewandt war. Das provisorische Mahnmal aus Blumen und Stofftieren im Säulengang musste weggeräumt werden, damit man Saxons Sarg in die Kirche rollen konnte.

Ich nahm nicht teil. Ich wäre nicht willkommen gewesen.

Und ich wollte nicht an den Ort zurückkehren, wo Saxons Musik mir so viel Freude gebracht hatte und wo Luke so glücklich gewesen war.

Ich wartete vor dem Krankenhaus. Luke hatte seine Entzündung überwunden. Er war wieder bei Bewusstsein, jedoch immer noch zu schwach, um ins Untersuchungsgefängnis verlegt zu werden. Die Bewachung durch die Polizei dauerte an, wurde jedoch heruntergefahren. Es waren jetzt nur noch jeweils zwei uniformierte Polizisten eingeteilt – einer am Haupteingang und einer vor Lukes Zimmer. In den frühen Morgenstunden gönnten sie sich manchmal abwechselnd eine Stunde Schlaf in der leeren Besucherlounge.

So schaffte ich es, in das Krankenhaus und bis zu Lukes Zimmer zu gelangen. Sein Bewacher saß auf einem Stuhl an die Wand gelehnt und war eingedöst. Hin und wieder schreckte er kurz hoch und täuschte Wachsamkeit vor.

In der Nähe hatte eine Putzfrau einen Reinigungswagen stehen lassen, den ich als Deckung benutzte, bis ich nahe genug an dem Wachposten war, um zu hören, wie seine Atmung ruhiger und regelmäßiger wurde. Ich huschte an ihm vorbei, öffnete lautlos die Tür und betrat das dunkle Zimmer. Es war gerade hell genug, um das Bett und Lukes Umrisse unter der Decke zu erkennen.

Ich beugte mich über ihn und flüsterte ihm seinen Namen ins Ohr. Er rührte sich, schlug die Augen auf und wollte etwas sagen, doch ich legte einen Finger auf seine Lippen, damit er still war. Ich umarmte ihn und spürte, wie sein Herz unter dem Pyjamaoberteil pochte. Er erwiderte meine Umarmung nicht. Stattdessen klopfte er mir auf den Rücken und wand sich verlegen.

»Sie war so schön«, flüsterte er mit vor Traurigkeit belegter Stimme.

»Ja.«

»Wie ein Engel.«

»Wie ein Engel«, stimmte ich ihm zu.

»Ich wollte, dass Gott sie rettet.«

»Was ist passiert?«

»Sie wollte nicht wieder aufwachen.«

»Hast du ihr wehgetan?«

»Ich habe sie zu fest gedrückt.«

Er fing an, laut zu weinen. Ich hielt ihm den Mund zu und ermahnte ihn, leise zu sein. Ich spürte seine Tränen auf meinen Fingern.

Ich hatte Luke nur sehr selten weinen gesehen. Er hatte geschluchzt, als Angus gestorben war und als die von Arthritis lahme Bessie unter die Räder des Schulbusses geriet, den sie jahrelang versucht hatte zu fangen. Dies war anders. Dies waren Tränen in Reinform. Salzig, nackt und tieftraurig.

»Ich bin ein schlechter Mensch«, sagte er. »Schlechte Menschen werden eingesperrt.«

»Du wirst die Gelegenheit bekommen, deine Geschichte zu erzählen. Dich zu erklären.«

»Ich bin nicht gut in Geschichtenerzählen.«

»Du bist gut darin, die Wahrheit zu sagen.«

»Und in Essen. Ich bin gut in Essen.«

»Ja.«

»Wenn sie mich einsperren, Arlo, werde ich meine Pferde nicht wiedersehen. Und ich werde den Fluss nicht sehen. Und ich werde dich und Mum nicht sehen.«

»Wir dürfen dich besuchen.«

»Jeden Tag?«

»Wenn es geht.«

Diesmal ließ Luke sich umarmen. Ich spürte die Hitze seines Körpers und strich mit den Fingerspitzen über die Konturen seines Gesichts. Die Stoppeln an seinem Kinn. Die weichen Wimpern.

Die Tür ging auf. Im Gegenlicht aus dem Flur stand der Polizist auf der Schwelle, die Hand an seinem Pistolenholster. Er brüllte eine Warnung, zog die Waffe und zielte auf meine Brust.

Ich erhob mich stolpernd vom Bett und bat ihn, sich zu beruhigen, doch er hörte mich nicht, weil er über das Funkgerät an seiner Schulter Verstärkung rief.

Das Zimmer war zu dunkel und zu klein. Er schrie, ich solle die Waffe fallen lassen, doch ich hatte gar keine. Ich machte einen Schritt rückwärts zur Wand und hob die Hände. Dabei stieß ich ein Plastiktablett mit einem Krug Wasser um, der klirrend auf dem Boden zerschellte.

»Waffe fallen lassen! Waffe fallen lassen!«, brüllte der Polizist und schwenkte den Lauf der Waffe zwischen mir und Luke hin und her.

Was als Nächstes geschah, ging so schnell, dass die Einzelheiten in meiner Erinnerung verschwommen sind. Sicher weiß ich, dass Luke sich mit einer für einen Mann von seiner Größe und mit seinen Verletzungen erstaunlichen Agilität durch das Zimmer bewegte. Der Polizist gab einen Schuss ab, der ein Loch in die Jalousie und das Fenster schlug. Luke nahm ihm die Pistole ab und warf sie weg. Der Polizist verpasste ihm einen satten Kinnhaken, der Lukes Kopf zur Seite schnellen ließ, doch er wetterte den Treffer ab. Ein zweiter Haken erwischte ihn unterhalb seines bandagierten Brustkorbs. Luke wirkte nicht mehr so entschlossen, doch er packte den Kopf des Polizisten wie einen Football und schlug ihn so hart gegen die Wand, dass ein gerahmter Druck herunterfiel und verschmiertes Blut zurückblieb. Der Polizist sank zu Boden und verdrehte die Augen nach innen.

Einen Augenblick lang dachte ich, Luke hätte ihn getötet, doch der Polizist atmete noch. Ein Alarm ertönte. Im Flur rannten Menschen. Luke wirkte unsicher, was er machen sollte. In dem Moment bemerkte ich das Blut auf seinem Pyjamaoberteil. Ich wusste nicht, ob der Schuss ihn getroffen hatte oder ob durch den Schlag eine Naht aufgeplatzt war.

»Es wird alles gut werden«, sagte ich, doch Luke schien mehr zu begreifen als ich. Er nahm die Pistole.

»Tu das nicht«, sagte ich.

»Es tut mir so leid, Arlo.«

Dann war er verschwunden, rannte den Flur hinunter und stieß den Putzwagen, einen herrenlosen Rollstuhl und eine Krankenschwester zur Seite, die ihn aufhalten wollte.

Ich weiß nicht genau, wie es ihm gelang, aus dem Krankenhaus zu entkommen. Ich war mittlerweile von dem zweiten Polizisten aufgehalten worden, der von dem Schuss geweckt worden war. Er hielt mich bei vorgehaltener Waffe in Schach, bis Verstärkung eintraf.

Mittlerweile war das komplette Krankenhaus wach, zusammen mit der halben Stadt, wo man die Sirenen gehört und die flackernden Lichter der Polizeiwagen gesehen hatte. Warwick Aimes übernahm das Kommando und forderte weitere Verstärkung von Revieren im gesamten Bezirk an. Aus Sydney wurde ein bewaffnetes Sondereinsatzkommando mit Belagerungsgerät losgeschickt, und in Canberra würde bei Tagesanbruch ein Hubschrauber starten.

Ich saß mit Handschellen gefesselt auf der Rückbank eines Streifenwagens und lauschte dem Funkverkehr. Anweisungen wurden erteilt und bestätigt. Polizisten errichteten Straßensperren und suchten die umliegenden Straßen ab. Hinter den Worten gab es einen unausgesprochenen Befehl. Luke hatte ein Mädchen getötet und einen Polizisten schwer verletzt. Er war gefährlich und bewaffnet. Nur mit äußerster Vorsicht nähern. Mit aller gebotenen Härte vorgehen. Er war ein wandelnder Toter.

# 58

Camille wohnt in einem gestrichenen Holzhaus mit Blick auf einen alten Flussarm. Es steht auf Stelzen, um es vor dem Hochwasser zu schützen, das regelmäßig das Gemeindeland überflutet und die Ausläufer der Stadt erreicht.

»Ich parke meinen Wagen für alle Fälle immer ein Stück weiter oben«, erklärt sie, als sie mich herumführt.

»Gehört das Haus dir?«, frage ich und wage ein Du.

»Das meiste gehört der Bank, doch ich tue mein Bestes.«

Wir sind in der Küche angekommen. »Ich bin keine besonders gute Köchin, aber hiervon gibt es reichlich«, sagt sie und macht eine Flasche Wein auf. Wir stoßen an, unsicher, was wir feiern oder bedauern.

Die Anwältin hat ein breites, kindliches Lächeln und melancholische Augen. Sie trägt einen dunklen Rock, Schuhe mit flachen Absätzen, und ihr Haar ist im Nacken ausrasiert und fällt an den Seiten schräg, sodass die Spitzen ihre Wangen berühren. Eine jüngere Version meiner selbst, weniger beschädigt und ohne Gepäck, könnte sich vorstellen, mehr Zeit mit ihr zu verbringen.

Ich erzähle ihr von der Aufzeichnung von Lukes Vernehmung – dass er mit dem Fahrrad in die Stadt geradelt ist und trockene Kleidung für Saxon geholt hat, bevor er zum Pfarrhaus, zu Doc McCabes Praxis und zur Polizeiwache gefahren ist. Niemand hat ihm Hilfe angeboten.

Camille sitzt auf einem Hocker am Tresen. Wenn sie sich konzentriert, bilden sich Zwillingsfalten auf ihrer Stirn.

»Luke hat gesagt, als er Saxon gefunden hat, war ihr Kleid nass.«

»Ja.«

»Der Gerichtsmediziner hat Flusswasser und Schlick in ihren Ohren gefunden.«

Ich versuche mir vorzustellen, was passiert sein könnte. Einige der Partygäste haben das Ausstellungsgelände verlassen und ein Lagerfeuer am Fluss entzündet. Sie haben weiter getrunken und wollten bis zum Sonnenaufgang durchhalten. Eric Sandine hat Saxon mit Alkohol abgefüllt. Höchstwahrscheinlich wurde sie dort vergewaltigt. Sie hat sich offensichtlich gewehrt. Deshalb die zahlreichen Blutergüsse. Hinterher hat Sandine sie ins Wasser geworfen, oder Saxon hat versucht zu fliehen. Bei unserer ersten Begegnung hatte sie für mehr als eine Minute die Luft angehalten, sodass ich schon dachte, sie wäre ertrunken.

Was auch immer geschehen ist, sie hat es geschafft, zu entkommen und im Dunkeln zu den Ställen zu gelangen. Dort fand Luke sie schlafend im Aufenthaltsraum vor.

»Er ist losgefahren, um Hilfe zu holen, doch jemand anderes hat sie gefunden«, denke ich laut.

»Wie lange war er weg?«, fragt Camille.

»Mindestens vierzig Minuten. Wahrscheinlich eher eine Stunde.«

»Wer wusste noch, dass sie dort war?«

»Luke hat mit Pater Corday, mit Helen Churcher und mit jemandem auf der Polizeiwache gesprochen.«

»Unwahrscheinliche Mörder.«

»Der Priester hatte ein Motiv.« Ich erwähne Pater Cordays Spielschulden und das Geld, das er an Saxon gezahlt hat.

»Wieso hat Helen nicht die Polizei gerufen?«, fragt Camille.

Darauf habe ich keine Antwort. Ich möchte nicht darüber

nachdenken, was Helen getan oder nicht getan hat und ob Eifersucht eine Rolle gespielt hat.

»Am verdächtigsten ist ihr Vergewaltiger«, sagt Camille. »Er könnte ihr zu den Ställen gefolgt sein und zu Ende gebracht haben, was er begonnen hatte.«

Ich nicke, doch eine Frage nagt an mir. Ich habe Angst vor Camilles Antwort.

»Weißt du noch, dass du mir von einer Frau erzählt hast, die auf einer Party von mehreren Männern vergewaltigt worden ist?«

Camille wird defensiv. »Was ist mit ihr?«

»Hat sie die Namen ihrer Angreifer genannt?«

»Das kann ich dir nicht sagen.«

»War einer von ihnen Eric Sandine?«

Sie bemüht sich, keine Reaktion zu zeigen, doch ich erkenne, dass ich recht habe.

»Er war an dem Abend mit Saxon am Fluss«, sage ich.

»Wurde er von der Polizei befragt?«

»Ich habe keine Aussage gefunden.«

»Welchen anderen Beweis hast du?«, fragt Camille.

»In zwei Zeugenaussagen wird erwähnt, dass er am Fluss war, und Mandy Flynn hat gesehen, wie er ein Trinkspiel mit Saxon gespielt und dafür gesorgt hat, dass sie jedes Mal verloren hat.«

»Das reicht nicht.«

»Ich weiß.«

»Heutzutage würde man Saxons Kleid auf DNA-Spuren untersuchen. Man würde ihre Fingernägel abkratzen und forensische Proben von ihrem Körper nehmen. Für sie ist der wissenschaftliche Fortschritt zu spät gekommen.«

Das Essen ist fertig. Ich stampfe die Kartoffeln und gieße die Bohnen ab, während Camille die Lammkeule serviert, die den ganzen Tag geschmort hat. Sie macht noch eine Flasche Wein auf.

»Dann werde ich wohl nach Hause laufen«, sage ich.

»Du könntest auch hier übernachten.« Sie wird rot und fügt hinzu: »Ich habe ein Gästezimmer.«

»Ich habe versprochen, noch mal nach Helen zu sehen.«

»Wie geht es ihr?«

»Sie stirbt.«

»Das tut mir leid. Das ist nicht fair.«

»Ich weiß, was Angus dazu sagen würde.«

»Angus?«

»Lukes Dad. Er hat immer gesagt, fair kann ein Angebot sein, ein Handel, ein Fußballer auf dem Sportplatz oder ein Wettbewerb, bei dem man auf Blechenten schießt, um einen Goldfisch in einer Plastiktüte zu gewinnen.«

»Ein tiefsinniger Denker.«

»Ein Pub-Philosoph.«

Sie lächelt und fragt nach Clem. »Erst den Vater und dann die Mutter zu verlieren – das ist schwer für einen Jungen.«

»Was wird mit ihm geschehen?«

»Ich nehme an, Helen hat einen Vormund für ihn bestimmt. Wenn nicht, wird das Jugendamt eingeschaltet. Zuerst wird man nach engen Verwandten schauen, dann nach Freunden der Familie. Wenn ihn niemand aufnehmen will, wird er zur Adoption freigegeben, doch es ist schwierig, für jemanden in seinem Alter eine Familie zu finden.«

»Könnte ich ihn adoptieren?«

»Nicht mit deiner Vorstrafe.«

»Und wenn ich sein Vater wäre?«

Es entsteht ein kurzes Schweigen. »Bist du das?«

»Ich wusste es bis vor ein paar Wochen selbst nicht.«

»Aber Helen war verheiratet …«

»Sie war schwanger, als sie Eddie Whitely geheiratet hat. Sein Name steht auf der Geburtsurkunde.«

»Du müsstest einen Vaterschaftstest machen«, sagt Camille. »Möchtest du das?«

»Ich weiß nicht. Ich hoffe, es meldet sich jemand anderes.«

»Und wenn nicht?«

»Ich bin nicht direkt aus dem Holz, aus dem man einen Vater des Jahres macht.«

»Also, wenn du dich entscheidest, den Antrag zu stellen, kann ich dir helfen, doch die Sache wird möglicherweise vor einen Richter am Familiengericht kommen.«

»Da ist noch etwas, das du für mich tun könntest.«

»Einen *weiteren* Gefallen?«

»Besorgst du mir die Nummer von Frank Winacott und seiner Frau?«

»Warum willst du sie anrufen?«

»Vielleicht habe ich Antworten für sie.«

»Ich sollte dabei sein.«

»Du kannst hinterher die Scherben aufsammeln.«

# 59

Eric Sandine wohnt in dem Haus des Verwalters in Booralong Station, das durch eine Koppel und einen Gemüsegarten, beide gut bewässert, von dem Haupthaus getrennt ist. Von dem Haus blickt man auf einen der zahlreichen Stauseen auf dem Land, der von Schilf, Kasuarinen und Myrtenheiden gesäumt ist.

Ich habe meinen Besuch nicht telefonisch angekündigt, doch jeder, der aus den Fenstern auf der Vorderseite des Haupthauses blickt, wird den Staub sehen, den ich wie eine Spur von der Hauptstraße über Weideroste und den Hügel hinauf hinter mir herziehe.

Hier hat Saxon einst gewohnt, wenn auch nur für wenige Monate. Sie hat es nie als ihr Zuhause betrachtet, obwohl ihre Mutter sich das gewünscht hatte. Wenn sie jetzt hier wäre, würde sie mir erklären, ich solle den Kopf aus meinem Arsch ziehen und den Wagen wenden. Aber sie hat kein Recht, mir Vorträge über Sicherheit und Selbstschutz zu halten – ein Mädchen, das Kurven mit Vollgas genommen hat.

Ich bin kein Rächer, Kreuzritter oder Wahrheitssucher. Ich bin ein Mann, der zwölf Jahre für die Sünden seines Bruders gebüßt hat, nur um herauszufinden, dass Luke ohne Sünde war. Ich habe nie geglaubt, dass er Saxon vergewaltigt hat, doch ich hatte befürchtet, dass er sie getötet haben könnte. Unwillentlich. Unfähig, seine Kraft oder seine Gefühle zu beherrschen.

Eine Frau öffnet die Tür des Verwalterhauses. Älter. Verhärmt. Sie trägt Gummihandschuhe und hat ihr graues Haar nach hinten gesteckt, doch einige Strähnen haben sich gelöst.

»Ich suche Eric Sandine.«

»Er ist nicht hier.«

»Sind Sie seine Frau?«

»Wohl kaum. Ich mache seinen Schweinestall sauber und wasche seine Wäsche.«

»Wo kann ich ihn finden?«

»Er ist oben im Schuppen.« Sie zeigt auf ein verwittertes graues Gebäude aus gebleichtem Holz mit einem Wellblechdach, das auf Stelzen steht, damit darunter die Luft zirkulieren kann. An beiden Enden sind Rampen und Rutschen montiert, über die die Schafe in und aus dem Schuppen geschleust werden, in Pferche und dann in Koppeln.

Am Tor zum Haus des Verwalters bleibe ich stehen und blicke zum Haupthaus. Saxons Schlafzimmer lag nach hinten hinaus. Eric Sandine konnte sie kommen und gehen sehen. Und abends konnte er, wenn ihre Vorhänge offen waren, in ihr Schlafzimmer gucken. Saxon hat in ihr Tagebuch geschrieben, dass abends manchmal jemand vor ihrem Fenster herumgeschlichen war.

Ich habe nie viel über das Wort »böse« und seine Anwendbarkeit auf Menschen nachgedacht. Es klingt eher biblisch, als würde es in heilige Schriften oder Märchen gehören. Zu Gott und dem Teufel. Die Leute diskutieren, ob die Persönlichkeit und das Verhalten eines Menschen eher von der Natur oder von der Erziehung bestimmt werden, ob es in erster Linie biologische oder Umweltfaktoren sind, die entscheiden. Gewiss ist es ein Zusammenspiel von beidem. Viele Männer, die ich im Gefängnis getroffen habe, hatten beschissene Eltern und ein beschissenes Leben voller Gewalt, Sucht, Missbrauch und psychischen Krankheiten, aber manchmal gab es auch keine Entschuldigung. Sie haben sich selbst für ihren Weg entschieden.

Ich gehe den Hügel hinauf zum Scherschuppen, vorbei an einer Windmühle und einem Wassertank. Die Koppel ist erst kürzlich abgegrast worden, von Schafspfaden durchkreuzt und mit kleinen schwarzen Dungkügelchen gesprenkelt.

Ein Hammer schlägt auf etwas Festes. Metall auf Metall. Harte Arbeit. Schweiß. Schufterei. Als ich aus der Sonne in den Schatten trete, sehe ich, wie der Hammer landet. Sardine trägt kein Hemd und präsentiert seine dicht und dunkel behaarte Brust. Seine Arme sind tätowiert mit sich windenden Drachen und Schlangen. In seinem Mundwinkel hängt eine Zigarette.

Als er mich bemerkt, richtet er sich gerader auf und wischt sich die Stirn.

»Du hast mich gesucht«, sage ich und blicke zu dem Hammer.

»Und du bist weggelaufen.«

»Beim letzten Mal schien es mir nicht fair. Ich war in der Unterzahl. So ist es besser.«

Er steht hinter einem großen Schertisch aus Holz, an dem die Wollsortierer das Vlies von Unreinheiten trennen.

»Ich hab neulich deinen Jungen getroffen«, sage ich. »Tommy.«

»Du hast sein Fahrrad beschädigt.«

»Er hat nicht aufgepasst.«

»Du schuldest mir dreihundert Dollar.«

»Sagen wir, wir sind quitt.«

»Wieso sollten wir quitt sein?«

»Du hast mich zwölf Jahre gekostet.«

»Ich wüsste nicht, wie.«

Sardine hält inne, nimmt ein Hemd von einem Haken und

tupft damit sein Gesicht und seine Brust ab. Bevor er es wieder aufhängt, greift er nach der Lederpeitsche, die um denselben Haken gewickelt ist und sich jetzt über den Zehen seiner Arbeitsschuhe aufrollt.

»Ich bin nicht hergekommen, um mit dir zu kämpfen, Sardine.«

»Nenn mich nicht so.«

»Aber du bist immer Sardine gewesen.«

»Jetzt nicht mehr.«

Ich bemerke, dass er den geflochtenen Ledergriff der Peitsche fester packt. Wenn er die Muskeln anspannt, scheinen sich die Kreaturen auf seinen Armen zu bewegen.

»Ich wollte dich nach der Nacht fragen, in der Saxon gestorben ist.«

Er kräuselt die Lippen. »Ich war nicht da.«

»Sicher warst du da. Du warst für die Security auf der Party engagiert und bist hinterher zum Fluss runtergelaufen. Jemand hat ein Feuer entzündet. Du hast ein Trinkspiel mit Saxon gespielt. Dann hast du sie vergewaltigt.«

Die Beschuldigung spiegelt sich nicht in seinem Gesicht wider. Ich habe die Hände in den Taschen. Mein Daumen schwebt über den Tasten meines Handys. Ich hoffe, dass ich die richtige treffe.

Die Peitsche rollt sich auf und schnellt mit einem Knall zurück, der in dem Schuppen widerhallt wie ein Pistolenschuss.

»Laut, was?«, sagt er grinsend. »Das Ende der Peitsche bewegt sich schneller als der Schall und erzeugt so einen Mini-Überschallknall. Stell dir den Schaden vor, den man damit anrichten kann.«

Die Peitschenschnur entrollt sich, schnellt an meinem Gesicht vorbei, trifft eine Petroleumlampe auf einem Regal links neben mir, zersplittert das Glas und verbiegt das Metall.

»Daneben«, sagt er spöttisch.

Ich gebe mir Mühe, nicht zu zucken, doch jeder Muskel meines Körpers ist angespannt, und mein Mund ist ausgetrocknet. Ich versuche, meine Lippen zu befeuchten.

»Schon mal was von DNA gehört?«, frage ich.

Sardine sieht mich ausdruckslos an, doch ich weiß, dass ihm der Begriff etwas sagt.

»Die Leute bezeichnen sie manchmal als den Bauplan allen Lebens. Ein langes Molekül, das sich in praktisch jeder Zelle des menschlichen Körpers befindet – im Blut, in der Haut, in den Haaren und im Speichel. Dieses Molekül ist Träger der genetischen Informationen über eine Person. Augenfarbe, Haartyp, Größe, die Form von Gesicht und Nase.«

Ich ziehe einen Stofffetzen aus der Tasche. »Jeder Mensch hat eine einzigartige DNA, die er an einem Tatort hinterlässt. Hautzellen, Speichel, Haarbalge, Sperma, Blut. So kann die Polizei den Kontakt zwischen einem Verbrecher und seinem Opfer nachweisen – mithilfe seiner DNA. Daran hast du nicht gedacht, als du Saxon vergewaltigt hast. Erinnerst du dich an das Kleid, das sie anhatte?«

Ich halte den Fetzen hoch. Hellgrüner Seidentaft. Ich habe ihn in dem Korb neben Mums Nähmaschine gefunden – ein Stoffrest des Kleides, das sie Saxon für Betsys Party genäht hat.

»Die Polizei hat das Kleid als Beweis aufbewahrt«, sage ich. »Dies ist nur ein kleiner Fetzen. Der Rest ist mit Blut, Sperma und Flussschlamm befleckt.«

»Du lügst«, sagt er.

»Es sollte als Beweismittel in dem Prozess verwendet werden, doch Luke wurde nie vor Gericht gestellt. Ich habe das Kleid in Otto Guttersons Lager entdeckt. Es wird mit deiner DNA übersät sein.«

Die Peitsche entrollt sich wieder. Diesmal trifft sie meine Schulter, und der Schmerz ist brutal. Ich taumele mit seiner Wucht nach hinten, richte mich gerader auf und mache ein paar Schritte auf Sardine zu.

»Du hattest Saxon schon eine Weile beobachtet«, sage ich. »Von deinem Haus konntest du in ihr Schlafzimmer blicken. Vielleicht hast du ihr gerne beim Ausziehen zugeguckt.«

Der nächste Peitschenhieb schießt meine Wirbelsäule hinunter. Es fühlt sich an, als wäre ich entlang des Rückgrats mit einem Messer aufgeschlitzt und jeder Wirbel freigelegt worden.

»Du wolltest sie, aber du konntest sie nicht haben. Das war immer dein Problem, Sardine. Du stinkst. Frauen erkennen das. Sie sehen dich als das, was du wirklich bist: ein Loser. Das warst du immer. Und wirst es immer bleiben.«

Die Peitsche zuckt, trifft meine Brust und reißt mein Hemd auf. Mit fest zugekniffenen Augen versuche ich, dem Schmerz zu widerstehen, doch ich spüre, wie meine Blase sich löst. Feucht. Warm. Stinkend.

»Du pisst dich voll«, sagt er lachend, als das Urin die Vorderseite meiner Jeans dunkel färbt.

»Du hast sie vergewaltigt.«

»Sie hat danach gelechzt.«

»Sie war Jungfrau.«

»Ja. Das war eine Überraschung.«

»Bernie Churcher war dabei«, sage ich. »Er hat später damit angegeben.«

»Bernie hat keinen hochgekriegt. Hat gesagt, er wäre zu betrunken. Aber ich hab immer gedacht, dass er ein Homo ist.« Er spuckt die Beleidigung förmlich aus.

»Bernie war dein Kumpel.«

»Solche Kumpel hab ich nicht.«

Er zeigt mit dem Peitschengriff auf mich. »Ich könnte eins deiner Augen rausholen oder deine Nase abschneiden.«

Die Peitsche rollt sich zusammen, schnellt vor und wickelt sich um meinen Hals. Ich schiebe meine Finger unter das Leder und versuche zu atmen. Sardine schleift mich über den Boden wie einen störrischen Hund an der Leine. Er hämmert mit der Faust gegen meinen Kopf, und es wird dunkel. Mich trifft ein weiterer Schlag, oder vielleicht ist es auch ein Tritt. Ich bin am Boden und halte schützend die Unterarme über den Kopf. Mein ganzer Körper brennt. So muss sich die Hölle anfühlen. Dantes Inferno.

Sardine ist jetzt ganz nah. Hockt neben mir und flüstert.

»Dein Bruder war zurückgeblieben, doch der wahre Trottel bist du. Er ist tot. Du warst im Gefängnis. Was für eine Familie.«

»Warum hast du sie umgebracht?«, stöhne ich.

»Ich hab sie nicht umgebracht. Als ich gegangen bin, hat sie noch gelebt.«

»Du bist zurückgekommen.«

»Nein.«

Der Schuss ist noch lauter als der Peitschenknall und schlägt ein sauberes Loch in das Wellblechdach des Schuppens; gefolgt von dem *Klack-Klack*, mit dem der Verschluss eines Gewehres nach hinten gezogen wird, und dem *Pling*, mit dem die leere Hülse ausgeworfen wird und auf den Holzboden fällt.

Im Türrahmen steht Mrs Winacott im Gegenlicht. Sie trägt Jeans und ein Baumwollhemd und hat das Haar nach hinten gebunden. Sie richtet das Gewehr auf Eric Sandine und visiert ihn über den Lauf an.

»Ich hab den Kerl unbefugt auf dem Grundstück erwischt, Mrs Winacott. Es ist Arlo Hackett – der Typ, der wegen dem

Mord an Saxon im Gefängnis gesessen hat. Sie sollten Frank anrufen. Er wird wissen, was zu tun ist.«

»Du hast meine Saxon vergewaltigt.«

»Nein. Nein.«

»Warum hast du dann gesagt, du hättest es getan?«

»Das hab ich nicht.«

»Ich habe dich gehört.«

Sandine sieht mich an. Ich halte mein Mobiltelefon in der Hand. Ich hatte die Nummer des Haupthauses einprogrammiert. Ich habe angerufen und gehofft, dass jemand abnimmt oder Franks Anrufbeantworter anspringt und die Aufnahme startet.

»Das war bloß Gerede, Mrs W. Ich hab das Maul aufgerissen.«

»Du hast gelogen?«

»Ja.«

»Du hast damit geprahlt, meine Kleine vergewaltigt zu haben?«

»Nein, so war das nicht.«

»Frank hat dich an dem Abend gesehen. Er hat dich auf dem Weg zum Fluss getroffen. Du hast ihm gesagt, Saxon wäre nach Hause gegangen.«

»Das war sie auch. Ich hab sie nicht gesehen.«

»Du hast sie vergewaltigt.«

»Nein. Nein.«

Sie drückt ab, und das Projektil reißt eine Seite von Sandines Gesicht weg. Er sinkt auf die Knie und hält sich den zertrümmerten Kiefer. Blut tropft zwischen seinen Fingern auf den Boden.

»Das Maul aufgerissen«, äfft sie ihn nach, zieht den Verschluss nach hinten, wirft eine Hülse aus und lädt nach.

Sie steht jetzt direkt über ihm.

»Ich habe sie nicht getötet, ich schwöre«, stöhnt er. Seine Stimme ist gebrochen und belegt. »Wir hatten bloß ein bisschen Spaß.«

»Sie war mein Baby.«

Die nächste Kugel durchschlägt seinen Hals, sodass kein Wort mehr aus ihm heraussprudelt, sondern Blut. Es bildet eine Lache um seinen Kopf.

Mrs Winacott lässt das Gewehr fallen, sinkt auf die Knie und schlingt die Arme um ihre Brust. Ich krieche über den Boden, kicke das Gewehr außer Reichweite und nehme sie in die Arme.

»Wo ist Frank?«, frage ich.

»Er kommt.«

Ich helfe ihr aufzustehen, und wir stützen uns gegenseitig, als wir über die Koppel zum Haupthaus gehen. Ich setze sie an den Küchentisch, gieße ihr einen Whisky aus Franks Hausbar ein, dränge sie, ihn hinunterzukippen, und schenke ihr Glas noch einmal voll. Dabei rede ich ununterbrochen auf sie ein und nenne sie Cathy, um zu verhindern, dass sie in Schockstarre verfällt.

Mein Rücken und meine Schultern sind ein Brei aus Wunden, mein Hemd klebt an dem trocknenden Blut. Die Putzfrau kommt mit einem Staubsauger aus einem der Schlafzimmer. Sie unterdrückt einen Schrei, gerät jedoch nicht in Panik, was ein gutes Zeichen ist.

»Erste-Hilfe-Kasten«, sage ich.

Sie zieht einen durchsichtigen Plastikkasten unter dem Waschbecken hervor.

»Sie sollten nach Hause gehen.«

»Aber ich habe noch nicht fertig geputzt.«

»Ist schon gut.« Ich zücke meine Brieftasche. »Sind Sie bezahlt worden?«

Sie schüttelt den Kopf.

Ich ziehe mehrere Scheine heraus. »Wenn Sie all das vergessen, bekommen Sie eine Zulage.«

Sie blickt zu Mrs Winacott, zieht eine bunte Umhängetasche aus Stoff von einer Türklinke, geht aus dem Haus und brettert in ihrem ramponierten Kombi davon, ohne vor den Weiderosten abzubremsen.

In dem Erste-Hilfe-Kasten befinden sich Desinfektionsmittel und Schmerztabletten. Vorsichtig pelle ich mein blutiges Hemd ab, beuge mich über das Waschbecken und gieße Dettol-Antiseptikum über die Wunden. Die Flüssigkeit sickert über die Schwielen in die Schnittwunden, und ich möchte laut schreien. Der chemische Geruch von Kiefer und Eukalyptus erfüllt die Küche, als Blut und Antiseptikum durch den Abfluss fließen.

»Kann ich mir eins von Franks Hemden ausleihen?«, frage ich.

Cathy nickt und zeigt auf die Waschküche.

An einem Bügelbrett hängt ein Hemd, das ich vorsichtig über meine Arme streife, ohne es zuzuknöpfen. Vor dem Haus hält ein Wagen. Stiefelschritte hallen auf der Veranda wider. Frank reißt die Haustür fast aus den Angeln, als er hereinplatzt und nach seiner Frau ruft.

Cathy sitzt noch immer am Küchentisch, Tränen strömen über ihr Gesicht. Frank erfasst die Szenerie – seine verzweifelte Frau, meinen von Peitschenhieben gezeichneten Oberkörper. Ich weiche mit erhobenen Händen zurück.

Frank ist an der Seite seiner Frau. »Was ist passiert? Was hat er dir getan?«

Cathy antwortet nicht.

»Wo ist Sandine?«

»Er ist tot«, sage ich.

Cathy flüstert etwas. Frank beugt sich näher zu ihr.

»Er hat unsere Saxon vergewaltigt«, wiederholt sie lauter.

»Was?«

»Eric hat sie vergewaltigt.«

Frank sieht mich an und will eine Erklärung von mir. Ich erzähle ihm, was am Abend der Party passiert ist, wie Eric Sandine es auf Saxon abgesehen hatte, sie mit Alkohol abgefüllt und ihre Wehrlosigkeit ausgenutzt hat.

»Aber Ihr Bruder ...«

»Er hat Saxon am nächsten Morgen bei den Ställen gefunden.«

»Er hat gestanden, sie getötet zu haben.«

»Er wollte Hilfe holen. Als er zurückkam, war Saxon tot.«

Ich führe Frank zu dem Scherschuppen, zeige ihm Sandines Leiche, das Gewehr, die leeren Geschosshülsen und die Peitsche.

»Die forensische Untersuchung wird ergeben, dass Cathy die Waffe abgefeuert hat«, sage ich.

»Es war Notwehr.«

»Dagegen ließen sich Einwände erheben.«

»Er hat sie angegriffen.«

»Sie hat keine Verletzungen.«

»Aber Sie.«

»Ich habe nicht abgedrückt.«

Ich sehe förmlich, wie Frank die Teile in seinem Kopf zusammenfügt. Die politischen Konsequenzen. Die Schlagzeilen. Die Ermittlung. Die Untersuchung. Anklage wegen Totschlag. Möglicherweise Schlimmeres.

»Es gibt eine andere Möglichkeit«, sage ich mit einem Blick auf die Leiche. »Er könnte verschwinden.«

»Irgendjemand wird ihn als vermisst melden. Verwandte. Freunde.«

»Ja, aber Sie haben eine Geschichte parat. Sie haben ihn

dabei erwischt, wie er Geld gestohlen hat, und verlangt, dass er kündigt. Sie haben ihm widerwillig ein Zeugnis ausgestellt, den noch ausstehenden Lohn gezahlt und dabei eine Spur von Dokumenten hinterlassen, die Ihre Geschichte belegen. Eric hat das Geld genommen, seinen Wagen beladen und ist weggefahren.«

»Was ist mit seiner Leiche?«

»Die setzen Sie ans Steuer und versenken den Wagen in dem tiefsten Stausee auf Ihren Ländereien, in einem, der nie austrocknet. Dann reinigen Sie den Schuppen mit Bleichmittel, beseitigen jede Spur von Blut und gönnen Ihrer Putzfrau eine Lohnerhöhung und einen schönen Urlaub.«

»Hat sie etwas gesehen?«

»Sie könnte einen Verdacht haben.«

Frank erwägt still seine Möglichkeiten, von der Vertuschung eines Verbrechens bis hin zur Zerstörung seiner Karriere.

Er stößt die Leiche mit der Spitze seines Oxford-Schuhs an. »Woher wussten Sie es?«

»Gar nicht – bis er es bestätigt hat.«

»Hat er Saxon getötet?«

»Er hat es bestritten.«

»Dann könnte es Ihr Bruder gewesen sein?«

»Pater Corday hat mir erzählt, dass jemand anderes die Tat gestanden hat, aber er muss das Beichtgeheimnis wahren.«

Frank seufzt angewidert. »Warum fühlen Katholiken sich wegen allem schuldig, außer wenn es um die Wahrheit geht?«

Er stößt mit der Schuhspitze erneut gegen die Leiche. »Ich habe Arbeit zu erledigen.«

Als ich den Schuppen verlasse, ruft er mir nach. »Wenn die Polizei es herausfindet … Wenn Cathy angeklagt wird … Werden Sie…?«

»Ich werde denen haargenau erzählen, was passiert ist.«

# 60

Bei Helen macht niemand auf. Ich klingele erneut. Sie könnte schlafen oder auf dem Badezimmerboden liegen, bewusstlos und blutend. Der Ersatzschlüssel liegt nicht unter dem bemalten Stein. Auf den Betonfliesen der Auffahrt sind Reifenspuren.

Eine Nachbarin ruft über den Zaun: »Sie wurde von Rettungssanitätern ins Krankenhaus gebracht.«

»Wohin?«

»Nach Wagga.«

»Was ist mit Clem?«

»Er ist mit ihnen gefahren.«

Ich laufe schon durch den Vorgarten, rutsche hinters Steuer des Sandman und fahre Richtung Westen los. Bis Wagga Wagga sind es achtzig Kilometer. Weniger als eine Stunde. Ich kämpfe gegen den Impuls an, das Gaspedal durchzutreten. Der Schmerz hilft mir, wach zu bleiben. Die Wunden nässen, und die Wirkung der Paracetamol-Tabletten klingt ab, sodass sich die Baumwolle anfühlt wie ein Kettenhemd.

Am Wagga Wagga Base Hospital stelle ich den Wagen im Parkverbot ab und renne in die Notaufnahme. Der Wartebereich ist voller Hinkender, Verbrannter, Gebrochener und Blutender. Eine Krankenschwester triagiert die dringendsten Fälle. Sie wirft einen Blick auf mich und fordert lautstark einen Rollstuhl. Ein Pfleger rennt los, um einen zu finden.

»Ich suche Helen Churcher«, sage ich. »Sie ist mit ihrem Sohn aus Yulara gekommen.«

Die Schwester ignoriert mich und führt mich in ein Untersuchungszimmer. Ich sehe mich kurz im Spiegel. Mein Hemd ist voller Blut, genau wie der obere Teil meiner Jeans.

Die Ärztin hat dunkle Haut und Augen wie Bambi. Möglicherweise indisch. Jung. Müde. Ich frage noch einmal nach Helen.

»War sie in denselben Unfall verwickelt?«, fragt sie, während sie meinen Puls und meinen Blutdruck misst.

»Was für ein Unfall?«

»Ihre Verletzungen.«

»Das war kein Unfall.«

Sie schneidet Franks Hemd auf und pellt es von meiner Haut. »Was ist mit Ihnen passiert?«

»Das spielt keine Rolle. Ich muss meine Freundin finden.« Ich versuche aufzustehen, doch sie drückt mich wieder auf die Liege.

»Entweder Sie bleiben hier, oder ich rufe die Polizei.«

Wir starren uns einen Moment lang in die Augen. Dann gebe ich nach und lasse sie weitermachen.

»Jemand hat Sie gepeitscht. In Ihrem Fleisch stecken winzige Lederfetzen.« Sie hält eine Pinzette hoch, als wollte sie mir ein Beweisstück zeigen. »Sie brauchen antiseptische Salbe, einen Verband und natürlich ein Antibiotikum.«

»Und Schmerzmittel«, füge ich hinzu.

»Wie heißen Sie?«

»Arlo Hackett.«

»Ich bin Dr. Sharma. Erzählen Sie mir von dieser Freundin.«

»Sie heißt Helen Churcher. Und sie stirbt.«

Dr. Sharma besorgt im Fundbüro des Krankenhauses ein zwei Nummern zu großes Kapuzensweatshirt für mich. Ich wollte etwas Weites, denn mein gesamter Oberkörper ist bandagiert, und ich fühle mich halb mumifiziert.

Sie gibt mir ein Rezept für Schmerzmittel und ein Antibiotikum. »Ihre Freundin wurde vor zwei Stunden aufgenommen. Sie liegt auf der Intensivstation.«

Die Besuchszeit ist vorbei, und ich habe keinen legalen Anspruch, Helen zu sehen, denn ich bin weder ein Verwandter noch als Notfallkontakt angegeben.

»Was ist mit ihrem Sohn?«

Die Frau am Empfang hat Mitleid mit mir und erzählt mir, dass Clem sich noch im Krankenhaus aufhält. Die lokalen Behörden versuchen, jemanden zu finden, der sich um ihn kümmert.

»Können Sie ihm sagen, dass ich hier bin?«, frage ich.

Die Frau am Empfang tippt mit einem Kuli gegen ihre Zähne und macht einen Anruf. Dann erklärt sie mir, dass ich warten soll. Im Foyer gibt es eine Sitzbank. Jedes Mal, wenn die Fahrstuhltür aufgeht, blicke ich auf und hoffe, dass es Clem ist.

Schließlich tritt er aus der Kabine und geht durch die Halle, bemüht lässig, doch ich sehe seine hängenden Schultern und die Furcht in seinen Augen. Er kommt näher und bleibt ein Stück von mir entfernt stehen. Ich gehe weiter auf ihn zu, ziehe ihn an mich, umarme ihn und spüre, wie sein Körper bebt. Die Schmerzen unter meinem Verband ignoriere ich.

»Was sagen die Ärzte?«

»Sie hat eine Lungenentzündung.«

»Ist sie wach?«

»Sie wollen, dass sie schläft.«

Mit Clems Hilfe erhalte ich die Erlaubnis, oben in der Patientenlounge zu warten. Wir gucken Fernsehen mit leise gedrehtem Ton, lösen Kreuzworträtsel und spielen Galgenmännchen. Irgendwann schläft Clem auf einem Sofa ein. Eine

Krankenschwester bringt mir eine Decke, die ich über ihn breite.

Ich döse. Ich wache. Ich gehe auf die Intensivstation und sitze an Helens Bett. Ich war nicht vorbereitet auf die Geschwindigkeit, mit der der Krebs ihren Körper verwüstet. Sie wiegt weniger als zu der Zeit, als sie auf die Highschool kam und ich ihr schwimmen beigebracht habe.

»Lass mich nicht allein«, flüstere ich und lege meinen Kopf an ihren Unterarm. »Ich bin noch nicht bereit.«

»Doch, bist du«, sagt sie.

Ich richte mich auf. Ihre Augen sind offen.

»Du wirst dich um ihn kümmern.«

»Er wird mich niemals akzeptieren.«

»Ich habe es auch getan.«

# 61

In jener Nacht träume ich von einem anderen Krankenhaus in einer anderen Zeit. Von einer Vergangenheit, die von Fehlern übersät ist, wie fallen gelassene Maschen in den Strickereien meiner Mutter.

Nach Lukes Flucht und meiner Verhaftung brachte man mich ins Polizeirevier von Yulara und steckte mich in eine Arrestzelle, wo ich unter einem vergitterten Fenster auf einer schmalen Pritsche lag und den Sirenen lauschte, die in den Straßen widerhallten. Polizisten suchten in Dreier- oder Vierergruppen, ängstlich wegen Lukes Größe und dem, was er ihrem Kollegen angetan hatte, der einen Schädelbruch und Hirnblutungen erlitten hatte.

Warwick Aimes betrat die Zelle, ohne zu klopfen. Er war schon immer ein plumper, mürrischer Mann gewesen, mit dem Lächeln eines Bestatters.

»Wo ist dein Bruder?«, fragte er.

»Ich weiß es nicht.«

»Hat er noch andere Verwandte? Freunde? Einen Platz, wo er sich verstecken würde?«

»Haben Sie bei den Ställen nachgesehen?«

»Natürlich.«

»In der Kirche?«

»Verarsch mich nicht, Arlo. Sag mir, wohin er gegangen ist.«

»Wenn ich es wüsste, würde ich es Ihnen sagen.«

»Du hast ihm zur Flucht verholfen.«

»Nein. Ich habe versucht, ihn aufzuhalten.«

»Du bist in sein Zimmer eingedrungen, und gemeinsam habt ihr einen meiner Männer überwältigt, der jetzt um sein Leben kämpft.«

»Das war ein Unfall. Luke hat es nicht kapiert ... Er ist in Panik geraten. Er wird die Waffe nicht benutzen. Er hat sie mittlerweile bestimmt entsorgt.«

»Das solltest du hoffen. Wenn der Junge jemanden umbringt, kommt zu allem anderen – Beihilfe zur Flucht, schwere Körperverletzung eines Polizisten, unbefugtes Betreten – noch eine Mordanklage dazu ...«

»Ihre Leute werden ihn erschießen«, sagte ich.

»Wir werden mit aller gebotenen Härte vorgehen.«

»Lassen Sie mich laufen, dann finde ich ihn.«

Aimes lachte. »Du hältst mich wohl für einen Idioten.«

»Nein. Hören Sie mich an. Er vertraut mir. Ich kann ihn lebend zurückbringen. Geben Sie mir vierundzwanzig Stunden. Wenn ich ihn nicht finde, stelle ich mich und bekenne mich schuldig.«

Aimes lehnte an der Zellentür. Ich spürte, dass er schwankte.

»Was soll dich davon abhalten, abzuhauen?«, fragte er.

»Sie kennen mich. Sie haben mich aufwachsen sehen. Ich habe mit Ihrem Sohn Rugby gespielt. Der beste Ligaspieler, den ich je gesehen habe. Wo ist Gavin jetzt?«

»Auf der Polizeiakademie in Goulburn.«

»Er tritt in Ihre Fußstapfen. Ist bestimmt nett. Ich habe nur Mum und Luke. Nicht viel Familie. Wir haben kein großartiges Erbe wie Sie oder Frank Winacott, aber wir sind gute Menschen. Wir gehen zur Kirche. Wir helfen den Nachbarn. Ich liebe diese Stadt. Und ich liebe meinen Bruder. Ich gebe Ihnen mein Wort, dass ich ihn zurückbringe.«

Aimes kaute auf seiner Wange und blickte auf die Uhr. »Du

hast bis morgen Mittag. Wenn du bis dahin nicht zurück bist, lasse ich einen Haftbefehl für dich ausstellen.«

Er pochte an die Zellentür. Ein Polizist öffnete.

»Der da kann gehen.«

Der Abend dehnte sich über der Wache und den Dächern der Stadt bis zur dunklen Linie des Horizonts. Die Häuser waren still. Hinter Gardinen flackerte das graue Licht von Fernsehbildschirmen. In der Ferne beleuchteten Scheinwerfer von Trucks und Autos den Highway, auf dem sie Yulara umfuhren, unterwegs zu Orten nördlich und südlich von hier.

Ich wollte nicht nach Hause gehen. Das hätte bedeutet, Mum zu begegnen und Dinge zu erklären oder mich für Dinge zu entschuldigen, die ich nicht ändern oder erklären konnte. Wohin würde Luke gehen? Ich suchte im Kopf die ganze Stadt ab, lief durch die Straßen und listete die Orte auf, die Luke etwas bedeuteten. Die Schule. Die Kirche. Die Ställe. Die Bücherei. Die Bäckerei. Das Ausstellungsgelände. Das Museum.

Auf meiner verzweifelten Suche klapperte ich einige von ihnen ab. Das Schwimmbad. Das Windmill Café. Bertoli's Bakery. Die St. Patrick's School. Vor dem Elektrohandel starrte ich auf eine Reihe von Fernsehern im Schaufenster, die alle dieselben Bilder zeigten, Aufnahmen vom Krankenhaus und von Luke, der in das Gerichtsgebäude geführt wird. Ton gab es keinen, doch die Bilder erzählten die Geschichte auch ohne. Tausend Wörter. Eine Million. Lektüre für ein ganzes Leben.

Eine Böe wirbelte Laub im Rinnstein auf und flüsterte mir einen Namen ins Ohr. Ich wusste, wo ich ihn finden würde.

# 62

Meine Hosenaufschläge waren taufeucht, als ich den Fluss erreichte, nachdem ich über den zerfurchten Weg und die Wiese gestolpert war. Die Silhouette der Eisenbahnbrücke zeichnete sich vor dem Nachthimmel ab, das Gitterwerk von Trägern und Balken aus Stahl, das vor fast einem Jahrhundert zusammengesetzt worden war wie ein gigantischer Meccano-Bausatz.

Mein Urgroßvater hat diese Brücke gebaut. Er hat die Platzierung jeder Niete, jedes Bolzens und jeder Schweißnaht überwacht. Die Stahlteile wurden in den Pencoyd Iron Works in Pennsylvania geschmiedet, nach Sydney verschifft und dann mit dem Zug nach Yulara transportiert.

Betonpfeiler wurden so tief im Flussbett verankert, dass sie jeder Flut trotzen würden. Ihre Kanten waren abgerundet, um Wasser und Geröll auf ihrer Reise flussabwärts zu schleusen, eine Reise, die in den Ausläufern der Snowy Mountains begann und tausend Kilometer bis zum Murray River führte.

Laut den Wiradjuri hat der Murrumbidgee seinen Ursprung in der Traumzeit, als eine Frau mit einem Stock in einen Felsen stach und das Wasser zu fließen begann. In jener Nacht schien es sich nicht zu bewegen, wirkte vollkommen still. Der Mond und die Sterne spiegelten sich in der Wasseroberfläche, die in zahlreichen Facetten schillerte wie ein handgehämmerter Silberkessel.

Vom Nordufer des Flusses konnte man die Brücke nur betreten, indem man über das Holzfachwerk bis zu den Gleisen hinaufstieg. Ich war zwar noch nie im Dunkeln hochgeklettert, doch eigentlich war es leichter, wenn ich den Boden und das Wasser unter mir nicht sah. Ich stemmte meinen Fuß auf die unterste Strebe und spürte die Splitter des rauen Holzes unter den Handflächen.

Als ich das Gleisdeck erreicht hatte, schritt ich von Schwelle zu Schwelle und folgte den Stahlbändern, in denen sich das Mondlicht spiegelte. Beim Näherkommen erkannte ich die Umrisse einer Person, die unterhalb von mir auf dem schmalen Vorsprung über dem nördlichen Pfeiler saß.

Ich hangelte mich nach unten und spürte, wie die Luft vom Fluss unter die feuchten Aufschläge meiner Jeans kroch.

»Was dagegen, wenn ich mich zu dir setze?«, fragte ich, überrascht, wie laut meine Stimme in der Stille klang. Luke sagte nichts.

Als ich näher rutschte, verlor ich das Gleichgewicht, doch Luke packte blitzschnell meinen Arm und hielt mich fest. Ich setzte mich, Schulter an Schulter, neben ihn und betrachtete die Spiegelungen der Sterne im Wasser. Hoch über dem Dunst des Flusses und dem Geruch von Erde schmeckte die Luft sauberer.

»Ich war noch nie nachts hier oben«, sagte ich.

»Ich auch nicht.«

Wir blickten auf den Fluss und über die Kronen der Roten Eukalyptusbäume zum Highway und der neuen Überführung.

»Alle suchen dich«, sagte ich.

»Ich bin hier.«

Die Vorderseite seines Hemds war dunkel von Blut. Er rieb sich das Kinn an seinem Knie. Normalerweise war er immer glatt rasiert. Es war ein Ritual für ihn. Seit seiner Teenagerzeit legte er zunächst Pinsel, einen Tiegel Rasierseife und seinen Einwegrasierer neben dem Becken bereit, tunkte dann den Pinsel in einen Becher brühend heißes Wasser, fuhr dann mit den Borsten durch den Tiegel Rasierseife und seifte in kreisenden Bewegungen im Uhrzeigersinn sein Gesicht ein. Zuerst rasierte er die linke Wange – immer von oben nach unten, nie umgekehrt. Luke beim Rasieren zuzusehen, gab einem die Gewissheit, dass die Welt nie in totalem Chaos versinken würde. Einige Dinge würden sich nie ändern.

In der Ferne heulten Polizeisirenen.

»Glaubst du, sie ist im Himmel?«, fragte er.

»Dorthin kommen Engel.«

»Komme ich auch in den Himmel?«

»Eines Tages.«

»Ich habe versucht, sie zu retten. Ich habe Gott um ein Wunder gebeten.«

»Ich weiß.«

»Ich habe Gott auch gebeten, dass er Miss Diskin und ihr Fohlen rettet. An dem Tag hatte er wohl zu tun.«

»Er hat eine Menge auf dem Zettel.« Ich blickte zwischen meinen Beinen auf das Wasser unter uns. »Wir müssen runtersteigen.«

»Mir gefällt es hier oben.«

»Du blutest.«

»Das ist nichts.«

Eine Böe zupfte an meinem Hemd und meinen Hosenaufschlägen, und es fühlte sich an, als würde die Brücke schwanken. Luke lehnte sich zurück und blickte in den Himmel. Er wies auf eine Sternschnuppe, doch sie verlosch, bevor ich sie sah.

»Es sind eigentlich keine Sterne«, sagte er. »Es sind Felsbrocken, die verbrennen, wenn sie in die Atmosphäre eintreten. Das hat Saxon mir erzählt. Sie hat gesagt, einer meiner Steine könnte ein Meteorit sein. Sie wusste viele Dinge, die wahr sind.«

»Das stimmt. Lass uns runtersteigen.«

»Geh du schon vor.«

»Nicht ohne dich.«

»Mit mir ist alles okay. Früher hatte ich Angst, hier oben zu sein, aber jetzt macht es mir nichts mehr aus. Erinnerst du dich an das erste Mal?«

*Zu meiner Schande.*

»Bitte, Luke, klettern wir runter.«

»Ich möchte es noch einmal machen«, sagte er.

»Nein!«, rief ich.

»Ich hab keine Angst.«

Ich schmeckte Galle und versuchte, ihn aufzuhalten, doch ich beugte mich zu weit zur Seite und musste mich an eine Strebe klammern, um nicht abzustürzen.

Luke hakte das Seil aus. Hinter seinem Kopf funkelten Sterne.

»Bitte nicht. Tu das nicht«, flehte ich.

»Nur noch einmal.«

»Dann machen wir es zusammen«, platzte ich heraus.

»Sei nicht albern. Einer von uns muss hier oben bleiben, um den anderen einzuholen.«

Er reichte mir das Führungsseil an. Ich wollte seine Finger packen, um ihn zurückzuziehen, doch er stand schon am Rand der Plattform und stieg mit einem Fuß in die Schlaufe.

»Nur einen Schwung«, sagte ich.

»Einmal raus und zurück.«

»Und ich fang dich auf.«

»Ich weiß.«

Das Seil fiel plötzlich in die Tiefe, spannte sich und beschrieb träge einen weiten Bogen über den Fluss. In der Dunkelheit verlor ich Luke aus den Augen, doch ich stellte mir vor, wie er über dem Wasser schwebte. Ein menschliches Pendel. Ein Lot. Eine Abrissbirne.

Erst als das Seil zurückschwang, sah ich, dass es leer war. Ich hatte kein Platschen, keinen dumpfen, widerlichen Aufprall gehört, als er auf dem Wasser aufschlug. Vielleicht hatten meine Rufe das Geräusch übertönt.

Ich saugte Luft ein und rief erneut. Niemand antwortete. Luke war von der Nacht und dem Fluss verschluckt worden. Ich schrie ob des Grauens und des Wahnsinns und meiner Dummheit. Dann riss ich mich zusammen und gab mir einen Ruck. Ich kletterte auf das Gleis hoch und rannte über die Schwellen zum südlichen Ufer der Brücke, kletterte über das Geländer und stieg über eine alte Metallleiter nach unten. Rost bröselte zwischen meinen Fingern. Ich lief über das Gras am Ufer, stürzte mich ins Wasser und kraulte bis zur Mitte des Flusses. Dort hob ich den Kopf, um mich zu orientieren, und rief Lukes Namen. Ich tauchte bis zum Grund. Der Boden war zu nah, der Wasserstand zu niedrig. Es würde noch Stunden dauern, bis der Zufluss aus dem Snowy Hydro Scheme in Yulara ankam.

Spuckend und prustend tauchte ich wieder und wieder zum Flussbett hinunter, tastete mich blind voran, stieß auf versunkene Baumstämme, auf Felsen und Pflanzen unter Wasser, während die Strömung mich flussabwärts trieb.

Als ich erneut auftauchte, sah ich am Südufer eine Kolonne hüpfender Taschenlampen, deren Strahl über das Wasser schwenkte und sich in wahllosen Mustern kreuzte. Was konnten sie erkennen?

In ihrem Schein versuchte ich, mich zu orientieren, und machte schließlich die Umrisse eines Körpers aus. Das Gesicht unter Wasser, den Rücken gewölbt. Ich rief. Die Taschenlampen schwenkten in meine Richtung. Von dem Licht geblendet verlor ich Luke aus den Augen und schwamm mit rudernden Armen in seine Richtung.

Ich spürte Stoff und krallte mich an seinem Hemd fest. Ich drehte ihn auf den Rücken und zog seinen Kopf an meine Schulter, seine Wange an meine. Ich hielt sein Gesicht über Wasser. Seine Augen waren offen. Still. Und spiegelten die Sterne.

Ich zerrte ihn ans Ufer und legte ihn auf die Kiesel. Ich drückte auf seine Brust und blies Luft in seinen Mund. Flehte. Betete.

»Er ist tot, Arlo«, sagte eine Stimme.

»Das kann nicht sein.«

»Lass ihn los.«

Die Hand eines Fremden strich über Lukes Gesicht und schloss ihm die Augen.

# 63

In den darauffolgenden Wochen sezierten die Medien mein Leben, trennten sämtliche Nähte auf und präsentierten die Einzelteile. Luke war tot, und ich wurde sein Ersatz. Den Zeitungen zufolge war ich schon immer ein fauler Apfel gewesen. Bei der Armee rausgeflogen. Wechselnde Jobs. Ein uneheliches Kind, Vater unbekannt.

Gegen Ottos Rat verteidigte ich mich nicht gegen die Vorwürfe. Ich bekannte mich in allen Punkten schuldig, wie ich es Warwick Aimes versprochen hatte. Und als das Urteil gesprochen werden sollte, bat ich nicht um Milde und versuchte auch nicht, meine Taten kleinzureden. Der Richter verurteilte mich zu fünfzehn Jahren, mit einer Mindesthaftzeit von zwölf.

Ich hatte es verdient. Ich hätte Saxon retten müssen. Ich hätte Luke retten müssen. Ich hinterfragte seine Schuld genauso wenig wie meine. Wir waren zu gleichen Teilen verantwortlich. Nein, ich war noch schuldiger.

Ich hatte zwölf Jahre Zeit, darüber nachzudenken, was ich hätte tun können oder sollen. Jeder Tag war eine Sühne, mein Akt der Buße, eine weitere Perle im Rosenkranz meiner Mutter. Gegrüßet seist du Maria, voll der Gnade, der Herr ist mit dir … Vater unser im Himmel, geheiligt werde dein Name.

Während dieser Zeit habe ich in der Gefängniswäscherei gearbeitet, Bücher aus der Bibliothek gelesen und versucht, unsichtbar zu werden. Und trotz meiner gewalttätigen Umgebung bin ich kein Fatalist oder Nihilist geworden und habe auch nicht den Glauben an das Gute im Menschen verloren. Das Leben ist voller Widersprüche. Das eine existiert nicht ohne das andere. Es kann keine Freude geben ohne Traurigkeit, kein Mitgefühl ohne Grausamkeit, keinen Mut ohne Furcht und keine Hoffnung ohne Verzweiflung.

Im Gefängnis wurde ein Film über einen Farmerjungen namens Forrest Gump gezeigt, der mich an Luke erinnerte. Seine Mama hatte ihm erklärt, dass das Leben wie eine Schachtel Pralinen ist, weil man nie weiß, was man kriegt. Wenn das wahr ist, ist Luke nicht dazu gekommen, all seine Pralinen zu probieren, genauso wenig wie Saxon oder Helen. Clem hat seine Schachtel gerade erst aufgemacht, und schon sind einige der Pralinen verschwunden.

Im Augenblick schläft er mit flatternden Lidern. Ich liege neben ihm auf dem Boden. Lausche seinem Atem und erinnere mich daran, wie ich in der Wohnung über Bertoli's Bakery im Dunkeln Lukes Hand gehalten habe.

Um kurz nach drei in der Frühe werde ich von einer Schwester geweckt, die flüstert: »Vielleicht wollen Sie sich verabschieden.«

Helen atmet mit der Hilfe eines Beatmungsgeräts, ihr Körper ist mit Schläuchen, Kabeln und Steckern an das weiße Laken gefesselt. Ich halte ihre Hand und erzähle ihr von dem Mädchen, dem ich schwimmen beigebracht habe, dem Mädchen, das mir von der Schule nach Hause gefolgt ist und an unserem Küchentisch Crumpets gegessen hat. Ich rufe den Tag ins Gedächtnis, an dem meine Mum zu Helens Haus gegangen ist, die Küche und das Bad geputzt, die Betten gemacht und die Kleider gewaschen hat. Als Helen von der Schule nach Hause kam, brach sie in Tränen aus und versuchte, mich zu umarmen.

Ich fasste ihre Schultern und hielt sie auf Abstand. »Du

darfst mich nicht umarmen, schon vergessen? Du bist nicht meine Freundin.«

Ich stelle mir vor, dass sie bei der Erinnerung lächelt, doch ich kann ihre Lippen unter der Maske des Beatmungsgeräts nicht sehen, und ihre Augen sind geschlossen.

»Wir hätten ein gutes Leben gehabt«, sage ich. »Ich hätte dich glücklich gemacht.«

Sechs Stunden vergehen. Dann geht auch Helen. Am 2. September um elf Minuten nach zehn stellt ein Arzt ihren Tod fest.

Eine Woche später sollte eine Gruppe von Fanatikern mit Passagierflugzeugen in das World Trade Center in New York, in das Pentagon in Washington und auf ein Feld in Pennsylvania fliegen. Die Leute würden sagen, die Welt sei eine andere geworden. Meine war das schon.

# 64

Die Verlesung des Testaments findet in Camilles Kanzlei statt, die einzigen Zeugen sind Clem und ich. Er sitzt auf der Stuhlkante, das Haar nach hinten gebunden, die Hände im Schoß, und hört schweigend zu, während Camille die Details vorträgt.

Helen hat das Haus und all ihre Ersparnisse Clem hinterlassen, doch ich soll das Vermögen verwalten, bis Clem achtzehn wird. Ich werde als Vormund benannt und als »sein richtiger Vater« bezeichnet. Clem reagiert nicht. Seit Helens Tod hat er mich mehr oder weniger ignoriert und jede Frage einsilbig, mit Schweigen oder einer gekräuselten Oberlippe beantwortet.

Niemand hat sich gemeldet, um das Testament anzufechten. Helen hatte keine engen Verwandten, und keine ihrer Freundinnen wird ihren Wünschen widersprechen. Manchmal hoffe ich beinahe, jemand würde es tun. Ich bin noch auf Bewährung. Niemals würde irgendein Richter zulassen, dass ich das Sorgerecht für ein Kind bekomme.

Wir begraben Helen auf dem North-Yulara-Friedhof, in der Nähe von dem Bushranger, dessen Grab Touristen, und von Luke, dessen Grab Vandalen anlockt. Beide sind in dem von einer Mauer umgebenen katholischen Teil des Friedhofs begraben, denn Pater Corday hat damals die Proteste von Gemeindemitgliedern ignoriert, und Helen ist neben ihrem Vater und ihrem Bruder in dem Familiengrab beigesetzt worden. Beide Gräber liegen an einem sanften Hang im Schatten von

Schmuckzypressen. Lukes Grabstein besteht inzwischen aus einer in den Boden eingelassenen schwarzen Marmortafel, die sich als widerstandsfähiger erwiesen hat.

Bei Helens Beerdigung füllen dreihundert Trauernde die St. Patrick's Church; alle Sitze, die Empore und die Stehplätze in den Gängen sind belegt. Kleinere Kinder dürfen sich auf die Altarstufen hocken, um Platz für die Erwachsenen zu schaffen. Pater Corday spricht über Helens Güte und Selbstlosigkeit und sagt, dass Gott sie direkt in den Himmel aufnehmen werde.

Ich sehe aus der Sakristei zu, weil ich die Aufmerksamkeit nicht von Helen und Clem ablenken will. Er trägt seine Sonntagskleidung und neue Schuhe und hat sein Haar nach hinten gebunden, damit er sich nicht immer dahinter verstecken kann.

Auf dem Friedhof wirft er eine Handvoll Erde auf den Sarg und legt einen Kranz auf den Haufen Erde, mit der das Grab zugeschüttet werden soll. Ich bin stolz auf ihn, weil ich weiß, wie weh es tut.

Unter den Trauergästen sind Männer und Frauen, die mit Helen zur Schule gegangen sind. Einige waren damals ihre Quälgeister und Mobber, doch das haben sie vergessen oder sich selbst vergeben. Oder sie haben es abgetan als »ein bisschen Spaß«, »wie Kinder so sind«.

Hinterher laden wir dieselben Leute zu leichten Erfrischungen in Helens Haus ein – Sandwiches, Gebäck, Bier und Wein. Irgendwann im Laufe des Nachmittags fällt mir auf, dass Clem verschwunden ist. Er muss Hund mitgenommen haben.

Ich laufe los und suche ihn an den üblichen Orten – in der Kirche, dem Skateboard-Park und der Bibliothek. Ich steige zum Aussichtspunkt auf dem Mount Auspicious hinauf. Beinahe wäre ich an den beiden vorbeigelaufen, wenn Hund nicht mit wedelndem Schwanz durch das Gras getappt wäre.

»Du Verräterin«, sagt Clem und tritt aus seinem Versteck zwischen zwei großen Felsen hervor. Er hat seine Schultasche bei sich, vollgestopft mit Klamotten.

»Willst du von zu Hause abhauen?«

»Ich denke darüber nach.«

»Wohin willst du gehen?«

»Das habe ich noch nicht entschieden.«

»Ich werde dich vermissen.«

»Du kennst mich doch gar nicht. Warum hängst du überhaupt weiter hier rum?«

»Sie wollte, dass ich mich um dich kümmere.«

»Du wirst nie mein Vater sein. Und du wirst sie niemals ersetzen. Du hättest den Krebs kriegen sollen. Du solltest tot sein.«

»Wenn ich gekonnt hätte, hätte ich mit ihr getauscht.«

»Bullshit! Du bist ein Jonas. Alle um dich herum sterben.«

Der Vorwurf hängt in der Luft, und ich kann ihn nicht bestreiten. Clem beißt sich auf die Unterlippe. Seine Stimme klingt belegt. »Pater Corday glaubt, Mum ist im Himmel. Was denkst du?«

»Ich glaube nicht an Gott.«

»Das ist mal ehrlich.«

»Ich denke, je mehr wir über die Welt herausfinden, desto weniger glauben wir an Gott. Als wir nicht wussten, warum jeden Morgen die Sonne aufgeht, warum der Mond scheint und warum es regnet, war es leicht, zu glauben, dass Gott all diese Dinge bewirkt. Jetzt kennen wir die Wahrheit.«

»Und das ist deine Theorie?«

»Eine davon.«

»Was ist mit den Sachen, die wir nicht wissen?«

»Die kann man entweder Gott zuschreiben oder warten, bis die Wissenschaft aufholt.«

Die Sonne sinkt tiefer, verschwindet hinter den Hügeln in der Ferne und lässt ein tiefhängendes Wolkenband in roten, rosa- und orangefarbenen Streifen leuchten. Wir bleiben, bis die ersten Sterne am Himmel zu sehen sind. Ich erzähle Clem, wie ich den Hund gerettet habe, der in einen Schacht gefallen war, und dafür einen Kürbis bekommen habe.

»Das ist ja eine ziemlich mickrige Belohnung.«

»Was du nicht sagst.«

Ich frage ihn, wo er wohnen will – in seinem Haus oder in meinem. Er erklärt, das sei ihm »scheißegal«, also ziehe ich in Helens Haus und belege das kleinste Schlafzimmer in der Nähe der Haustür.

Am ersten Abend mache ich Würstchen und einen Salat. Clem ignoriert das Grünzeug. Stattdessen bestreicht er eine Scheibe Brot mit Butter und macht sich ein Wurst-Sandwich mit Tomatensauce, die auf den Boden tropft. Er denkt nicht daran, sie aufzuwischen. Ich sage nichts. Alles ist ein Test.

So geht es wochenlang weiter. Wir sind wie Schichtarbeiter, die sich denselben Raum teilen, aber gegenseitig aus dem Weg gehen. Clem kommt in die Küche, wenn ich fertig bin. Er benutzt das Bad, wenn ich zu Bett gegangen bin. Wenn wir uns begegnen, versuche ich, ein Gespräch mit ihm anzufangen, doch es bleibt immer einseitig. Ich mache Bemerkungen über die Bücher, die Clem für die Schule liest, oder die, die er aus der Bibliothek ausleiht. Ich frage ihn, was er zu Mittag oder zu Abend essen möchte. Ich erzähle ihm von den Arbeiten in Mums Haus, das inzwischen fast fertig für den Verkauf ist.

Ein Monat verstreicht. Clem spielt Computerspiele in seinem Zimmer. Um halb elf klopfe ich an seine Tür und erkläre ihm, dass es Zeit ist, schlafen zu gehen. Er ignoriert mich. Zwanzig Minuten später klopfe ich erneut und trete ein.

In dem Zimmer stehen ein Einzelbett, ein Schreibtisch, ein

Stuhl und eine Kommode. Harry, Hermine und Ron blicken von einem Poster an der Wand.

Ich setze mich aufs Bett und sehe ihm zu, wie er *The Legend of Zelda* spielt, bis er verlegen wird.

»Erzähl mir was, was wahr ist«, sage ich.

»Was?«

»Etwas Wahres.«

»Du bist ein Idiot.«

»In Afrika malen die Leute Augen auf das Hinterteil von Kühen, damit die Löwen sie nicht angreifen.«

Clem sagt nichts, doch ich weiß, dass er zuhört. Ich versuche es mit einem Neuen.

»Es gibt ein Insekt, das als Perlenflorfliege bekannt ist. Es furzt Termiten an, um sie zu betäuben, bevor es sie frisst.«

Clem lächelt. »Das nenn ich einen Killer-Furz.«

»1567 ist der Mann mit dem längsten Bart aller Zeiten darüber gestolpert und hat sich den Hals gebrochen.«

»Das denkst du dir aus.«

»Nein.«

»Wie hieß er?«

»Hans Steininger. Er lebte in Österreich.«

Clem runzelt die Stirn, während er überlegt. »Vor der Erfindung des Weckers haben die Menschen Leute dafür bezahlt, dass sie bei ihnen zu Hause vorbeikamen und an die Fenster klopften. Sie hießen Aufwecker.«

»Oh. Der gefällt mir.«

»Was ist hiermit?«, fragt er. »Man kann nicht summen, wenn man sich die Nase zuhält.«

Ich kneife mir die Nase zu und probiere, »Waltzing Matilda« zu summen. Wir versuchen es beide und müssen lachen.

»Kann ich einen eigenen Fernseher haben?«, fragt er.

»Nein.«

»Kann ich ein Handy haben?«

»Nein.«

Als ich am nächsten Tag in Mums Haus arbeite, taucht Clem auf, geht von Zimmer zu Zimmer und fährt mit dem Finger über die Schreinerarbeiten und die frisch gestrichenen Fenster und Türen.

»Erzähl mir was, was wahr ist.«

»Babys haben mehr Knochen als Erwachsene.«

»Wirklich?«

»Ja.«

Clem hat sich vorbereitet. »Der schwerste Kürbis der Welt war schwerer als ein Ford Fiesta.«

»Das ist ein echt großer Kürbis.«

»Du hattest Glück, dass du nicht den als Belohnung für die Rettung dieses Hundes bekommen hast.«

Ich reiche ihm einen Pinsel und zeige auf die halb fertige Tür. Wir arbeiten nebeneinander und hören dabei Radio.

»Mum hat gesagt, du hättest sie vor dem Ertrinken gerettet.«

»Ich habe ihr schwimmen beigebracht.«

»Sie hat gesagt, du hast ein gutes Herz, das in so viele Teile zerbrochen ist, dass du sie nicht alle wiederfindest.«

»Ich versuche es.«

»Erzähl mir was, was wahr ist.«

»Ich habe deine Mum sehr geliebt.«

»Nicht so sehr wie ich.«

# 65

Ich bin im Supermarkt, wandere durch die Gänge und achte auf die Preise, um sicherzugehen, dass ich genug Bargeld dabeihabe, um meine Einkäufe zu bezahlen. Als ich an der Kasse stehe, geht draußen eine Frau in einem geblümten Kleid vorbei. Ihr Gesicht sehe ich nicht, doch etwas an ihrer tänzerinnenartigen Haltung und dem Schwung ihrer Hüften weckt eine Erinnerung.

Ich gebe meinen Platz in der Schlange auf, drücke mich an der Kasse vorbei, trete durch die automatische Tür und folge ihr die Straße hinunter.

»Jenny Fraser?«

Jenny dreht sich um.

»Dachte ich's mir doch, dass du es bist«, sage ich.

Sie lächelt. »Arlo Hackett. Wie geht es dir?«

»Ich bin zurück in der Stadt.«

»Die Leute reden über nichts anderes.«

Sie ist älter, aber immer noch schön, auch ohne Schmuck und Make-up. Sie hat weiche Linien um die Augen, die Falten bilden, wenn sie lächelt.

»Wie geht es den Kindern?«, frage ich.

»Zwei von ihnen sind erwachsen. Die dritte ist auf der Highschool.«

»Und Mr Fraser?«

»Er ist mittlerweile Bürgermeister, aber wir sind geschieden.«

Sie mustert mich, als wollte sie meine Reaktion abschätzen.

»Ich hätte nicht gedacht, dass er dich jemals gehen lassen würde«, sage ich.

»Er hatte keine Wahl.«

Mir fällt ihr veränderter Ton auf. Der Trotz. Der Mut.

»Deine Freundin hat mir geholfen«, sagt sie.

»Welche Freundin?«

»Die, die gestorben ist.«

»Helen?«

»Nein, Saxon.«

Ich muss verwirrt ausgesehen haben.

»Erinnerst du dich an das Feuer bei uns?«, fragt sie.

»Das Fotostudio.«

»So hat Devlin es genannt, doch ich wusste, was er darin gemacht hat.«

»Aber wenn du es wusstest ...?«

»Ich hatte keinen Beweis, bis Saxon kam.«

»Hat er sie auch fotografiert?«

»Nein. Sie war zu schlau. Am Abend des Brandes ist sie in das Studio eingebrochen und hat Devlins kostbare Fotosammlung vernichtet. Aber vorher hat sie ein paar Bilder eingesteckt – als Druckmittel.«

»Sie hat ihn erpresst?«

»Um sechstausend Dollar. Ich habe gesehen, dass der Betrag auf unseren Konten fehlte. Devlin hat gezahlt, um seine Fotos zurückzubekommen, doch Saxon hat sie nicht ihm zurückgegeben, sondern mir.«

Jenny sieht mich ernst an, um sicherzugehen, dass ich sie verstanden habe. »Deshalb hat Devlin mich gehen lassen. Ich habe etwas, das er will – etwas, das ihn zerstören könnte. Und wenn mir oder den Kindern je etwas zustoßen sollte ...« Sie lächelt. »Klingt das, als wär ich knallhart?«

»Oh ja.«

Sie wird ernster, trauriger. »Es hat mir leidgetan, als ich das von Helen gehört habe. Ich wollte zu ihrer Beerdigung kommen …« Der Satz verliert sich. »Was hast du jetzt vor?«, fragt sie.

»Das habe ich noch nicht entschieden.«

»Also, ich wünsche dir alles Glück. Ein bisschen was hast du verdient.«

Sie dreht sich um und will gehen, doch mir kommt ein Gedanke, und ich rufe ihren Namen und laufe ihr nach.

»Du warst schwanger, als ich dich zum letzten Mal gesehen habe. Mit der Wassermelone.«

»Ein Mädchen, Melissa. Sie ist jetzt zwölf.«

»Erinnerst du dich an den Tag, an dem Saxon gestorben ist?«

»Ja.«

»Wo warst du an dem Tag?«

»Ich hatte einen Termin – in Doc McCabes Praxis, doch er ist nicht aufgetaucht. Er war im Krankenhaus und hat ein Baby zur Welt gebracht.«

»Du warst im Wartezimmer?«

Sie nickt. »Helen hat im Krankenhaus angerufen, um zu fragen, wie lange Doc McCabe noch brauchen würde.«

»Hast du Luke gesehen?«

»Ja.«

»Hast du mit ihm gesprochen?«

»Nein. Aber er hat Helen erzählt, dass Saxon in den Ställen lag und verletzt war.«

Die nächste Frage bleibt mir beim ersten Anlauf im Hals stecken, und ich muss die Worte förmlich herauspressen. »Hast du es jemandem erzählt?«

Jenny zögert, und ihre Pupillen scheinen sich zu weiten. »Devlin war da. Er hat mich zu all meinen Arztterminen begleitet. Er hat den Gedanken nicht ertragen, dass irgendein anderer Mann mich anfasst – nicht mal Doc McCabe.«

»Devlin hat Luke gesehen?«

Sie nickt.

»Hat er dich anschließend nach Hause gefahren?«

»Nein. Er hat gesagt, er müsse noch was erledigen.«

»Wann hast du ihn das nächste Mal gesehen?«

»Er ist mittags nach Hause gekommen und hat geduscht. Seine Kleidung war nass. Ich habe sie gewaschen.« Sie zögert. »Glaubst du…?«

Sie lässt die Frage unvollendet, weil sie die Antwort kennt. In ihrem Blick liegen Trauer und Fassungslosigkeit.

»Ich kann dir die Fotos geben«, flüstert sie.

»Sie werden ihn vernichten.«

»Gut.«

# 66

Manchmal male ich mir aus, es gäbe ein Paralleluniversum, in dem Saxon in Konzertsälen in New York, London oder Berlin auftritt. Sie schickt mir Postkarten, schreibt ein oder zwei Sätze und berichtet, dass sie sich mit einem italienischen Prinzen verlobt hat, mit einem ungarischen Herzog Urlaub macht oder von einem griechischen Großreeder umworben wird.

In diesem Paralleluniversum ist Luke mit einem netten Mädchen verheiratet, das er in der Kirche kennengelernt hat. Sie pflegen Rennpferde im Ruhestand und geben Reitunterricht für Kinder.

Mum und Angus machen Urlaub in Mrs Moons Pension in Narooma, wo sie ihre Flitterwochen verbracht haben. Auch sie schicken Postkarten, die sich mit Saxons um einen Platz an der Kühlschranktür streiten.

Für Helen finde ich keinen Platz in diesem Paralleluniversum, weil sie noch in diesem anwesend ist, über uns wacht und mir erklärt, wann ich es okay mache und wann ich es vermassele.

Ich bin mit Clem ans Meer gezogen, weil wir beide wie Überlebende eines Schiffsbruchs sind. Die frische Luft und das Salzwasser sind heilsam, und das Schweigen wird vom Rauschen sich brechender Wellen gefüllt und nicht von Stimmen, die wir vermissen.

Seit Helens Tod sind fünf Monate vergangen. Mum ist sieben Wochen später gestorben. Da hatte ich das Haus schon verkauft. Betsy Nagel hat den Verkauf geregelt, nachdem sie bei der Möblierung und Präsentation wahre Wunder gewirkt hatte. Weder Saxon noch Luke wurden erwähnt. Nach dem 11. September scheint die Vorstellung, dass Politik immer lokal ist, nicht mehr zu gelten.

Jenny Fraser habe ich noch ein einziges Mal getroffen, als sie mir die Fotos gegeben hat. Ich habe mir die Bilder nicht angesehen. Ich wollte nicht wissen, welche Mädchen Devlin Fraser umworben und missbraucht hat.

Ich schickte die Hälfte davon anonym an Gavin Aimes und versprach ihm den Rest, wenn Devlin Fraser verhaftet worden war. Wenn nicht, würden die verbliebenen Fotos an verschiedene Medien versandt werden, zusammen mit Fragen darüber, warum die örtliche Polizei es versäumt hatte, etwas zu unternehmen.

Am liebsten wäre ich bei der Festnahme von Devlin Fraser dabei gewesen – um ihm in die Augen zu sehen, Zeuge seiner Demütigung zu werden und ihn wissen zu lassen, dass dies die Rache für Lukes Tod war. Am Ende gab ich mich mit den Fernsehbildern zufrieden, wie die Polizei in seinem Autohaus aufkreuzte und ihn in Handschellen durch seinen Ausstellungsraum abführte, während er schimpfte und fluchte und mit juristischen Maßnahmen drohte. Er ist wegen der Verbreitung sittenwidriger Aufnahmen minderjähriger Mädchen und sexueller Nötigung angeklagt worden.

Ich bin stolz auf die Frauen, die sich gemeldet und eine Aussage bei der Polizei gemacht haben. Allen voran Betsy Nagel, gefolgt von Mandy Flynn und zwei anderen Mädchen, die in der Schule in dem Jahrgang unter ihrem waren.

Ich kann nicht beweisen, dass Devlin Fraser Saxon getötet hat, was bedeutet, ich werde Lukes Namen nie reinwaschen können. Das schmerzt mich, doch ich habe meinen Frieden damit gemacht, weil ich weiß, dass die Menschen, die Luke geliebt haben, die Wahrheit kennen. Sie konnten in sein Herz blicken. Und Gott, so es ihn gibt, wird Luke im Himmel aufgenommen und wie einen Sohn behandelt haben.

Die andere Nachricht ist, dass Eric Sandine seit September vermisst wird. Seine Ex-Frau ist zur Polizei gegangen, nachdem seine Schecks für den Kindesunterhalt ausgeblieben waren. Der *Yulara Advocate* hat darüber berichtet (in einer Exklusiv-Story von Star-Reporterin Rose Tapper). Sandine war als Verwalter von Booralong Station zur Kündigung gedrängt worden, nachdem er seinen Arbeitgeber angeblich bestohlen hatte. Zuletzt gesehen wurde er, als er die Farm in seinem Wagen verließ, wie der Besitzer und Abgeordnete Frank Winacott erklärte.

Rose Tapper war erneut zur Stelle, als Frank einen Monat später ankündigte, sich aus der Politik zurückzuziehen und sich bei den Wahlen zum Parlament des Bundesstaates 2003 nicht wieder um einen Sitz zu bewerben.

»Es war mir eine Ehre, die Menschen dieses Wahlkreises zu vertreten, doch es wird Zeit, dass ein Jüngerer den Stab übernimmt«, sagte er. »Ich werde mich in Zukunft meiner Familie, meinen Freunden und meiner Farm widmen.«

Clem ist jetzt dreizehn und wächst jede Woche. Er tapst eher, als dass er geht, verbringt Stunden im Bad, und Haare sprießen an verschiedensten Stellen seines Körpers.

Ich habe kein Handbuch samt Anleitung fürs Vatersein. Es gibt keine vorgeschriebenen Wege, aktualisierten Tabellen und keinen Kompass, der mir den Weg weisen könnte. Wir segeln trotzdem voran, schrammen manchmal eine Sandbank oder ein Riff, doch wir fahren uns nicht fest, sondern gleiten unbehindert weiter.

Sich zu verlieben, ist eine Form von Wahnsinn, die eng verwandt ist mit allen anderen Formen des Wahnsinns. Ich habe mich einmal in Helen verliebt. Und ich habe mich auch in Saxon verliebt. Jetzt verliebe ich mich in einen Jungen, der zu mir gehört. Er schlüpft durch meine Abwehr, überwindet meine Hemmungen, Zweifel und Unfähigkeiten und erobert mein Herz.

Manche Leute sagen, wir werden alle zu dem Elternteil, das wir als Kind gebraucht hätten, als wäre es ein retroaktiver Versuch der Wunscherfüllung, doch ich kann mich nicht über meine Kindheit beklagen.

Clem ist vom Strand nach Hause gekommen, gefolgt von Hund, beide nass, sandig und keuchend. Clem hat sich mit einem Jungen angefreundet, der ihm Surfen beibringt. Er erzählt mir von einer Welle, die in seiner Schilderung riesig klingt, doch ich habe die Brandung heute gesehen.

Die Hütte hat keinen Fernseher. Abends essen wir, lesen und spielen Cribbage, was Mum Clem beigebracht hat, als er sie in Eltham Court besucht hat. Im Gegenzug hat er ihr ein Spiel gezeigt, das Cheat oder Bullshit heißt. Sie fand es urkomisch, weil es allem widersprach, was die Bibel sie über Ehrlichkeit gelehrt hatte.

Außerdem haben wir Briefe zu schreiben und Briefe zu lesen. Worte von Helen.

*Lieber Clem,*
*wenn du das liest, habe ich vor dieser schrecklichen Krankheit kapituliert. Ich habe mich sehr angestrengt, bei dir zu bleiben, aber Gott hatte andere Pläne. Bitte sei nicht wütend und versuche, nicht zu lange traurig zu sein.*

*Sei geduldig mit Arlo. Vatersein ist ganz neu für ihn, und ihr werdet euch in den kommenden Jahren gegenseitig brauchen. Das heißt Reden. Das heißt Zuhören. Das heißt Verzeihen. Das heißt, sich große Mühe zu geben oder sich auch mal hart anzugehen, wenn einer in die falsche Richtung marschiert.*

*Tut mir leid, dass ich nicht für dich da sein werde. Ich werde bei deinen Theateraufführungen nicht in der ersten Reihe sitzen. Ich werde nicht die nervige Mutter sein, die an deinem Haar herumzupft, wenn du deinen Schulabschluss und dein Uniexamen machst (ja, du wirst studieren). Ich werde nicht da sein, wenn du dich verliebst, jemanden mit nach Hause bringst und vielleicht heiraten willst. Aber ich werde zusehen.*

*Nutze die Stunde, in guten wie in schlechten Zeiten. Suche das Lachen. Finde Freunde. Achte darauf, dass jeder Tag zählt, und vergiss niemals, dass du geliebt wirst.*

*Für immer*
*deine Mum*

*2. Februar 1989*

*Lieber Arlo,*
*ich hoffe, dieser Brief kommt bei dir an. Man konnte mir nicht sagen, in welches Gefängnis du verlegt wirst, doch eine Frau im Corrective Services Department hat mir versprochen, den Brief weiterzuleiten.*

*Entschuldige, dass ich nicht im Gericht war, als du verurteilt wurdest. Ich wollte dich so nicht sehen. Ich wollte mich auf meine eigene Art an dich erinnern. Ich werde dir jede Woche schreiben und dir die Nachrichten aus Nirgendwo berichten, denn von dort stammen wir. Ich werde dich über die Nichtigkeiten und Wichtigkeiten auf dem Laufenden halten.*

*Hier kommt ein Vorgeschmack:*

*Dad ist die Treppe hinuntergefallen und hat sich eine Platzwunde am Kopf zugezogen. Er war natürlich betrunken und musste mit zwölf Stichen genäht werden.*

*Bernie hat sich für eine Lehrstelle als Kfz-Mechaniker bei Halfords Garage beworben. Jede zweite Woche muss er zur Berufsschule nach Wagga fahren.*

*Das Yulara Theatre wird geschlossen, weil nicht mehr genug Leute ins Kino gehen. Heutzutage hat jeder einen Videorekorder (außer uns natürlich), und man kann einen Film für fünf Dollar leihen.*

*Mr Bertoli hat angefangen, Sahnehörnchen zu backen, die himmlisch sind. Ich werde so breit sein wie ein Haus, wenn du mich zum nächsten Mal siehst.*

*Oh, den saftigsten Klatsch hätte ich beinahe vergessen. Devlin Frasers Frau hat ihn verlassen und die Scheidung eingereicht. Jenny, du erinnerst dich. Sie war eine lokale Schönheitskönigin. Sie haben drei Kinder – inklusive eines neugeborenen Babys –, deshalb ist sie entweder dumm oder sehr mutig. Ich hoffe, sie ist mutig. Ich habe Mr Fraser nie leiden können, und ich habe Jennys Blutergüsse gesehen.*

*Ich habe noch andere Neuigkeiten, aber die können warten. Ich würde sie dir lieber persönlich mitteilen. Vergiss nicht, meinen Namen auf die Besucherliste zu setzen. Ich weiß, dass du gesagt hast, ich soll nicht auf dich warten, doch das würde ich tun, wenn du mich darum bittest. Ich habe schon einmal auf dich gewartet, und so lang sind fünfzehn Jahre auch nicht. Vielleicht wirst du ja früher entlassen.*

*Bitte schreib zurück und erzähl mir, wie es dir geht. Ich weiß, du hast nie gesagt, dass du mich liebst – nicht mit genau diesen Worten –, aber ich auch nicht. Manche Dinge müssen nicht laut ausgesprochen werden, und wir hören sie trotzdem.*

*Ich schicke dir meine Träume*

*Alles Liebe, Helen xxx*

Am Morgen wecke ich Clem früh auf. Wir haben eine Wanderung zu der Landspitze geplant, doch jetzt hat er es sich anders überlegt und will im Bett liegen bleiben. Wir diskutieren, und er sagt, dass ich nerve. Dann quengelt er die erste Stunde lang nur rum, bevor die Aussicht und die frische Luft Wunder wirken und er neben mir geht und meine Schulter knufft.

»Erzähl mir was, was wahr ist«, sage ich.

»Haie pinkeln durch ihre Haut.«

»Wirklich?«

»Ja. Und sie können nicht rückwärts schwimmen.«

»Du hast ein Buch über Haie ausgeliehen.«

Er grinst. »Du bist dran.«

»Der Geruch von frisch gemähtem Gras ist eigentlich ein Notzeichen, weil das Gras verletzt wurde.«

»Du meinst, das Gras weint.«

»Wir riechen die Tränen.«

Wie immer gibt es Menschen, denen ich zu Dank verpflichtet bin. Meine Agentin und Agenten Mark Lucas, Richard Prine und Nicki Kennedy haben meine Karriere in den vergangenen zwei Jahrzehnten gesteuert und mich mit Leidenschaft unterstützt. Meine Lektorinnen Tilda Key und Rebecca Saunders haben mir mit enormer Geduld und Kompetenz ihren Rat angeboten und meine Launen abgewettert. Außerdem verdanke ich meinen Erfolg der Freundlichkeit schreibender Kolleginnen und Kollegen wie Stephen King, Linwood Barclay und Val McDermid, die sich von Anfang an für meine Bücher eingesetzt haben. Wenn ich alle anderen nennen würde, könnte ich gar nicht mehr aufhören.

Zuletzt möchte ich dem Mädchen von nebenan die Ehre erweisen, das ich vor fast vierzig Jahren geheiratet habe. Vivien war die erste Person, die *Bruderherz* je gelesen hat – nach der ersten Niederschrift und nach der Überarbeitung. Sie hat es damals geliebt. Sie liebt es heute. Es hat seine Gründe, warum wir schon so lange zusammen sind.

# Danksagung

Laut meiner Rechnung ist *Bruderherz* mein zwanzigster Roman. In Wahrheit ist es mein erster, denn ich habe die Geschichte mit Anfang zwanzig begonnen und fünf Jahre später zu Ende geschrieben, als ich in London lebte.

Seitdem hat dieses Buch in meiner untersten Schreibtischschublade gelegen, von mir spöttisch als der »größte unveröffentlichte australische Roman aller Zeiten« bezeichnet. Hin und wieder habe ich ihn erneut gelesen und mich wieder in die Figuren verliebt, doch ich brachte es nicht über mich, das Manuskript einem Verleger zu zeigen. Stattdessen gab ich mich der Idee hin, ein heimliches »Meisterwerk« (man beachte bitte die Anführungszeichen) unentdeckt in der Schublade liegen zu haben.

Nun ist dieser Roman noch einmal neu gedacht und umgeschrieben geworden, weil ich älter und erfahrener bin und inzwischen ein Leben lang geschrieben habe. Aber ich war nie nervöser bei der Veröffentlichung eines Buches als bei diesem, weil ich darin mehr als sonst von mir selbst zu Papier gebracht habe. Ich liebe dieses Buch. Ich liebe die Figuren. Ich liebe die Kulisse. Ich liebe den Herzschmerz, den mir die Lektüre bereitet. Ich hoffe, den Lesern geht es genauso.

Yulara ist eine fiktive Stadt, doch einige werden den Schauplatz erkennen – die Stadt, in der ich aufgewachsen bin. Es gibt diverse Szenen aus meiner Kindheit, Handlung und Figuren sind jedoch komplett frei erfunden. Einen Teil der Stadtgeschichte habe ich allerdings übernommen.